LA TONIFICACIÓN MUSCULAR
(TEORÍA Y PRÁCTICA)

Por

Nati García Vilanova
Antoni Martínez
Alfred Tabuenca Monge

3ª Edición

Diseño cubierta: David Carretero

Dibujos: Joan Carmona

Editorial Paidotribo
Polígono Les Guixeres
C/ de la Energía, 19-21
08915 Badalona (España)
Tel.: 93 323 33 11– Fax: 93 453 50 33
E-mail: paidotribo@paidotribo.com
http://www.paidotribo.com

Tercera edición:
ISBN: 84-8019-421-9
Fotocomposición: Editor Service, S.L.
Diagonal, 299 – 08013 Barcelona
Impreso en España por A & M Gràfic, S.L.

ÍNDICE

BASES ANATÓMICAS Y FISIOLÓGICAS DEL CUERPO HUMANO

TERMINOLOGÍA ANATÓMICA

A través de las articulaciones, el cuerpo humano puede llegar a generar una gran cantidad de movimientos en diferentes planos y direcciones según sean las posibilidades que cada articulación posee. Conocer la correcta terminología que clasifica e identifica dichos movimientos resulta clave a la hora de entender muchas de las descripciones de los ejercicios que aparecerán a lo largo de este volumen.

Familiarizarse con dicha nomenclatura no resulta fácil, pero será útil conocerla para identificar bien los movimientos que más adelante se describen junto a los ejercicios que presentamos en este libro.

Vamos a destacar dos tipos de clasificaciones sobre el movimiento, uno referido a la dirección anatómica y otro referido a los movimientos de las articulaciones.

Sobre la dirección anatómica:

DIRECCIÓN	DESCRIPCIÓN
Anterior	Movimiento que se realiza delante o en la parte delantera del cuerpo.
Distal	Localizado a distancia del centro o de la línea media del cuerpo.
Dorsal	Relacionado con la parte posterior, con la espalda.
Inferior	Debajo, en relación con otra estructura caudal.
Lateral	Sobre o en un lado exterior, más alejado del plano medio.
Medial	Relacionado con el medio o centro, más cercano al plano medio.
Posterior	Detrás, trasero o en la espalda.
Prono	El cuerpo se sitúa con la cara hacia abajo, tumbado sobre el estómago.
Proximal	Lo más cercano al tronco o al punto de origen del movimiento.
Superior	Por encima en relación a otra estructura, cefálico.
Supino	Tumbado sobre la espalda, posición del cuerpo boca arriba.
Ventral	Relacionado con el vientre o el abdomen.

Sobre los movimientos de las articulaciones:

MOVIMIENTO	DESCRIPCIÓN
Abducción	Movimiento lateral con separación de la línea media del tronco.
Aducción	Movimiento medial con aproximación a la línea media del tronco.
Flexión	Movimiento de inclinación en el que se disminuye el ángulo de una articulación, aproximando los huesos que une.
Extensión	Movimiento de enderezamiento que produce un aumento del ángulo en una articulación, separando los huesos.
Circunducción	Movimiento circular de un miembro que describe un cono, combinando los movimientos de flexión, extensión, abducción y aducción.
Rotación externa	Movimiento rotatorio alrededor del eje longitudinal de un hueso que se separa de la línea media del cuerpo.
Rotación interna	Movimiento rotatorio alrededor del eje longitudinal de un hueso que se acerca a la línea media del cuerpo.

Algunos de los términos motores se usan para describir el movimiento de varias articulaciones, otros, en cambio, son específicos de una determinada articulación como los que veremos a continuación:

Terminología específica de la articulación del tobillo:

MOVIMIENTO	DESCRIPCIÓN
Pronación	Dirigir la planta del pie hacia fuera o lateralmente.
Supinación	Dirigir la planta del pie hacia dentro o medialmente.
Flexión dorsal	Movimiento de flexión del tobillo que produce el acercamiento de la parte superior del pie hacia la tibia.
Flexión plantar	Movimiento de extensión del tobillo que produce el alejamiento del pie respecto al cuerpo.

Terminología específica de la articulación de la columna vertebral:

MOVIMIENTO	DESCRIPCIÓN
Flexión lateral	Abducción de la columna vertebral.
Reducción	Aducción de la columna vertebral.

Terminología específica de la articulación de la cintura escapular y del hombro:

MOVIMIENTO	DESCRIPCIÓN
Depresión	Movimiento inferior de la cintura escapular.
Elevación	Movimiento superior de la cintura escapular (encogerse de hombros).
Abducción horizontal	Movimiento del húmero en un plano horizontal que lo separa de la línea media del cuerpo.
Aducción horizontal	Movimiento del húmero en un plano horizontal que lo acerca a la línea media del cuerpo.
Anteversión	Movimiento hacia delante de la cintura escapular, separándola de la columna vertebral.
Retroversión	Movimiento hacia atrás de la cintura escapular, hacia la columna vertebral.

Terminología específica de la articulación radio-cubital:

MOVIMIENTO	DESCRIPCIÓN
Pronación	Rotación interna del radio, en posición transversal con el cúbito, y que provoca una posición del antebrazo con la palma de la mano hacia abajo.
Supinación	Rotación externa del radio, en posición paralela con el cúbito, que lleva el antebrazo a una posición con la palma de la mano hacia arriba.

Terminología específica de la articulación de la muñeca:

MOVIMIENTO	DESCRIPCIÓN
Flexión radial	Movimiento de abducción de la muñeca en el lado del dedo pulgar de la mano hacia el antebrazo.
Flexión cubital	Movimiento de aducción de la muñeca en el lado del dedo meñique de la mano hacia el antebrazo.

EJES Y PLANOS DE MOVIMIENTO

A través de los ejes y planos de movimiento podemos estudiar y clasificar mejor los movimientos que pueden realizar cada una de las diferentes articulaciones que el cuerpo humano posee.

La relación existente entre ejes y planos se basa en que cuando un movimiento se produce en un determinado plano, la articulación se mueve o gira sobre un eje que se encuentra a 90° respecto de dicho plano.

Se distinguen tres planos y tres ejes de movimiento:

PLANOS	DESCRIPCIÓN
Sagital	Divide el cuerpo en mitad derecha y mitad izquierda.
Frontal	Divide el cuerpo en mitad anterior y mitad posterior.
Transversal	Divide el cuerpo en parte superior e inferior.

Se distinguen tres planos y tres ejes de movimiento:

EJES	DESCRIPCIÓN
Anteroposterior	Se dirige de delante hacia atrás y es perpendicular al plano frontal.
Vertical o longitudinal	Se dirige de arriba hacia abajo y es perpendicular al plano horizontal.
Transversal	Se dirige de lado a lado y es perpendicular al plano sagital.

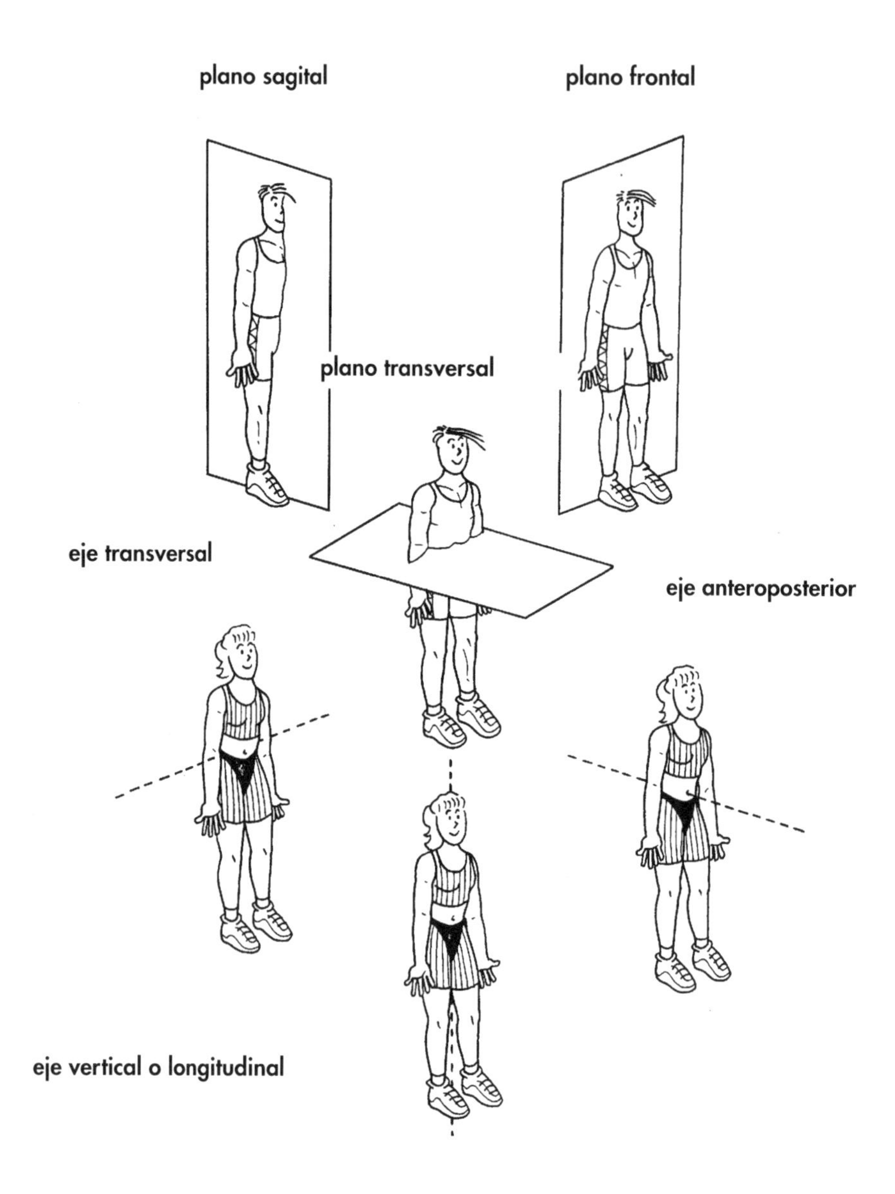

EL MÚSCULO

ASPECTOS GENERALES

La musculatura ofrece al cuerpo humano la posibilidad mecánica del movimiento a través de complejos mecanismos fisiológicos y nerviosos. Para poder realizar el movimiento el cuerpo humano posee un gran número de músculos que por su estructura y función los podemos clasificar en tres tipos bien diferenciados:

- Musculatura lisa
- Musculatura cardíaca
- Musculatura estriada

La tabla 1 muestra las características principales de los distintos tipos de musculatura

	Musculatura lisa	Musculatura cardíaca	Musculatura estriada
Características morfológicas	Cortas, fusiformes	Alto grado de ramificación	Largas, cilíndricas
Número de núcleos por fibra	Uno solo, central	Sincitio relativo	Sincitio
Organización de estructuras contráctiles	Aparentemente desordenada	Sarcómero	Sarcómero
Sarcoplasma	Escaso	Abundante	Muy abundante
Automatismo	Sí	Sí	No
Contracción	Involuntaria	Involuntaria	Voluntaria
Inervación	Vegetativa	Vegetativa	Motoneuronas
Regulación humoral	Sí +++	Sí ++	Sí +
Funciones	Principalmente vegetativa	Bombeo de la sangre	Movimiento del esqueleto

En este libro prestaremos principal atención a la musculatura estriada (columna de la derecha en la tabla), ya que es la que podemos controlar voluntariamente (en condiciones normales) y la que se utiliza principalmente en los ejercicios de tonificación muscular que se describen más adelante.

Estructura de la musculatura estriada

Conocer el funcionamiento y la estructura de la musculatura esquelética es clave para poder comprender el comportamiento de la misma y sus implicaciones en los ejercicios de tonificación muscular.

Así, desde un punto de vista mecánico el músculo estriado o esquelético se encuentra formado por dos componentes principales: un componente muscular contráctil y un componente elástico formado, entre otros, por tejido conjuntivo.

Cualquiera de los músculos que componen el cuerpo (recordemos que hablamos de la musculatura esquelética o estriada) está rodeado de una **fascia** de tejido conectivo o conjuntivo que envuelve a todo el músculo en su totalidad agrupando los múltiples **haces de fibras musculares** que lo componen. Esta fascia, la más externa del músculo, recibe el nombre de **epimisio.** A su vez, los diferentes haces de fibras musculares, llamados **fascículos**, están envueltos (rodeados) por un tejido conectivo, fibroso y blanco que los une entre sí y al que se denomina **perimisio**. Los fascículos (haces de fibras musculares) contienen a su vez **fibras musculares** rodeadas también de un tejido conectivo que las une entre sí formando los ya conocidos fascículos; a este tejido conectivo se le llama **endomisio.**

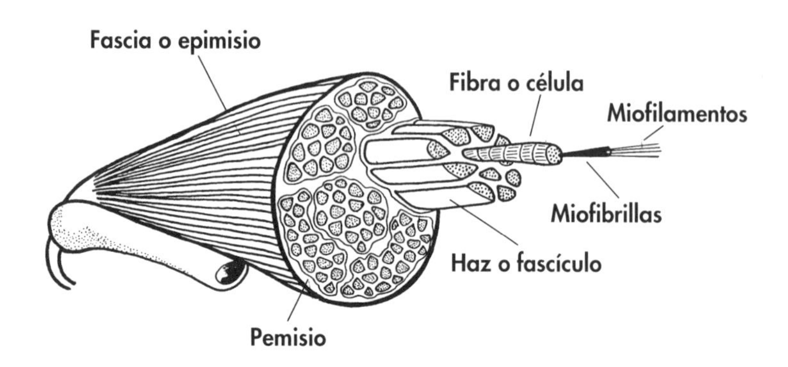

Estos tres tipos de recubrimientos o vainas (epimisio, perimisio y endomisio) confluyen en los extremos del músculo formando los conocidos tendones que se insertan en los huesos.

La fibra muscular o célula muscular representa la unidad biológica del músculo. Está compuesta por las mismas estructuras que cualquier otra célula animal aunque la nomenclatura que se utiliza para identificarlas es distinta. De este modo hay que distinguir el **sarcolema** (equivalente a la membrana plasmática), el **sarcoplasma** (equivalente al citoplasma), varios núcleos (la fibra muscular es una célula polinuclear), el retículo sarcoplasmático, las mitocondrias y otros componentes habituales de cualquier célula animal.

También encontramos estructuras específicas de la célula muscular como es el sistema contráctil formado por las miofibrillas, formadas por miofilamentos (proteínas) gruesos de miosina y otros más delgados de actina, unidos ambos por un tejido de conexión llamado línea Z. Estos miofilamentos, a través de un complejo proceso químico, son los que permiten, en definitiva, la contracción muscular y con ella el movimiento.

BASES FISIOLÓGICAS

LA CONTRACCIÓN MUSCULAR

La contracción muscular tiene como principal objetivo generar fuerza intramuscular y con ella posibilitar el movimiento del cuerpo humano, a través de la estructura músculo esquelética.

La contracción muscular se ha explicado generalmente a través de la **teoría del deslizamiento.** El mecanismo que explica dicha teoría es complejo y requiere una base teórica amplia y bien fundamentada la cual no es objeto de este libro, de modo que aquí explicaremos de forma muy esquemática y básica dicho proceso. Básicamente, la teoría del deslizamiento argumenta que entre los filamentos gruesos de miosina y los delgados de actina se producen unos puentes cruzados. Los filamentos gruesos contactan con los delgados tirando de ellos y haciendo que las líneas Z de los sarcómeros se aproximen entre ellas. Esto hace que la miofibrilla se acorte, encogiéndose a su vez la fibra y todo el músculo en general, generándose de esta manera la contracción muscular.

Tipos de contracción

Los músculos pueden generar tensión intramuscular de diferentes formas. Básicamente podemos distinguir aquellas que se caracterizan por la velocidad con la que se realiza la contracción y aquellas en las que la contracción se distingue por las variaciones registradas en la longitud del músculo. En el caso que nos ocupa tienen mayor relevancia las segundas, las cuales enumeramos y explicamos a continuación.

- Contracciones concéntricas
  - Isodinámicas
  - Heterodinámicas
- Contracciones excéntricas
- Contracciones isométricas

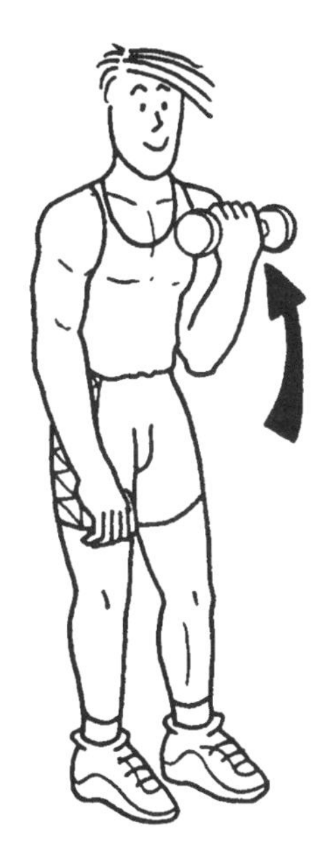

Contracciones concéntricas

Se producen cuando la fibra muscular sufre un acortamiento en su conjunto y el músculo se concentra reduciendo la longitud de la fascia muscular. En ellas debemos distinguir aquellas en las que el ritmo de acortamiento y su tensión son constantes, llamadas **isodinámicas,** y aquellas en las que la tensión varía a lo largo de su acortamiento (o contracción), llamadas **alodinámicas** o **heterodinámicas**. Las contracciones isodinámicas sólo pueden conseguirse en aquellos ejercicios de tonificación muscular en los que dispongamos de mecanismos que permitan variar la resistencia a vencer según varíe la posición de las palancas de los segmentos que intervienen en el movimiento. Si no se dispone de estos mecanismos (poleas de resistencia variable, por ejemplo) los movimientos que se consiguen acostumbran a ser generalmente alodinámicos. Los movimientos de tonificación que se describen en este libro son en su totalidad movimientos realizados con contracciones concéntricas alodinámicas, ya que los implementos utilizados no permiten adaptar la resistencia a vencer al mismo tiempo que varían las palancas de los segmentos que intervienen.

Contracciones excéntricas

En ellas el músculo se elonga mientras desarrolla tensión intramuscular. El ángulo entre las palancas que intervienen va creciendo a medida que el músculo se elonga.

Contracciones isométricas

En ellas no hay acortamiento ni elongación del músculo, pero el componente contráctil del músculo se acorta y el elástico se estira sin variar la posición de las palancas óseas.

Habitualmente el movimiento es el resultante de una combinación de cada uno de los diferentes tipos de concentración aquí descritos.

Mecanismos energéticos de la contracción

Los sustratos utilizados por el músculo son el "combustible" que permite a la fibra muscular metabolizarlo y convertirlo en energía que posibilite cualquier acción muscular. En función del momento, de la contracción muscular, de la duración del esfuerzo, de su intensidad, del tipo de fibra muscular y de la disponibilidad de sustratos, la fibra muscular utiliza uno u otro combustible.

Tipos de sustratos utilizados por el músculo:

- ATP
- FOSFOCREATINA
- GLUCOSA
- ÁCIDOS GRASOS
- AMINOÁCIDOS
- CETOÁCIDOS

Estos seis sustratos son los que la fibra muscular utiliza en diversos procesos metabólicos y en diversas circunstancias para la obtención de energía muscular. Estas reservas se obtienen en primera instancia de la propia fibra muscular (origen local), mientras que posteriormente pueden utilizarse sustratos de reservas hepáticas y del tejido adiposo.

El ATP o adenosintrifosfato como sustrato energético

Es el sustrato energético por excelencia para el aporte de energía a la célula muscular. Los filamentos de actina no podrían deslizarse sobre los de miosina permitiendo la contracción muscular si no hubiera una presencia constante de ATP en la fibra muscular. Para garantizar una constante reserva energética de ATP el organismo tiene la capacidad de producir y regenerarlo cuando éste se agota para garantizar la contracción muscular y con ella el movimiento. Su regeneración se realiza gracias a la metabolización de todos los sustratos energéticos anteriormente mencionados. Para su obtención, el organismo puede utilizar mecanismos de tipo aeróbico (con aporte y presencia de oxígeno) o bien anaeróbicos (en ausencia de oxígeno).

La célula muscular obtiene energía del ATP a través de un proceso químico llamado hidrólisis. Esta reacción es sintetizada por la enzima ATPasa y para que se produzca este mecanismo es necesaria la presencia de una molécula de ATP, una molécula de H_2O y la enzima ATPasa tal y como recoge gráficamente el esquema 1.

El ATP se encuentra en cantidades muy pequeñas que permiten asegurar el proceso de contracción entre uno y cuatro segundos según el nivel de entrenamiento del individuo y la intensidad del esfuerzo.

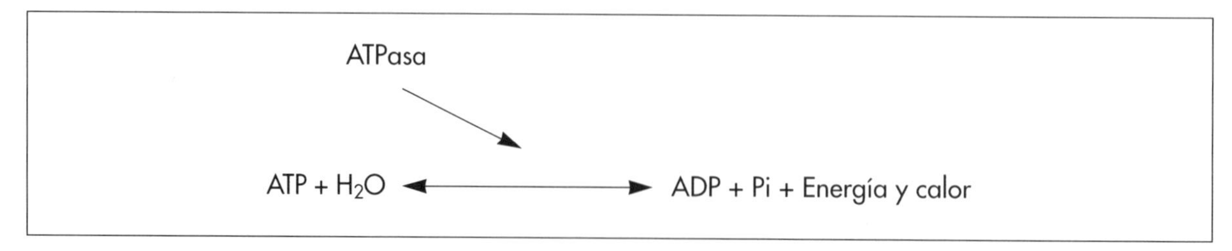

Esquema 1: Degradación y regeneración del ATP (BARBANY, 1990)

La fosfocreatina como sustrato energético

Una vez realizada la degradación del ATP, el organismo puede regenerar el gasto de ATP a través de dos procesos: a) una vía rápida de regeneración llamada transfosforilación, o bien, b) una regeneración más

lenta llamada fosforilación oxidativa. El esquema 2 ilustra el proceso químico seguido.
La presencia de fosfocreatina permite la regeneración del ATP a través de un proceso rápido que permite que el músculo pueda continuar realizando contracciones musculares. Su contenido en el músculo es cinco veces superior al de ATP y asegura la contracción muscular durante un período de 8 a 15 segundos según el nivel de entrenamiento del individuo y la intensidad del esfuerzo.

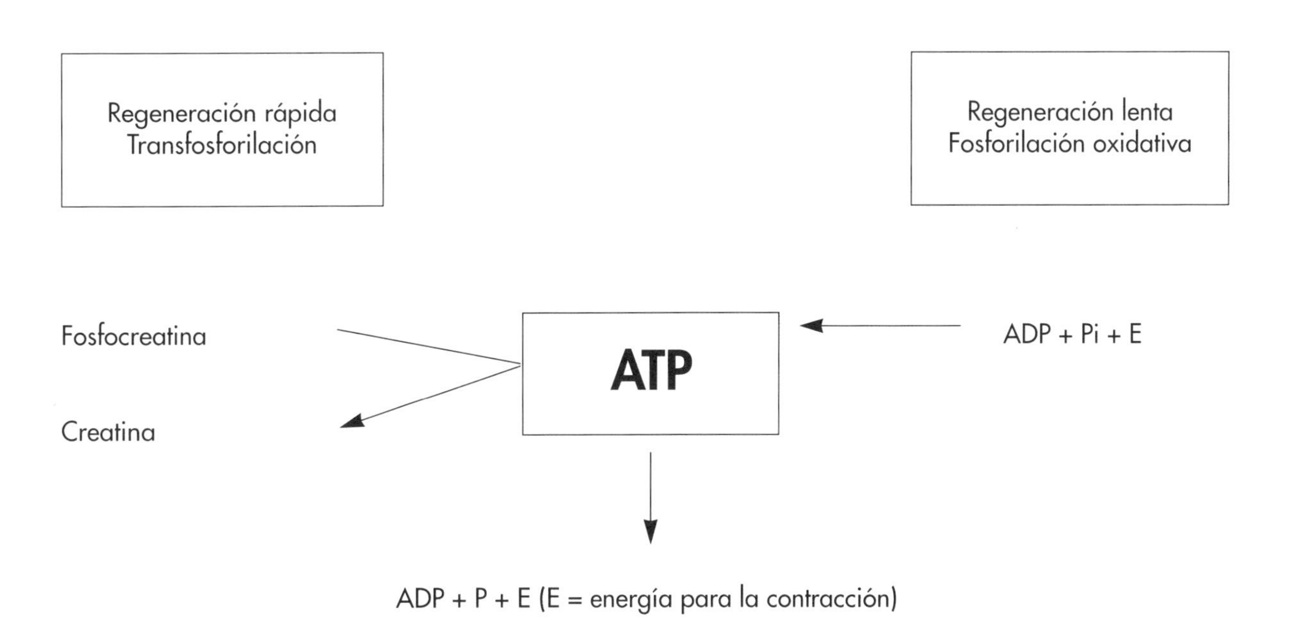

Esquema 2: Proceso químico del ATP

La glucosa como sustrato energético

La glucosa que se utiliza como sustrato energético llega a nuestro organismo por ingesta directa de polisacáridos (almidón, dextrinas, glucógeno) y por disacáridos (sacarosa, lactosa, maltosa) y monosacáridos (glucosa y fructosa) en menor medida. Una vez en el organismo son hidrolizados hasta convertirse en monoglícidos, generalmente glucosa que una vez llega al intestino es absorbida por el mismo, llegando a la sangre y finalmente a la célula muscular. El fenómeno de oxidación de la glucosa recibe el nombre de glucólisis y podemos distinguir dos tipos:

a) Glucólisis aeróbica
b) Glucólisis anaeróbica

La molécula de glucosa puede oxidarse completamente si las circunstancias lo requieren y siempre que haya un buen nivel de oxigenación, de no ser así (falta de oxígeno) el proceso sería de glucólisis anaerobia produciéndose ácido láctico.

a) Glucólisis aeróbica

La degradación de la molécula de glucosa en presencia de O_2 permite un rendimiento de entre 36 y 38 ATP dependiendo del proceso que siga. La reacción química que genera dicha reacción puede expresarse del siguiente modo:

Esta reacción no es reversible.

$$\text{glucosa} + 6O_2 + 38\ ADP + 38\ P \dashrightarrow 6CO_2 + 6H_2O + 38\ ATP$$

b) Glucólisis anaeróbica

Ofrece un rendimiento mucho menor puesto que el residuo final es ácido láctico y el nivel de oxidación que genera no es aprovechado del todo. Aunque su rendimiento energético es bajo, puede ser reciclado de nuevo en la gluconeogénesis hepática para volverse a convertir en glucógeno hepático. La reacción química que permite su aprovechamiento energético puede expresarse del siguiente modo:

$$\text{glucosa} + 2\ ADP + 2P \dashrightarrow 2\ \text{lactato} + 2\ ATP$$

Este sistema de obtención de energía presenta unas características diferenciales que lo caracterizan:

- Se realiza en ausencia de oxígeno.
- Libera ácido láctico como producto final.
- Los sustratos energéticos que utiliza son glícidos, glucosa y glucógeno principalmente.
- Es una vía rápida de suministro de energía (el proceso es relativamente importante y corto).
- El rendimiento energético que ofrece es bajo comparado con las vías aeróbicas de obtención de energía.

Los ácidos grasos como sustrato energético

La oxidación de los ácidos grasos por la fibra muscular se produce únicamente en condiciones aeróbicas por medio de la β-oxidación que tiene lugar en la cadena respiratoria mitocondrial.

En función de la longitud de la cadena del ácido graso (número de carbonos que la componen) y el grado de saturación, el rendimiento energético de la oxidación de un ácido graso libre es variable, pero en cualquier caso muy superior al de la oxidación aeróbica de la glucosa. El ejemplo más utilizado para ilustrarlo lo constituye el del ácido palmítico ($C_{16}H_{32}O_2$):

$$C_{16}H_{32}O_2 + 23\ O_2 + 135\ ADP + 135\ P \dashrightarrow 16\ CO_2 + 16\ H_2O + 135\ ATP$$

Las proteínas como sustrato energético

Contribuyen de manera muy insignificante a la producción de ATP durante el ejercicio, a menos que la persona que se ejercita esté hambrienta (Åstrand y Rodahl, 1970). En reposo, esta contribución puede alcanzar alrededor de un 5 o 10 % de la energía corporal. Básicamente se utilizan para la construcción de tejido magro y son la base estructural de la musculatura.

Utilización de las vías

Como hemos podido ver, el organismo dispone de diferentes sustratos energéticos para proveerse de la energía necesaria para la contracción muscular y el movimiento. Los mecanismos naturales de selección del sustrato energético son muy acertados y se adaptan a las necesidades de cada momento según sea el caso, sintetizando ATP a través de uno u otro sustrato energético y por mecanismos aeróbicos o anaeróbicos según convenga. Observemos la siguiente tabla:

	ATP - CP y ácido láctico					ATP - CP ácido láctico oxígeno			oxígeno		
% aerobiosis	0	10	20	30	40	50	60	70	80	90	100
% anaerobiosis	100	90	80	70	60	50	40	30	20	10	0
	↑	↑	↑	↑		↑	↑		↑	↑	↑
Prueba (metros lisos)	100	200	400	800		1.500	3.200		5.000	10.000	42.195*
Tiempo (min. seg.)	10"	20"	45"	1'45"		3'45"	9'00"		14'00"	29'00"	135'00"

* Maratón.

ADAPTACIONES MUSCULARES AL EJERCICIO

La repetición sistemática de determinados ejercicios físicos permite al organismo adaptarse generando modificaciones de tipo estructural a diferentes niveles: metabólico, neurológico, respiratorio, cardiovascular y también, como no, a nivel muscular. Por el contenido de este libro sólo nos ocuparemos y de forma breve de las adaptaciones musculares al ejercicio.

Distinguiremos las adaptaciones musculares según sean sometidas a entrenamientos en los que la vía principal de obtención de energía sea anaeróbica o aeróbica, de este modo deberemos diferenciar entre:

a) Adaptaciones al entrenamiento anaeróbico

En el entrenamiento anaeróbico destacan dos principales tipos de adaptación: la hipertrofia muscular y el aumento de las reservas de fosfágenos (ATP y fosfocreatina) en el músculo.

La mayor parte de los ejercicios de tonificación muscular que se realizan en una clase de aeróbic, de acondicionamiento físico y en la sala de pesas son ejercicios que por sus características de intensidad y duración utilizan vías anaeróbicas para la obtención de energía. Este tipo de ejercicios favorecen el crecimiento de la musculatura (hipertrofia muscular) haciendo de ella una musculatura más tonificada y definida. Por otro lado, el tipo de esfuerzo que se realiza (cortos, de alta intensidad y con recuperaciones completas) permite una adaptación fisiológica que repercute en una mayor capacidad en el almacenamiento de ATP y CP (fosfocreatina) en las fibras musculares.

b) Adaptaciones musculares al entrenamiento aeróbico

Las adaptaciones musculares al entrenamiento aeróbico son múltiples; destacaremos aquí sólo las más importantes:

Aumento del número de mitocondrias en la célula muscular, lo cual permite una importante mejora de la fibra muscular para utilizar oxígeno en la obtención de energía durante el ejercicio. Se incrementan también el número de enzimas responsables de poner en marcha las reacciones químicas del metabolismo muscular. Aumenta el número de capilares que irrigan el músculo, lo que repercute en un mayor y más efectivo intercambio de gases y metabolitos entre la fibra muscular y la sangre. También aumentan en gran capacidad las reservas de glucógeno en la fibra muscular.

BASES TEÓRICO-PRÁCTICAS DEL ENTRENAMIENTO DE LA FUERZA

SÍNDROME GENERAL DE ADAPTACIÓN

La teoría del estrés o Síndrome General de Adaptación fue desarrollada por el endocrinólogo canadiense Hans Selye en 1956 quien, partiendo de la idea de que toda situación de estrés provoca una alteración en el organismo, intentó explicar por qué el cuerpo se adapta a un entrenamiento sistemático. Dicha alteración desencadena una serie de reacciones fisiológicas que tienden a alterar el equilibrio homeostático según sea el estímulo que lo provoque. De este modo, la presencia continuada de estímulos que provoquen estrés al organismo hace que éste responda de manera adaptativa y no específica para conseguir de nuevo el equilibrio de homeostasis de una situación normal.

Una situación de estrés (estímulo) pone en marcha una serie de mecanismos que producen un determinado desgaste en el organismo hasta llegar a un estado de *"shock"* o fatiga al cual le sigue un estado de *contra-shock* que puede provocar dos situaciones: una recuperación y adaptación o bien llevar al individuo a un estado irrecuperable si el estímulo ha sido excesivo.

La aplicación práctica de esta teoría en el ejercicio físico la encontramos si consideramos al estado de equilibrio como el estado de forma inicial del sujeto, que se afecta ante determinados estímulos (sesiones de entrenamiento), lo que le provoca un desgaste o fatiga (shock). Le sigue un estado de regeneración (contra-shock) en el que el organismo se recupera del desgaste ya que sobrepasa el nivel de forma inicial y se adapta a una nueva situación de equilibrio y mejora de la forma física.

CONCEPTO DE FUERZA

El concepto físico de fuerza ya fue descrito en el siglo XVII por el científico Isaac Newton en la segunda de las conocidas tres leyes de la dinámica. Dicha ley afirma que la fuerza (F) es igual al producto de la masa (M) por la aceleración (A)

$$F = M \cdot A$$

Donde M es la masa expresada en Kg y A la aceleración expresada en m/s^2

Sin embargo, el concepto o definición fisiológica de fuerza será la más adecuada para el caso que nos ocupa. Así pues, deberemos entender la fuerza como la capacidad de generar tensión intramuscular independientemente de que generemos o no movimiento al objeto sobre el que aplicamos dicha fuerza, es decir, aunque no haya ningún tipo de aceleración.

Clasificación

Según autores se pueden identificar hasta siete manifestaciones distintas de la fuerza, aunque en nuestro caso distinguiremos sólo tres grupos principales:

- Fuerza máxima
- Fuerza explosiva o fuerza veloz
- Fuerza resistencia

a) Se entiende por **fuerza máxima** la capacidad de crear la máxima tensión intramuscular en una sola contracción o movimiento, independientemente del tiempo utilizado.

b) La **fuerza explosiva o veloz** debemos entenderla como la capacidad de crear tensión intramuscular en el menor tiempo posible.

c) Finalmente, la **fuerza resistencia** es la capacidad de crear tensión intramuscular contra una carga y una velocidad de ejecución medias.

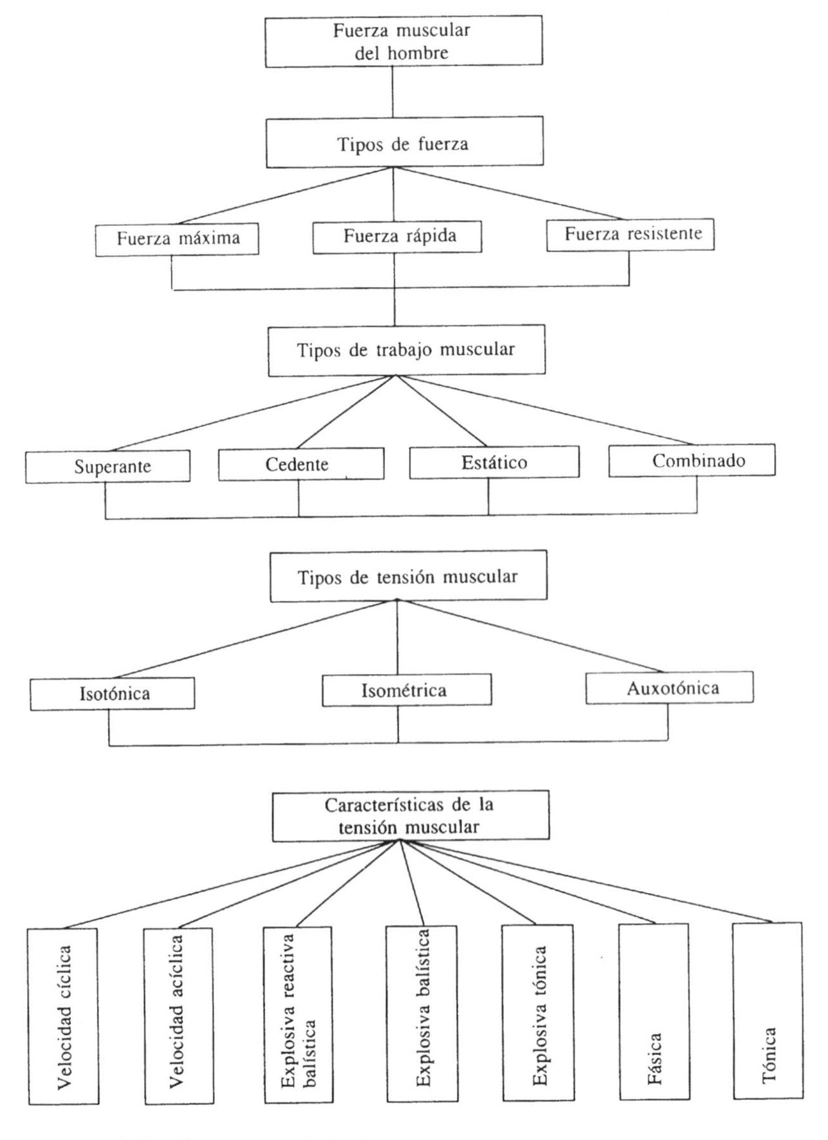

Clasificaciones de la fuerza (según Verchosanskij)

EVOLUCIÓN Y DESARROLLO DE LA FUERZA

La fuerza es una de las denominadas capacidades físicas básicas, la cual tiene un determinado comportamiento en su evolución y desarrollo a lo largo de la vida del ser humano y en función del sexo del sujeto. Hasta los 11 o 12 años la fuerza se desarrolla de forma paralela con independencia del sexo; por tanto, es prácticamente idéntica entre niños y niñas.

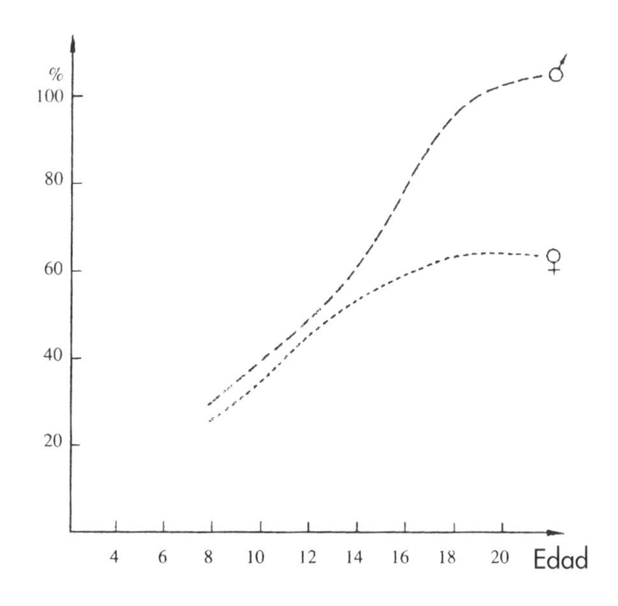

Evolución de la fuerza en la edad juvenil en los dos sexos (por Hettinger, 14)

A partir de esta edad el desarrollo de la fuerza en los chicos es muy acentuado y termina hacia los 18 o 20 años de edad, 2 o 3 años más tarde con respecto de las chicas, que muestran una estabilización o incluso un ligero retroceso. La diferencia de fuerza en ambos sexos es del 35 al 40%.
La evolución de la fuerza máxima es paralela a la evolución de la fuerza rápida. Los niveles de fuerza están influidos por la cantidad absoluta de músculos, por el peso de éstos con respecto al cuerpo, su sección transversal y las características neuromusculares (tipología de las fibras musculares).

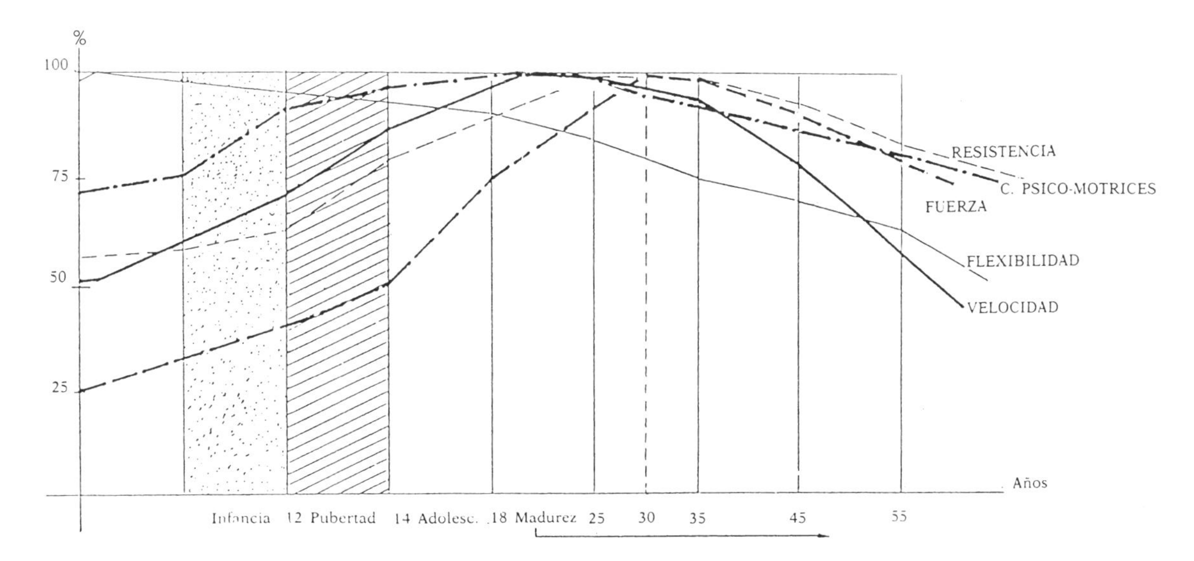

Evolución de las capacidades físicas básicas en el individuo no entrenado específicamente

FACTORES QUE CONDICIONAN LA FUERZA

Es importante tener en cuenta que la fuerza de cada individuo está condicionada por un conjunto de factores diversos que en este libro clasificaremos en cuatro grupos:

a) Según el tipo de contracción.
b) Según factores biomecánicos.
c) Según factores fisiológicos.
d) Otros factores: masa muscular, edad, sexo, nivel de entrenamiento.

Conocer estos factores y tenerlos en cuenta nos ayudará a comprender mejor nuestro entrenamiento deportivo ofreciéndonos la posibilidad de poder explicar por qué en ocasiones somos capaces de generar mayor o menor fuerza.

a) Según el tipo de contracción

Las diferentes modalidades de la contracción descritas anteriormente permiten manifestar distintos niveles de fuerza por razones mecánicas en el comportamiento del músculo. Así, debemos señalar que las contracciones excéntricas permiten alcanzar niveles de tensión superiores a las alcanzadas mediante contracciones isométricas y concéntricas. Así mismo, las contracciones isométricas pueden conseguir niveles superiores de fuerza en comparación con las concéntricas. No obstante, a pesar de que la modalidad de contracción concéntrica sea la menos capaz de generar fuerza intramuscular es, en cambio, la más utilizada en las sesiones de tonificación muscular por el alto grado de seguridad que ofrece ante la posibilidad de sufrir lesiones por cargas de trabajo excesivas y por su fácil aplicación. Las contracciones de tipo isométrico y excéntrico se utilizan generalmente para deportistas muy entrenados (de alto nivel) y para procesos de rehabilitación terapéutica.

b) Según factores biomecánicos

Los factores biomecánicos que condicionan el desarrollo de la fuerza son de tipo genético o de constitución, por ejemplo, la longitud de los huesos (palancas óseas), los ángulos de inserción del músculo y otros. El fundamento de estas limitaciones biomecánicas se explica físicamente por la teoría de las palancas. Se trata de una limitación importante, pero que no debe preocupar en absoluto a aquellos individuos cuyo objetivo sea el de hacer ejercicio físico no competitivo.

a) Según factores fisiológicos

Son muchos los factores fisiológicos que influyen en la capacidad de contracción del músculo; describiremos aquí algunos de ellos.

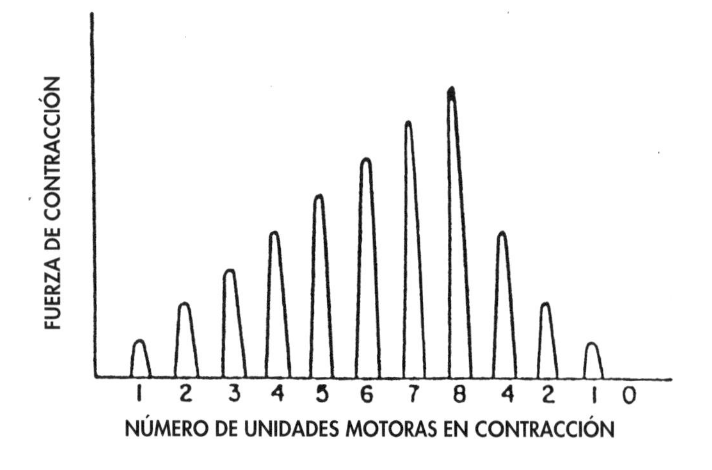

La **sumación espacial**. Las fibras musculares junto con las terminaciones nerviosas que las estimulan forman las denominadas unidades motoras (llamadas α-motoneuronas). Por esta razón la fuerza de contracción depende del número de unidades motoras activadas. Cuanto mayor sea el número de unidades motoras que intervienen, mayor será la activación de fibras musculares y en consecuencia mayor será la fuerza de contracción. No obstante, este reclutamiento de fibras musculares tiene sus límites ya que existe un mecanismo protector que inhibe la actividad de ciertas motoneuronas cuando hay riesgo de lesión.

La sumación temporal. Además del número de unidades motoras activadas, la fuerza de contracción depende de la frecuencia de estimulación. Si la frecuencia es baja, el músculo puede contraerse y relajarse completamente antes de iniciar la siguiente contracción. Pero, en cambio, cuando la frecuencia es alta, no da tiempo a que la fibra muscular se relaje completamente, de modo que en la siguiente contracción el acortamiento es más importante que en la primera y la tensión que genera es, por tanto, mayor. Si este proceso se repite de forma prolongada el músculo llega a un fenómeno fisiológico conocido como "contracción tetánica". El lector reconocerá este fenómeno porque el músculo o músculos que participan empiezan a temblar de forma involuntaria. Este temblor es debido al mismo mecanismo protector que explicábamos en la sumación espacial, el cual hace disminuir la estimulación y la tensión muscular con el objetivo de evitar lesiones musculares.

El fenómeno de la **sumación asincrónica** permite explicar por qué para realizar una contracción muscular moderada, no se estimulan al mismo tiempo todas las unidades motoras del músculo solicitado, sino que, mientras una unidad motora se contrae hay otra que se relaja. Este proceso está tan coordinado que no se aprecian cambios, lo que permite que las contracciones sean armónicas y uniformes.

Otro de los factores fisiológicos que influyen en la contracción muscular es la **longitud del sarcómero**, de modo que cuando se encuentra en longitud de reposo o ligeramente estirado está en condiciones de generar la máxima tensión intramuscular gracias a que el número de puentes cruzados entre la actina y la miosina es, en ese momento, máximo.

También la **longitud del músculo** influye en la capacidad de contracción de la musculatura. Cuando nos referimos a la longitud del músculo lo hacemos en referencia a cuán elongado o estirado está el músculo en el momento de realizar la contracción muscular. Diferentes estudios han confirmado que el músculo se halla en condiciones de realizar mayor fuerza si en el momento previo a la contracción muscular se encuentra ligeramente estirado. Los motivos que influyen en que sea así son de tipo fisiológico y mecánico.

El **tono muscular**, definido como el grado de tensión intramuscular que determinado músculo presenta en condiciones de reposo, también es un condicionante de la capacidad de contracción muscular ya que las posibilidades de desarrollar tensión disminuyen ante grados elevados de tono muscular.

Así mismo, la **temperatura intramuscular** influye de forma importante. La musculatura es capaz de generar mayor fuerza cuando la temperatura muscular es elevada (de ahí la importancia del calentamiento). Ahora bien, por encima de 39°C de temperatura muscular (que corresponde a una temperatura corporal de 38,5 °C) la capacidad de contracción muscular disminuye y con ella la fuerza.

b) Otros factores

Hay otros factores que influyen en el desarrollo de la fuerza son la masa muscular, la edad, el sexo y el nivel de entrenamiento.

La relación existente entre la **masa muscular** y la fuerza es directamente proporcional, es decir, a mayor masa muscular mayor capacidad de generar fuerza absoluta. No obstante, un mayor volumen muscular no es indicativo de mayor nivel de fuerza ya que es necesario tener en cuenta la influencia de factores neuronales así como la capacidad de coordinación intramuscular e intermuscular.

Lógicamente la **edad** también es un factor condicionante de la fuerza; según autores, los valores máximos de fuerza se consiguen entre los 25 y los 30 años de edad. A partir de estas edades la fuerza se convierte en una capacidad involutiva con el paso de los años, aunque a través del entrenamiento y del ejercicio físico puede mantenerse hasta edades avanzadas.

El sexo es otro factor condicionante de los niveles de fuerza. Por razones estructurales y hormonales los hombres consiguen generalmente mayores niveles de fuerza absoluta que las mujeres.

Finalmente, señalar, que el proceso de entrenamiento de la fuerza provoca adaptaciones a muchos niveles (incremento de la masa muscular, mayor estimulación de las motoneuronas, mayor grado de coordinación intermuscular e intramuscular, etc.) y que sumados se traducen en una mayor eficacia en el desarrollo de la fuerza.

PRINCIPIOS DEL ENTRENAMIENTO DE LA FUERZA

La necesidad de una metodología del entrenamiento ha llevado a diversos autores al establecimiento de unos principios básicos del entrenamiento que garanticen un orden y una sistemática en los procesos de adaptación que se dan con la práctica regular de ejercicio físico. Todos ellos forman un conjunto de consideraciones y de indicaciones que deben tenerse en cuenta de forma global y no aislada para garantizar mejores y continuas mejoras en los estados de forma del individuo.

Principio de adaptación. Básicamente nos indica que para que el entrenamiento de la fuerza produzca adaptaciones (mejoras), se debe trabajar a una intensidad no inferior al 30% de la capacidad de fuerza máxima del sujeto.

Principio de la sobrecarga progresivamente mayor. La metodología del entrenamiento debe tener en cuenta que para que haya una mejora continuada debe prever una sobrecarga de esfuerzo progresivamente mayor, bien sea por el incremento de la frecuencia de entrenamiento, la intensidad del estímulo o el volumen de trabajo.

Principio de continuidad. Es importante que los estímulos (entrenamientos) generados sean regulares en el tiempo. Algunos autores indican que el mayor incremento de la fuerza se produce cuando se trabaja un mínimo de tres sesiones por semana el mismo grupo muscular.

Principio de la motivación. Es importante que el entrenamiento sea lo más ameno y distraído posible. Para ello podemos variar las cargas de trabajo, los medios de entrenamiento y los métodos para conseguir que la motivación en el entrenamiento sea lo más alta posible.

Principio de preferencia para los grandes grupos musculares. Para un correcto aprovechamiento del entrenamiento es aconsejable ejercitar primero los grandes grupos musculares y posteriormente concentrarse en los pequeños, de modo que la fatiga de estos últimos no condicione la capacidad de trabajo de los grandes.

Principio de la regeneración adecuada. Tan importante es trabajar como descansar y por ese motivo es necesario establecer una correcta correlación entre los esfuerzos y las pausas del entrenamiento. Dicha regeneración es importante tenerla en cuenta entre las series de un mismo ejercicio, entre los ejercicios de una misma sesión de entrenamiento y también entre las diferentes sesiones de entrenamiento a las que nos sometamos.

Principio de la velocidad de ejecución correcta. La velocidad de contracción en el desarrollo de la fuerza debe adaptarse según sean los objetivos de mejora de la fuerza que se quieran conseguir.

Principio del máximo recorrido articular. En las primeras etapas del entrenamiento, y en las sesiones de tonificación muscular, es importante realizar movimientos amplios que involucren el mayor número posible de fibras musculares.

Principio del equilibrio muscular. Este principio aboga por un entrenamiento homogéneo de todas las zonas musculares del cuerpo, de modo que se ejerciten por un igual los grupos musculares que más nos gustan y los que menos, con el objetivo de conseguir una armonía en el desarrollo muscular de nuestro cuerpo.

MEDIOS Y MÉTODOS PARA EL DESARROLLO DE LA FUERZA

A continuación expondremos algunos de los medios y métodos que influyen en el desarrollo de la fuerza. Estos medios y métodos deben ser la base para que con su alternancia podamos cumplir con los principios de motivación y de la sobrecarga progresivamente creciente.

Los medios lo constituyen los ejercicios y los materiales que utilizamos en el entrenamiento. Algunos de ellos son: el propio cuerpo, el compañero (en trabajos por parejas), las gomas y bandas elásticas, los pesos libres, las máquinas de musculación, los esteps, las barras, balones medicinales, etc.

Los ejercicios a realizar pueden ser de tipo general, dirigidos, específicos o de competición según sean los objetivos que queramos conseguir. En el caso que nos ocupa predominarán los generales seguidos por algunos específicos.

En relación a los métodos de entrenamiento, hay que decir que los que se utilizan para el desarrollo de la fuerza muscular usan una resistencia que provoca tensiones adecuadas en el músculo. Con la variación de dicha resistencia y las recuperaciones se logra trabajar los diferentes tipos de fuerza. Cuando la resistencia es muy alta se puede trabajar la fuerza máxima, siempre que las recuperaciones entre series o ejercicios sean completas o casi completas.

El uso de una resistencia media o elevada, con recuperaciones incompletas entre series y ejercicios permite incrementar la fuerza resistencia. Este tipo de fuerza es la que generalmente se desarrolla en las sesiones de tonificación muscular de aeróbic, acondicionamiento físico, etc.

Cuando la resistencia sea media o elevada con la característica de vencerla con una velocidad máxima se trabajará la fuerza explosiva, siempre que las recuperaciones entre series y ejercicios sea completa o casi completa.

La especificidad del trabajo de fuerza está constituida por la elección de factores como:

- La intensidad (entendida como el % de la carga máxima alcanzada con una repetición).
- El número de repeticiones.
- El número de series.
- La frecuencia de entrenamiento.
- La velocidad de ejecución.
- El tonelaje total y número de repeticiones de la sesión.

Las relaciones entre algunos de los factores más arriba relacionados los encontramos en la tabla que Harre propuso en 1977:

% del máx.	Número de repeticiones	Número de series	Velocidad y/o intensidad	Tiempo de recuperación	Específicos para
85 - 100%	1 - 5	3 - 5	Vel. baja	2' - 5'	Fuerza máxima
70 - 85%	5 - 10	3 - 5	Vel. baja	2' - 4'	Fuerza máxima (hipertrofia)
30 - 50%	6 - 10	3 - 5	Vel. máxima	4" - 6'	Fuerza veloz (velocidad)
75%	6 - 10	3 - 5	Vel. máxima	4' - 6'	Fuerza veloz (máxima)
40 - 60%	20 - 30	3 - 5	Vel. baja	30" - 45"	Fuerza resistente
25 - 40%	25 - 50	4 - 6	Vel. moderada	Ideal	Fuerza resistente

El enfoque en los trabajos de tonificación muscular que habitualmente encontraremos en las sesiones de entrenamiento (clases de aeróbic, tonificación muscular, TBC, etc.) pueden generalizarse a todas las zonas musculares y generalmente enfocadas en el desarrollo de la fuerza resistencia. A pesar de que existen diversos métodos de entrenamiento como la pliometría, el trabajo muscular isocinético, la electroestimulación, los trabajos isométricos y otros, el más utilizado por los instructores en las sesiones de entrenamiento son los denominados **dinámicos auxotónicos**. Se les llama dinámicos porque se realizan con movimiento de los segmentos corporales que intervienen (brazo-antebrazo, pierna-muslo, etc.), y se les llama auxotónicos porque son una combinación, generalmente, de movimientos concéntricos y excéntricos (recordemos el apartado que habla de los diferentes tipos de contracción, página 14).

El método isométrico también puede utilizarse de vez en cuando en las sesiones de entrenamiento como una forma de variación en la técnica ya que es seguro de fácil aplicación da buenos resultados.

VENTAJAS Y BENEFICIOS DEL TRABAJO DE TONIFICACIÓN MUSCULAR

1. Los ejercicios de tonificación muscular previenen y mejoran algunas enfermedades como la artrosis y la osteoporosis.

2. Ayuda a tonificar la musculatura general, ya que fortalece los tendones y proporciona una descarga del trabajo de las articulaciones.

3. Evita la flaccidez muscular.

4. Aumenta el consumo energético cuando no se realiza actividad física lo que facilita la reducción de grasa corporal.

5. Equilibra el tono muscular entre los músculos posturales y los fásicos.

6. Protege el cuerpo de posibles golpes o agresiones externas (especialmente la zona de las vísceras).

7. Ayuda a regular los ciclos y las funciones biológicas del cuerpo.

8. Ayuda a prevenir malos hábitos posturales y a disminuir los dolores de espalda.

9. Mejora nuestro aspecto físico y nuestra autoestima.

10. Permite adaptaciones y mejoras generales en los sistemas cardiovascular, respiratorio, nervioso, endocrino e inmunológico.

BIBLIOGRAFÍA

ALTER, M.J. (1993). *Los estiramientos,* Editorial Paidotribo, Barcelona.

ANOHEN, J.; LAHTINEN, T.; SANDSTRÖM, M.; POLGLIANI, G.; WIRHED, R.(1996). *Kinesiología y anatomía aplicada a la actividad física.* Editorial Paidotribo. Barcelona.

ANDERSON, B. (1989). *Estirándose.* Integral Edicions.Barcelona.

BALK, A. (1994). *Entrenamiento de fuerza.* Editorial Paidotribo. Barcelona.

BARBANY, J.R. (1990). *Fundamentos de fisiología del ejercicio y del entrenamiento.* Editorial Barcanova. Barcelona.

CALAIS-GERMAIN, B. (1995). *Anatomía para el movimiento.* Los libros de la liebre de marzo. Barcelona.

FUCCI, S.; BENIGNI, M. (1988). *Biomecànica de l'aparell locomotor aplicada al condicionament muscular.* Ediciones Doyma. Barcelona.

HOWLEY, T.; DON FRANKS, B. (1995). *Manual del técnico en salud y fitness.* Editorial Paidotribo. Barcelona.

KAHLE, W.; LEONHARDT, H.; PLATZER, W. (1997). *Atlas de anatomía.* Ediciones Omega. Barcelona.

KENDALL, F.P.; KENDALL McCREARY, E. (1985). *Músculos, pruebas y funciones.* Editorial Jims. Barcelona.

LAMB, D.R. (1985). *Fisiología del ejercicio.* Editorial Augusto E. Pila Teleña. Madrid.

MANNO, R. (1991). *Fundamentos del entrenamiento deportivo.* Editorial Paidotribo. Barcelona.

THOMPSON, Ph.; CLEM, W.; FLOYD, R.T. (1996). *Manual de kinesiología estructural.* Editorial Paidotribo. Barcelona.

TRIBASTONE, F. (1991). *Compendio de gimnasia correctiva.* Editorial Paidotribo. Barcelona.

SÖLVEBORN, S.A. (1984). *Stretching.* Editorial Martínez Roca. Barcelona.

WILMORE, J.H.; COSTILL, D.L. (1998). *Fisiología del esfuerzo y del deporte.* Editorial Paidotribo. Barcelona.

Marco práctico

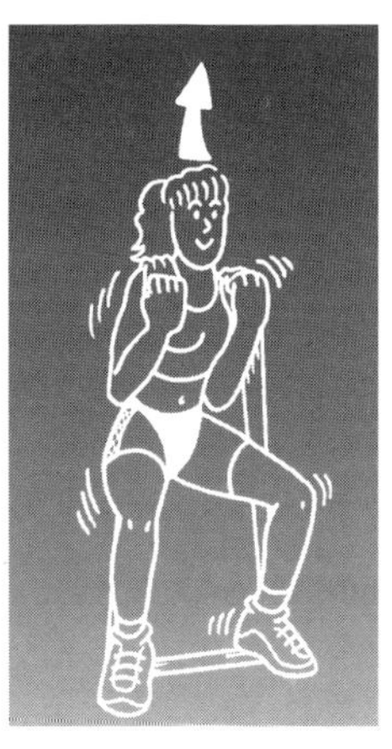

MÚSCULOS DE LA ARTICULACIÓN DEL TOBILLO

TRÍCEPS SURAL: Gemelos y sóleo			
MÚSCULOS	**ORIGEN**	**INSERCIÓN**	**ACCIÓN**
Gemelos	• Porción medial: superficie posterior del cóndilo medial del fémur. • Porción posterior: superficie posterior del cóndilo lateral del fémur.	• Superficie posterior del calcáneo (tendón de Aquiles).	• Flexión plantar del tobillo. • Flexión de la rodilla.
Sóleo	• Dos tercios superiores de las superficies posteriores de la tibia y del peroné.	• Superficie posterior del calcáneo (tendón de Aquiles).	• Flexión plantar.

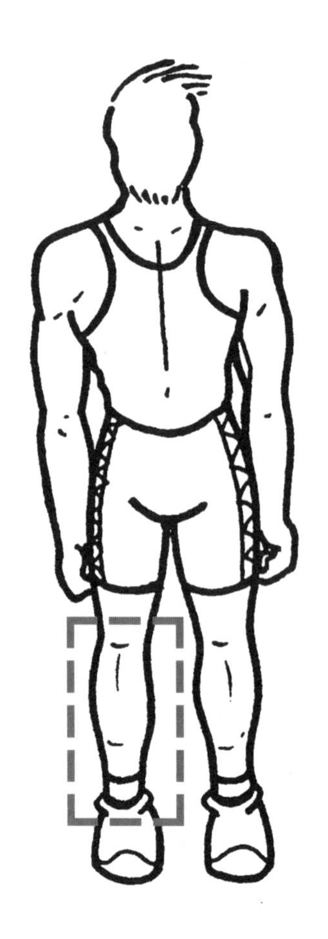

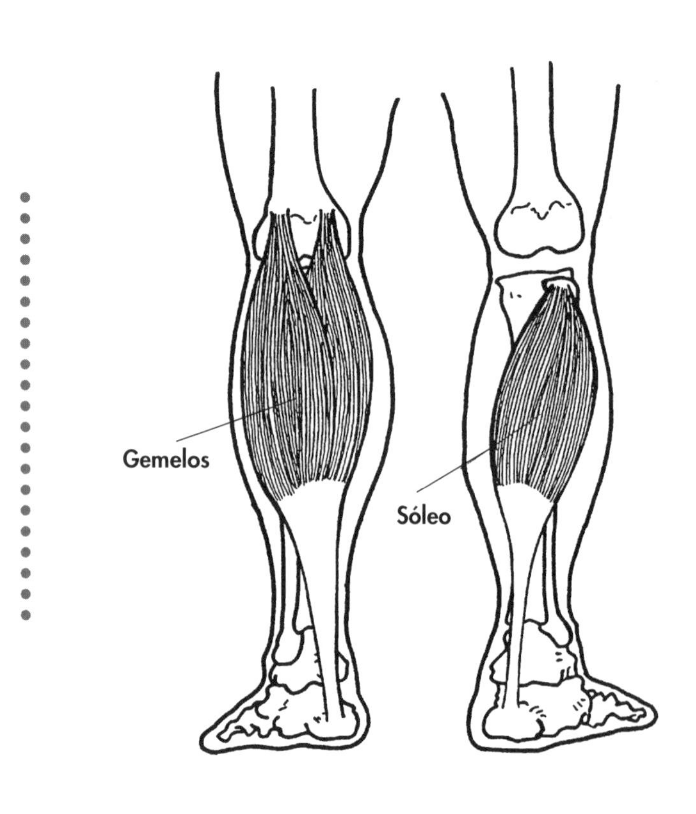

DORSIFLEXORES: Tibial anterior - peroneo anterior			
MÚSCULOS	**ORIGEN**	**INSERCIÓN**	**ACCIÓN**
Tibial anterior	• Dos tercios superiores de la superficie lateral de la tibia.	• Superficie interna de la zona medial del cuceiforme y primer hueso metatarsiano.	• Dorsiflexión del tobillo, supinación del pie.
Peroneo anterior	• Tercio distal de la zona anterior del peroné.	• Base del quinto metatarsiano.	• Pronación del pie, dorsiflexión del tobillo.

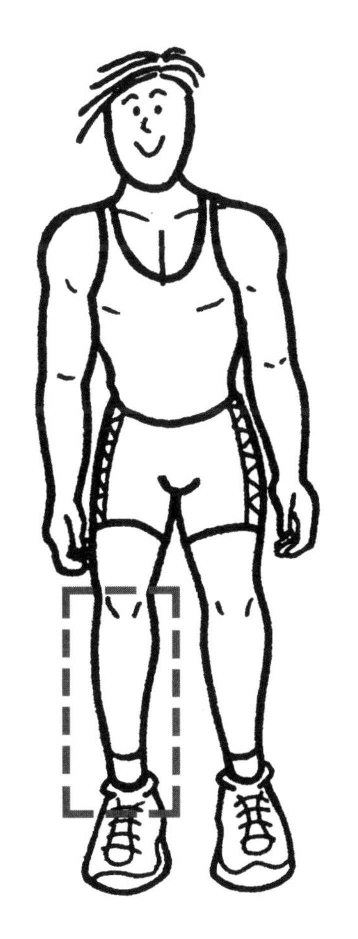

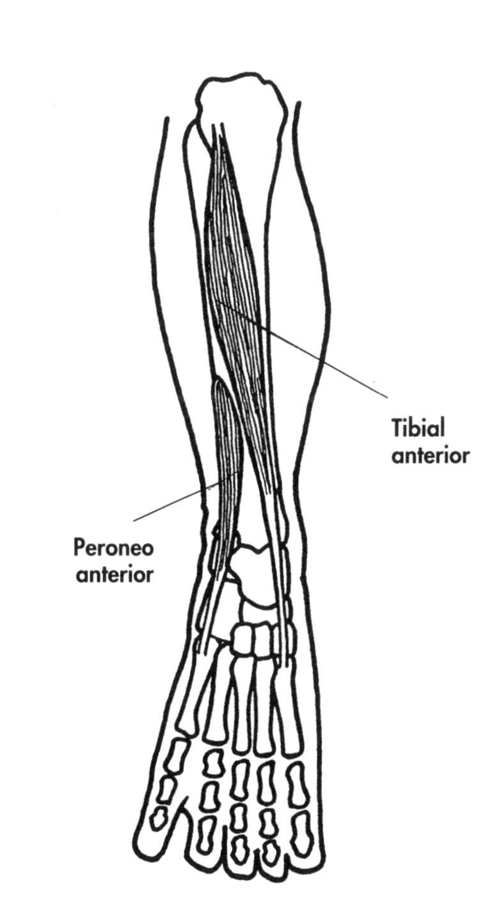

MÚSCULOS DE LA ARTICULACIÓN DE LA RODILLA

CUÁDRICEPS FEMORAL: Recto anterior - vasto interno - vasto externo - crural			
MÚSCULOS	**ORIGEN**	**INSERCIÓN**	**ACCIÓN**
Recto anterior	• Zona anteroinferior de la espina ilíaca.	• Zona superior de la rótula y tendón rotuliano hacia la tuberosidad de la tibia.	• Flexión de la cadera. • Extensión de la rodilla.
Vasto interno	• Longitud total de la línea áspera y parte medial de la escotadura intercondílea.	• Mitad medial del borde superior de la rótula y tendón rotuliano hacia la tuberosidad de la tibia.	• Extensión de la rodilla.
Vasto externo	• Superficie lateral del fémur por debajo del trocánter mayor y mitad superior de la línea áspera.	• Mitad lateral del borde superior de la rótula y tendón rotuliano hacia la tuberosidad de la tibia.	• Extensión de la rodilla.
Crural	• Dos tercios superiores de la superficie anterior del fémur.	• Borde superior de la rótula y tendón rotuliano hacia la tuberosidad de la tibia.	• Extensión de la rodilla.

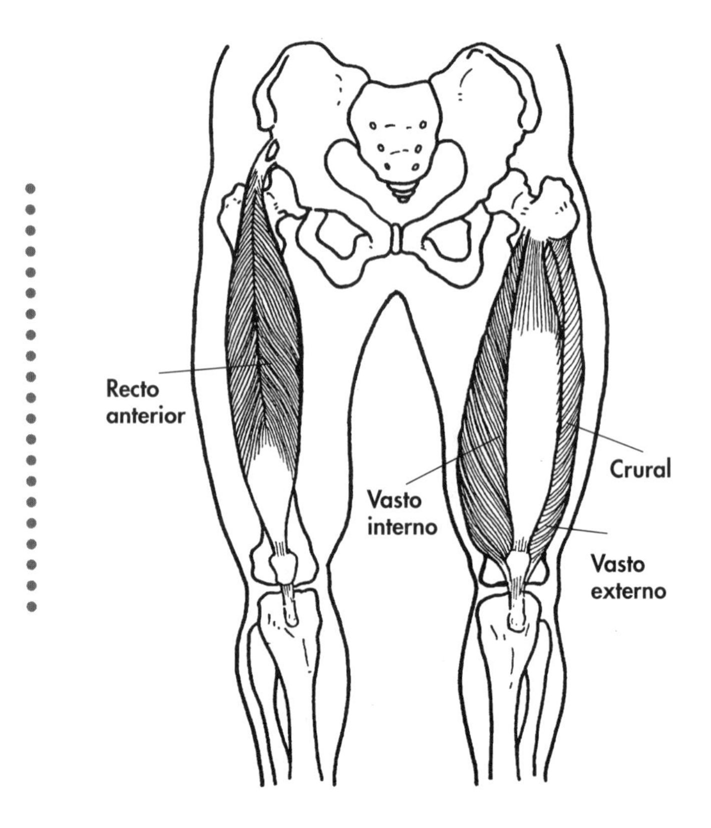

ISQUIOTIBIALES: Bíceps crural - semitendinoso - semimembranoso			
MÚSCULOS	**ORIGEN**	**INSERCIÓN**	**ACCIÓN**
Bíceps crural	• Tuberosidad del isquion. • Mitad inferior de la línea áspera y escotadura intercondílea lateral.	• Cabeza del peroné y cóndilo lateral de la tibia.	• Flexión de la rodilla. • Extensión de la cadera. • Rotación externa de la cadera. • Rotación externa de la rodilla.
Semitendinoso	• Tuberosidad del isquion.	• Cóndilo superoanteromedial de la tibia.	• Flexión de la rodilla. • Rotación interna de la rodilla. • Extensión de la cadera.
Semimembranoso	• Tuberosidad del isquion.	• Superficie posterior de la zona medial del cóndilo de la tibia.	• Flexión de la rodilla. • Rotación interna de la rodilla. • Extensión de la cadera.

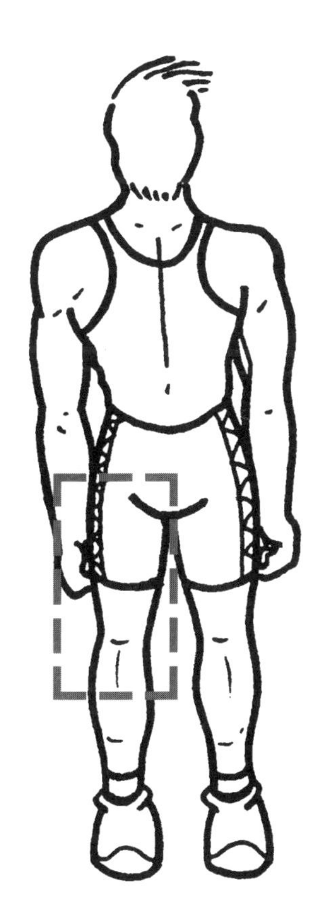

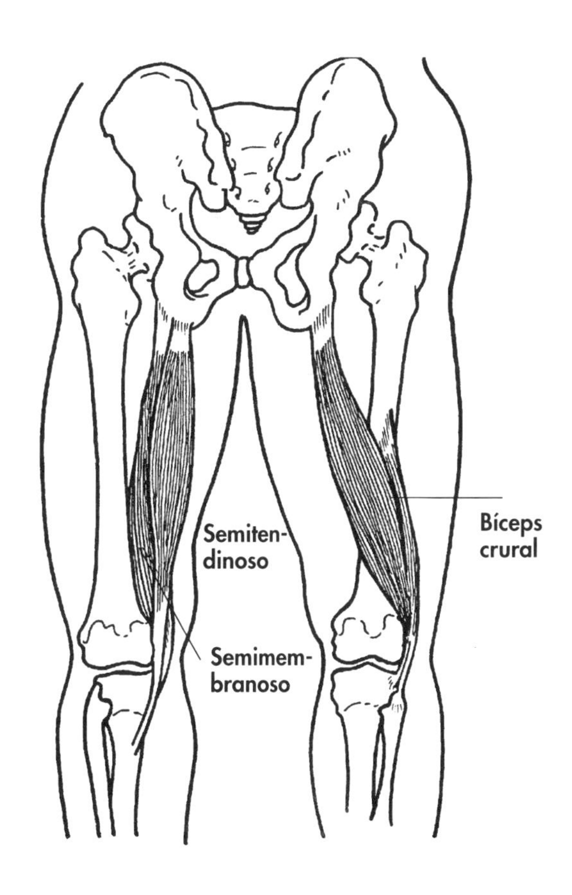

MÚSCULOS DE LA ARTICULACIÓN DE LA CADERA

ADUCTORES: Aductor menor - aductor mediano - aductor mayor - recto anterior			
MÚSCULOS	**ORIGEN**	**INSERCIÓN**	**ACCIÓN**
Aductor menor	• Cara frontal de la rama inferior del pubis.	• Trocánter menor y un cuarto proximal de la línea áspera.	• Aducción de la cadera.
Aductor mediano	• Zona anterior del pubis.	• Tercio medio de la línea áspera.	• Aducción de la cadera.
Aductor mayor	• Borde de la rama completa del pubis y del isquion y tuberosidad del isquion.	• Longitud total de la línea áspera y aductor de la zona medial del fémur.	• Aducción de la cadera.
Recto anterior	• Borde anteromedial de la rama descendente del pubis.	• Superficie anteromedial de la tibia.	• Aducción de la cadera.

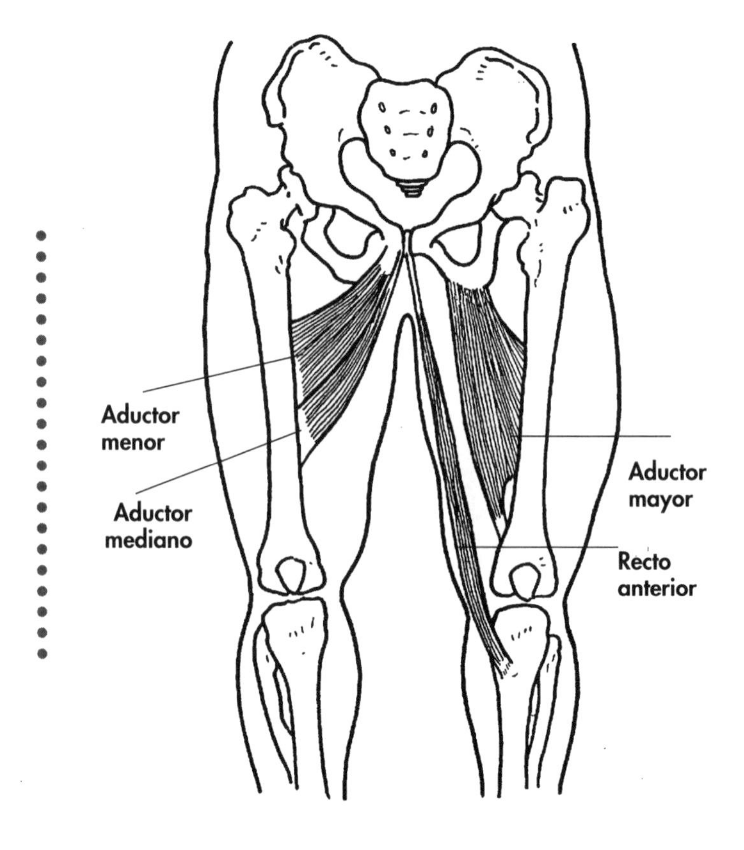

Abductores y glúteos			
Músculos	**Origen**	**Inserción**	**Acción**
Glúteo menor	• Superficie lateral del ilion por debajo del origen del glúteo medio.	• Superficie anterior del trocánter mayor del fémur.	• Abducción de la cadera.
Glúteo mayor	• Cuarto posterior de la cresta del ilion, superficie posterior del sacro cerca del ilion y fascia de la zona lumbar.	• Línea glútea del fémur y cintilla iliotibial de Maissiat.	• Extensión de la cadera. • Rotación externa de la cadera.
Glúteo medio	• Superficie externa del ilion.	• Superficies posteriores e intermedia del trocánter mayor del fémur.	• Abducción de la cadera. • Rotación externa de la cadera.

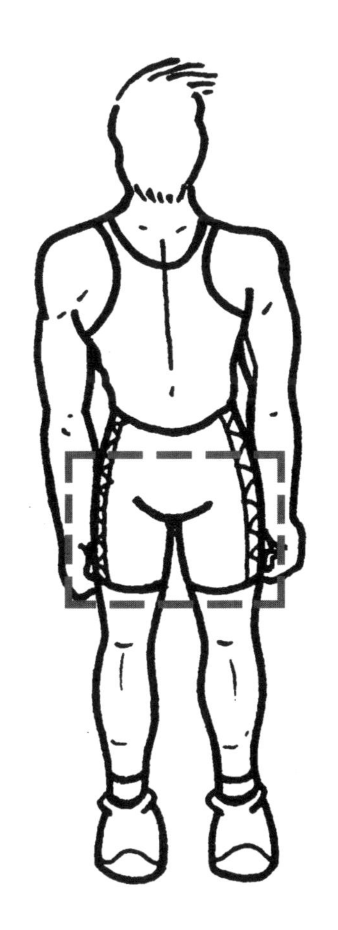

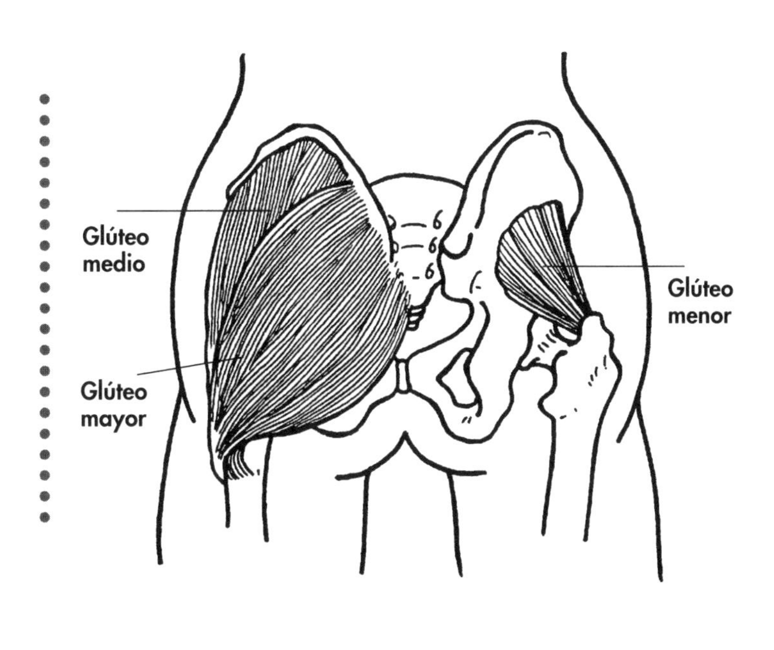

MÚSCULOS FLEXORES (INCURVADORES) DEL TRONCO

ABDOMINALES			
MÚSCULOS	**ORIGEN**	**INSERCIÓN**	**ACCIÓN**
Recto anterior del abdomen	• Cresta del pubis.	• Cartílago de la 5ª, 6ª y 7ª costillas y la apófisis xifoides.	• Flexión del tronco.
Oblicuo interno del abdomen	• Mitad superior del ligamento inguinal, dos tercios anteriores de la cresta del ilion y fascia lumbar.	• Cartílagos costales de la 8ª, 9ª y 10ª costillas y línea de alba.	• Flexión del tronco.
Oblicuo externo del abdomen	• Borde de las ocho costillas inferiores de la zona del tórax que se incrustan en el músculo serrato anterior.	• Mitad anterior de la cresta del ilion, ligamento inguinal, cresta del pubis y fascia del músculo recto anterior del abdomen en su parte anteroinferior.	• Flexión del tronco.

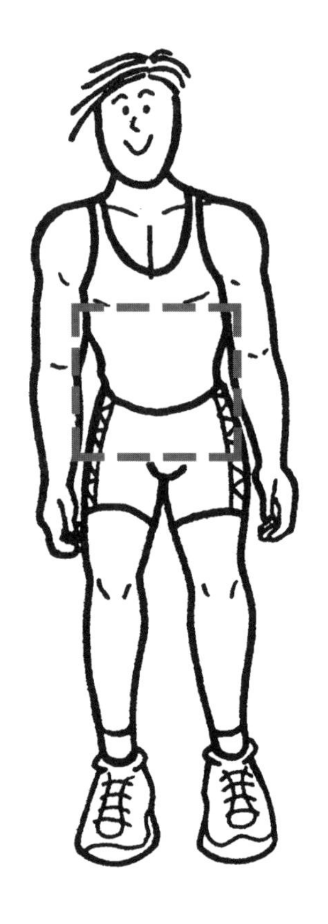

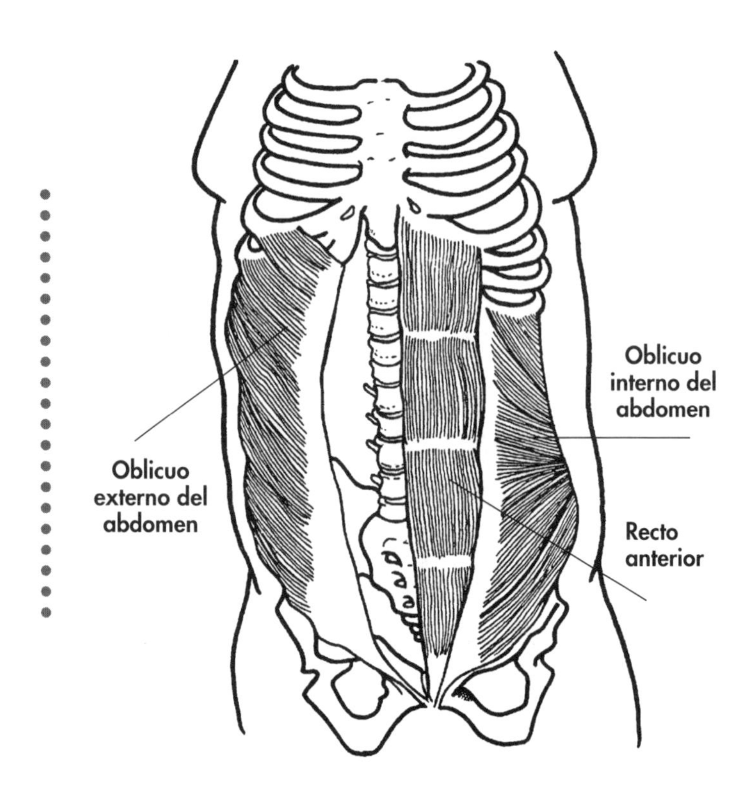

MÚSCULOS EXTENSORES DEL TRONCO

CUADRADO LUMBAR Y PARAVERTEBRALES			
MÚSCULOS	**ORIGEN**	**INSERCIÓN**	**ACCIÓN**
Cuadrado lumbar	• Labio posterointerno de la cresta ilíaca.	• Apófisis transversa de las cuatro vértebras lumbares superiores y borde inferior de la duodécima costilla.	• Flexión lateral hacia el lado donde se encuentra.
Iliocostal	• Aponeurosis toraco lumbar del sacro, zona posterior de las costillas.	• Zona posterior de las costillas, apófisis transversos de la región cervical.	• Extensión y flexión lateral de la columna.
Dorsal largo	• Aponeurosis toraco lumbar del sacro, apófisis transversas de las regiones torácica y lumbar.	• Apófisis de las regiones cervical y torácica, apófisis mastoides.	• Extensión y flexión lateral de la columna.
Semiespinoso	• *Septun muchae* (ligamento cervical) apófisis espinosas de las regiones cervical y torácica.	• Apófisis espinosas de las regiones cervical y torácica, hueso occipital.	• Extensión y flexión lateral de la columna.

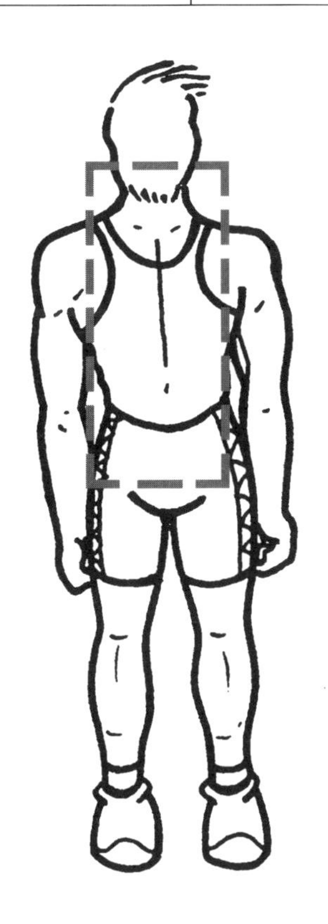

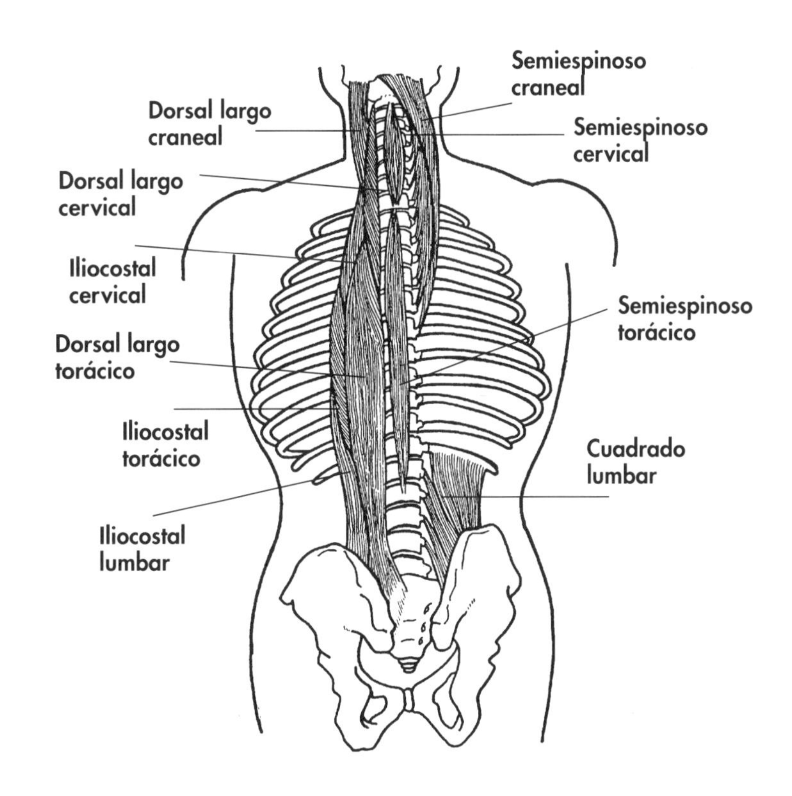

MÚSCULOS DE LA ARTICULACIÓN DEL HOMBRO

DELTOIDES			
MÚSCULOS	**ORIGEN**	**INSERCIÓN**	**ACCIÓN**
Deltoides	• Tercio anterolateral de la clavícula, cara lateral del acromion y borde inferior de la espina de la escápula.	• Tuberosidad deltoidea en la parte lateral del húmero.	• Abducción, anteversión, aducción horizontal, rotación interna, retroversión, abducción horizontal y rotación externa del brazo.

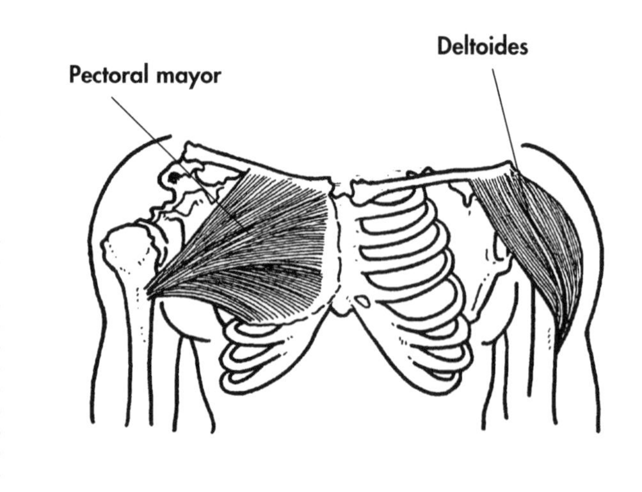

DORSAL ANCHO			
MÚSCULOS	**ORIGEN**	**INSERCIÓN**	**ACCIÓN**
Dorsal ancho	• Cresta posterior ilíaca, detrás del sacro y de las apófisis espinosas de las lumbares y de las seis últimas vértebras torácicas.	• Cara medial del surco intertroquineano del húmero.	• Aducción del brazo, retroversión del brazo-posteriormente, rotación, interna del húmero, aducción horizontal del brazo.

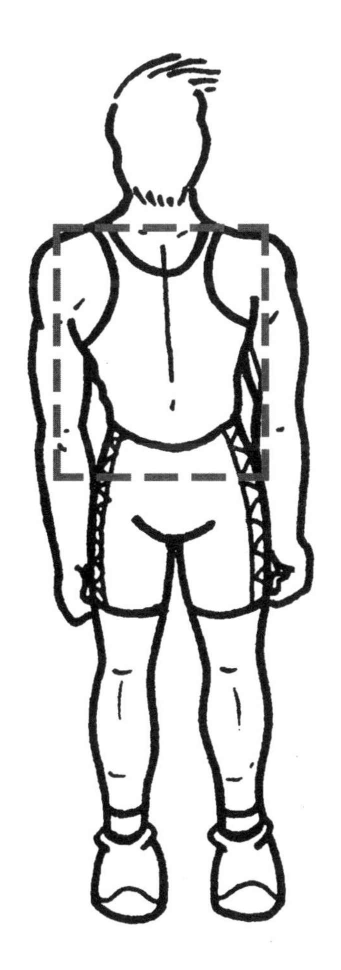

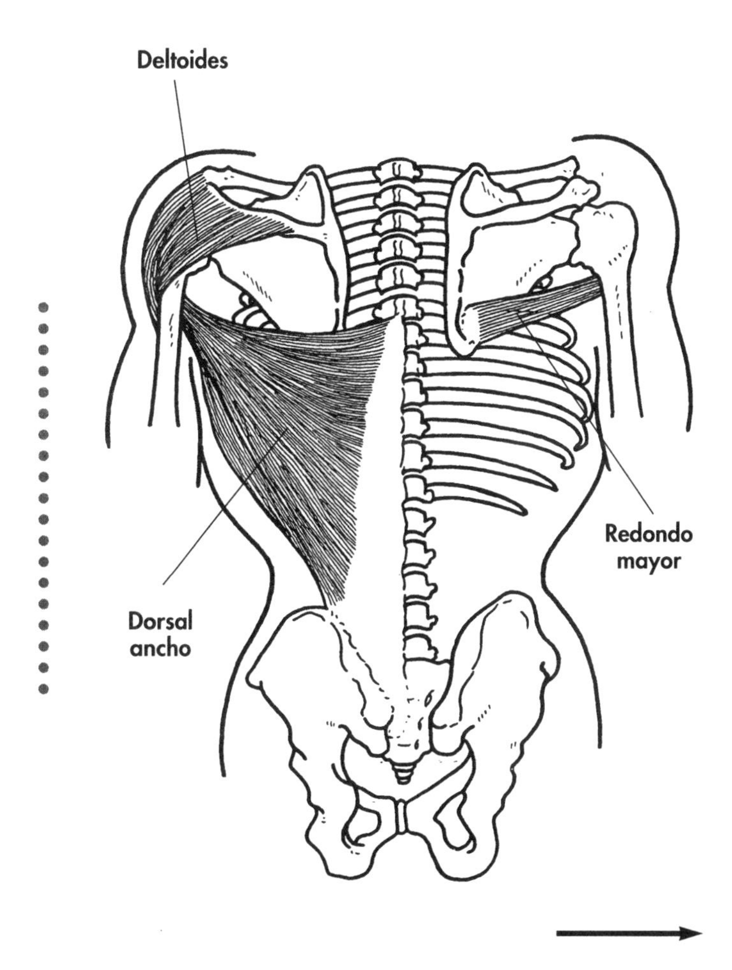

PECTORAL MAYOR			
MÚSCULOS	**ORIGEN**	**INSERCIÓN**	**ACCIÓN**
Pectoral mayor	• Fibras superiores: mitad medial de la superficie anterior de la clavícula. • Fibras inferiores: superficie anterior de los cartílagos costales de las primeras seis costillas y una porción del esternón.	• Gran tendón de 5 a 7 cm de ancho en el borde exterior del surco intertroquiniano del húmero.	• Aducción horizontal del brazo, rotación interna del húmero, aducción del brazo hacia abajo, anteversión del brazo, retroversión del húmero, abducción del brazo.

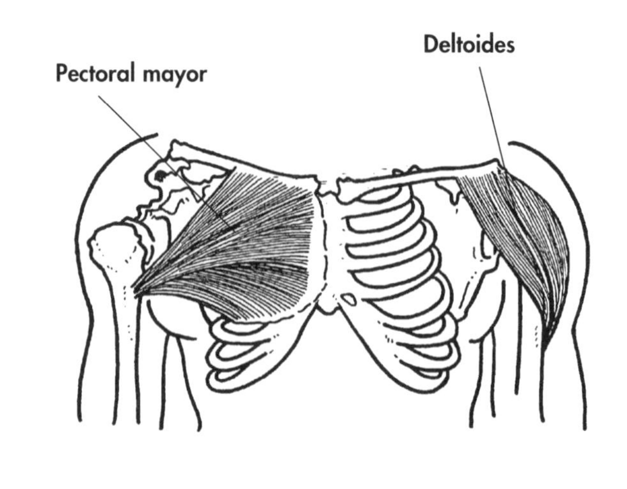

MÚSCULOS DE LA ARTICULACIÓN DEL CODO

BÍCEPS BRAQUIAL			
MÚSCULOS	**ORIGEN**	**INSERCIÓN**	**ACCIÓN**
Bíceps braquial	• Porción larga: tubérculo supraglenoideo sobre el borde superior de la cavidad glenoidea. • Porción corta: apófisis coracoides de la escápula y borde superior de la cavidad glenoidea.	• Tuberosidad del radio.	• Flexión del codo, supinación del antebrazo, anteversión del hombro.

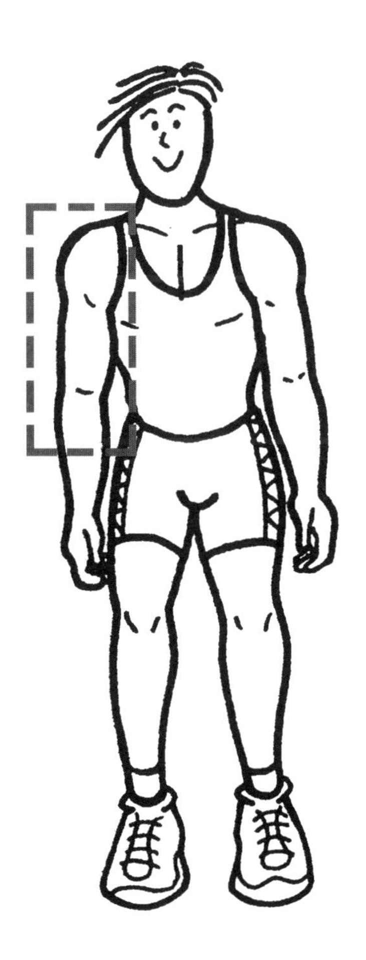

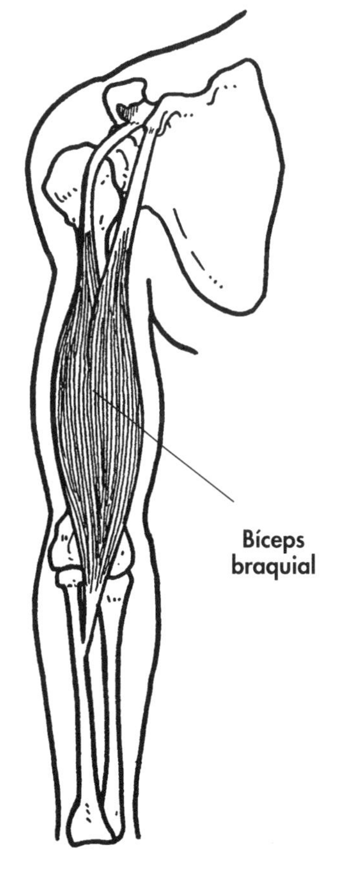

Tríceps braquial			
Músculos	**Origen**	**Inserción**	**Acción**
Tríceps braquial	• Porción larga: tubérculo infraglenoideo bajo el borde inferior de la cavidad glenoidea de la escápula. • Porción larga: mitad superior de la superficie posterior del húmero. • Porción medial: dos tercios distales de la superficie posterior del húmero.	• Apófisis olécranon del cúbito.	• Todas las cabezas o porciones: extensión del codo. • Porción larga: extensión de la articulación del hombro.

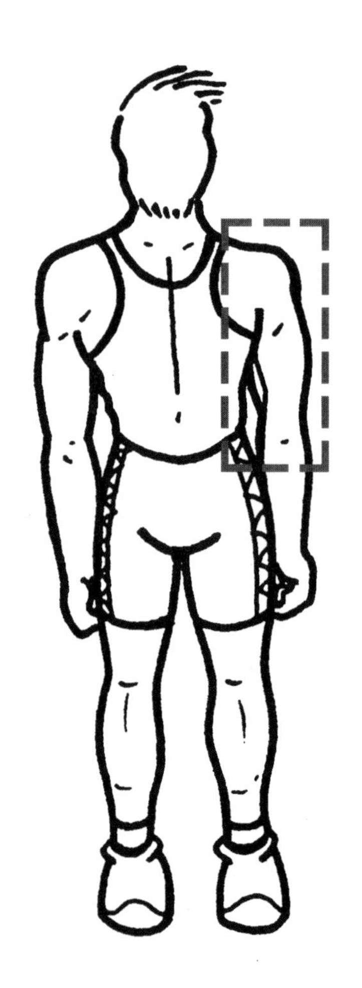

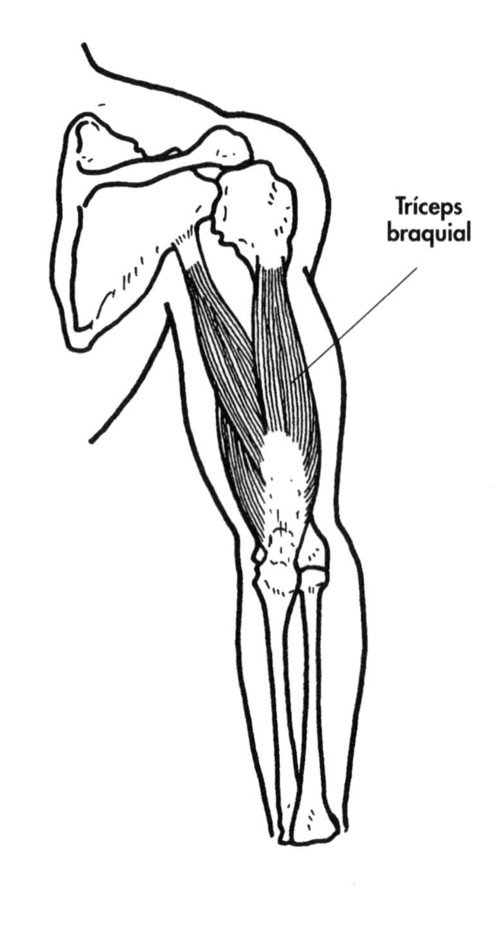

MÚSCULOS DE LA ARTICULACIÓN DE LA MUÑECA

ANTEBRAZO: Cubital posterior - radial corto del carpo - radial largo del carpo			
MÚSCULOS	**ORIGEN**	**INSERCIÓN**	**ACCIÓN**
Cubital posterior	• Epicóndilo lateral del húmero.	• Base del quinto metacarpiano.	• Extensión y aducción de la muñeca.
Radial corto del carpo	• Epicóndilo lateral del húmero.	• Base del tercer metacarpiano.	• Extensión y abducción de la muñeca.
Radial largo del carpo	• Epicóndilo lateral del húmero.	• Base del segundo metacarpiano.	• Extensión y abducción de la muñeca.

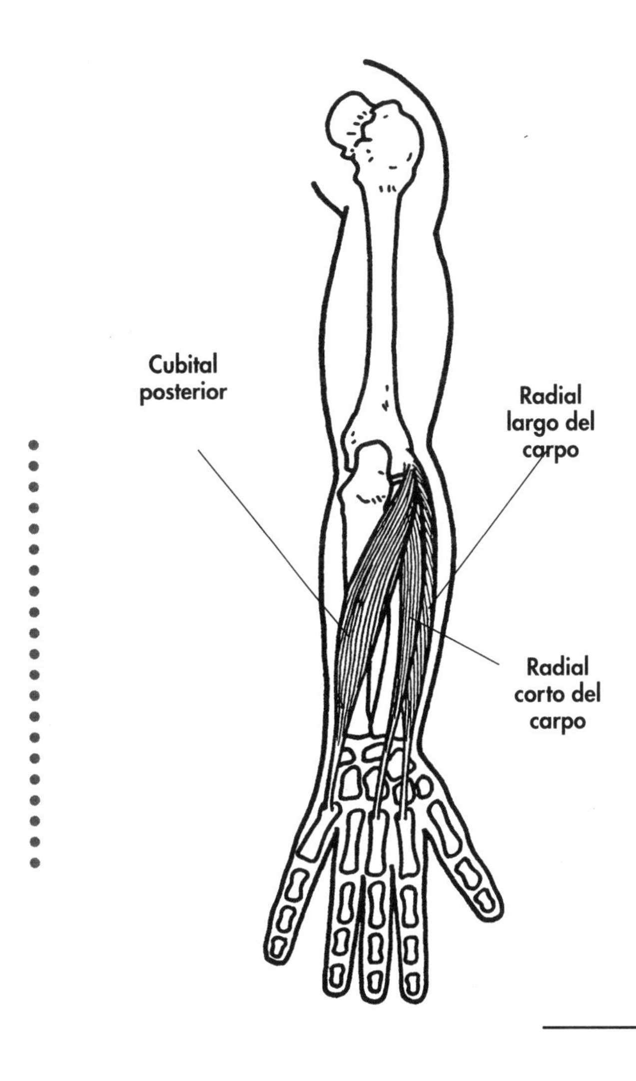

ANTEBRAZO: Flexor radial del carpo - palmar mayor - flexor cobital anterior			
MÚSCULOS	**ORIGEN**	**INSERCIÓN**	**ACCIÓN**
Flexor radial del carpo	• Epicóndilo medial del húmero.	• Base del segundo y tercero metacarpianos.	• Flexión y abducción de la muñeca.
Palmar mayor	• Epicóndilo medial del húmero.	• Aponeurosis palmar del segundo, tercero y quinto metacarpianos.	• Flexión de la muñeca.
Flexor cubital anterior	• Epicóndilo medial del húmero, zona posterior de la parte proximal del cúbito.	• Base del quinto metacarpiano y huesos pisiforme y ganchoso.	• Flexión y aducción.

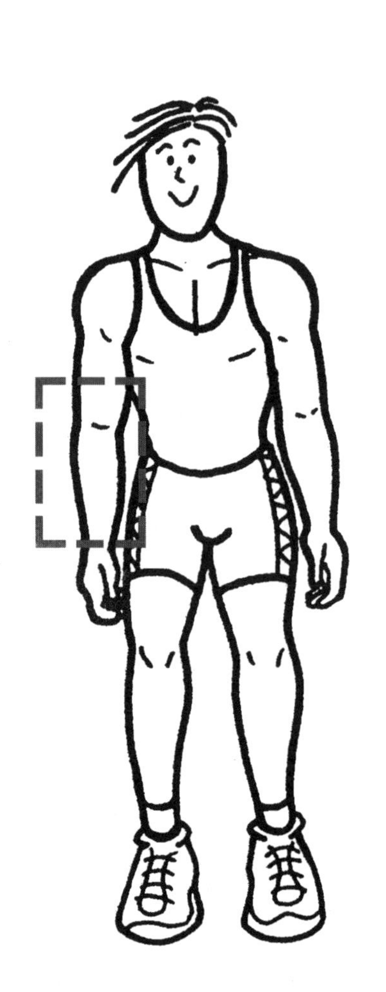

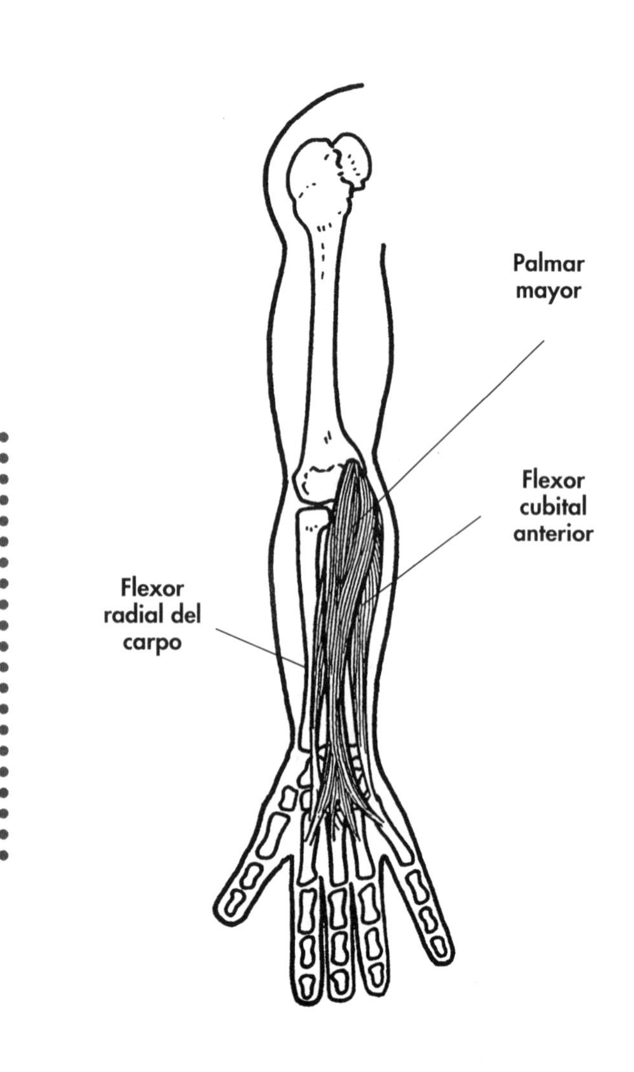

Músculos de la articulación del tobillo

Tríceps sural:
Gemelos y sóleo

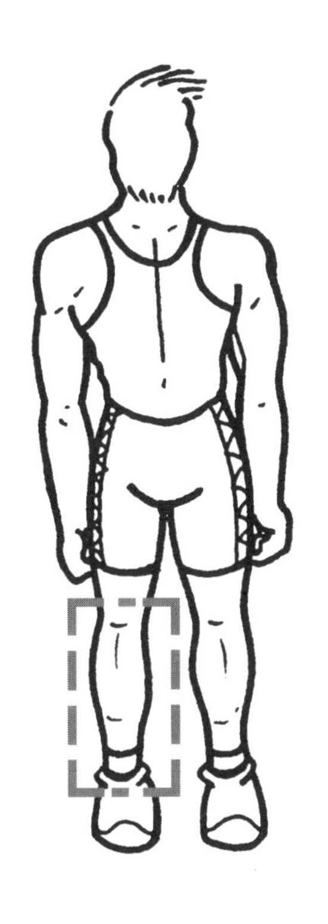

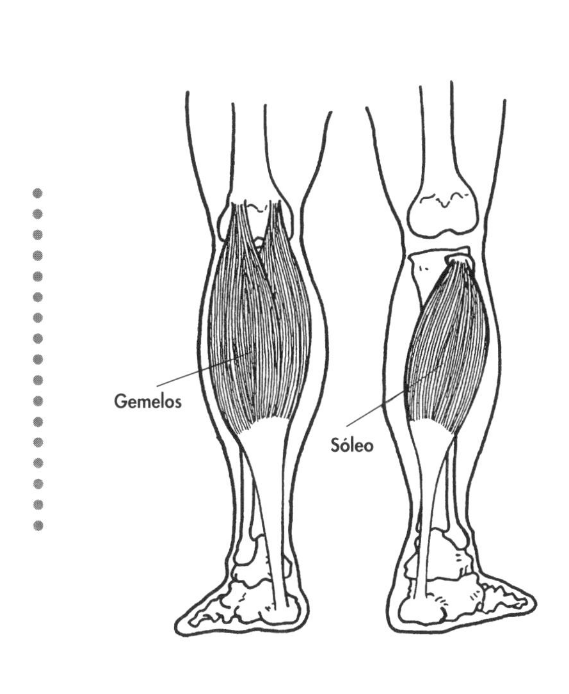

Dorsiflexores:
Tibial anterior - peroneo anterior

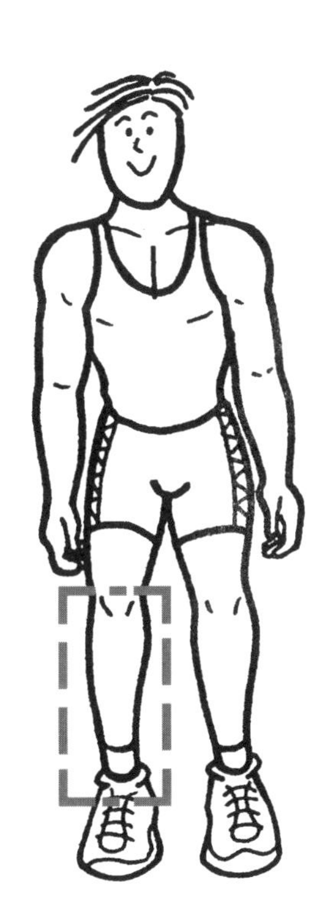

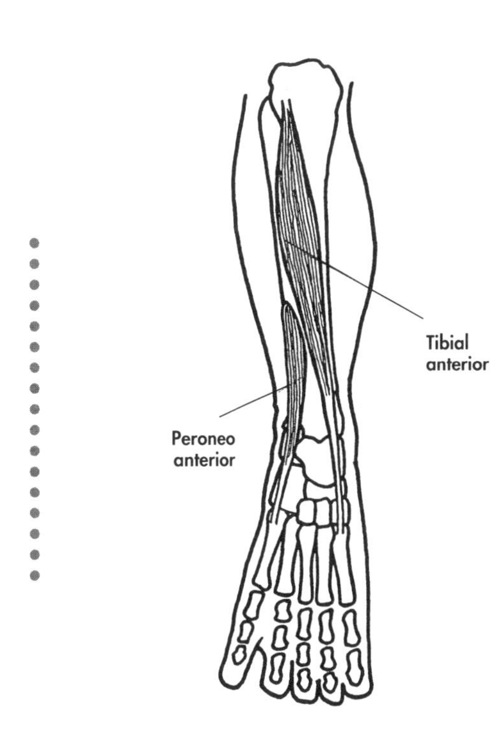

GRUPO MUSCULAR

Músculos de la articulación del tobillo. Tríceps sural

Ejercicios con gomas elásticas

Musculatura solicitada: gemelos y sóleo.

Descripción del ejercicio:
Posición inicial: de pie, con las rodillas extendidas, pisamos la goma elástica con las puntas de los pies y pasándola por encima de los hombros la agarramos con las manos a la altura del pecho.
Movimiento: realizar una flexión plantar del tobillo hasta llegar a su máximo recorrido articular.
Aspectos a considerar:
No flexionar ni extender las rodillas durante el movimiento.
Mantener la zona abdominal bien contraída para aligerar la carga en la zona lumbar.

Musculatura solicitada: sóleo y cuádriceps.

Descripción del ejercicio:
Posición inicial: en cuclillas, con las rodillas flexionadas a 90°, pisamos la goma elástica con las puntas de los pies y pasándola por encima de los hombros la agarramos con las manos a la altura del pecho.
Movimiento: realizar una flexión plantar del tobillo hasta llegar a su máximo recorrido articular.
Aspectos a considerar:
Mantener las rodillas flexionadas constantemente durante todo el movimiento.
Mantener la zona abdominal bien contraída para aligerar la carga en la zona lumbar.

Musculatura solicitada: gemelos y sóleo.

Descripción del ejercicio:
Posición inicial: sentados, con las rodillas extendidas y los tobillos en extensión (flexión dorsal) enrollamos la goma elástica en los pies y agarramos sus asas con las manos.
Movimiento: realizar una flexión plantar del tobillo hasta llegar a su máximo recorrido articular.

Musculatura solicitada: gemelos y sóleo.

Descripción del ejercicio:
Posición inicial: de pie, con las rodillas extendidas, pasamos la goma elástica bajo el estep y pasándola por encima de los hombros la agarramos con las manos a la altura del pecho.
Movimiento: realizar una flexión plantar del tobillo hasta llegar a su máximo recorrido articular.
Aspectos a considerar:
No flexionar ni extender las rodillas durante el movimiento.
Mantener la zona abdominal bien contraída para aligerar la carga en la zona lumbar.

Musculatura solicitada: gemelos y sóleo.

Descripción del ejercicio:
Posición inicial: de pie, con las rodillas extendidas, pisamos la goma elástica con las puntas de los pies y con los codos extendidos y los brazos a ambos lados del tronco la agarramos con las manos.
Movimiento: realizar una flexión plantar del tobillo hasta llegar a su máximo recorrido articular.

Aspectos a considerar:
No flexionar ni extender las rodillas durante el movimiento.
Mantener la zona abdominal bien contraída para aligerar la carga en la zona lumbar.

Musculatura solicitada: gemelos y sóleo.

Descripción del ejercicio:
Posición inicial: de pie, sobre un estep inclinado, con las rodillas extendidas, pisamos la goma elástica con las puntas de los pies y pasándola por encima de los hombros la agarramos con las manos a la altura del pecho.

Movimiento: realizar una flexión plantar del tobillo hasta llegar a su máximo recorrido articular.
Aspectos a considerar:
No flexionar ni extender las rodillas durante el movimiento.
Mantener la zona abdominal bien contraída para aligerar la carga en la zona lumbar.

Ejercicios con bandas elásticas

Musculatura solicitada: gemelos y sóleo.

Descripción del ejercicio:
Posición inicial: de pie, con las rodillas extendidas, pisamos la banda elástica con las puntas de los pies y pasándola por encima de los hombros la agarramos con las manos a la altura del pecho.

Movimiento: realizar una flexión plantar del tobillo hasta llegar a su máximo recorrido articular.

Aspectos a considerar:
No flexionar ni extender las rodillas durante el movimiento.
Mantener la zona abdominal bien contraída para aligerar la carga en la zona lumbar.

Musculatura solicitada: sóleo y cuádriceps.

Descripción del ejercicio:
Posición inicial: en cuclillas, con las rodillas flexionadas a 90°, pisamos la banda elástica con las puntas de los pies y pasándola por encima de los hombros la agarramos con las manos a la altura del pecho.

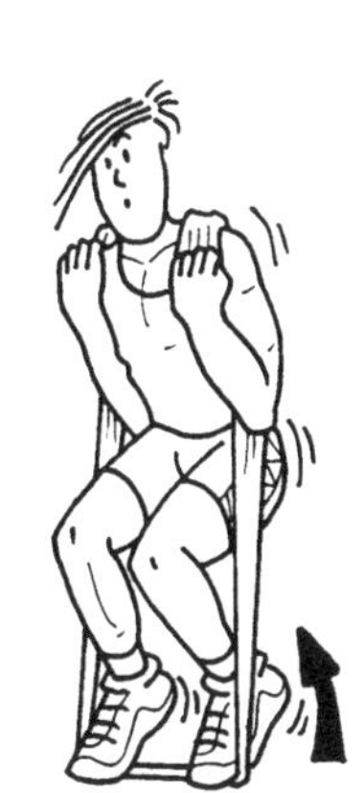

Movimiento: realizar una flexión plantar del tobillo hasta llegar a su máximo recorrido articular.
Aspectos a considerar:
Mantener las rodillas flexionadas constantemente durante todo el movimiento.
Mantener la zona abdominal bien contraída para aligerar la carga en la zona lumbar.

Musculatura solicitada: gemelos y sóleo.

Descripción del ejercicio:
Posición inicial: sentados, con las rodillas extendidas y los tobillos en extensión (flexión dorsal) enrollamos la banda elástica en los pies y agarramos sus extremos con las manos.

Movimiento: realizar una flexión plantar del tobillo hasta llegar a su máximo recorrido articular.

Musculatura solicitada: gemelos y sóleo.

Descripción del ejercicio:
Posición inicial: de pie, con las rodillas extendidas, pasamos la banda elástica bajo los soportes del estep

y pasándola por encima de los hombros la agarramos con las manos a la altura del pecho.
Movimiento: realizar una flexión plantar del tobillo hasta llegar a su máximo recorrido articular.
Aspectos a considerar:
No flexionar ni extender las rodillas durante el movimiento.
Mantener la zona abdominal bien contraída para aligerar la carga en la zona lumbar.

Musculatura solicitada: gemelos y sóleo.

Descripción del ejercicio:
Posición inicial: de pie, con una pierna adelantada, pisamos la banda elástica con la punta del pie de la pierna que queda más atrasada y con los codos extendidos y los brazos a ambos lados del tronco la agarramos con las manos.
Movimiento: realizar una flexión plantar del tobillo hasta llegar a su máximo recorrido articular (con el de la pierna atrasada).

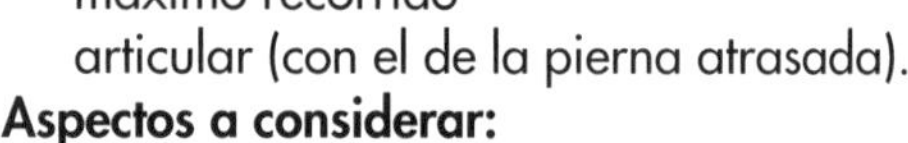

Aspectos a considerar:
No flexionar ni extender las rodillas durante el movimiento.
Mantener la zona abdominal bien contraída para aligerar la carga en la zona lumbar.
No separar del suelo el pie que queda más atrasado.

Musculatura solicitada: gemelos y sóleo.

Descripción del ejercicio:
Posición inicial: de pie, sobre un estep inclinado, con las rodillas extendidas, pisamos la banda elástica con las puntas de los pies y pasándola por encima de los hombros la agarramos con las manos a la altura del pecho.
Movimiento: realizar una flexión plantar del tobillo hasta llegar a su máximo recorrido articular.
Aspectos a considerar:
No flexionar ni extender las rodillas durante el movimiento.
Mantener la zona abdominal bien contraída para aligerar la carga en la zona lumbar.

Ejercicios con mancuernas

Musculatura solicitada: gemelos y sóleo.

Descripción del ejercicio:
Posición inicial: de pie, con las rodillas y los codos extendidos, agarramos una mancuerna con cada mano.
Movimiento: realizar una flexión plantar de los tobillos hasta llegar a su máximo recorrido articular.
Aspectos a considerar:
No flexionar ni extender las rodillas durante el movimiento.
Mantener la zona abdominal bien contraída para aligerar la carga en la zona lumbar.

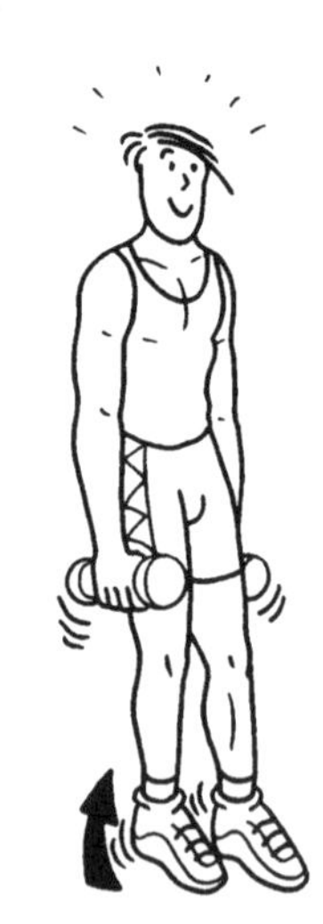

Musculatura solicitada: sóleo y cuádriceps.

Descripción del ejercicio:
Posición inicial: en cuclillas, con las rodillas flexionadas a 90° y los codos extendidos, agarramos una mancuerna con cada mano.
Movimiento: realizar una flexión plantar de los tobillos hasta llegar a su máximo recorrido articular.
Aspectos a considerar:
Mantener las rodillas flexionadas durante todo el movimiento.

Mantener la zona abdominal bien contraída para aligerar la carga en la zona lumbar.

Musculatura solicitada: gemelos y sóleo.

Descripción del ejercicio:
Posición inicial: de pie, con una pierna adelantada, con los codos extendidos y los brazos a ambos lados del tronco agarramos una mancuerna con cada mano.
Movimiento: realizar una flexión plantar del tobillo hasta llegar a su máximo recorrido articular (con el de la pierna atrasada).

Aspectos a considerar:
No flexionar ni extender las rodillas durante el movimiento.
Mantener la zona abdominal bien contraída para aligerar la carga en la zona lumbar.

Musculatura solicitada:
gemelos y sóleo.

Descripción del ejercicio:
Posición inicial: de pie, con las puntas apoyadas sobre el borde de un estep y con los tobillos en extensión (flexión dorsal), agarramos una mancuerna con cada mano.
Movimiento: realizar una flexión plantar del tobillo hasta llegar a su máximo recorrido articular y volver a la posición inicial.
Aspectos a considerar:
No flexionar ni extender las rodillas durante el movimiento.
Mantener la zona abdominal bien contraída para aligerar la carga en la zona lumbar.
Es fácil que surjan problemas de equilibrio, en ese caso es mejor hacer el ejercicio por parejas o buscar alguna forma de apoyo para no desequilibrarse durante el movimiento.

Musculatura solicitada: gemelos y sóleo

Descripción del ejercicio:
Posición inicial: de pie, sobre la superficie inclinada de un estep, con las rodillas y los codos extendidos, agarramos una mancuerna con cada mano.
Movimiento: realizar una flexión plantar del tobillo, hasta llegar a su máximo recorrido articular y volver a la posición inicial.
Aspectos a considerar:
No flexionar ni extender las rodillas durante el movimiento.
Mantener la zona abdominal bien contraída para aligerar la carga en la zona lumbar.
La posición inclinada del estep permite un mayor recorrido en el movimiento, de manera que se ven implicadas en el mismo un mayor número de fibras musculares y la adaptación al ejercicio es mayor.

Musculatura solicitada: sóleo.

Descripción del ejercicio:
Posición inicial: sentados sobre un estep, con los antebrazos apoyados sobre los muslos, agarramos una mancuerna con cada mano.
Movimiento: realizar una flexión plantar de los tobillos hasta llegar a su máximo recorrido articular y volver a la posición inicial.

Aspectos a considerar:
Dejar caer el peso del tronco sobre los muslos con el apoyo de los antebrazos.

Ejercicios con barra

Musculatura solicitada: gemelos y sóleo.

Descripción del ejercicio:
Posición inicial: de pie, en posición básica, con una barra apoyada sobre los hombros y con los codos flexionados, la sujetamos con las manos.

Movimiento: realizar una flexión plantar del tobillo hasta llegar a su máximo recorrido articular.

Aspectos a considerar:
No flexionar ni extender las rodillas durante el movimiento.
Mantener la zona abdominal contraída para aligerar la carga en la zona lumbar.

Musculatura solicitada: sóleo y cuádriceps.

Descripción del ejercicio:
Posición inicial: en cuclillas, con las rodillas flexionadas a 90° y los codos flexionados, apoyamos una barra sobre los hombros y la agarramos con las manos.
Movimiento: realizar una flexión plantar del tobillo hasta llegar a su máximo recorrido articular.

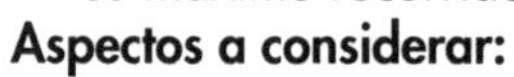

Aspectos a considerar:
Mantener las rodillas flexionadas durante todo el movimiento. Mantener la zona abdominal bien contraída para aligerar la carga en la zona lumbar.

Musculatura solicitada: gemelos y sóleo.

Descripción del ejercicio:
Posición inicial: de pie, con una pierna adelantada y los codos flexionados colocamos una barra sobre los hombros y la agarramos con las manos.
Movimiento: realizar una flexión plantar del tobillo hasta llegar a su máximo recorrido articular (con el de la pierna atrasada).

Aspectos a considerar:
No flexionar ni extender las rodillas durante el movimiento.
Mantener la zona abdominal bien contraída para aligerar la carga en la zona lumbar.

Musculatura solicitada: gemelos y sóleo.

Descripción del ejercicio:
Posición inicial: de pie, con las puntas apoyadas sobre el borde de un estep y con los tobillos en extensión (flexión dorsal), apoyamos una barra sobre los hombros y con los codos flexionados la agarramos con las manos.
Movimiento: realizar una flexión plantar del tobillo hasta llegar a su máximo recorrido articular y volver a la posición inicial.
Aspectos a considerar:
No flexionar ni extender las rodillas durante el movimiento.
Mantener la zona abdominal bien contraída para aligerar la carga en la zona lumbar.
Es fácil que surjan problemas de equilibrio, en ese caso es mejor hacer el ejercicio por parejas o buscar alguna forma de apoyo para no desequilibrarse durante el movimiento.

Musculatura solicitada: gemelos y sóleo.

Descripción del ejercicio:
Posición inicial: de pie, sobre la superficie inclinada de un estep, apoyamos una barra sobre los hombros y con los codos flexionados la agarramos con las manos.
Movimiento: realizar una flexión plantar de los tobillos, hasta llegar a su máximo recorrido articular y volver a la posición inicial.
Aspectos a considerar:
No flexionar ni extender las rodillas durante el movimiento.
Mantener la zona abdominal bien contraída para aligerar la carga en la zona lumbar.

La posición inclinada del estep permite un mayor recorrido en el movimiento, de manera que se ven implicadas en el mismo un mayor número de fibras musculares y la adaptación al ejercicio es mayor.

Movimiento: realizar una flexión plantar del tobillo hasta llegar a su máximo recorrido articular y volver a la posición inicial.

Aspectos a considerar:
No flexionar ni extender las rodillas durante el movimiento.
Mantener la zona abdominal bien contraída para aligerar la carga en la zona lumbar.
Es fácil que surjan problemas de equilibrio, en ese caso es mejor hacer el ejercicio por parejas o buscar alguna forma de apoyo para no desequilibrarse durante el movimiento.

Musculatura solicitada: sóleo.

Descripción del ejercicio:
Posición inicial: sentados sobre un estep, apoyamos una barra y los antebrazos sobre los muslos y agarramos la barra con las manos.
Movimiento: realizar una flexión plantar de los tobillos hasta llegar a su máximo recorrido articular y volver a la posición inicial.

Aspectos a considerar:
Dejar caer el peso del tronco sobre los muslos con el apoyo de los antebrazos.

Musculatura solicitada: sóleo y cuádriceps (contracción isométrica).

Descripción del ejercicio:
Posición inicial: en cuclillas, con las rodillas flexionadas a 90° apoyamos las manos sobre un estep.
Movimiento: realizar una flexión plantar del tobillo hasta llegar a su máximo recorrido articular.

Aspectos a considerar:
Mantener las rodillas flexionadas constantemente durante todo el movimiento.
Mantener la zona abdominal bien contraída para aligerar la carga en la zona lumbar.

Ejercicios con esteps

Musculatura solicitada: gemelos y sóleo.

Descripción del ejercicio:
Posición inicial: de pie, apoyamos las puntas sobre el borde de un estep y colocamos los tobillos en extensión (flexión dorsal).

Musculatura solicitada: gemelos y sóleo.

Descripción del ejercicio:
Posición inicial: estirados, con los pies bastante separados del estep y con los tobillos totalmente extendidos apoyamos las manos sobre el estep.
Movimiento: realizar una flexión plantar de los tobillos hasta llegar a su máximo recorrido articular y volver a la posición inicial.

Aspectos a considerar:

Esta posición requiere una considerable fuerza de brazos (tríceps y pectorales) para mantener la posición del ejercicio.

La posición inicial obliga, al estar separados del estep, a tener los tobillos en completa extensión (flexión dorsal) en el momento de iniciar el ejercicio.

Musculatura solicitada: gemelos y sóleo.

Descripción del ejercicio:

Posición inicial: de pie, sobre la superficie inclinada de un estep, apoyamos las manos sobre la cintura.

Movimiento: realizar una flexión plantar del tobillo, hasta llegar a su máximo recorrido articular y volver a la posición inicial.

Aspectos a considerar:

No flexionar ni extender las rodillas durante el movimiento.

Mantener la zona abdominal bien contraída para aligerar la carga en la zona lumbar.

La posición inclinada del estep permite un mayor recorrido en el movimiento, de manera que se ven implicadas en el mismo un mayor número de fibras musculares y la adaptación al ejercicio es mayor.

Musculatura solicitada: gemelos y sóleo.

Descripción del ejercicio:

Posición inicial: de pie frente a una espaldera y agarrados a uno de sus barrotes, apoyamos las puntas sobre el borde de un estep y colocamos los tobillos en extensión (flexión dorsal).

Movimiento: realizar una flexión plantar del tobillo hasta llegar a su máximo recorrido articular y volver a la posición inicial.

Aspectos a considerar:

No flexionar ni extender las rodillas durante el movimiento.

Mantener la zona abdominal bien contraída para aligerar la carga en la zona lumbar.

Ejercicios combinados con diferentes materiales

Musculatura solicitada: gemelos y sóleo.

Descripción del ejercicio:

Posición inicial: de pie, en posición básica, con una barra apoyada sobre los hombros, pisamos la goma elástica y con los codos flexionados la sujetamos con ambas manos.

Movimiento: realizar una flexión plantar del tobillo hasta llegar a su máximo recorrido articular.

Aspectos a considerar:

No flexionar ni extender las rodillas durante el movimiento.

Mantener la zona abdominal contraída para aligerar la carga en la zona lumbar.

Es conveniente introducir las asas de la goma por los extremos de la barra para facilitar el agarre de ambos implementos.

Musculatura solicitada: sóleo y cuádriceps.

Descripción del ejercicio:

Posición inicial: en cuclillas, con las rodillas flexionadas a 90°, con una barra apoyada sobre los hombros, pisamos la goma elástica y con los codos flexionados la sujetamos con ambas manos.

Movimiento: realizar una flexión plantar del tobillo hasta llegar a su máximo recorrido articular.

Aspectos a considerar:

Mantener las rodillas flexionadas constantemente durante todo el movimiento.

Mantener la zona abdominal bien contraída para aligerar la carga en la zona lumbar.

Musculatura solicitada: gemelos y sóleo.

Descripción del ejercicio:

Posición inicial: de pie, en posición básica, pisamos la goma elástica con la punta de los pies y con los codos totalmente extendidos agarramos sus asas y la barra con las manos.

Movimiento: realizar una flexión plantar del tobillo hasta llegar a su máximo recorrido articular.

Aspectos a considerar:

No flexionar ni extender las rodillas durante el movimiento.

Mantener la zona abdominal bien contraída para aligerar la carga en la zona lumbar.

No flexionar ni extender los codos durante el movimiento.

Musculatura solicitada: gemelos y sóleo.

Descripción del ejercicio:

Posición inicial: de pie, sobre un estep inclinado, con una barra apoyada sobre los hombros, pisamos la goma elástica y con los codos flexionados la sujetamos con ambas manos.

Movimiento: realizar una flexión plantar del tobillo hasta llegar a su máximo recorrido articular.

Aspectos a considerar:

No flexionar ni extender las rodillas durante el movimiento.

Mantener la zona abdominal contraída para aligerar la carga en la zona lumbar.

Musculatura solicitada: sóleo.

Descripción del ejercicio:

Posición inicial: sentados sobre un estep, con una barra apoyada sobre los muslos, pisamos la goma elástica y con los codos flexionados la sujetamos con ambas manos.

Movimiento: realizar una flexión plantar de los tobillos hasta llegar a su máximo recorrido articular y volver a la posición inicial.

Aspectos a considerar:

Dejar caer el peso del tronco sobre los muslos con el apoyo de los antebrazos.

Es conveniente introducir las asas de la goma por los extremos de la barra para facilitar el agarre de ambos implementos.

Musculatura solicitada: gemelos y sóleo.

Descripción del ejercicio:
Posición inicial: de pie, en posición básica, pasamos la goma elástica bajo las puntas de los pies y con los codos totalmente extendidos agarramos sus asas y una mancuerna con cada mano.
Movimiento: realizar una flexión plantar del tobillo hasta llegar a su máximo recorrido articular.
Aspectos a considerar:
No flexionar ni extender las rodillas durante el movimiento.
Mantener la zona abdominal bien contraída para aligerar la carga en la zona lumbar.
No flexionar ni extender los codos durante el movimiento.

Musculatura solicitada: sóleo y cuádriceps.

Descripción del ejercicio:
Posición inicial: en cuclillas, con las rodillas flexionadas a 90°, pisamos la goma elástica y con los codos extendidos agarramos sus asas y una mancuerna con cada mano.
Movimiento: realizar una flexión plantar del tobillo hasta llegar a su máximo recorrido articular.
Aspectos a considerar:
Mantener las rodillas flexionadas constantemente durante todo el movimiento.
Mantener la zona abdominal bien contraída para aligerar la carga en la zona lumbar.

Musculatura solicitada: gemelos y sóleo.

Descripción del ejercicio:
Posición inicial: de pie, con una pierna adelantada, pisamos la goma elástica con el pie de la pierna que queda más atrasada y con los codos extendidos y los brazos a ambos lados del tronco agarramos sus asas y una mancuerna con cada mano.

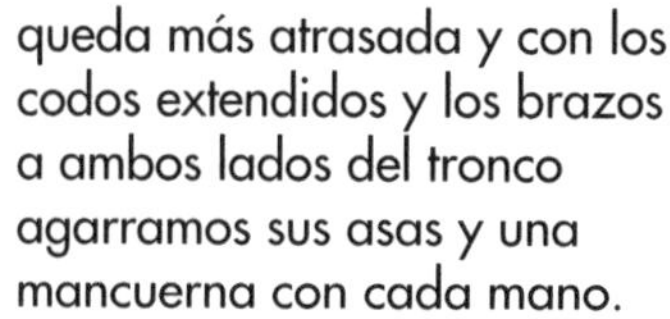

Movimiento: realizar una flexión plantar del tobillo hasta llegar a su máximo recorrido articular (con el de la pierna atrasada).

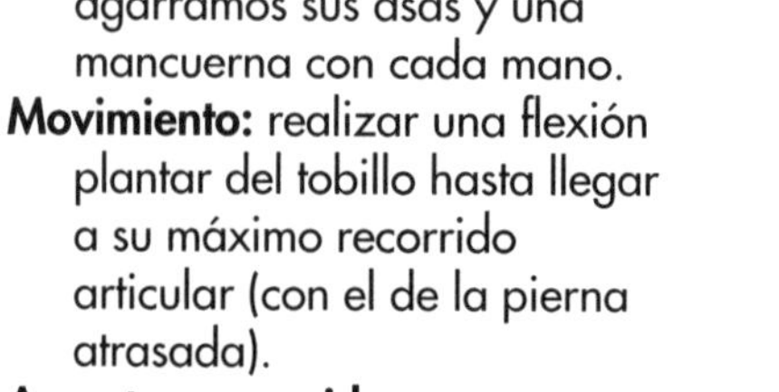

Aspectos a considerar:
No flexionar ni extender las rodillas durante el movimiento.
Mantener la zona abdominal bien contraída para aligerar la carga en la zona lumbar.
No separar del suelo el pie que queda más atrasado.

Musculatura solicitada: gemelos y sóleo.

Descripción del ejercicio:
Posición inicial: de pie, sobre un estep inclinado, pisamos la goma elástica, y con los codos extendidos la agarramos por sus asas con una mancuerna en cada mano.
Movimiento: realizar una flexión plantar del tobillo hasta llegar a su máximo recorrido articular.

Aspectos a considerar:
No flexionar ni extender las rodillas durante el movimiento.
Mantener la zona abdominal contraída para aligerar la carga en la zona lumbar.

Musculatura solicitada: sóleo.

Descripción del ejercicio:
Posición inicial: sentados sobre un estep, pisamos la goma elástica, apoyamos los antebrazos sobre los muslos y con las manos agarramos sus asas y una mancuerna con cada mano.

Movimiento: realizar una flexión plantar de los tobillos hasta llegar a su máximo recorrido articular y volver a la posición inicial.
Aspectos a considerar:
Dejar caer el peso del tronco sobre los muslos con el apoyo de los antebrazos.

Ejercicios por parejas con diferentes materiales

Musculatura solicitada: gemelos y sóleo.

Descripción del ejercicio:
Posición inicial: de pie, en posición básica, con una barra apoyada sobre los hombros, pasamos la goma elástica bajo los pies del compañero y con los codos flexionados sujetamos ambas con las manos.
Movimiento: realizar una flexión plantar del tobillo hasta llegar a su máximo recorrido articular.
Aspectos a considerar:
No flexionar ni extender las rodillas durante el movimiento.
Mantener la zona abdominal contraída para aligerar la carga en la zona lumbar.

Musculatura solicitada: gemelos y sóleo.

Descripción del ejercicio:
Posición inicial: de pie, en posición básica, pasamos la goma elástica bajo los pies del compañero y con los codos totalmente extendidos agarramos sus asas y la barra con las manos.
Movimiento: realizar una flexión plantar del tobillo hasta llegar a su máximo recorrido articular.

Aspectos a considerar:
No flexionar ni extender las rodillas durante el movimiento.
Mantener la zona abdominal bien contraída para aligerar la carga en la zona lumbar.
No flexionar ni extender los codos durante el movimiento.

Musculatura solicitada: gemelos y sóleo.

Descripción del ejercicio:
Posición inicial: de pie, sobre un estep inclinado, con una barra apoyada sobre los hombros, pasamos la goma elástica bajo los pies del compañero y con los codos flexionados sujetamos ambas con las manos.
Movimiento: realizar una flexión plantar del tobillo hasta llegar a su máximo recorrido articular.
Aspectos a considerar:
No flexionar ni extender las rodillas durante el movimiento.
Mantener la zona abdominal contraída para aligerar la carga en la zona lumbar.

Musculatura solicitada: gemelos y sóleo.

Descripción del ejercicio:
Posición inicial: de pie, frente al compañero, apoyamos las puntas de los pies sobre el borde de un estep y agarrados por las manos, colocamos los tobillos en extensión (flexión dorsal).
Movimiento: realizar una flexión plantar del tobillo hasta llegar a su máximo recorrido articular y volver a la posición inicial.

Aspectos a considerar:
No flexionar ni extender las rodillas durante el movimiento.
Mantener la zona abdominal bien contraída para aligerar la carga en la zona lumbar.

Musculatura solicitada: gemelos y sóleo.

Descripción del ejercicio:
Posición inicial: de pie, frente al compañero, apoyamos las puntas de los pies sobre el borde de un estep y con los codos semiflexionados agarramos una barra con las manos, colocando los tobillos en extensión (flexión dorsal).
Movimiento: realizar una flexión plantar del tobillo hasta llegar a su máximo recorrido articular y volver a la posición inicial.
Aspectos a considerar:
No flexionar ni extender las rodillas durante el movimiento.
Mantener la zona abdominal bien contraída para aligerar la carga en la zona lumbar.

Musculatura solicitada: gemelos y sóleo.

Descripción del ejercicio:
Posición inicial: de pie, frente al compañero, con las puntas de los pies apoyadas en el extremo del estep y los tobillos en extensión (flexión dorsal), colocamos dos barras sobre los hombros y con los codos flexionados las agarramos con las manos.
Movimiento: realizar una flexión plantar del tobillo hasta llegar a su máximo recorrido articular y volver a la posición inicial.
Aspectos a considerar:
No flexionar ni extender las rodillas durante el movimiento.
Mantener la zona abdominal bien contraída para aligerar la carga en la zona lumbar.
Sujetar las barras con las manos para evitar problemas de equilibrio durante la realización del movimiento.

Musculatura solicitada: sóleo y cuádriceps.

Descripción del ejercicio:
Posición inicial: de pie, frente al compañero, con las puntas de los pies apoyadas en el extremo del estep, las rodillas flexionadas a 90° y los tobillos en extensión (flexión dorsal), colocamos dos barras sobre los hombros y con los codos flexionados las agarramos con las manos.
Movimiento: realizar una flexión plantar del tobillo hasta llegar a su máximo recorrido articular y volver a la posición inicial.
Aspectos a considerar:
No flexionar ni extender las rodillas durante el movimiento.
Mantener la zona abdominal bien contraída para aligerar la carga en la zona lumbar.
Sujetar las barras con las manos para evitar problemas de equilibrio durante la realización del movimiento.

Musculatura solicitada: sóleo, cuádriceps.

Descripción del ejercicio:
Posición inicial: de pie, apoyados sobre las espaldas del compañero, con las rodillas flexionadas a 90° y los codos flexionados, agarramos una barra con cada mano y las apoyamos sobre los hombros.
Movimiento: realizar una flexión plantar del tobillo hasta llegar a su máximo recorrido articular y volver a la posición inicial.
Aspectos a considerar:
No flexionar ni extender las rodillas durante el movimiento.
Mantener la zona abdominal bien contraída para aligerar la carga en la zona lumbar.

Musculatura solicitada: gemelos y sóleo.

Descripción del ejercicio:
Posición inicial: de pie, frente al compañero, agarramos una barra con las manos.

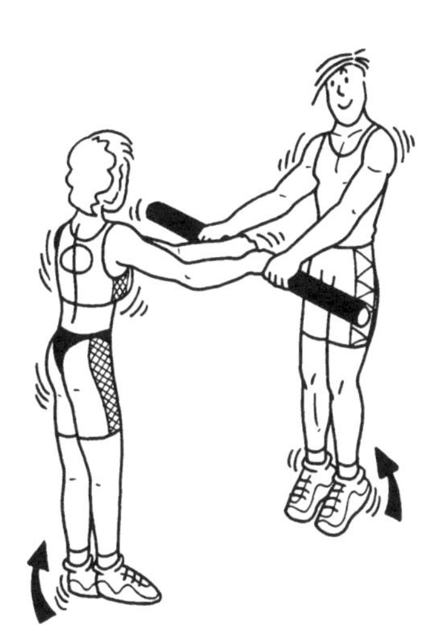

Movimiento: realizar una flexión plantar del tobillo hasta llegar a su máximo recorrido articular y volver a la posición inicial.
Aspectos a considerar:
No flexionar ni extender las rodillas durante el movimiento.
Mantener la zona abdominal bien contraída para aligerar la carga en la zona lumbar.

Musculatura solicitada: gemelos y sóleo.

Descripción del ejercicio:
Posición inicial: de pie, frente al compañero, colocamos dos barras sobre los hombros y con los codos semiflexionados las agarramos con las manos.
Movimiento: realizar una flexión plantar del tobillo hasta llegar a su máximo recorrido articular y volver a la posición inicial.
Aspectos a considerar:
No flexionar ni extender las rodillas durante el movimiento.
Mantener la zona abdominal bien contraída para aligerar la carga en la zona lumbar.

Musculatura solicitada: sóleo y cuádriceps.

Descripción del ejercicio:
Posición inicial: de pie, frente al compañero, con las rodillas flexionadas a 90° colocamos dos barras sobre los hombros y con los codos semiflexionados las agarramos con las manos.
Movimiento: realizar una flexión plantar del tobillo hasta llegar a su máximo recorrido articular y volver a la posición inicial.
Aspectos a considerar:
No flexionar ni extender las rodillas durante el movimiento.
Mantener la zona abdominal bien contraída para aligerar la carga en la zona lumbar.
Sujetar las barras con las manos para evitar problemas de equilibrio durante la realización del movimiento.

Musculatura solicitada: sóleo.

Descripción del ejercicio:
Posición inicial: sentados, sobre un estep, con las rodillas flexionadas a 90° y con el compañero sentado sobre las mismas.
Movimiento: realizar una flexión plantar del tobillo hasta llegar a su máximo recorrido articular y volver a la posición inicial.

Aspectos a considerar:
Aligerar o aumentar la intensidad del ejercicio y permitir que el compañero deje caer más o menos su peso sobre las rodillas de quien realiza el ejercicio.

GRUPO MUSCULAR

Músculos de la articulación del tobillo. Tibial anterior

Ejercicios con gomas elásticas

Musculatura solicitada: tibial anterior y peroneo anterior.

Descripción del ejercicio:
Posición inicial: sentados, frente a la espaldera, pasamos la goma elástica por uno de sus barrotes inferiores y con los tobillos en flexión plantar, colocamos sus asas en las puntas de los pies.

Movimiento: realizar una extensión (flexión dorsal) de los tobillos hasta llegar a su máximo recorrido articular y volver a la posición inicial.
Aspectos a considerar:
Este ejercicio puede realizarse con dos gomas elásticas, una para cada pie.
Si se desea aumentar la intensidad del ejercicio, bastará con tensar más la goma en la posición inicial.

Musculatura solicitada: tibial anterior y peroneo anterior.

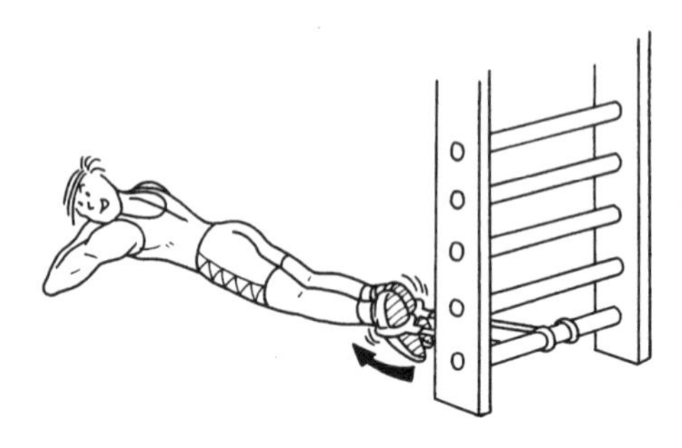

Descripción del ejercicio:
Posición inicial: tumbados boca abajo, pasamos la goma elástica por uno de los barrotes inferiores de la

espaldera y con los tobillos en flexión plantar, colocamos sus asas en las puntas de los pies.

Movimiento: realizar una extensión (flexión dorsal) de los tobillos hasta llegar a su máximo recorrido articular y volver a la posición inicial.

Aspectos a considerar:

Este ejercicio puede realizarse con dos gomas elásticas, una para cada pie.

Si se desea aumentar la intensidad del ejercicio, bastará con tensar más la goma en la posición inicial.

Para poder realizar el ejercicio es necesario flexionar ligeramente las rodillas para que los pies no toquen el suelo durante el movimiento.

Musculatura solicitada: tibial anterior y peroneo anterior.

Descripción del ejercicio:

Posición inicial: sentados, encima del estep, con las rodillas flexionadas pasamos la goma elástica a su alrededor y por encima de las puntas de los pies.

Movimiento: realizar una extensión (flexión dorsal) de los tobillos hasta llegar a su máximo recorrido articular y volver a la posición inicial.

Aspectos a considerar:

Si se desea aumentar la intensidad del ejercicio, bastará con tensar más la goma en la posición inicial.

Es importante apoyar las manos en el estep por detrás de la espalda y mantener un ángulo de 90° entre el tronco y los muslos.

Musculatura solicitada: tibial anterior y peroneo anterior.

Descripción del ejercicio:

Posición inicial: de pie, en posición básica, sobre un estep, pasamos la goma elástica a su alrededor y por encima de la punta de los pies sujetándola con las manos por sus asas.

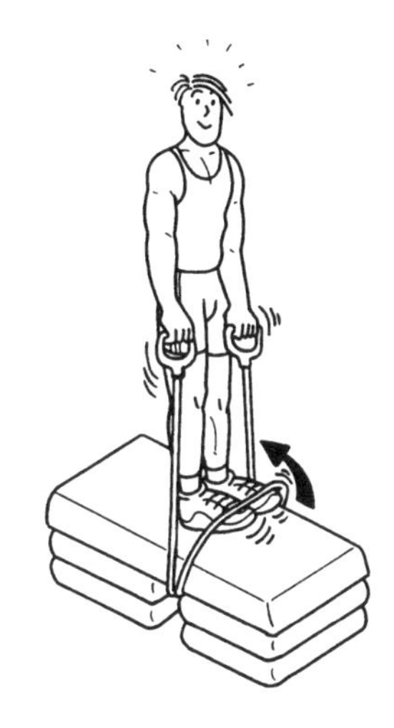

Movimiento: realizar una extensión (flexión dorsal) de los tobillos hasta llegar a su máximo recorrido articular y volver a la posición incial.

Aspectos a considerar:

Es muy importante que la goma elástica quede muy tensa cuando la pasamos alrededor del estep.

No realizar flexiones ni extensiones de las rodillas durante el ejercicio.

Musculatura solicitada: tibial anterior y peroneo anterior.

Descripción del ejercicio:

Posición inicial: de pie, en posición básica, sobre un estep inclinado, pasamos la goma elástica a su alrededor y por encima de la punta de los pies sujetándola con las manos por sus asas.

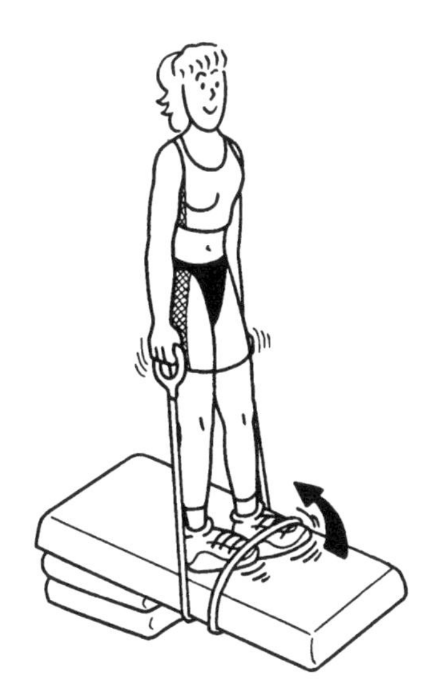

Movimiento: realizar una extensión (flexión dorsal) de los tobillos hasta llegar a su máximo recorrido articular y volver a la posición inicial.

Aspectos a considerar:

Es muy importante que la goma elástica quede muy tensa cuando la pasamos alrededor del estep.

No realizar flexiones ni extensiones de las rodillas durante el ejercicio.

La posición inclinada del estep permite partir de una posición de flexión plantar que facilita un mayor recorrido en el movimiento, haciéndolo más efectivo al implicarse un mayor número de fibras musculares.

Musculatura solicitada: tibial anterior y peroneo anterior.

Descripción del ejercicio:

Posición inicial: sentados, sobre un estep declinado, frente a la espaldera, pasamos la goma elástica por uno de

sus barrotes y con los tobillos en flexión plantar, colocamos sus asas en las puntas de los pies.

Movimiento: realizar una extensión (flexión dorsal) de los tobillos hasta llegar a su máximo recorrido articular y volver a la posición inicial.

Aspectos a considerar:

Este ejercicio puede realizarse con dos gomas elásticas, una para cada pie.

Si se desea aumentar la intensidad del ejercicio, bastará con tensar más la goma en la posición inicial.

Musculatura solicitada: tibial anterior y peroneo anterior.

Descripción del ejercicio:

Posición inicial: sentados, encima de un estep inclinado, con las rodillas flexionadas pasamos la goma elástica a su alrededor y por encima de las puntas de los pies.

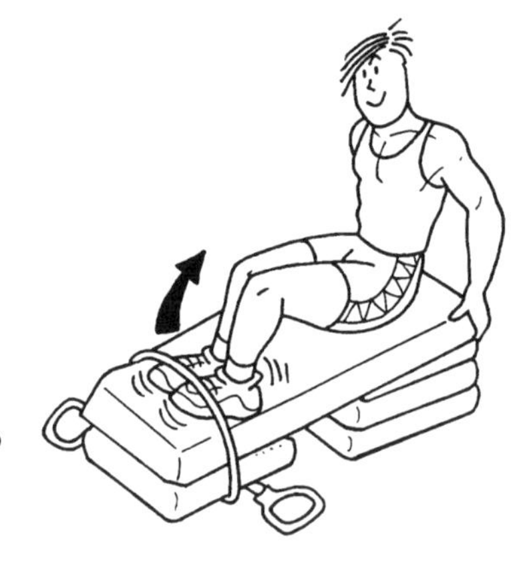

Movimiento: realizar una extensión (flexión dorsal) de los tobillos hasta llegar a su máximo recorrido articular y volver a la posición inicial.

Aspectos a considerar:

Si se desea aumentar la intensidad del ejercicio, bastará con tensar más la goma en la posición inicial.

Es importante apoyar las manos en el estep por detrás de la espalda y mantener un ángulo de 90° entre el tronco y los muslos.

La posición inclinada del estep permite partir de una posición de flexión plantar que facilita un mayor recorrido en el movimiento, haciéndolo más efectivo al implicarse un mayor número de fibras musculares.

Ejercicios con bandas elásticas

Musculatura solicitada: tibial anterior y peroneo anterior.

Descripción del ejercicio:

Posición inicial: sentados, frente a la espaldera, pasamos la banda elástica por uno de sus barrotes inferiores y con los tobillos en flexión plantar, enrollamos sus extremos en las puntas de los pies.

Movimiento: realizar una extensión (flexión dorsal) de los tobillos hasta llegar a su máximo recorrido articular y volver a la posición inicial.

Aspectos a considerar:

Este ejercicio puede realizarse con dos bandas elásticas, una para cada pie.

Si se desea aumentar la intensidad del ejercicio, bastará con tensar más la banda en la posición inicial.

Musculatura solicitada: tibial anterior y peroneo anterior.

Descripción del ejercicio:

Posición inicial: tumbados boca abajo, pasamos la banda elástica por uno de los barrotes inferiores de la espaldera y con los tobillos en flexión plantar, enrollamos sus extremos en las puntas de los pies.

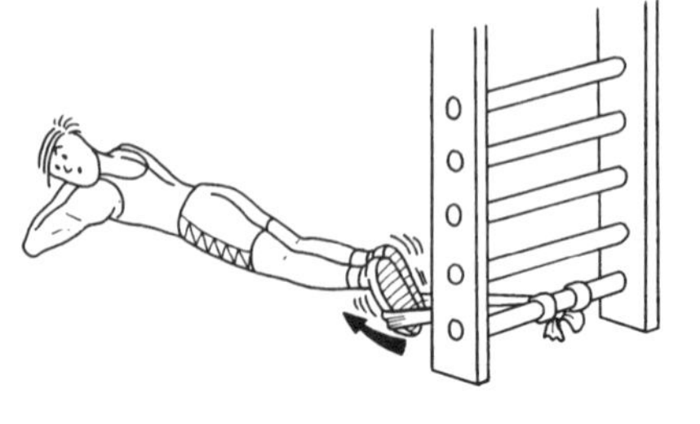

Movimiento: realizar una extensión (flexión dorsal) de los tobillos hasta llegar a su máximo recorrido articular y volver a la posición inicial.

Aspectos a considerar:
Este ejercicio puede realizarse con dos bandas elásticas, una para cada pie.
Si se desea aumentar la intensidad del ejercicio, bastará con tensar más la banda en la posición inicial.
Para poder realizar el ejercicio es necesario flexionar ligeramente las rodillas para que los pies no toquen con el suelo durante el movimiento.

Musculatura solicitada: tibial anterior y peroneo anterior.

Descripción del ejercicio:
Posición inicial: sentados, encima del estep, con las rodillas flexionadas pasamos la banda elástica a su alrededor y por encima de las puntas de los pies.
Movimiento: realizar una extensión (flexión dorsal) de los tobillos hasta llegar a su máximo recorrido articular y volver a la posición inicial.

Aspectos a considerar:
Si se desea aumentar la intensidad del ejercicio, bastará con tensar más la banda en la posición inicial.
Es importante apoyar las manos en el estep por detrás de la espalda y mantener un ángulo de 90° entre el tronco y los muslos.

Musculatura solicitada: tibial anterior y peroneo anterior.

Descripción del ejercicio:
Posición inicial: de pie, en posición básica, sobre un estep, pasamos la banda elástica a su alrededor y por encima de la punta de los pies, sujetándola con las manos por sus extremos.
Movimiento: realizar una extensión (flexión dorsal) de los tobillos hasta llegar a su máximo recorrido articular y volver a la posición inicial.

Aspectos a considerar:
Es muy importante que la banda elástica quede muy tensa cuando la pasamos alrededor del estep.
No realizar flexiones ni extensiones de las rodillas durante el ejercicio.

Musculatura solicitada: tibial anterior y peroneo anterior.

Descripción del ejercicio:
Posición inicial: de pie, en posición básica, sobre un estep inclinado, pasamos la banda elástica a su alrededor y por encima de la punta de los pies, sujetándola con las manos por sus extremos.
Movimiento: realizar una extensión (flexión dorsal) de los tobillos hasta llegar a su máximo recorrido articular y volver a la posición incial.
Aspectos a considerar:
Es muy importante que la banda elástica quede muy tensa cuando la pasamos alrededor del estep.
No realizar flexiones ni extensiones de las rodillas durante el ejercicio.
La posición inclinada del estep permite partir de una posición de flexión plantar que facilita un mayor recorrido en el movimiento, haciéndolo más efectivo al implicarse un mayor número de fibras musculares.

Musculatura solicitada: tibial anterior y peroneo anterior.

Descripción del ejercicio:
Posición inicial: sentados, sobre un estep declinado, frente a la espaldera, pasamos la banda elástica por uno de sus barrotes y con los tobillos en flexión plantar, enrollamos sus extremos en las puntas de los pies.
Movimiento: realizar una extensión (flexión dorsal) de los tobillos hasta llegar a su máximo recorrido articular y volver a la posición inicial.

Aspectos a considerar:
Este ejercicio puede realizarse con dos bandas elásticas, una para cada pie.
Si se desea aumentar la intensidad del ejercicio, bastará con tensar más la banda en la posición inicial.

Musculatura solicitada: tibial anterior y peroneo anterior.

Descripción del ejercicio:
Posición inicial: sentados, encima de un estep inclinado, con las rodillas flexionadas pasamos la banda elástica a su alrededor y por encima de las puntas de los pies.

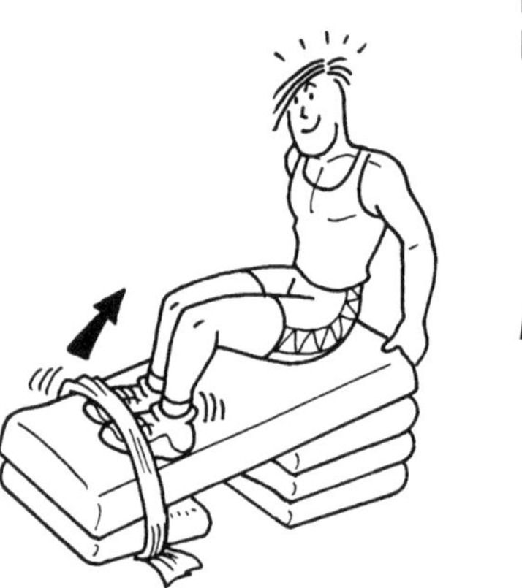
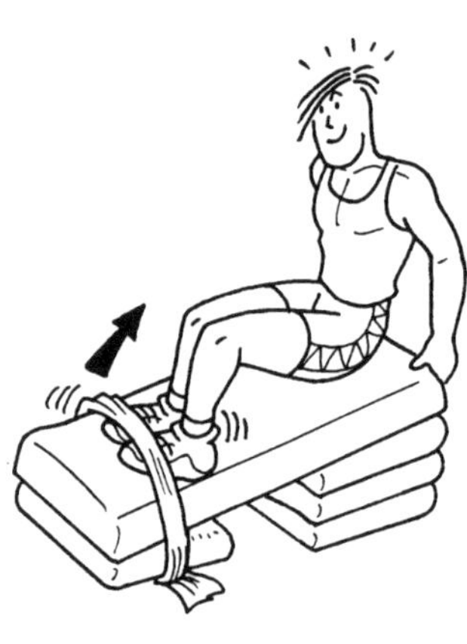

Movimiento: realizar una extensión (flexión dorsal) de los tobillos hasta llegar a su máximo recorrido articular y volver a la posición inicial.
Aspectos a considerar:
Si se desea aumentar la intensidad del ejercicio, bastará con tensar más la banda en la posición inicial.
Es importante apoyar las manos en el estep por detrás de la espalda y mantener un ángulo de 90° entre el tronco y los muslos.
La posición inclinada del estep permite partir de una posición de flexión plantar que facilita un mayor recorrido en el movimiento, haciéndolo más efectivo al implicarse un mayor número de fibras musculares.

Ejercicios con barra

Musculatura solicitada: tibial anterior y peroneo anterior.

Descripción del ejercicio:
Posición inicial: de pie, en posición básica, agarramos una barra con la mano y la apoyamos sobre la punta del pie.

Movimiento: realizar una extensión (flexión dorsal) del tobillo hasta llegar a su máximo recorrido articular y volver a la posición inicial.

Aspectos a considerar:
Durante el movimiento el tronco debe permanecer fijo, no se debe flexionar ni extender la cadera.
Para aumentar la intensidad del ejercicio se puede hacer presión con la mano hacia abajo (en dirección contraria al movimiento de extensión del tobillo).

Musculatura solicitada: tibial anterior y peroneo anterior.

Descripción del ejercicio:
Posición inicial: de pie, en posición básica, sobre un estep inclinado, agarramos una barra con la mano y la apoyamos sobre la punta del pie.
Movimiento: realizar una extensión (flexión dorsal) del tobillo hasta llegar a su máximo recorrido articular y volver a la posición inicial.
Aspectos a considerar:
durante el movimiento el tronco debe permanecer fijo, no se debe flexionar ni extender la cadera.
Si se prefiere se puede hacer con dos barras apoyadas en cada pie o con una barra en cada pie y trabajar con los dos tobillos simultáneamente.
La posición inclinada del estep permite partir de una posición de flexión plantar que facilita un mayor recorrido en el movimiento, haciéndolo más efectivo al implicarse un mayor número de fibras musculares.

Musculatura solicitada: tibial anterior y peroneo anterior.

Descripción del ejercicio:
Posición inicial: de pie, con un talón apoyado sobre el extremo de un estep y con el tobillo en completa flexión plantar agarramos una barra con la mano y la apoyamos en la punta del pie.

Movimiento: realizar una extensión (flexión dorsal) del tobillo hasta llegar a su máximo recorrido articular y volver a la posición inicial.

Aspectos a considerar:
Durante el movimiento el tronco debe permanecer fijo, no se debe flexionar ni extender la cadera.
Si se prefiere se puede hacer con dos barras apoyadas en cada pie o con una barra en cada pie y trabajar con los dos tobillos simultáneamente.

Ejercicios con esteps

Musculatura solicitada: tibial anterior y peroneo anterior.

Descripción del ejercicio:
Posición inicial: de pie, en posición básica, sobre un estep inclinado.
Movimiento: realizar una extensión (flexión dorsal) del tobillo hasta llegar a su máximo recorrido articular y volver a la posición inicial.
Aspectos a considerar:
Durante el movimiento el tronco debe permanecer fijo, no se debe flexionar ni extender la cadera.
La posición inclinada del estep permite partir de una posición de flexión plantar que facilita un mayor recorrido en el movimiento, haciéndolo más efectivo al implicarse un mayor número de fibras musculares.

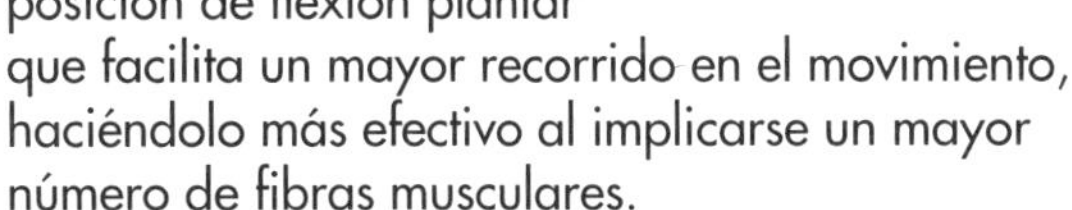

Musculatura solicitada: tibial anterior y peroneo anterior.

Descripción del ejercicio:
Posición inicial: de pie, en posición básica, agarramos un estep con las manos y lo apoyamos sobre la punta del pie.
Movimiento: realizar una extensión (flexión dorsal) del tobillo hasta llegar a su máximo recorrido articular y volver a la posición inicial.
Aspectos a considerar:
Durante el movimiento el tronco debe permanecer fijo, no se debe flexionar ni extender la cadera.

Para aumentar la intensidad del ejercicio se puede hacer presión con la mano hacia abajo (en dirección contraria al movimiento de extensión del tobillo).

Musculatura solicitada: tibial anterior y peroneo anterior.

Descripción del ejercicio:
Posición inicial: de pie, en posición básica, sobre un estep inclinado, agarramos un estep con las manos y lo apoyamos sobre la punta del pie.
Movimiento: realizar una extensión (flexión dorsal) del tobillo hasta llegar a su máximo recorrido articular y volver a la posición inicial.
Aspectos a considerar:
Durante el movimiento el tronco debe permanecer fijo, no se debe flexionar ni extender la cadera.
La posición inclinada del estep permite partir de una posición de flexión plantar que facilita un mayor recorrido en el movimiento, haciéndolo más efectivo al implicarse un mayor número de fibras musculares.

Ejercicios por parejas con diferentes materiales

Musculatura solicitada: tibial anterior y peroneo anterior.
Descripción del ejercicio:
Posición inicial: de pie, en posición básica, sobre un estep, pasamos la goma elástica a su alrededor y por encima de la punta de los pies mientras que el compañero, sentado en el estep, la sujeta por sus asas.
Movimiento: realizar una extensión (flexión dorsal) de los tobillos hasta llegar a su máximo recorrido articular y volver a la posición inicial.
Aspectos a considerar:
Es muy importante que la goma elástica quede muy tensa cuando la pasamos alrededor del estep.

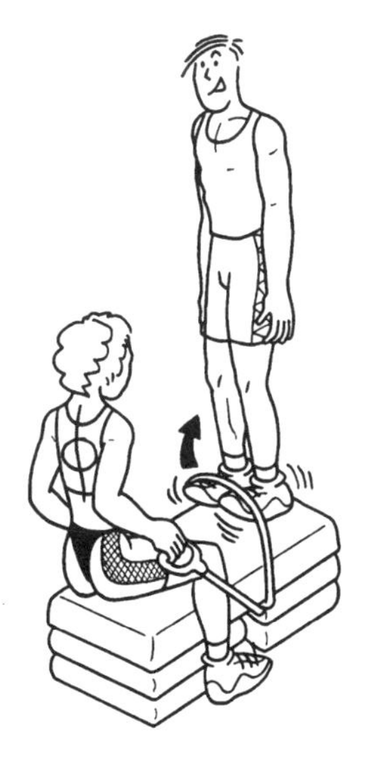

No realizar flexiones ni extensiones de las rodillas durante el ejercicio.

Musculatura solicitada: tibial anterior y peroneo anterior.

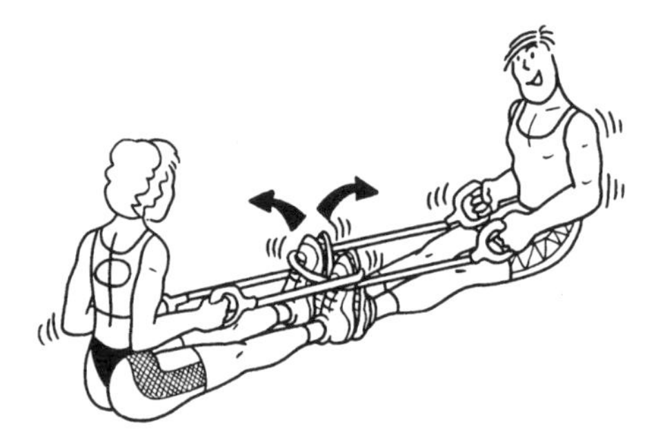

Descripción del ejercicio:

Posición inicial: sentados, frente al compañero, con las rodillas extendidas y los tobillos en flexión plantar, enrollamos, mutuamente, la goma elástica en la punta de los pies del compañero y agarramos las asas con las manos.

Movimiento: realizar una extensión (flexión dorsal) de los tobillos hasta llegar a su máximo recorrido articular y volver a la posición inicial

Aspectos a considerar:

Este ejercicio puede hacerse también con una sola goma, enrollándola en los pies de ambos compañeros y sujetando las asas uno de ellos.

Musculatura solicitada: tibial anterior y peroneo anterior.

Descripción del ejercicio:

Posición inicial: sentados, frente al compañero, con las rodillas extendidas enrollamos la goma elástica alrededor de la punta de los pies mientras que el compañero sujeta la goma por sus asas.

Movimiento: realizar una extensión (flexión dorsal) de los tobillos hasta llegar a su máximo recorrido articular y volver a la posición inicial.

Aspectos a considerar:

El compañero debe procurar mantener muy tensa la goma para lograr ofrecer una resistencia considerable.

Musculatura solicitada: tibial anterior y peroneo anterior.

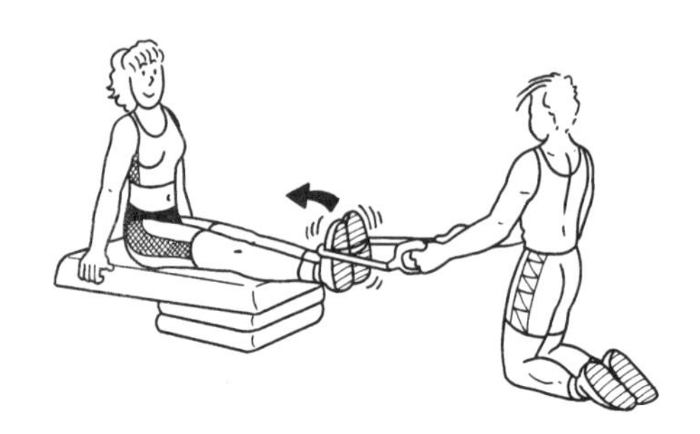

Descripción del ejercicio:

Posición inicial: sentados, sobre un estep declinado, frente al compañero y con las rodillas extendidas enrollamos la goma elástica alrededor de la punta de los pies mientras que el compañero sujeta la goma por sus asas.

Movimiento: realizar una extensión (flexión dorsal) de los tobillos hasta llegar a su máximo recorrido articular y volver a la posición inicial.

Aspectos a considerar:

El compañero debe procurar mantener muy tensa la goma para lograr ofrecer una resistencia considerable.

Musculatura solicitada: tibial anterior y peroneo anterior.

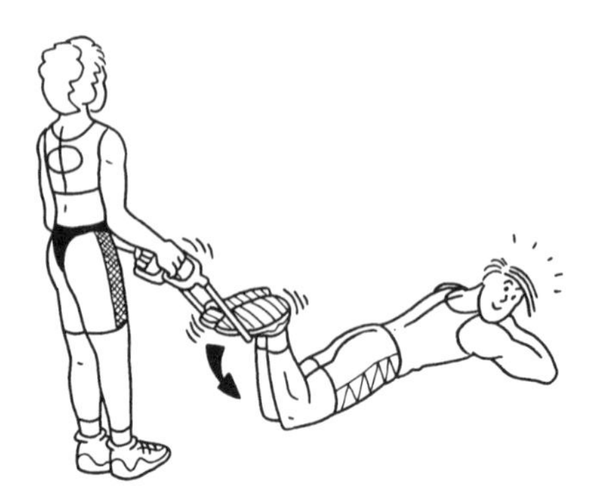

Descripción del ejercicio:

Posición inicial: tumbados boca abajo, con las rodillas flexionadas a 90° y los tobillos en completa flexión plantar, enrollamos la goma elástica alrededor de las puntas de los pies mientras que el compañero la sujeta por sus asas.

Movimiento: realizar una extensión (flexión dorsal) de los tobillos hasta llegar a su máximo recorrido articular y volver a la posición inicial.

Aspectos a considerar:

No extender las rodillas durante el movimiento.

Aprovechar toda la amplitud de movimiento que nos permite esta posición.

Tensar bien la goma si se desea conseguir una mayor intensidad en el ejercicio.

MÚSCULOS DE LA ARTICULACIÓN DE LA RODILLA

CUÁDRICEPS FEMORAL:
Recto anterior
vasto interno
vasto externo
crural

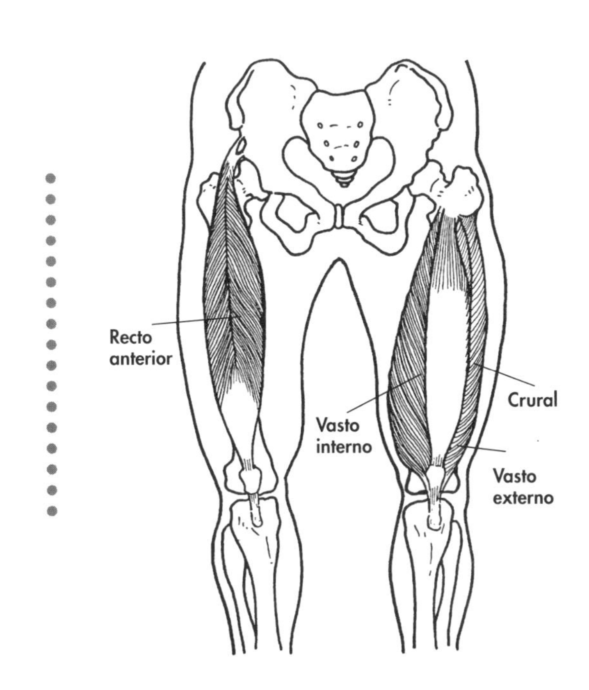

ISQUIOTIBIALES:
Bíceps crural -
semitendinoso -
semimembranoso

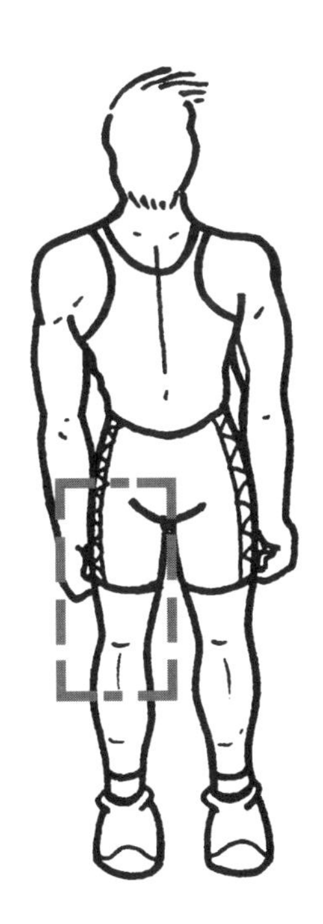

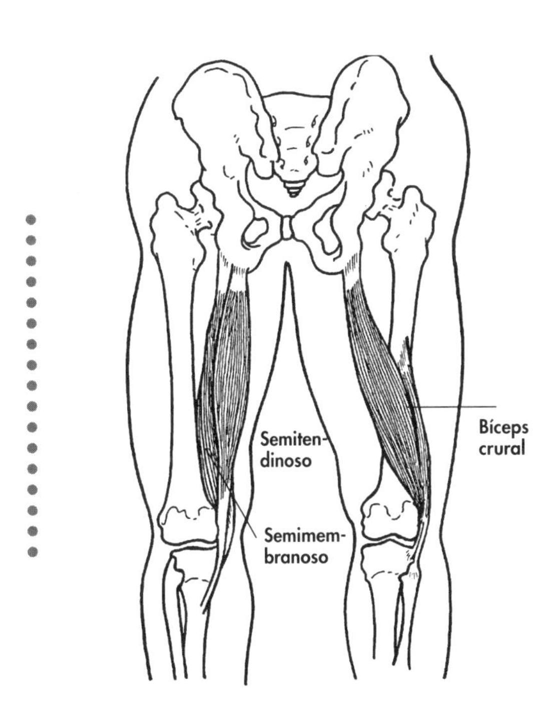

GRUPO MUSCULAR

Músculos de la articulación de la rodilla. Cuádriceps

Ejercicios con gomas elásticas

Musculatura solicitada: cuádriceps y glúteo mayor.

Descripción del ejercicio:

Posición inicial: de pie, en posición básica, pisamos la goma elástica con los talones y la pasamos por encima de los hombros agarrándola con las manos a la altura del pecho.

Movimiento: flexionar las rodillas a 90° y volver a extenderlas hasta llegar a la posición inicial.

Aspectos a considerar:

Mantener el tronco erguido sin inclinarlo hacia adelante.

Por razones de comodidad en el ejercicio, la posición inicial descrita corresponde más bien a la que debería ser la posición final, ya que el movimiento del ejercicio es el de una extensión de las rodillas y no el de una flexión como empieza la descripción del movimiento.

Musculatura solicitada: cuádriceps y glúteo mayor.

Descripción del ejercicio:

Posición inicial:

Tumbados, boca arriba, con las rodillas flexionadas a 90° y con un pie apoyado en el suelo, flexionamos una cadera y enrollamos la goma en su pie agarrando las asas con las manos.

Movimiento: extender la rodilla hasta llegar a su máximo recorrido articular y volver a la posición inicial.

Aspectos a considerar:

Mantener la zona abdominal contraída.

Mantener fija la cadera, no extenderla ni flexionarla durante el movimiento.

Para evitar que la goma elástica se escape dar una vuelta completa alrededor del pie.

Musculatura solicitada: cuádriceps y glúteo mayor.

Descripción del ejercicio:

Posición inicial: tumbados, boca arriba, con las caderas y las rodillas flexionadas, enrollamos la goma elástica en los pies y la agarramos por sus asas.

Movimiento: extender las rodillas hasta llegar a su máximo recorrido articular y volver a la posición inicial.

Aspectos a considerar:

Mantener la zona abdominal contraída durante todo el movimiento.

Mantener fijas las caderas, no extenderlas ni flexionarlas durante el movimiento.

Para evitar que la goma elástica se escape dar una vuelta completa alrededor de los pies.

Musculatura solicitada: cuádriceps.

Descripción del ejercicio:

Posición inicial: de pie, en posición básica, apoyados sobre una pierna y con la otra rodilla flexionada a 90°, enrollamos la goma elástica en el pie y la agarramos por sus asas.

Movimiento: extender la rodilla hasta llegar a su máximo recorrido articular y volver a la posición inicial.

Aspectos a considerar:

Mantener la zona abdominal contraída durante todo el movimiento.

Mantener fijas las caderas, no extenderlas ni flexionarlas durante el movimiento.

Para evitar que la goma elástica se escape dar una vuelta completa alrededor del pie.

Este ejercicio puede ofrecer algunos problemas de equilibrio en su ejecución.

Musculatura solicitada: cuádriceps.

Descripción del ejercicio:
Posición inicial: de pie, en posición básica, apoyados sobre una pierna y con la otra rodilla flexionada a 90°, enrollamos la goma elástica por uno de los barrotes superiores de la espaldera y pasamos sus asas por la punta del pie.

Movimiento: extender la rodilla hasta llegar a su máximo recorrido articular y volver a la posición inicial.
Aspectos a considerar:
Mantener la zona abdominal contraída durante todo el movimiento.
Mantener fijas las caderas, no extenderlas ni flexionarlas durante el movimiento.
Para evitar que la goma elástica se escape dar una vuelta completa alrededor del pie.

Musculatura solicitada: cuádriceps.

Descripción del ejercicio:
Posición inicial: tumbados boca abajo, con las rodillas flexionadas, enrollamos la goma elástica alrededor de los pies y con las manos la agarramos por sus asas.

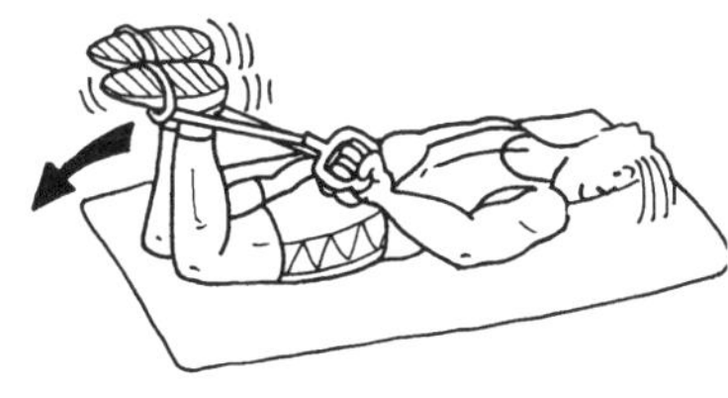

Movimiento: extender las rodillas hasta llegar a su máximo recorrido articular y volver a la posición inicial.
Aspectos a considerar:
Mantener la zona abdominal contraída durante todo el movimiento.
Durante el movimiento colocar las manos apoyadas sobre la región lumbar de la espalda para facilitar la oposición del movimiento a través de la goma.

Musculatura solicitada: Cuádriceps.

Descripción del ejercicio:
Posición inicial: sentados, sobre un estep declinado, enrollamos la goma elástica en los soportes del estep y pasamos sus asas por las puntas de los pies.

Movimiento: extender las rodillas hasta llegar a su máximo recorrido articular y volver a la posición inicial.
Aspectos a considerar:
Elevar el estep suficientemente para que la rodilla pueda flexionarse a 90° y así poder realizar un movimiento amplio y completo.
Apoyar las manos en el estep, por detrás de la espalda para relajar la zona lumbar.

Musculatura solicitada: Cuádriceps.

Descripción del ejercicio:
Posición inicial: Tumbados, boca arriba, con el tronco ligeramente incorporado, apoyados sobre los antebrazos, con las rodillas flexionadas y los pies apoyados en el suelo, enrollamos la goma elástica en los pies.
Movimiento: extender la rodilla hasta llegar a su máximo recorrido articular y volver a la posición inicial.
Aspectos a considerar:
Este ejercicio está contraindicado en el caso de personas que sufran patologías en la zona lumbar y es conveniente realizarlo en contadas ocasiones dada la importante intervención del músculo psoas ilíaco durante la ejecución del movimiento.

Musculatura solicitada: Cuádriceps.

Descripción del ejercicio:
Posición inicial: sentados sobre un estep, con las rodillas flexionadas, pasamos la goma elástica alrededor de

los soportes del estep y colocamos sus asas en la punta de uno de los pies.
Movimiento: extender la rodilla hasta llegar a su máximo recorrido articular y volver a la posición inicial.
Aspectos a considerar:
Sentarse en el estep de manera que todo, o la mayor parte del muslo, quede apoyado sobre el mismo.
Mantener el tronco erguido, aunque ligeramente extendido (inclinado hacia atrás).

Ejercicios con bandas elásticas

Musculatura solicitada: cuádriceps y glúteo mayor.

Descripción del ejercicio:
Posición inicial: de pie, en posición básica, pisamos la banda elástica con los talones y la pasamos por encima de los hombros agarrándola con las manos a la altura del pecho.
Movimiento: flexionar las rodillas hasta llegar a 90° y volver a extenderlas hasta llegar a la posición inicial.
Aspectos a considerar:
Mantener el tronco erguido sin inclinarlo hacia adelante.
Por razones de comodidad en el ejercicio, la posición inicial descrita corresponde más bien a la que debería ser la posición final, ya que el movimiento del ejercicio es el de una extensión de las rodillas y no el de una flexión como empieza la descripción del movimiento.

Musculatura solicitada: cuádriceps y glúteo mayor.

Descripción del ejercicio:
Posición inicial: tumbados, boca arriba, con las rodillas flexionadas a 90° y con un pie apoyado en el suelo, flexionamos una cadera y enrollamos la banda en el pie agarrándola con las manos por sus extremos.

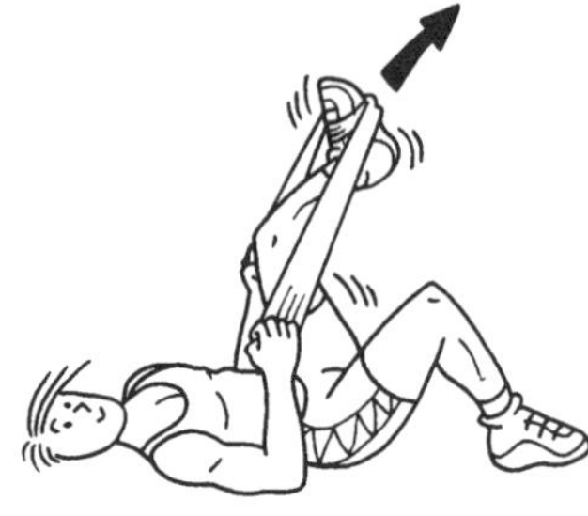

Movimiento: extender la rodilla hasta llegar a su máximo recorrido articular y volver a la posición inicial.
Aspectos a considerar:
Mantener la zona abdominal contraída.
Mantener fijas las caderas, no extenderlas ni flexionarlas durante el movimiento.
Para evitar que la banda elástica se escape dar una vuelta completa alrededor del pie.

Musculatura solicitada: cuádriceps y glúteo mayor.

Descripción del ejercicio:
Posición inicial: tumbados, boca arriba, con las caderas y las rodillas flexionadas, enrollamos la banda elástica en los pies y la agarramos por sus extremos.

Movimiento: extender las rodillas hasta llegar a su máximo recorrido articular y volver a la posición inicial.
Aspectos a considerar:
Mantener la zona abdominal contraída durante todo el movimiento.
Mantener fijas las caderas, no extenderlas ni flexionarlas durante el movimiento.
Para evitar que la banda elástica se escape dar una vuelta completa alrededor de los pies.

Musculatura solicitada: cuádriceps.

Descripción del ejercicio:
Posición inicial: de pie, en posición básica, apoyados sobre una pierna y con la otra rodilla flexionada a 90°, enrollamos la banda elástica en el pie y la agarramos por sus extremos.

Movimiento: extender la rodilla hasta llegar a su máximo recorrido articular y volver a la posición inicial.

Aspectos a considerar:

Mantener la zona abdominal contraída durante todo el movimiento.

Mantener fijas las caderas, no extenderlas ni flexionarlas durante el movimiento.

Para evitar que la banda elástica se escape dar una vuelta completa alrededor del pie.

Este ejercicio puede ofrecer algunos problemas de equilibrio en su ejecución.

Musculatura solicitada: cuádriceps.

Descripción del ejercicio:

Posición inicial: de pie, en posición básica, apoyados sobre una pierna y con la otra rodilla flexionada a 90°, enrollamos la banda elástica por uno de los barrotes superiores de la espaldera y atamos sus extremos en los pies.

Movimiento: extender la rodilla hasta llegar a su máximo recorrido articular y volver a la posición inicial.

Aspectos a considerar:

Mantener la zona abdominal contraída durante todo el movimiento.

Mantener fijas las caderas, no extenderlas ni flexionarlas durante el movimiento.

Para evitar que la banda elástica se escape dar una vuelta completa alrededor del pie.

Musculatura solicitada: cuádriceps.

Descripción del ejercicio:

Posición inicial: tumbados boca abajo, con las rodillas flexionadas, enrollamos la banda elástica alrededor de los pies y con las manos la agarramos por sus extremos.

Movimiento: extender las rodillas hasta llegar a su máximo recorrido articular y volver a la posición inicial.

Aspectos a considerar:

Mantener la zona abdominal contraída durante todo el movimiento.

Durante el movimiento colocar las manos apoyadas sobre la región lumbar de la espalda para facilitar la oposición del movimiento a través de la banda.

Musculatura solicitada: cuádriceps.

Descripción del ejercicio:

Posición inicial: sentados, sobre un estep declinado, enrollamos la banda elástica en los soportes del estep y atamos sus extremos en los pies.

Movimiento: extender las rodillas hasta llegar a su máximo recorrido articular y volver a la posición inicial.

Aspectos a considerar:

Elevar el estep suficientemente para que la rodilla pueda flexionarse a 90° y así poder realizar un movimiento amplio y completo.

Apoyar las manos en el estep, por detrás de la espalda para relajar la zona lumbar.

Musculatura solicitada: cuádriceps.

Descripción del ejercicio:

Posición inicial: tumbados, boca arriba, con el tronco ligeramente incorporado, apoyados sobre los antebrazos, con las rodillas flexionadas y los pies apoyados en el suelo, enrollamos la banda elástica en los pies.

Movimiento: extender la rodilla hasta llegar a su máximo recorrido articular y volver a la posición inicial.

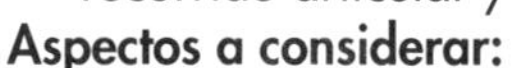

Aspectos a considerar:

Este ejercicio está contraindicado en el caso de personas que sufran patologías en la zona lumbar y es conveniente realizarlo en contadas ocasiones dada la importante intervención del músculo psoas ilíaco durante la ejecución del movimiento.

Musculatura solicitada: cuádriceps.

Descripción del ejercicio:

Posición inicial: sentados sobre un estep, con las rodillas flexionadas, pasamos la banda elástica alrededor de los soportes del estep y atamos sus extremos en uno de los pies.

Movimiento: extender la rodilla hasta llegar a su máximo recorrido articular y volver a la posición inicial.

Aspectos a considerar:

Sentarse en el estep de manera que todo, o la mayor parte del muslo, quede apoyado sobre el mismo. Mantener el tronco erguido, aunque ligeramente extendido (inclinado hacia atrás).

Ejercicios con mancuernas

Musculatura solicitada: cuádriceps y glúteo mayor.

Descripción del ejercicio:

Posición inicial: de pie, en posición básica, agarramos una mancuerna con cada mano.

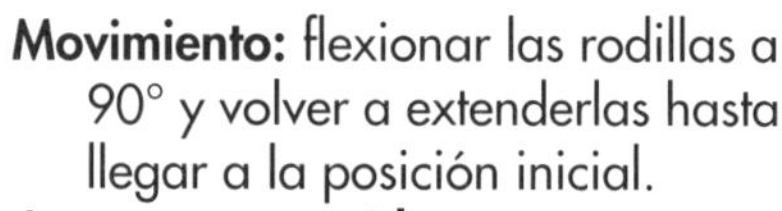

Movimiento: flexionar las rodillas a 90° y volver a extenderlas hasta llegar a la posición inicial.

Aspectos a considerar:

Mantener el tronco erguido sin inclinarlo hacia delante.

Por razones de comodidad en el ejercicio, la posición inicial descrita corresponde más bien a la que debería ser la posición final, ya que el movimiento del ejercicio es el de una extensión de las rodillas y no el de una flexión como empieza la descripción del movimiento.

Musculatura solicitada: cuádriceps y glúteo mayor.

Descripción del ejercicio:

Posición inicial: de pie, en posición básica, con los talones apoyados sobre el soporte de un estep, agarramos una mancuerna con cada mano.

Movimiento: flexionar las rodillas a 90° y volver a extenderlas hasta llegar a la posición inicial.

Aspectos a considerar:

La flexión plantar del tobillo facilita mantener el tronco erguido sin inclinarlo hacia delante durante el movimiento.

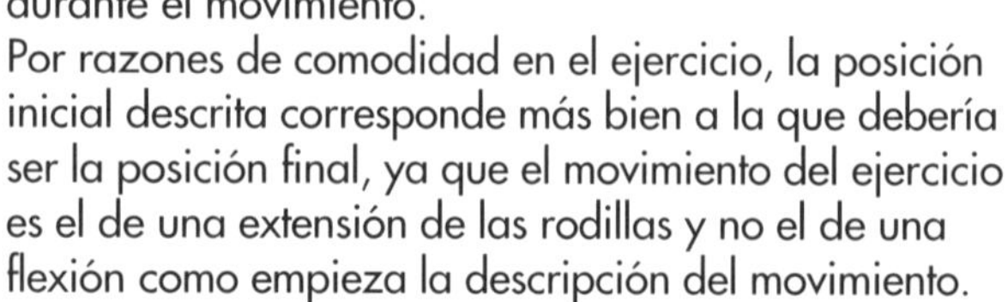

Por razones de comodidad en el ejercicio, la posición inicial descrita corresponde más bien a la que debería ser la posición final, ya que el movimiento del ejercicio es el de una extensión de las rodillas y no el de una flexión como empieza la descripción del movimiento.

Musculatura solicitada: cuádriceps y glúteo mayor.

Descripción del ejercicio:

Posición inicial: de pie, en posición básica, con una mancuerna en cada mano.

Movimiento: avanzar un pie y apoyándolo en el suelo, flexionar la rodilla hasta llegar a 90° y volver a la posición inicial.

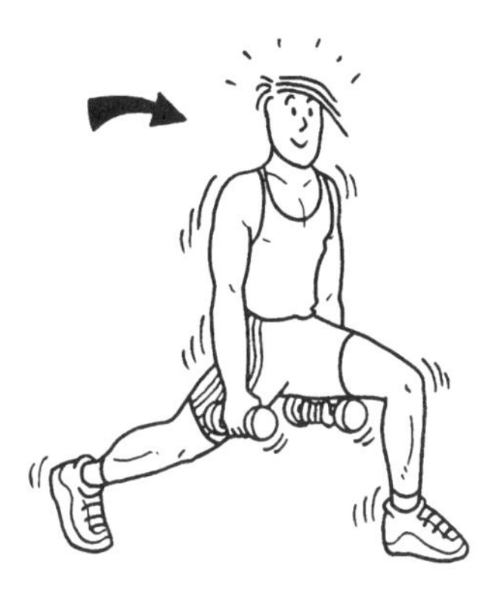

Aspectos a considerar:
La rodilla de la pierna que queda atrasada, permanece semiflexionada durante todo el movimiento.
El pie de la rodilla que avanzamos debe apoyarse por delante del tronco de manera que nos permita una flexión de 90°.
La rodilla de la pierna que avanzamos nunca debe quedar más adelantada que el tobillo. En el momento de la flexión deben quedar a la misma altura.

Musculatura solicitada: cuádriceps y glúteo mayor.

Descripción del ejercicio:
Posición inicial: de pie, en posición básica, apoyados sobre una pierna y con un pie apoyado en el estep agarramos una mancuerna con cada mano.
Movimiento: flexionar la rodilla a 90° y volver a extenderla hasta llegar a la posición inicial.
Aspectos a considerar:

Mantener el tronco erguido sin inclinarlo hacia delante.
Por razones de comodidad en el ejercicio, la posición inicial descrita corresponde más bien a la que debería ser la posición final, ya que el movimiento del ejercicio es el de una extensión de la rodilla y no el de una flexión como empieza la descripción del movimiento.
No flexionar la rodilla a más de 90°.
Mantener el pie ligeramente abducido para mejorar la ejecución del ejercicio y aumentar el equilibrio.

Musculatura solicitada: cuádriceps y glúteo mayor.

Descripción del ejercicio:
Posición inicial: de pie, en posición básica, agarramos una mancuerna con cada mano y las entrelazamos por detrás de la espalda.

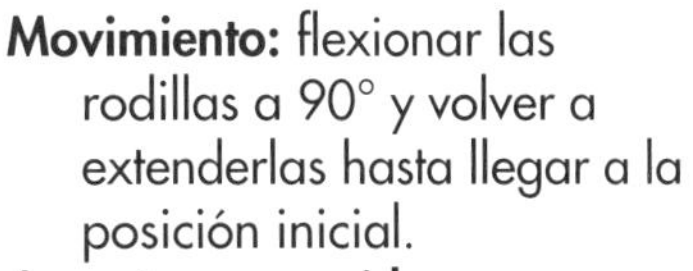

Movimiento: flexionar las rodillas a 90° y volver a extenderlas hasta llegar a la posición inicial.
Aspectos a considerar:
Tener las manos entrelazadas por detrás del tronco facilita mantenerlo erguido sin inclinarlo hacia adelante, aunque puede ofrecer algún problema de equilibrio en personas principiantes.
Por razones de comodidad en el ejercicio, la posición inicial descrita corresponde más bien a la que debería ser la posición final, ya que el movimiento del ejercicio es el de una extensión de las rodillas y no el de una flexión como empieza la descripción del movimiento.

Musculatura solicitada: cuádriceps y glúteo mayor.

Descripción del ejercicio:
Posición inicial: de pie con una mancuerna en cada mano, apoyamos una pierna en el suelo y la otra la apoyamos sobre el talón con la cadera abducida.
Movimiento: flexionar la rodilla a 90° y volver a extenderla hasta llegar a la posición inicial.
Aspectos a considerar:
Mantener el tronco erguido durante el movimiento.
No flexionar la rodilla más de 90°.

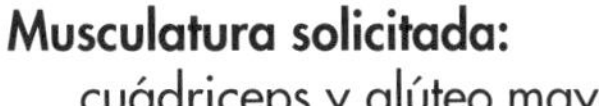

Musculatura solicitada:
cuádriceps y glúteo mayor.

Descripción del ejercicio:
Posición inicial: de pie, con las rodillas ligeramente flexionadas, la cadera abducida y la zona abdominal contraída, separamos los pies alrededor de un metro aproximadamente y agarramos una mancuerna con cada mano.

Movimiento: flexionar las rodillas a 90° y volver a extenderlas hasta llegar a la posición inicial.

Aspectos a considerar:
Colocar los pies en la misma dirección que los muslos para no forzar las articulaciones que intervienen en el movimiento.

Ejercicios con barra

Musculatura solicitada: cuádriceps y glúteo mayor.

Descripción del ejercicio:
Posición inicial: de pie, en posición básica, con una barra apoyada sobre los hombros y con los codos flexionados la agarramos con las manos.
Movimiento: flexionar las rodillas a 90° y volver a extenderlas hasta llegar a la posición inicial.
Aspectos a considerar:
Mantener el tronco erguido sin inclinarlo hacia delante.
Por razones de comodidad en el ejercicio la posición inicial descrita corresponde más bien a la que debería ser la posición final, ya que el movimiento del ejercicio es el de una extensión de las rodillas y no el de una flexión como empieza la descripción del movimiento.

Musculatura solicitada: cuádriceps y glúteo mayor.

Descripción del ejercicio:
Posición inicial: de pie, en posición básica, con los talones apoyados sobre el soporte de un estep y con una barra apoyada sobre los hombros.

Movimiento: flexionar las rodillas a 90° y volver a extenderlas hasta llegar a la posición inicial.
Aspectos a considerar:
La flexión plantar del tobillo facilita mantener el tronco erguido sin inclinarlo hacia adelante durante el movimiento.
Por razones de comodidad en el ejercicio, la posición inicial descrita corresponde más bien a la que debería ser la posición final, ya que el movimiento del ejercicio es el de una extensión de las rodillas y no el de una flexión como empieza la descripción del movimiento.

Musculatura solicitada: cuádriceps y glúteo mayor.

Descripción del ejercicio:
Posición inicial: de pie, en posición básica, con los codos flexionados agarramos con las manos una barra apoyada sobre los hombros.

Movimiento: avanzar un pie y apoyándolo en el suelo, flexionar la rodilla hasta llegar a 90° y volver a la posición inicial.
Aspectos a considerar:
La rodilla de la pierna que queda atrasada, permanece semiflexionada durante todo el movimiento.
El pie de la rodilla que avanzamos debe apoyarse por delante del tronco de manera que nos permita una flexión de 90°.
La rodilla de la pierna que avanzamos nunca debe quedar más adelantada que el tobillo. En el momento de la flexión deben quedar a la misma altura.

Musculatura solicitada: cuádriceps y glúteo mayor.

Descripción del ejercicio:
Posición inicial: de pie, en posición básica, apoyamos una barra en el suelo, entre los muslos y con los codos semiflexionados la agarramos con las manos.

Movimiento: flexionar las rodillas a 90° y volver a extenderlas hasta llegar a la posición inicial.

Aspectos a considerar:
Mantener el tronco erguido sin inclinarlo hacia delante.
Por razones de comodidad en el ejercicio, la posición inicial descrita corresponde a la que debería ser la posición final, ya que el movimiento del ejercicio es el de una extensión de las rodillas y no el de una flexión como empieza la descripción del movimiento.

Musculatura solicitada: cuádriceps y glúteo mayor.

Descripción del ejercicio:
Posición inicial: de pie, en posición básica, con los hombros y los codos flexionados, con una barra apoyada sobre los brazos y con los antebrazos cruzados entre ellos y apoyados sobre la barra.

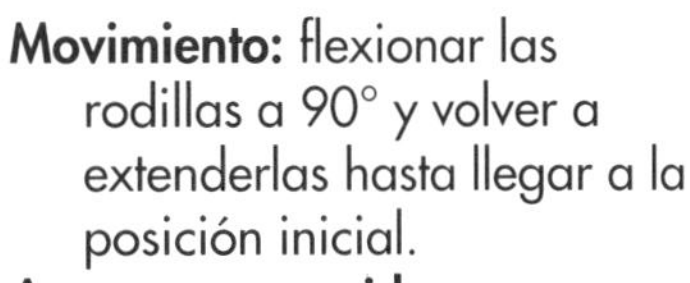

Movimiento: flexionar las rodillas a 90° y volver a extenderlas hasta llegar a la posición inicial.

Aspectos a considerar:
Mantener el tronco erguido sin inclinarlo hacia delante.
Por razones de comodidad en el ejercicio, la posición inicial descrita corresponde a la que debería ser la posición final, ya que el movimiento del ejercicio es el de una extensión de las rodillas y no el de una flexión como empieza la descripción del movimiento.

Musculatura solicitada: cuádriceps y glúteo mayor.

Descripción del ejercicio:
Posición inicial: de pie en posición básica, pasamos una barra entre los muslos y con el tronco ligeramente girado, la agarramos con las manos, una por delante y otra por detrás.

Movimiento: flexionar las rodillas a 90° y volver a extenderlas hasta llegar a la posición inicial.

Aspectos a considerar:
Mantener, si es posible,el tronco erguido sin inclinarlo hacia delante.
Por razones de comodidad en el ejercicio, la posición inicial descrita corresponde a la que debería ser la posición final, ya que el movimiento del ejercicio es el de una extensión de las rodillas y no el de una flexión como empieza la descripción del movimiento.

Musculatura solicitada: cuádriceps y glúteo mayor.

Descripción del ejercicio:
Posición inicial: en cuclillas, con las rodillas flexionadas a 90°, los pies ligeramente separados y con los codos extendidos, agarramos una barra con las manos.

Movimiento: extender las rodillas hasta llegar a su máximo recorrido articular y volver a la posición inicial.

Aspectos a considerar:
Es muy importante coordinar muy bien el movimiento de extensión de las rodillas, haciendo que la fuerza del movimiento recaiga realmente sobre los muslos (cuádriceps) y no sobre la región lumbar como podría ocurrir en el caso de mantener el tronco flexionado durante el movimiento y extenderlo en el recorrido final del mismo.
El tronco, por tanto, debe permanecer erguido durante todo el movimiento.

Musculatura solicitada: cuádriceps y glúteo mayor.
Descripción del ejercicio:
Posición inicial: de pie, en posición básica, apoyados en el suelo sobre una pierna, apoyamos un pie en el

estep y con los codos flexionados pasamos una barra por encima de los hombros y la agarramos con las manos.

Movimiento: flexionar la rodilla a 90° y volver a extenderla hasta llegar a la posición inicial.

Aspectos a considerar:

Mantener el tronco erguido sin inclinarlo hacia delante.

Por razones de comodidad en el ejercicio, la posición inicial descrita corresponde a la que debería ser la posición final, ya que el movimiento del ejercicio es el de una extensión de las rodillas y no el de una flexión como empieza la descripción del movimiento.

No flexionar la rodilla a más de 90°.

Mantener el pie ligeramente abducido para mejorar la ejecución del ejercicio y aumentar el equilibrio.

Musculatura solicitada: cuádriceps y glúteo mayor.

Descripción del ejercicio:

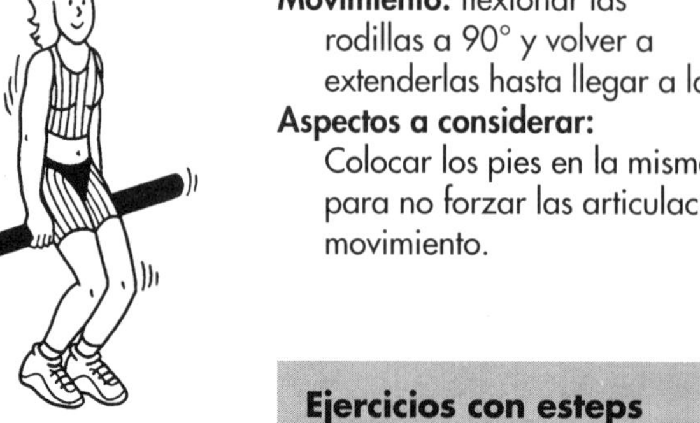

Posición inicial: de pie, en posición básica, agarramos una barra con las manos por detrás de la espalda.

Movimiento: flexionar las rodillas a 90° y volver a extenderlas hasta llegar a la posición inicial.

Aspectos a considerar:

Tener las manos por detrás del tronco facilita mantenerlo erguido sin inclinarlo hacia delante, aunque puede ofrecer algún problema de equilibrio en personas principiantes.

Por razones de comodidad en el ejercicio, la posición inicial descrita corresponde a la que debería ser la posición final, ya que el movimiento del ejercicio es el

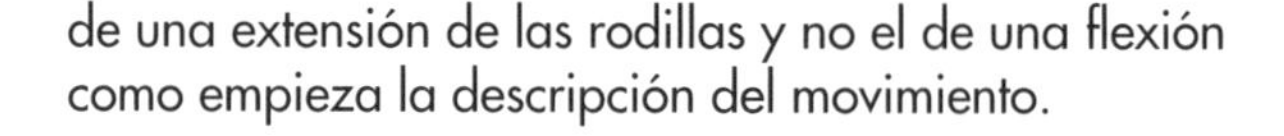

de una extensión de las rodillas y no el de una flexión como empieza la descripción del movimiento.

Musculatura solicitada: cuádriceps (localizado en el vasto interno) y glúteo mayor.

Descripción del ejercicio:

Posición inicial: de pie con una barra encima de los hombros, apoyamos una pierna en el suelo y la otra la apoyamos sobre el talón con la cadera abducida.

Movimiento: flexionar la rodilla a 90° y volver a extenderla hasta llegar a la posición inicial.

Aspectos a considerar:

Mantener el tronco erguido durante el movimiento.

No flexionar la rodilla más de 90°.

Musculatura solicitada: cuádriceps (localizado en el vasto interno) y glúteo mayor.

Descripción del ejercicio:

Posición inicial: de pie, con las rodillas ligeramente flexionadas, la cadera abducida y la zona abdominal contraída, separamos los pies alrededor de un metro aproximadamente y agarramos una barra con las manos.

Movimiento: flexionar las rodillas a 90° y volver a extenderlas hasta llegar a la posición inicial.

Aspectos a considerar:

Colocar los pies en la misma dirección que los muslos para no forzar las articulaciones que intervienen en el movimiento.

Ejercicios con esteps

Musculatura solicitada: cuádriceps (localizado en el vasto interno) y glúteo mayor.

Descripción del ejercicio:
Posición inicial: de pie, apoyamos una pierna sobre un estep y la otra la apoyamos en el suelo sobre el talón, con la cadera abducida.
Movimiento: flexionar la rodilla a 90° y volver a extenderla hasta llegar a la posición inicial.

Aspectos a considerar:
Mantener el tronco erguido durante el movimiento.
No flexionar la rodilla más de 90°.
La rodilla de la pierna que apoya en el suelo debe permanecer extendida y apoyada sobre el talón durante todo el movimiento.

Aspectos a considerar:
Mantener el tronco erguido durante el movimiento.
No flexionar la rodilla más de 90°.
La rodilla de la pierna que apoya en el estep debe permanecer extendida y apoyada sobre el talón durante todo el movimiento.

Musculatura solicitada: cuádriceps y glúteo mayor.

Descripción del ejercicio:
Posición inicial: con los pies separados aproximadamente un metro y las rodillas ligeramente flexionadas, apoyamos un pie sobre el estep y el otro en el suelo manteniendo la cadera en rotación anterior.
Movimiento: flexionar las rodillas a 90° y volver a extenderlas hasta llegar a la posición inicial.
Aspectos a considerar:
Colocar los pies en la misma dirección que los muslos para no forzar las articulaciones que intervienen en el movimiento.

Musculatura solicitada: cuádriceps y glúteo mayor.
Descripción del ejercicio:
Posición inicial: en posición básica, apoyamos un pie sobre el estep con la rodilla extendida y el otro pie lo apoyamos en el suelo con la rodilla semiflexionada.
Movimiento: flexionar la rodilla a 90° y volver a extenderla hasta llegar a la posición inicial.

Ejercicios combinados con diferentes materiales

Musculatura solicitada: cuádriceps y glúteo mayor.

Descripción del ejercicio:
Posición inicial: de pie, en posición básica, frente a un estep y con los codos flexionados agarramos con las manos una barra y la apoyamos sobre los hombros.
Movimiento: avanzar un pie y apoyándolo en el estep, flexionar y seguidamente extender la rodilla para volver a la posición inicial.
Aspectos a considerar:
La rodilla de la pierna que queda atrasada, permanece semiflexionada durante todo el movimiento.
El pie de la rodilla que avanzamos debe apoyarse por delante del tronco de manera que nos permita una flexión de 90°.

La rodilla de la pierna que avanzamos nunca debe quedar más adelantada que el tobillo. En el momento de la flexión deben quedar a la misma altura.

Musculatura solicitada: cuádriceps y glúteo mayor.

Descripción del ejercicio:

Posición inicial: de pie, en posición básica, frente a un estep y con los codos extendidos, agarramos una mancuerna con cada mano.

Movimiento: avanzar un pie y apoyándolo en el estep, flexionar y seguidamente extender la rodilla para volver a la posición inicial.

Aspectos a considerar:

La rodilla de la pierna que queda atrasada, permanece semiflexionada durante todo el movimiento.

El pie de la rodilla que avanzamos debe apoyarse por delante del tronco de manera que nos permita una flexión de 90°.

La rodilla de la pierna que avanzamos nunca debe quedar más adelantada que el tobillo. En el momento de la flexión deben quedar a la misma altura.

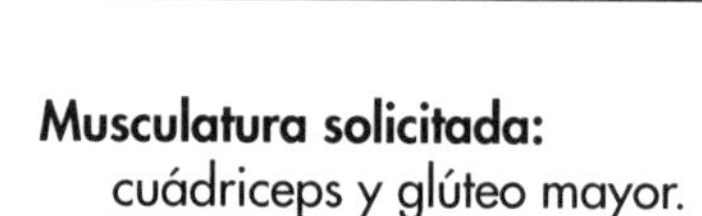

Musculatura solicitada: cuádriceps y glúteo mayor.

Descripción del ejercicio:

Posición inicial: de pie, en posición básica, frente a un estep y con los codos flexionados agarramos con las manos una barra apoyada sobre los hombros.

Movimiento: avanzar un pie y apoyarlo sobre el estep, subiéndonos al mismo tiempo que extendemos la rodilla. La otra pierna se eleva flexionando la cadera y la rodilla al mismo tiempo.

Aspectos a considerar:

El tronco debe permanecer erguido durante todo el movimiento.

La acción de subir al estep debe ir acompañada de la acción de elevar la pierna contraria flexionando la cadera y la rodilla al mismo tiempo.

Musculatura solicitada: cuádriceps y glúteo mayor.

Descripción del ejercicio:

Posición inicial: de pie, en posición básica, frente a un estep agarramos una mancuerna con cada mano.

Movimiento: avanzar un pie y apoyarlo sobre el estep, subiéndonos al mismo tiempo que extendemos la rodilla. La otra pierna se eleva flexionando la cadera y la rodilla al mismo tiempo.

Aspectos a considerar:

El tronco debe permanecer erguido durante todo el movimiento.

La acción de subir al estep debe ir acompañada de la acción de elevar la pierna contraria flexionando la cadera y la rodilla al mismo tiempo.

Musculatura solicitada: cuádriceps y glúteo mayor.

Descripción del ejercicio:
Posición inicial: de pie, con una barra apoyada sobre los hombros y con un pie en el suelo, abducimos la cadera y apoyamos la otra pierna, con la rodilla flexionada, sobre un estep.
Movimiento: flexionar la rodilla del pie que apoya en el estep y volver a extenderla hasta llegar a la posición inicial.
Aspectos a considerar:
Mantener el tronco erguido durante el movimiento.
No flexionar la rodilla más de 90°.
El estep facilita el movimiento permitiendo llegar con más facilidad a una flexión de 90°. Por este motivo el ejercicio es de menor intensidad que si lo hiciéramos sin estep.

Musculatura solicitada: cuádriceps y glúteo mayor.
Descripción del ejercicio:
Posición inicial: en posición básica, con un pie sobre el estep y con el otro apoyado en el suelo, con las rodillas ligeramente flexionadas, la cadera en rotación anterior y la zona abdominal contraída, separamos los pies alrededor de un metro aproximadamente y agarramos una barra con las manos.
Movimiento: flexionar las rodillas a 90° y volver a extenderlas hasta llegar a la posición inicial.

Aspectos a considerar:
Colocar los pies en la misma dirección que los muslos para no forzar las articulaciones que intervienen en el movimiento.

Musculatura solicitada: cuádriceps y glúteo mayor.

Descripción del ejercicio:
Posición inicial: de pie, con una barra encima de los hombros, apoyamos una pierna en el suelo y la otra la apoyamos sobre el talón con la cadera abducida y la rodilla extendida.
Movimiento: flexionar la rodilla a 90° y volver a extenderla hasta llegar a la posición inicial.
Aspectos a considerar:
Mantener el tronco erguido durante el movimiento.
No flexionar la rodilla más de 90°.

Musculatura solicitada: cuádriceps y glúteo mayor.

Descripción del ejercicio:
Posición inicial: de pie, frente a la espaldera, con una barra encima de los hombros apoyamos una pierna en el suelo y la otra la apoyamos sobre uno de los barrotes de la espaldera (a la altura de la cadera).
Movimiento: flexionar la rodilla a 90° y volver a extenderla hasta llegar a la posición inicial.
Aspectos a considerar:
Mantener el tronco erguido durante el movimiento.
No flexionar la rodilla más de 90°.

Musculatura solicitada: cuádriceps y glúteo mayor.

Descripción del ejercicio:
Posición inicial: de pie, con una mancuerna en cada mano y con un pie en el suelo, abducimos la cadera y apoyamos la otra pierna, con la rodilla flexionada, sobre un estep.

Movimiento: flexionar la rodilla del pie que apoya en el estep y volver a extenderla hasta llegar a la posición inicial.

Aspectos a considerar:

Mantener el tronco erguido durante el movimiento.

No flexionar la rodilla más de 90°.

El estep facilita el movimiento permitiendo llegar con más facilidad a una flexión de 90°. Por este motivo el ejercicio es de menor intensidad que si lo hiciéramos sin estep.

Musculatura solicitada: cuádriceps y glúteo mayor.

Descripción del ejercicio:

Posición inicial: en posición básica, con un pie sobre el estep y con el otro apoyado en el suelo, con las rodillas ligeramente flexionadas, la cadera en rotación anterior y la zona abdominal contraída, separamos los pies alrededor de un metro aproximadamente y agarramos una mancuerna con cada mano.

Movimiento: flexionar las rodillas a 90° y volver a extenderlas hasta llegar a la posición inicial.

Aspectos a considerar:

Colocar los pies en la misma dirección que los muslos para no forzar las articulaciones que intervienen en el movimiento.

Musculatura solicitada: cuádriceps y glúteo mayor.

Descripción del ejercicio:

Posición inicial: de pie, con una mancuerna en cada mano, apoyamos una pierna en el suelo y la otra la apoyamos sobre el talón con la cadera abducida y la rodilla extendida, encima de un estep.

Movimiento: flexionar la rodilla a 90° y volver a extenderla hasta llegar a la posición inicial.

Aspectos a considerar:

Mantener el tronco erguido durante el movimiento.

No flexionar la rodilla más de 90°.

Musculatura solicitada: cuádriceps y glúteo mayor.

Descripción del ejercicio:

Posición inicial: de pie, frente a la espaldera, con una mancuerna en cada mano, apoyamos una pierna en el suelo y la otra la apoyamos sobre uno de los barrotes de la espaldera (a la altura de la cadera).

Movimiento: flexionar la rodilla a 90° y volver a extenderla hasta llegar a la posición inicial.

Aspectos a considerar:

Mantener el tronco erguido durante el movimiento.

No flexionar la rodilla más de 90°.

Musculatura solicitada: cuádriceps y glúteo mayor.

Descripción del ejercicio:

Posición inicial: de pie, en posición básica, con una barra apoyada sobre los hombros, pisamos la goma elástica con los talones y agarramos ambas con las manos.

Movimiento: flexionar las rodillas a 90° y volver a extenderlas hasta llegar a la posición inicial.

Aspectos a considerar:

Mantener el tronco erguido sin inclinarlo hacia delante.

Por razones de comodidad en el ejercicio, la posición inicial descrita corresponde a la que debería ser la posición final, ya que el movimiento del ejercicio es el de una extensión de las rodillas y no el de una flexión como empieza la descripción del movimiento.

Musculatura solicitada: cuádriceps y glúteo mayor.

Descripción del ejercicio:

Posición inicial: de pie, en posición básica, con una barra apoyada sobre los hombros, pasamos la goma elástica bajo un estep y con los talones apoyados sobre el mismo (flexión plantar) agarramos ambas con las manos.

Movimiento: flexionar las rodillas a 90° y volver a extenderlas hasta llegar a la posición inicial.

Aspectos a considerar:

Mantener el tronco erguido sin inclinarlo hacia adelante.

Por razones de comodidad en el ejercicio, la posición inicial descrita corresponde a la que debería ser la posición final, ya que el movimiento del ejercicio es el de una extensión de las rodillas y no el de una flexión como empieza la descripción del movimiento.

Musculatura solicitada: cuádriceps y glúteo mayor.

Descripción del ejercicio:

Posición inicial: de pie, en posición básica, con los brazos cruzados apoyamos una barra sobre los mismos, pisamos la goma elástica con los talones y pasamos sus asas por los extremos de la barra agarrando ambas con las manos.

Movimiento: flexionar las rodillas a 90° y volver a extenderlas hasta llegar a la posición inicial.

Aspectos a considerar:

Mantener el tronco erguido sin inclinarlo hacia delante.

Por razones de comodidad en el ejercicio, la posición inicial descrita corresponde a la que debería ser la posición final, ya que el movimiento del ejercicio es el de una extensión de las rodillas y no el de una flexión como empieza la descripción del movimiento.

Musculatura solicitada: cuádriceps y glúteo mayor.

Descripción del ejercicio:

Posición inicial: de pie, en posición básica, con los brazos extendidos a lo largo del tronco, agarramos una barra con las manos, pisamos la goma elástica y pasamos sus asas por los extremos de la barra.

Movimiento: flexionar las rodillas a 90° y volver a extenderlas hasta llegar a la posición inicial.

Aspectos a considerar:

Mantener el tronco erguido durante todo el movimiento.

No extender ni flexionar los codos durante el ejercicio.

No flexionar las rodillas más de 90°.

Musculatura solicitada: cuádriceps y glúteo mayor.

Descripción del ejercicio:

Posición inicial: de pie, con las caderas abducidas (los pies y las piernas en prolongación con los muslos), apoyamos una barra sobre los hombros y pisamos la goma elástica pasando sus asas por los extremos de la barra.

Movimiento: flexionar las rodillas a 90° y volver a extenderlas hasta llegar a la posición inicial.

Aspectos a considerar:

Mantener el tronco erguido durante todo el movimiento.
No flexionar las rodillas más de 90°.
No aducir los muslos durante el ejercicio y mantener los muslos, las piernas y los pies en la misma dirección.

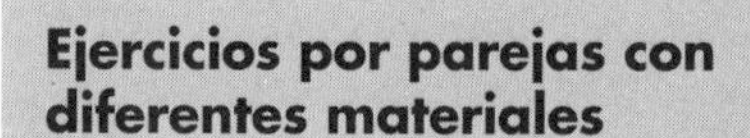

Ejercicios por parejas con diferentes materiales

Musculatura solicitada: cuádriceps y glúteo mayor.

Descripción del ejercicio:

Posición inicial: de pie, en posición básica, frente al compañero sujetamos una barra con cada mano y las apoyamos sobre los hombros.

Movimiento: flexionar las rodillas a 90° y volver a extenderlas hasta llegar a la posición inicial.

Aspectos a considerar:

Mantener el tronco recto sin flexionarlo ni extenderlo durante el ejercicio.
Realizar el ejercicio al unísono.
No flexionar las rodillas más de 90°.

Musculatura solicitada: cuádriceps.

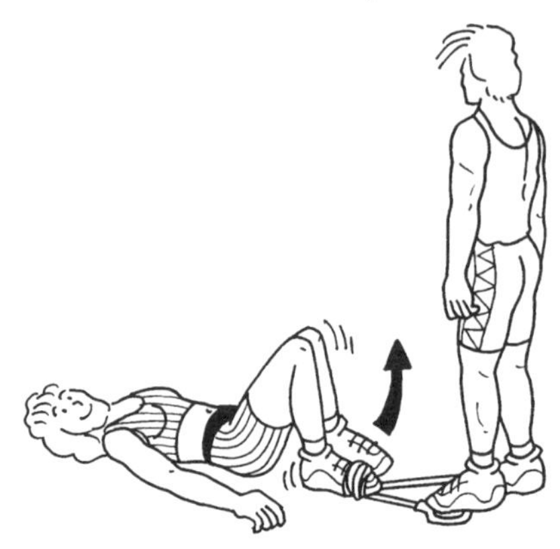

Descripción del ejercicio:

Posición inicial: tumbados, boca arriba y con las rodillas flexionadas enrollamos la goma elástica en uno de los pies mientras el compañero la sujeta por sus asas pisándola.

Movimiento: extender la rodilla hasta llegar a su máximo recorrido articular y volver a la posición inicial.

Aspectos a considerar:

Mantener la zona abdominal contraída durante el movimiento.
Mantener fija la cadera sin flexionar ni extenderla durante el ejercicio.
Mantener la zona lumbar bien apoyada en el suelo.

GRUPO MUSCULAR

Músculos de la articulación de la rodilla. Isquiotibiales e isquioperoneal

Ejercicios con gomas elásticas

Musculatura solicitada: isquiotibiales (semitendinoso y semimembranoso) e isquioperoneal (bíceps crural).

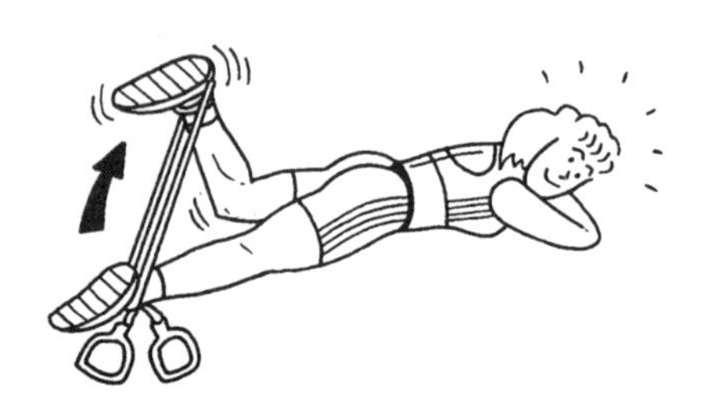

Descripción del ejercicio:

Posición inicial: tumbados boca abajo, con la cabeza apoyada sobre las manos y las rodillas extendidas, enrollamos la goma elástica alrededor de los tobillos.

Movimiento: flexionar una rodilla, hasta llegar a su máximo recorrido articular.

Aspectos a considerar:

No separar la pelvis del suelo (no levantar glúteos).

Mantener la pierna que no se flexiona siempre en contacto con el suelo.

Mantener las piernas ligeramente separadas para que la goma elástica mantenga una ligera tensión y así permanezca enrollada alrededor de los tobillos.

Musculatura solicitada: isquiotibiales (semitendinoso y semimembranoso) e isquioperoneal (bíceps crural).

Descripción del ejercicio:

Posición inicial: de pie, con una pierna adelantada, pisamos la goma elástica y la enrollamos en el otro pie, por el tobillo.

Movimiento: flexionar la rodilla de la pierna atrasada hasta llegar a su máximo recorrido articular y volver a la posición inicial.

Aspectos a considerar:

Es recomendable, por razones de equilibrio, utilizar un punto de apoyo (barra, pica, compañero o espaldera).

No se deben realizar flexiones ni extensiones de la cadera durante el movimiento, es decir, la rodilla no debe adelantarse ni atrasarse respecto de su posición inicial.

Musculatura solicitada: isquiotibiales (semitendinoso y semimembranoso) e isquioperoneal (bíceps crural).

Descripción del ejercicio:

Posición inicial: de rodillas en el suelo, apoyados sobre los antebrazos y una rodilla, con la cadera del muslo que vamos a realizar el movimiento en hiperextensión y la rodilla lo más extendida posible, pasamos la goma elástica por uno de los barrotes superiores de la espaldera y la enrollamos en el pie.

Movimiento: flexionar la rodilla hasta llegar a su máximo recorrido articular y volver a la posición inicial.

Aspectos a considerar:

La cadera de la pierna que realiza el movimiento debe permanecer en hiperextensión durante todo el movimiento. Sin flexionarla.

Procurar que la goma elástica esté paralela a la línea que forma el tronco con el muslo de la pierna que realiza el movimiento.

Musculatura solicitada: isquiotibiales (semitendinoso y semimembranoso) e isquioperoneal (bíceps crural).

Descripción del ejercicio:

Posición inicial:

tumbados, boca arriba con las caderas flexionadas, las rodillas extendidas y las piernas hacia arriba, enrollamos la goma elástica alrededor de los pies.

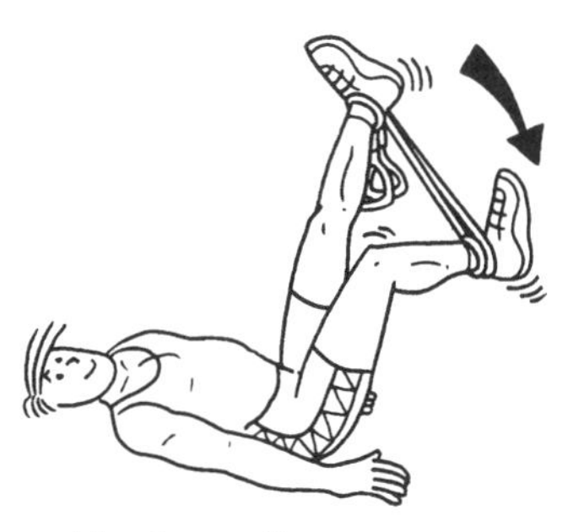

Movimiento: flexionar una rodilla, hasta llegar a su máximo recorrido articular y volver a la posición inicial.

Aspectos a considerar:

Mantener la zona abdominal en contracción para evitar acentuar la hiperlordosis lumbar.

Mantener extendida la rodilla que no realiza el movimiento.

Musculatura solicitada : isquiotibiales (semitendinoso y semimembranoso) e isquioperoneal (bíceps crural).

Descripción del ejercicio:
Posición inicial: tumbados boca abajo, sobre la superficie de un estep inclinado y con la cadera situada en el extremo del mismo, flexionamos el tronco y apoyamos los antebrazos en el suelo. Pasamos la goma elástica alrededor de los soportes del estep y la enrollamos en un pie.
Movimiento: flexionar la rodilla hasta su máximo recorrido articular y volver a la posición inicial.
Aspectos a considerar:
Enrollar la goma en un pie o sujetarla en el mismo a través de sus asas.

Musculatura solicitada: isquiotibiales (semitendinoso y semimembranoso) e isquioperoneal (bíceps crural).

Descripción del ejercicio:
Posición inicial: tumbados boca arriba, frente a la espaldera, con una rodilla extendida y la otra flexionada, pasamos la goma elástica alrededor de uno de los barrotes inferiores de la espaldera y la enrollamos en el pie de la pierna estirada.
Movimiento: flexionar la rodilla hasta llegar a su máximo recorrido articular y volver a la posición inicial.
Aspectos a considerar:
Mantener flexionada y con el pie bien apoyado en el suelo, la rodilla de la pierna que no realiza el movimiento.

Musculatura solicitada: isquiotibiales (semitendinoso y semimembranoso) e isquioperoneal (bíceps crural).
Descripción del ejercicio:
Posición inicial: tumbados boca abajo, sobre la superficie de un estep inclinado y con la cadera situada en el extremo del mismo, flexionamos el tronco y apoyamos los antebrazos en el suelo.

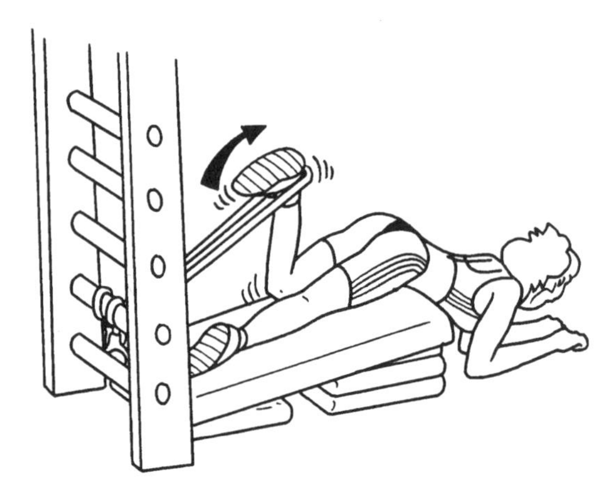

Pasamos la goma elástica alrededor de uno de los barrotes inferiores de la espaldera y la enrollamos en un pie.
Movimiento: flexionar las rodillas hasta su máximo recorrido articular y volver a la posición inicial.
Aspectos a considerar:
Enrollar la goma en un pie o sujetarla en el mismo a través de sus asas.

Ejercicios con bandas elásticas

Musculatura solicitada: isquiotibiales (semitendinoso y semimembranoso) e isquioperoneal (bíceps crural).

Descripción del ejercicio:
Posición inicial:
Tumbados boca abajo, con la cabeza apoyada sobre las manos y las rodillas extendidas, enrollamos la banda elástica alrededor de los tobillos.
Movimiento: flexionar una rodilla, hasta llegar a su máximo recorrido articular.
Aspectos a considerar:
No separar la pelvis del suelo (no levantar glúteos).
Mantener la pierna que no se flexiona siempre en contacto con el suelo.
Mantener las piernas ligeramente separadas para que la goma elástica mantenga una ligera tensión y así permanezca enrollada alrededor de los tobillos.

Musculatura solicitada: isquiotibiales (semitendinoso y semimembranoso) y isquioperoneal (bíceps crural).

Descripción del ejercicio:
Posición inicial: de pie, con una pierna adelantada, pisamos la banda elástica y la enrollamos en el otro pie.

Movimiento: flexionar la rodilla de la pierna atrasada hasta llegar a su máximo recorrido articular y volver a la posición inicial.
Aspectos a considerar:
Es recomendable, por razones de equilibrio, utilizar un punto de apoyo (barra, pica, compañero o espaldera).
No se deben realizar flexiones ni extensiones de la cadera durante el movimiento, es decir, la rodilla no debe adelantarse ni atrasarse respecto de su posición inicial.

Musculatura solicitada: isquiotibiales (semitendinoso y semimembranoso) e isquioperoneal (bíceps crural).

Descripción del ejercicio:
Posición inicial: de rodillas en el suelo, apoyados sobre los antebrazos y una rodilla, con el muslo que vamos a realizar el movimiento en hiperextensión y la rodilla lo más extendida posible, pasamos la banda elástica por uno de los barrotes superiores de la espaldera y la enrollamos en el pie.
Movimiento: flexionar la rodilla hasta llegar a su máximo recorrido articular y volver a la posición inicial.
Aspectos a considerar:
La cadera de la pierna que realiza el movimiento debe permanecer en hiperextensión durante todo el movimiento. Sin flexionarla.

Procurar que la banda elástica sea paralela a la línea que forma el tronco con el muslo de la pierna que realiza el movimiento.

Musculatura solicitada: isquiotibiales (semitendinoso y semimembranoso) e isquioperoneal (bíceps crural).
Descripción del ejercicio:
Posición inicial:
Tumbados, boca arriba con las caderas flexionadas, las rodillas extendidas y las piernas hacia arriba, enrollamos la banda elástica alrededor de los pies.
Movimiento: flexionar una rodilla, hasta llegar a su máximo recorrido articular y volver a la posición inicial.
Aspectos a considerar:
Mantener la zona abdominal en contracción para evitar acentuar la hiperlordosis lumbar.
Mantener extendida la rodilla que no realiza el movimiento.

Musculatura solicitada: isquiotibiales (semitendinoso y semimembranoso) e isquioperoneal (bíceps crural).
Descripción del ejercicio:
Posición inicial: tumbados boca abajo, sobre la superficie de un estep inclinado y con la cadera situada en el

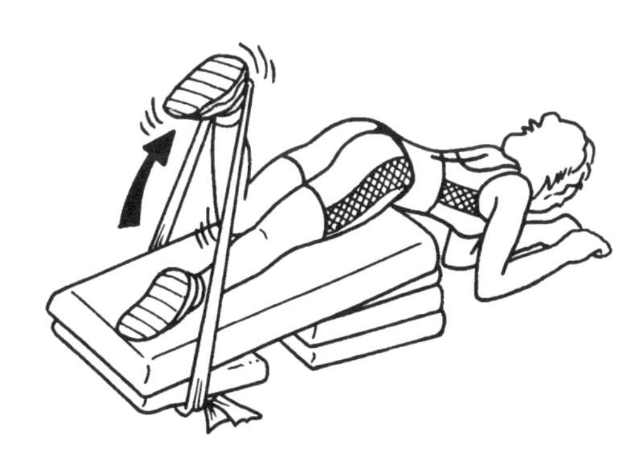

extremo del mismo, flexionamos el tronco y apoyamos los antebrazos en el suelo. Pasamos la banda elástica alrededor de los soportes del estep y la enrollamos en un pie.
Movimiento: flexionar las rodillas hasta su máximo recorrido articular y volver a la posición inicial.

Aspectos a considerar:
Enrollar la banda en un pie o sujetarla en el mismo por sus extremos.

Musculatura solicitada: isquiotibiales (semitendinoso y semimembranoso) e isquioperoneal (bíceps crural).

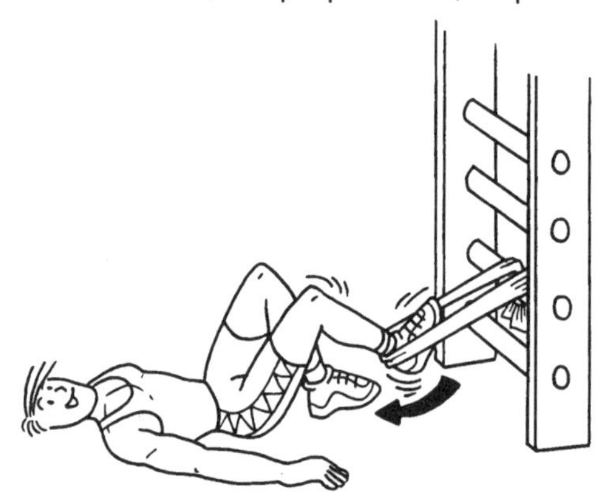

Descripción del ejercicio:
Posición inicial: tumbados boca arriba, frente a la espaldera, con una rodilla extendida y la otra flexionada, pasamos la banda elástica alrededor de uno de los barrotes inferiores de la espaldera y la enrollamos en el pie de la pierna estirada.
Movimiento: flexionar la rodilla hasta llegar a su máximo recorrido articular y volver a la posición inicial.
Aspectos a considerar:
Mantener flexionada y con el pie bien apoyado en el suelo, la rodilla de la pierna que no realiza el movimiento.

Musculatura solicitada: isquiotibiales (semitendinoso y semimembranoso) e isquioperoneal (bíceps crural).

Descripción del ejercicio:
Posición inicial: tumbados boca abajo, sobre la superficie de un estep inclinado y con la cadera situada en el extremo del mismo, flexionamos el tronco y apoyamos los antebrazos en el suelo. Pasamos la banda elástica alrededor de uno de los barrotes inferiores de la espaldera y la enrollamos en un pie.
Movimiento: flexionar la rodilla hasta su máximo recorrido articular y volver a la posición inicial.
Aspectos a considerar:
Enrollar la banda en un pie o sujetarla en el mismo por sus extremos.

Ejercicios con mancuernas

Musculatura solicitada: isquiotibiales (semitendinoso y semimembranoso) e isquioperoneal (bíceps crural).

Descripción del ejercicio:
Posición inicial: de rodillas, por delante de la espaldera y con una mancuerna en cada mano, colocamos los pies bien sujetos bajo el primer barrote de la espaldera.

Movimiento: extender las rodillas lentamente hasta llegar a una posición que permita volver a la posición inicial.
Aspectos a considerar:
El tronco y los muslos deben estar en línea en la posición inicial.
Las rodillas deben permanecer con una flexión de 90° en la posición inicial.
El movimiento de extensión debe realizarse lentamente hasta llegar a una posición que permita flexionar las rodillas y lograr de nuevo la posición inicial, sin ayuda de apoyar las manos en el suelo o similar.
Este ejercicio es, por sus características, de contracción excéntrica principalmente.

Ejercicios con barra

Musculatura solicitada: isquiotibiales (semitendinoso y semimembranoso) e isquioperoneal (bíceps crural).
Descripción del ejercicio:
Posición inicial: de rodillas, delante de la espaldera con la barra apoyada sobre los hombros, colocamos los pies bien sujetos bajo el primer barrote de la espaldera.

Movimiento: extender las rodillas lentamente hasta llegar a una posición que permita volver a la posición inicial.

Aspectos a considerar:

El tronco y los muslos deben estar en línea en la posición inicial.

Las rodillas deben permanecer con una flexión de 90° en la posición inicial

El movimiento de extensión debe realizarse lentamente hasta llegar a una posición que permita flexionar las rodillas y lograr de nuevo la posición inicial, sin ayuda de apoyar las manos en el suelo o similar.

Este ejercicio es de contracción excéntrica principalmente, dadas sus características.

Ejercicios por parejas con diferentes materiales

Musculatura solicitada: isquiotibiales (semitendinoso y semimembranoso) e isquioperoneal (bíceps crural).

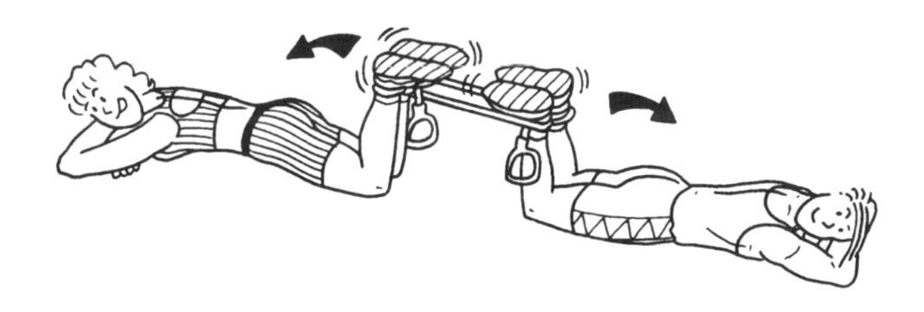

Descripción del ejercicio:

Posición inicial: por parejas, tumbados boca abajo, con la cabeza apoyada sobre las manos y las rodillas extendidas, enrollamos la goma elástica alrededor de los tobillos.

Movimiento: flexionar las rodillas, hasta llegar a su máximo recorrido articular.

Aspectos a considerar:

No separar la pelvis del suelo (no levantar glúteos).

Mantener las piernas ligeramente separadas para que la goma elástica mantenga una ligera tensión y así permanezca enrollada alrededor de los tobillos.

Musculatura solicitada: isquiotibiales (semitendinoso y semimembranoso) e isquioperoneal (bíceps crural).

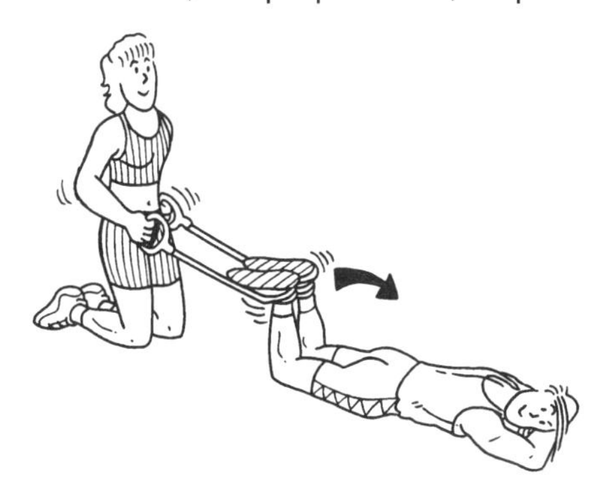

Descripción del ejercicio:

Posición inicial: tumbados boca abajo, con la cabeza apoyada sobre las manos y las rodillas extendidas, enrollamos la goma elástica alrededor de los tobillos y el compañero la sujeta por sus asas.

Movimiento: flexionar las rodillas, hasta llegar a su máximo recorrido articular.

Aspectos a considerar:

No separar la pelvis del suelo (no levantar glúteos).

Mantener las piernas ligeramente separadas para que la goma elástica mantenga una ligera tensión y así permanezca enrollada alrededor de los tobillos.

Musculatura solicitada: isquiotibiales (semitendinoso y semimembranoso) e isquioperoneal (bíceps crural).

Descripción del ejercicio:

Posición inicial: de rodillas en el suelo, apoyados sobre los antebrazos y una rodilla, con la cadera del muslo que vamos a realizar el movimiento en hiperextensión y la rodilla lo más extendida posible, enrollamos la goma elástica alrededor del tobillo mientras que el compañero la sujeta por sus asas.

Movimiento: flexionar la rodilla hasta llegar a su máximo recorrido articular y volver a la posición inicial.

Aspectos a considerar:

La cadera de la pierna que realiza el movimiento debe permanecer en extensión durante todo el movimiento. Sin flexionarla.

Procurar que la goma elástica sea paralela a la línea que forma el tronco con el muslo de la pierna que realiza el movimiento.

Musculatura solicitada: isquiotibiales (semitendinoso y semimembranoso) e isquioperoneal (bíceps crural).

Descripción del ejercicio:

Posición inicial: tumbados boca abajo, sobre la superficie de un estep inclinado y con la cadera situada en el extremo del mismo, flexionamos el tronco y apoyamos los antebrazos en el suelo. Pasamos la goma elástica alrededor de un tobillo mientras el compañero la sujeta por sus asas.

Movimiento: flexionar la rodilla hasta su máximo recorrido articular y volver a la posición inicial.

Aspectos a considerar:

Enrollar la goma en un pie o sujetarla en el mismo por sus asas.

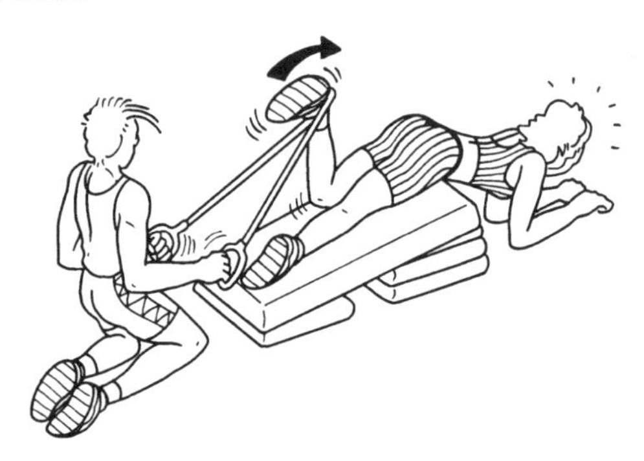

Músculos de la articulación de la cadera

Cuádriceps femoral:
Recto anterior - vasto interno - vasto externo - crural

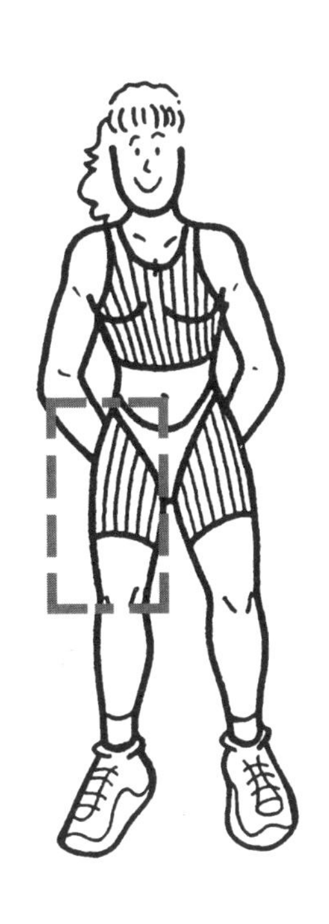

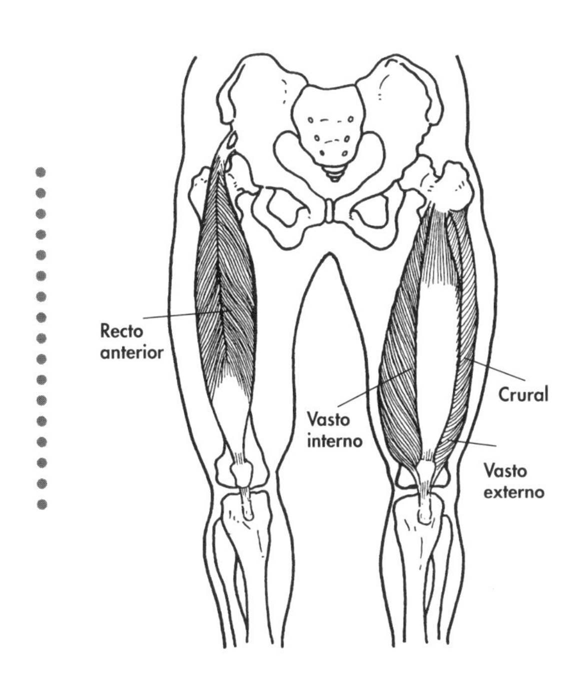

Isquiotibiales:
Bíceps crural - semitendinoso - semimembranoso

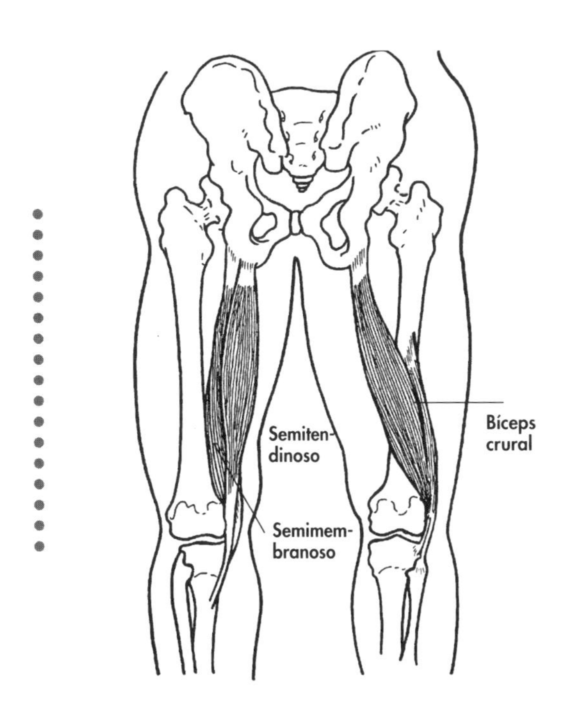

GRUPO MUSCULAR

Músculos de la articulación de la cadera. Aductores del muslo

Ejercicios con gomas elásticas

Musculatura solicitada: aductores (menor, mediano, mayor y recto interno).

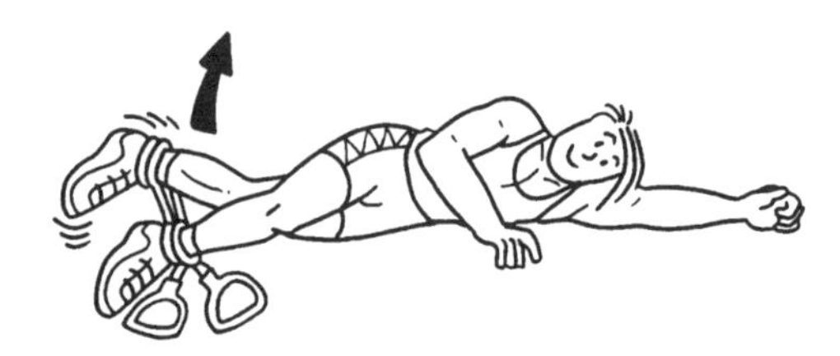

Descripción del ejercicio:

Posición inicial: tumbados lateralmente en el suelo, con las rodillas estiradas, apoyamos la cabeza sobre un brazo y enrollamos la goma elástica en los tobillos.

Movimiento: aducir la cadera del lado que apoya en el suelo hasta llegar a su máximo recorrido articular.

Aspectos a considerar:

En la posición inicial flexionar ligeramente la cadera de la pierna que no toca el suelo para facilitar el movimiento de la otra pierna al aducir la cadera.

Apoyar en el suelo el pie de la pierna que no realiza el movimiento.

Dejar la cabeza relajada y apoyada sobre el brazo extendido.

Musculatura solicitada: aducctores (menor, mediano, mayor y recto interno).

Descripción del ejercicio:

Posición inicial: de pie, en posición básica, junto a la espaldera, pasamos la goma elástica por uno de sus barrotes inferiores y la enrollamos en el tobillo de la pierna más próxima a la espaldera.

Movimiento: aducir la cadera hasta llegar a su máximo recorrido articular.

Aspectos a considerar:

No flexionar el tronco lateralmente durante el movimiento. Sujetarse con la mano a la espaldera puede servir para corregir este ferror frecuente.

Volver a la posición inicial lentamente.

Musculatura solicitada: glúteos (mayor, mediano y menor).

Descripción del ejercicio:

Posición inicial: en el suelo, apoyados sobre una rodilla, la mano y un antebrazo, enrollamos la goma elástica en el pie y agarramos sus asas con la mano del brazo que queda extendido. La cadera de la pierna que va a realizar el movimiento debe estar totalmente flexionada.

Movimiento: extender la cadera, hasta alinear el muslo con el tronco y volver a la posición inicial.

Aspectos a considerar:

Mantener la zona abdominal contraída, durante todo el movimiento.

Partir de una posición inicial de flexión total de la cadera para poder realizar un movimiento más amplio.

No hiperextender la cadera.

El dibujo muestra la posición final del ejercicio.

Musculatura solicitada: aducctores (menor, mediano, mayor y recto anterior).

Descripción del ejercicio:

Posición inicial: sentados, apoyados sobre el antebrazo y con las caderas abducidas, enrollamos la goma elástica en el pie y con la mano del mismo lado la sujetamos por sus asas.

Movimiento: aducir la cadera hasta llegar a su máximo recorrido articular.

Aspectos a considerar:

Dejar caer el peso del tronco sobre el antebrazo que apoya en el suelo.

No variar la posición de la mano y del antebrazo durante el ejercicio.

Musculatura solicitada: aductores (menor, mediano, mayor y recto anterior).

Descripción del ejercicio:

Posición inicial: tumbados junto a la espaldera, con un pie apoyado en el suelo (con la rodilla flexionada) y una cadera flexionada (muslo y pierna hacia arriba), pasamos la goma elástica por uno de sus barrotes y la

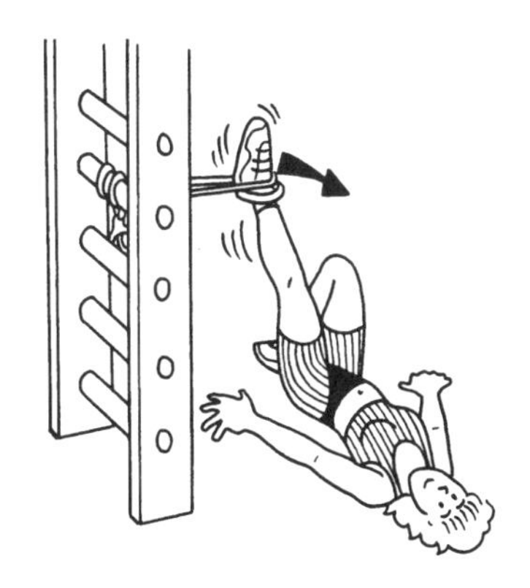

enrollamos en el tobillo de la pierna cuya cadera se encuentra flexionada.

Movimiento: aducir la cadera hasta llegar a su máximo recorrido articular.

Aspectos a considerar:

El muslo que hace el movimiento debe ser el más próximo a la espaldera, de modo que en la posición inicial esté ligeramente abducido para que permita un recorrido más amplio.

Musculatura solicitada: Aducctores (menor, mediano, mayor y recto interno).

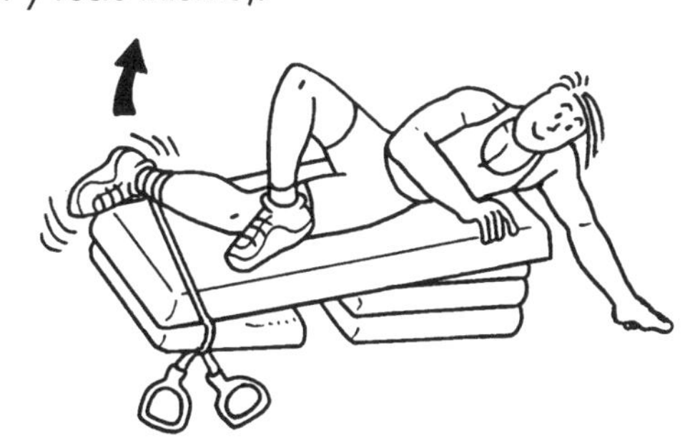

Descripción del ejercicio:

Posición inicial: tumbados lateralmente sobre un estep inclinado, con una rodilla estirada y la otra flexionada, apoyamos la mano en el suelo y pasamos la goma elástica por debajo del estep y la enrollamos en el tobillo.

Movimiento: aducir la cadera del lado que apoya en el estep hasta llegar a su máximo recorrido articular.

Aspectos a considerar:

Apoyar sobre el estep el pie de la pierna que no realiza el movimiento con la rodilla flexionada.

Ejercicios con bandas elásticas

Musculatura solicitada: Aductores (menor, mediano, mayor y recto interno).

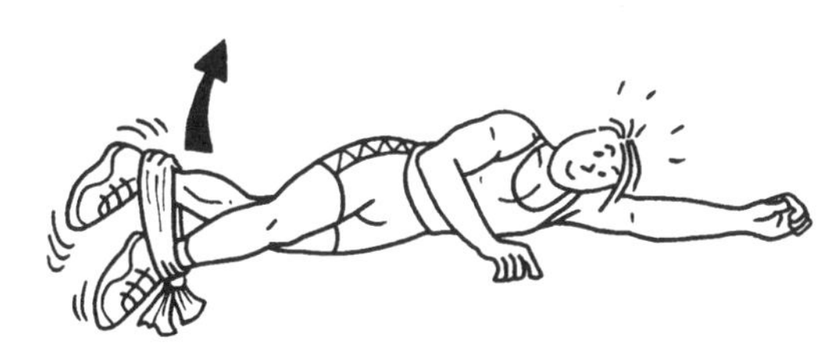

Descripción del ejercicio:

Posición inicial: tumbados lateralmente en el suelo, con las rodillas estiradas, apoyamos la cabeza sobre un brazo y enrollamos la banda elástica en los tobillos.

Movimiento: aducir la cadera del lado que apoya en el suelo hasta llegar a su máximo recorrido articular.

Aspectos a considerar:

En la posición inicial flexionar ligeramente la cadera de la pierna que no toca el suelo para facilitar el movimiento de la otra pierna al aducir la cadera.

Apoyar en el suelo el pie de la pierna que no realiza el movimiento.

Dejar la cabeza relajada y apoyada sobre el brazo extendido.

Musculatura solicitada:

Aductores (menor, mediano, mayor y recto interno).

Descripción del ejercicio:

Posición inicial: de pie, en posición básica, junto a la espaldera, pasamos la banda elástica por uno de

sus barrotes inferiores y la enrollamos en el tobillo de la pierna más próxima a la espaldera.

Movimiento: aducir la cadera hasta llegar a su máximo recorrido articular.

Aspectos a considerar:

No flexionar el tronco lateralmente durante el movimiento. Agarrarse con la mano a la espaldera puede servir para corregir este error frecuente.

Volver a la posición inicial lentamente.

Musculatura solicitada: glúteos (mayor, mediano y menor).

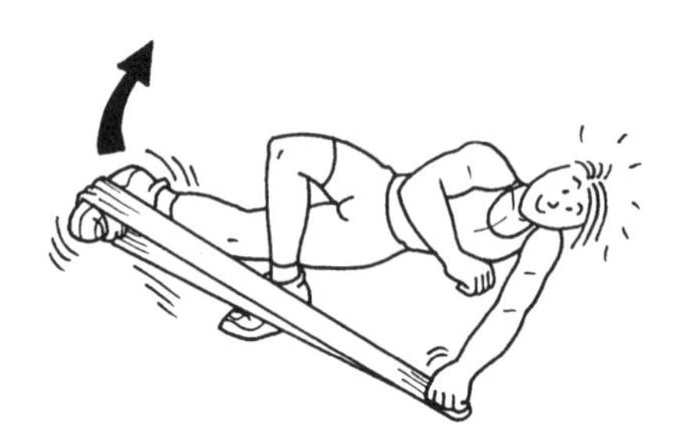

Descripción del ejercicio:

Posición inicial: en el suelo, apoyados sobre una rodilla, la mano y un antebrazo, enrollamos la banda elástica en el pie y agarramos sus extremos con la mano del brazo que queda extendido. La cadera de la pierna que va a realizar el movimiento debe estar totalmente flexionada.

Movimiento: extender la cadera, hasta alinear el muslo con el tronco y volver a la posición inicial.

Aspectos a considerar:

Mantener la zona abdominal contraída, durante todo el movimiento.

Partir de una posición inicial de flexión total de la cadera para poder realizar un movimiento más amplio.

No hiperextender la cadera.

El dibujo muestra la posición final del ejercicio.

Musculatura solicitada: aductores (menor, mediano, mayor y recto anterior).

Descripción del ejercicio:

Posición inicial: sentados, apoyados sobre el antebrazo y con las caderas abducidas, enrollamos la banda elástica en el pie y con la mano del mismo lado la sujetamos por sus extremos.

Movimiento: aducir la cadera hasta llegar a su máximo recorrido articular.

Aspectos a considerar:

Dejar caer el peso del tronco sobre el antebrazo que apoya en el suelo.

No mover la posición de la mano y del antebrazo durante el ejercicio.

Musculatura solicitada: aductores (menor, mediano, mayor y recto interno).

Descripción del ejercicio:

Posición inicial: Tumbados junto a la espaldera, con un pie apoyado en el suelo (con la rodilla flexionada) y una cadera flexionada (muslo y pierna hacia arriba), pasamos la banda elástica por uno de sus barrotes y la enrollamos en el tobillo de la pierna cuya cadera se encuentra flexionada.

Movimiento: aducir la cadera hasta llegar a su máximo recorrido articular.

Aspectos a considerar:

El muslo que hace el movimiento debe ser el más próximo a la espaldera. De modo que en la posición inicial esté ligeramente abducido para permitir un recorrido más amplio.

Musculatura solicitada: aductores (menor, mediano, mayor y recto interno).

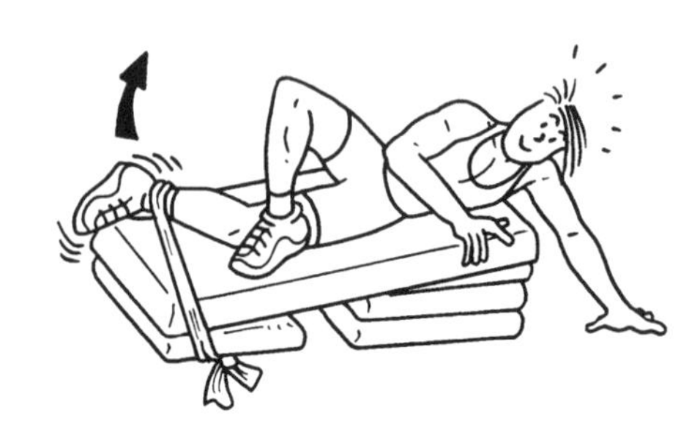

Descripción del ejercicio:
Posición inicial: tumbados lateralmente sobre un estep inclinado, con una rodilla estirada y la otra flexionada, apoyamos la cabeza sobre un brazo y pasamos la banda elástica por debajo del estep y la enrollamos en el tobillo.
Movimiento: aducir la cadera del lado que apoya en el estep hasta llegar a su máximo recorrido articular.
Aspectos a considerar:
Apoyar en el estep el pie de la pierna que no realiza el movimiento con la rodilla flexionada.

Ejercicios con barra

Musculatura solicitada: aductores (menor, mediano, mayor y recto interno).

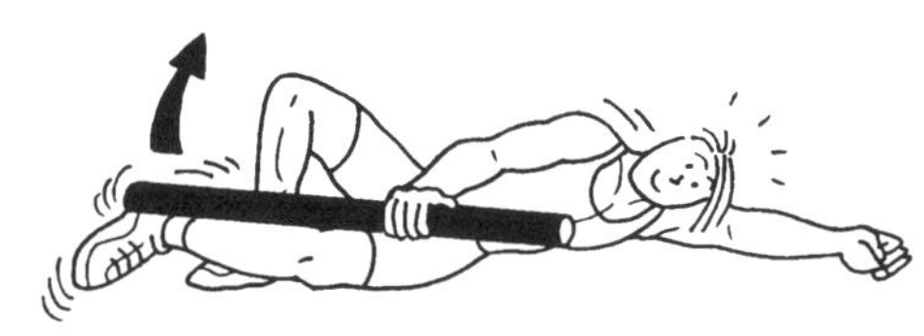

Descripción del ejercicio:
Posición inicial: tumbados lateralmente, con la rodilla de la pierna que toca el suelo estirada y con la otra flexionada y apoyada en el suelo por detrás, apoyamos la barra a lo largo del muslo de la pierna estirada, sujetándola con la mano a la altura del tronco.
Movimiento: aducir la cadera del lado que apoya en el suelo hasta llegar a su máximo recorrido articular.
Aspectos a considerar:
Al aducir la cadera, procurar hacerlo sin flexionarla.
Apoyar en el suelo el pie de la pierna que no realiza el movimiento, apoyarlo siempre por detrás de la pierna que realiza el movimiento para facilitar el mismo.
Dejar la cabeza relajada y apoyada sobre el brazo extendido.

Ejercicios por parejas con diferentes materiales

Musculatura solicitada: aductores (menor, mediano, mayor y recto interno).
Descripción del ejercicio:
Posición inicial: situados lateralmente con respecto al compañero, con una rodilla y los antebrazos

apoyados en el suelo, mantenemos abducida la cadera y extendida la rodilla de la otra pierna. Enrollamos la goma elástica en el tobillo mientras el compañero sujeta la goma por sus asas.
Movimiento: aducir la cadera hasta llegar a su máximo recorrido articular.
Aspectos a considerar:
Partir de una posición inicial donde la cadera se encuentre abducida para poder hacer un recorrido más amplio.
El pie de la pierna que realiza el movimiento no debe tocar el suelo.

Musculatura solicitada:
aductores (menor, mediano, mayor y recto interno).

Descripción del ejercicio:
Posición inicial: de pie, en posición básica, junto al compañero, enrollamos una goma elástica en los tobillos de las piernas más próximas de cada uno de los compañeros y nos apoyamos sobre el hombro del compañero.
Movimiento: aducir la cadera de cada uno al mismo tiempo, hasta llegar al máximo recorrido articular.
Aspectos a considerar:
No flexionar la rodilla durante el movimiento.
Partir de una posición de ligera abducción, si es posible, para ampliar el recorrido del movimiento.

GRUPO MUSCULAR

Músculos de la articulación de la cadera. Glúteos y abductores

Ejercicios con gomas elásticas

Musculatura solicitada: glúteos (mediano, menor y mayor).

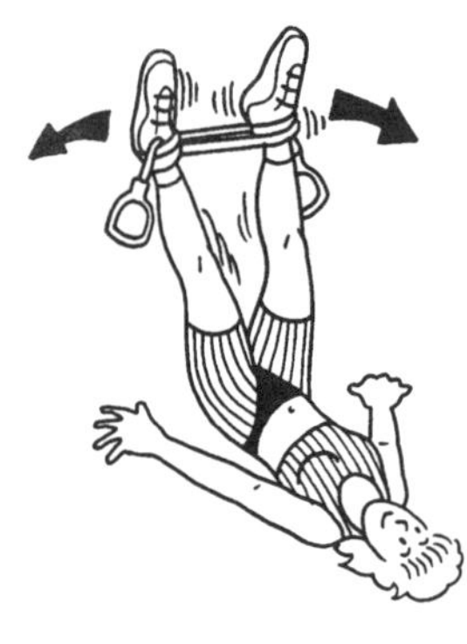

Descripción del ejercicio:
Posición inicial: tumbados boca arriba, con las rodillas ligeramente flexionadas y con los muslos a 90° respecto al tronco (caderas flexionadas) enrollamos la goma elástica alrededor de los tobillos.
Movimiento: abducir las caderas y separar los muslos hasta llegar al máximo recorrido articular y volver a la posición inicial.
Aspectos a considerar:
Mantener a 90° la flexión de caderas (entre muslos y tronco) durante todo el movimiento.
Abducir (separar) lentamente las piernas y volver poco a poco a la posición inicial.

Musculatura solicitada: glúteos (mediano, menor y mayor).

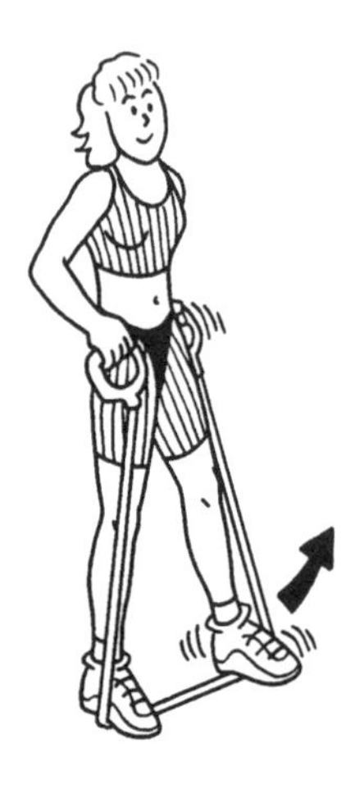

Descripción del ejercicio:
Posición inicial: de pie, en posición básica, pisamos la goma elástica con ambos pies y sujetamos sus asas con las manos por encima de la cadera.
Movimiento: abducir la cadera, separando un muslo (elevándolo) hasta llegar al máximo recorrido articular y volver a la posición inicial.
Aspectos a considerar:
Realizar el movimiento lentamente con cuidado de no perder el equilibrio.
Intentar mantener siempre las manos por encima de la cadera.
No inclinar lateralmente el tronco.

Musculatura solicitada: glúteos (mediano, menor y mayor).

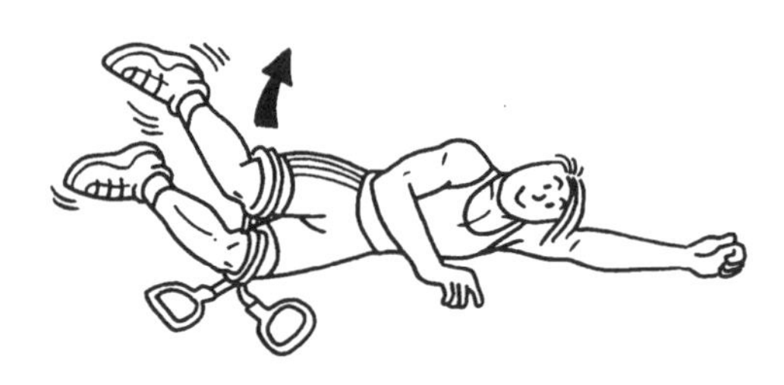

Descripción del ejercicio:
Posición inicial: tumbados lateralmente, con la cabeza apoyada sobre un brazo, enrollamos la goma elástica en las rodillas y las mantenemos flexionadas a 90°.
Movimiento: abducir la cadera, elevando el muslo hasta llegar a su máximo recorrido articular y volver a la posición inicial.
Aspectos a considerar:
Mantener la zona abdominal contraída.
Apoyar la cabeza en el brazo extendido en el suelo.

Musculatura solicitada: Glúteos (mediano, menor y mayor).

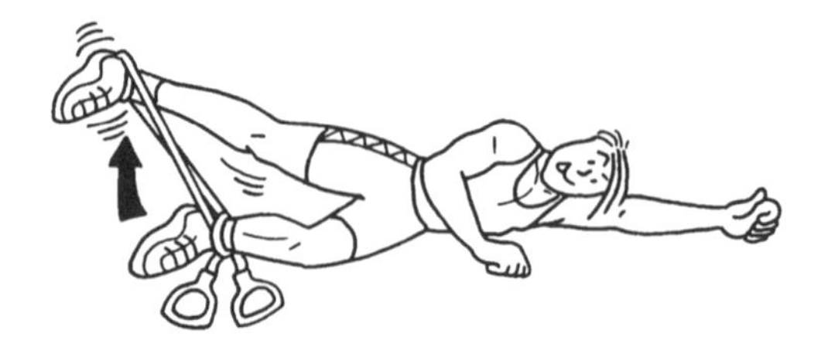

Descripción del ejercicio:
Posición inicial: tumbados lateralmente, con la cabeza apoyada sobre un brazo, enrollamos la goma elástica en los tobillos y flexionamos ligeramente la rodilla de la pierna que no realizará el movimiento, mientras la otra permanece extendida.
Movimiento: abducir la cadera, elevando el muslo hasta llegar a su máximo recorrido articular y volver a la posición inicial.

Aspectos a considerar:
Mantener la zona abdominal contraída.
Apoyar la cabeza en el brazo extendido en el suelo.
No flexionar la cadera durante el movimiento.

Musculatura solicitada: glúteos (mayor, mediano y menor).

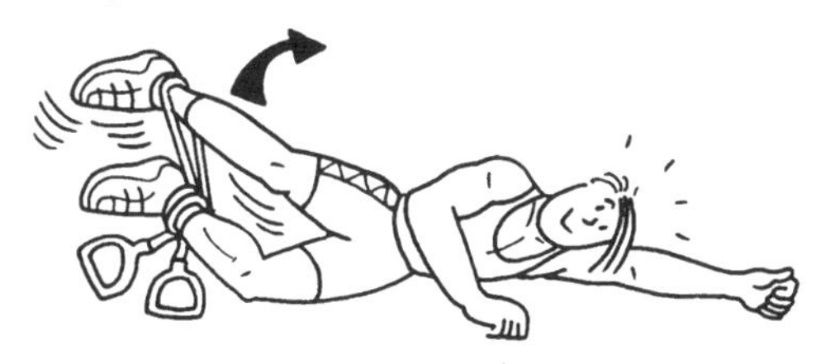

Descripción del ejercicio:
Posición inicial: tumbados lateralmente, con el tronco y las rodillas flexionadas a 90° y con la cabeza apoyada sobre un brazo, enrollamos la goma elástica en los tobillos.
Movimiento: realizar una extensión de la cadera hasta llegar a su máximo recorrido articular y volver a la posición inicial.
Aspectos a considerar:
Mantener la zona abdominal contraída durante el movimiento.
Extender la cadera, sin llegar a la hiperextensión de la misma.
Mantener siempre una ligera flexión de las rodillas.

Musculatura solicitada: glúteos (mayor, mediano y menor).

Descripción del ejercicio:
Posición inicial: tumbados boca arriba, flexionamos una cadera a 90° y con la rodilla ligeramente flexionada enrollamos una goma elástica en el tobillo y agarramos sus asas con las manos. Los codos permanecen estirados y la otra pierna apoyada en el suelo.

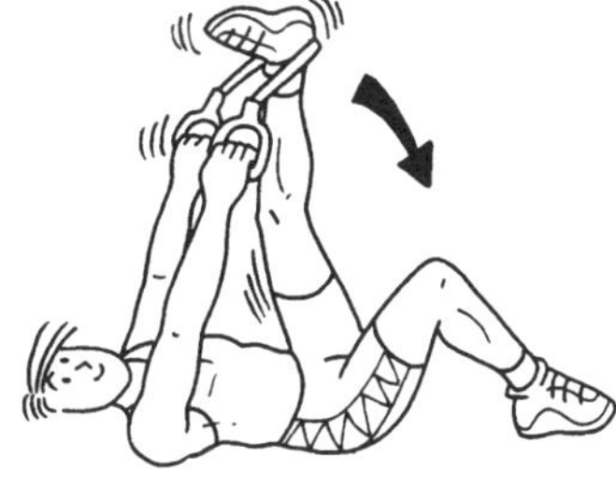

Movimiento: extender la cadera hasta llegar a tocar con el talón en el suelo y volver a la posición inicial.
Aspectos a considerar:
Mantener la zona abdominal contraída durante todo el movimiento.
Mantener los codos extendidos durante el movimiento.
El pie que apoya en el suelo situarlo lo más próximo posible a los glúteos.
Los hombros deben estar flexionados a 45°, de modo que las manos se encuentren en el punto más elevado y adelantado al mismo tiempo.

Musculatura solicitada: glúteos (mayor, mediano y menor).

Descripción del ejercicio:
Posición inicial: encima de un estep inclinado, apoyados sobre una rodilla y los antebrazos, pasamos la goma elástica bajo el soporte del estep y enrollamos en el tobillo de la pierna que no queda apoyada (rodilla flexionada).
Movimiento: extender la cadera, elevando el muslo, hasta llegar a su máximo recorrido articular.
Aspectos a considerar:
Mantener contraída la zona abdominal durante todo el movimiento.
Mantener la rodilla flexionada durante todo el movimiento.
Evitar el arqueo del tronco (zona lumbar), especialmente si se llega a realizar una ligera hiperextensión de la cadera.

Musculatura solicitada: glúteos (mayor, mediano y menor).

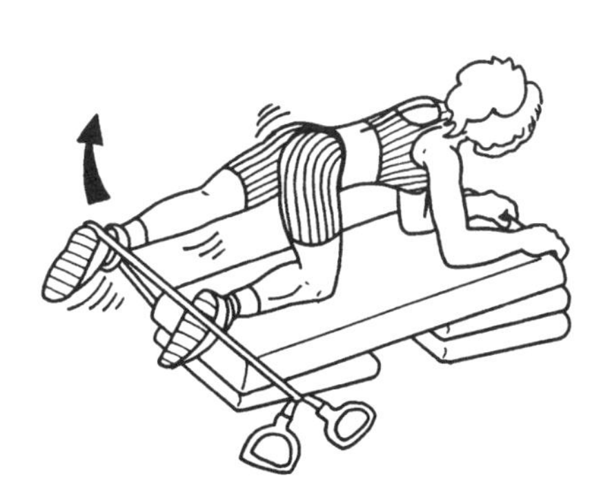

Descripción del ejercicio:
Posición inicial: encima de un estep inclinado, apoyados sobre una rodilla y los antebrazos, pasamos la goma elástica bajo el soporte del estep y la enrollamos en el tobillo de la pierna que no queda apoyada (rodilla extendida).
Movimiento: extender la cadera, elevando el muslo, hasta llegar a su máximo recorrido articular.
Aspectos a considerar:
Mantener contraída la zona abdominal durante todo el movimiento.
Mantener la rodilla extendida durante todo el movimiento.
Evitar el arqueo del tronco (zona lumbar), especialmente si se llega a realizar una ligera hiperextensión de la cadera.

Musculatura solicitada: glúteos (mayor, mediano y menor).

Descripción del ejercicio:
Posición inicial: tumbados boca abajo, con la cabeza apoyada sobre los brazos y con las rodillas extendidas, enrollamos la goma elástica alrededor de los tobillos.
Movimiento: abducir las caderas, separando los muslos al mismo tiempo, hasta llegar a su máximo recorrido articular y volver a la posición inicial.
Aspectos a considerar:
Mantener contraída la zona abdominal durante todo el movimiento.
Abandonar el ejercicio si se nota una sobrecarga en la zona lumbar.
Es conveniente colocar un cojín o similar bajo el abdomen para ayudar a evitar la hiperlordosis lumbar.

Musculatura solicitada: glúteos (mayor, mediano y menor).

Descripción del ejercicio:
Posición inicial: en el suelo, apoyados sobre una rodilla y los antebrazos, enrollamos la goma elástica en el

tobillo y pasamos sus asas por el pie de la pierna que no queda apoyada (rodilla flexionada).
Movimiento: extender la cadera, elevando el muslo, hasta llegar a su máximo recorrido articular.
Aspectos a considerar:
Mantener contraída la zona abdominal durante todo el movimiento.
Mantener la rodilla flexionada durante todo el movimiento.
Evitar el arqueo del tronco (zona lumbar), especialmente si se llega a realizar una ligera hiperextensión de la cadera.

Musculatura solicitada: glúteos (mayor, mediano y menor).

Descripción del ejercicio:
Posición inicial: en el suelo, apoyados sobre una rodilla y los antebrazos, enrollamos la goma elástica por los tobillos.
Movimiento: extender la cadera, elevando el muslo, hasta llegar a su máximo recorrido articular.
Aspectos a considerar:
Mantener contraída la zona abdominal durante todo el movimiento.
Evitar el arqueo del tronco (zona lumbar), especialmente si se llega a realizar una ligera hiperextensión de la cadera.

Musculatura solicitada: glúteos (mayor, mediano y menor).

Descripción del ejercicio:
Posición inicial: en el suelo, apoyados sobre una rodilla y los antebrazos, enrollamos la goma elástica en el pie y

con las manos la agarramos por sus asas. La cadera de la pierna que va a realizar el movimiento debe estar totalmente flexionada.

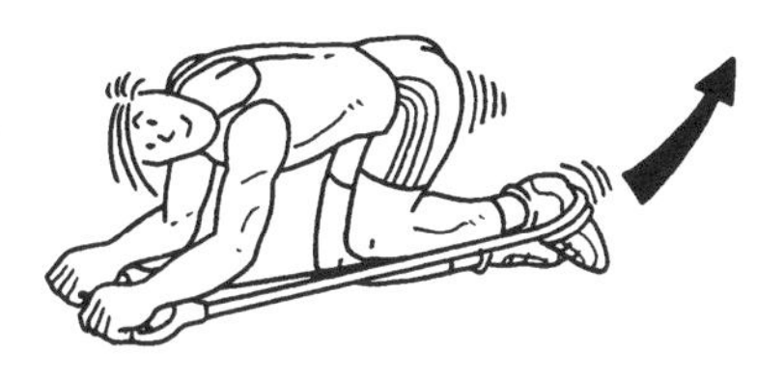

Movimiento: extender la cadera, hasta alinear el muslo con el tronco y volver a la posición inicial.

Aspectos a considerar:

Mantener la zona abdominal contraída, durante todo el movimiento.

Partir de una posición inicial de flexión total de la cadera para poder realizar un movimiento más amplio.

No hiperextender la cadera.

Musculatura solicitada: glúteos (mayor, mediano y menor).

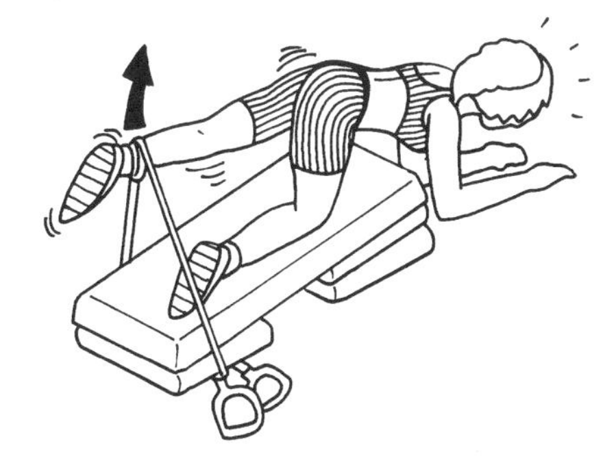

Descripción del ejercicio:

Posición inicial: encima de un estep inclinado, apoyados sobre una rodilla y con los antebrazos apoyados en el suelo, pasamos la goma elástica bajo el soporte del estep y colocamos sus asas en el pie de la pierna que no queda apoyada (rodilla extendida).

Movimiento: extender la cadera, elevando el muslo, hasta llegar a alinearlo con el tronco.

Aspectos a considerar:

Mantener contraída la zona abdominal durante todo el movimiento.

Evitar el arqueo del tronco (zona lumbar), especialmente si se llega a realizar una ligera hiperextensión de la cadera.

Si no se llega al suelo con los antebrazos, apoyar las manos con los codos extendidos.

Musculatura solicitada: glúteos (mayor, mediano y menor).

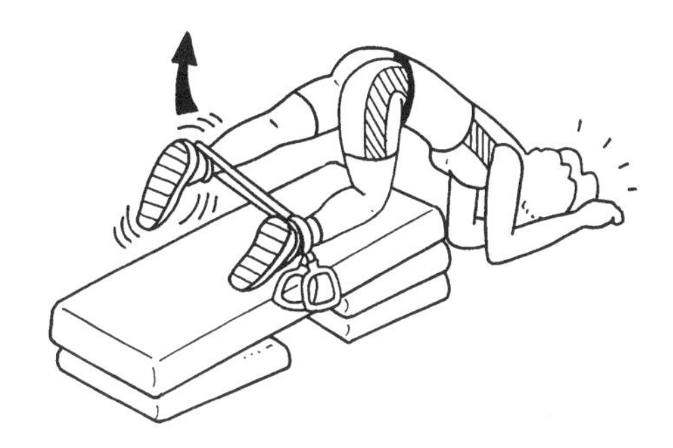

Descripción del ejercicio:

Posición inicial: sobre un estep inclinado, tumbados boca abajo, con el tronco flexionado y los antebrazos apoyados en el suelo, enrollamos la goma elástica en los tobillos.

Movimiento: realizar una extensión de la cadera hasta alinear el muslo con el tronco y volver a la posición inicial.

Aspectos a considerar:

Mantener la zona abdominal contraída durante todo el movimiento.

No llegar hasta la hiperextensión de la cadera.

Musculatura solicitada: glúteos (mediano, menor y mayor).

Descripción del ejercicio:

Posición inicial: de pie, en posición básica, junto a la espaldera, enrollamos la goma elástica en los tobillos y con una mano nos agarramos a uno de sus barrotes.

Movimiento: abducir la cadera hasta llegar a su máximo recorrido articular y volver a la posición inicial.

Aspectos a considerar:

Para evitar problemas de equilibrio, es necesario apoyarse en la espaldera o cualquier otro objeto fijo del que dispongamos.

En la posición inicial es conveniente partir de una aducción de la cadera que vamos a trabajar para aumentar el recorrido del movimiento.

Musculatura solicitada: glúteos (mediano, menor y mayor).

Descripción del ejercicio:

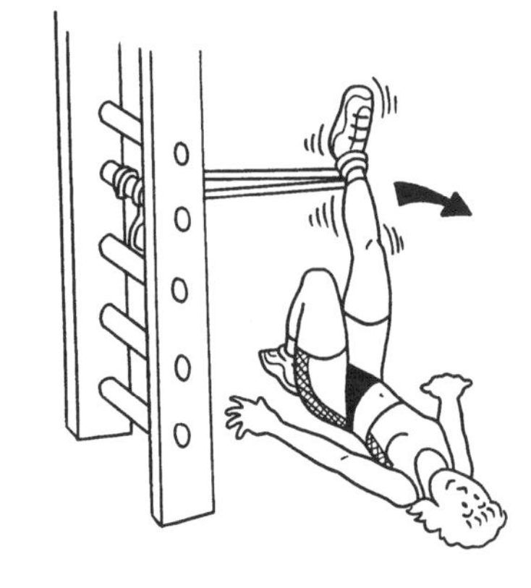

Posición inicial: tumbados junto a la espaldera, con un pie apoyado en el suelo (con la rodilla flexionada) y una cadera flexionada (muslo y pierna hacia arriba), pasamos la goma elástica por uno de sus barrotes y la enrollamos en el tobillo de la pierna cuya cadera se encuentra más flexionada.

Movimiento: abducir la cadera hasta llegar a su máximo recorrido articular.

Aspectos a considerar:

El muslo que hace el movimiento debe ser el más distante de la espaldera, de modo que en la posición inicial cruce el tronco para partir de una posición de aducción que permita un recorrido más amplio.

Musculatura solicitada: glúteos (mayor, mediano y menor).

Descripción del ejercicio:

Posición inicial: tumbados boca arriba, con la espaldera por detrás, apoyamos un pie en el suelo (con la rodilla flexionada) y con la cadera flexionada y la rodilla extendida enrollamos la goma elástica en un barrote de la espaldera y en el tobillo de la pierna cuya cadera se encuentra más flexionada.

Movimiento: extender la cadera hasta llegar a tocar el suelo con el talón y volver a la posición inicial.

Aspectos a considerar:

Mantener la zona abdominal contraída durante todo el movimiento.

Para evitar sobrecargas en la zona lumbar este ejercicio puede realizarse colocando un estep declinado como superficie de apoyo.

Musculatura solicitada: glúteos (mayor, mediano y menor).

Descripción del ejercicio:

Posición inicial: apoyados en el suelo sobre una rodilla y los antebrazos, pasamos la goma elástica por uno de los barrotes inferiores de la espaldera e introducimos sus asas en el pie más alejado de la misma.

Movimiento: abducir la cadera hasta llegar a su máximo recorrido articular

Aspectos a considerar:

Mantener la rodilla extendida durante todo el movimiento.

Musculatura solicitada: glúteos (mediano, menor y mayor).

Descripción del ejercicio:

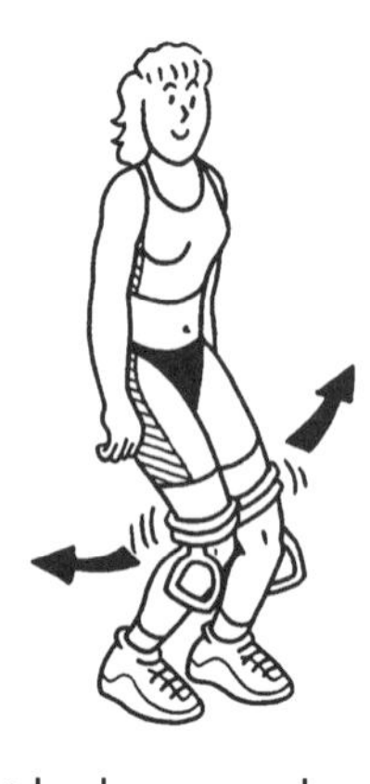

Posición inicial: de pie, con las rodillas ligeramente flexionadas, enrollamos la goma elástica alrededor de las mismas.

Movimiento: abducir ambos muslos al mismo tiempo hasta llegar al máximo recorrido articular.

Aspectos a considerar:

Durante el movimiento los pies deben permanecer fijos en el suelo.

Mantener la zona abdominal contraída durante todo el movimiento.

Musculatura solicitada: glúteos (mediano, menor y mayor).

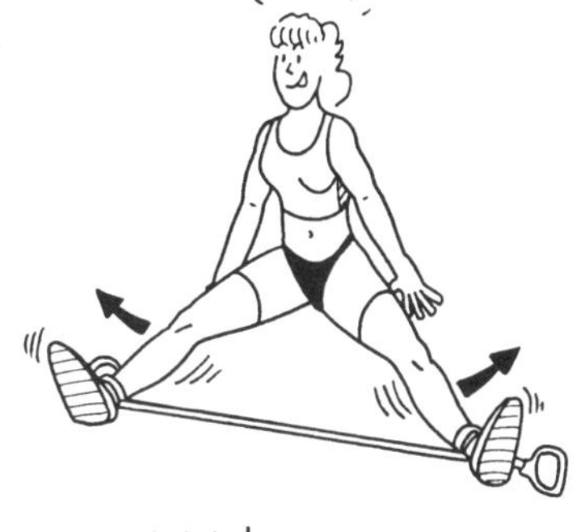

Descripción del ejercicio:
Posición inicial: sentados, con las rodillas extendidas y los pies juntos, enrollamos la goma elástica en los tobillos.
Movimiento: abducir las caderas al mismo tiempo hasta llegar a su máximo recorrido articular y volver a la posición inicial.
Aspectos a considerar:
Apoyar las manos por detrás de la espalda para mantener el tronco erguido y evitar extenderlo durante el movimiento.
El dibujo ilustra la posición final del ejercicio.

Musculatura solicitada: glúteos (mayor, mediano y menor).

Descripción del ejercicio:
Posición inicial: tumbados boca arriba sobre un estep inclinado, con la espaldera por detrás, apoyamos un pie en el suelo (con la rodilla flexionada) y con la cadera flexionada y la rodilla extendida enrollamos la goma elástica en un barrote de la espaldera en el tobillo de la pierna cuya cadera se encuentra más flexionada.
Movimiento: extender la cadera hasta llegar a tocar el suelo con el talón y volver a la posición inicial.
Aspectos a considerar:
Apoyar en el estep solamente el tronco. Los muslos y las piernas deben estar en línea con el suelo.
Mantener la zona abdominal contraída durante todo el movimiento.
El ángulo formado por la inclinación del estep y el suelo impide realizar una extensión de la cadera completa, de manera que evita las sobrecargas en la zona lumbar.

Ejercicios con bandas elásticas

Musculatura solicitada: glúteos (mediano, menor y mayor).

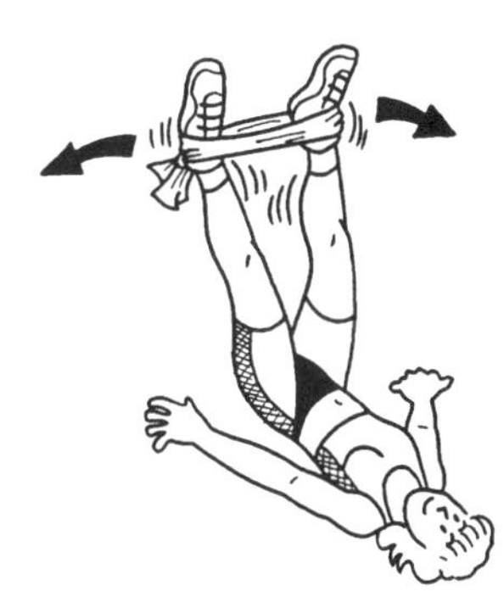

Descripción del ejercicio:
Posición inicial: tumbados boca arriba, con las rodillas ligeramente flexionadas y con los muslos a 90° respecto al tronco (caderas flexionadas) enrollamos la banda elástica alrededor de los tobillos.
Movimiento: abducir las caderas, separando los muslos hasta llegar al máximo recorrido articular y volver a la posición inicial.
Aspectos a considerar:
Mantener a 90° la flexión de caderas (entre muslos y tronco) durante todo el movimiento.
Abducir (separar) lentamente las piernas y volver poco a poco a la posición inicial.

Musculatura solicitada: glúteos (mediano, menor y mayor).

Descripción del ejercicio:
Posición inicial: de pie, en posición básica, pisamos la banda elástica con ambos pies y la sujetamos por sus extremos con las manos por encima de la cadera.
Movimiento: apoyándonos sobre una pierna, abducir la cadera, separando un muslo (elevándolo) hasta llegar al máximo recorrido articular y volver a la posición inicial.
Aspectos a considerar:
Realizar el movimiento lentamente con cuidado de no perder el equilibrio.
Intentar mantener siempre las manos por encima de la cadera.

Musculatura solicitada: glúteos (mediano, menor y mayor).

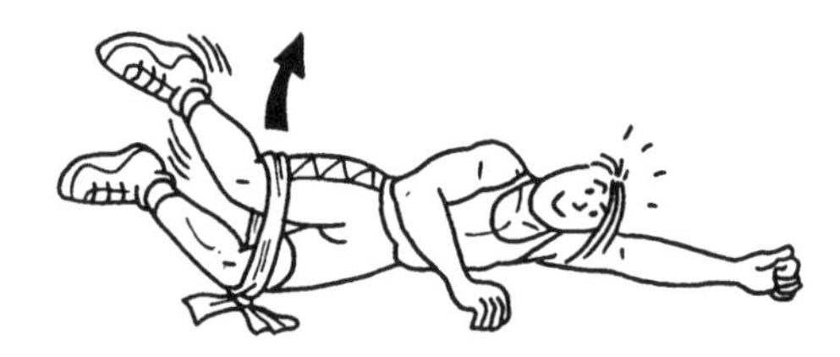

Descripción del ejercicio:
Posición inicial: tumbados lateralmente, con la cabeza apoyada sobre un brazo, enrollamos la banda elástica en las rodillas y las mantenemos flexionadas a 90°.
Movimiento: Abducir la cadera, elevando el muslo hasta llegar a su máximo recorrido articular y volver a la posición inicial.
Aspectos a considerar:
Mantener la zona abdominal contraída.
Apoyar la cabeza en el brazo extendido en el suelo.

Musculatura solicitada: glúteos (mediano, menor y mayor).

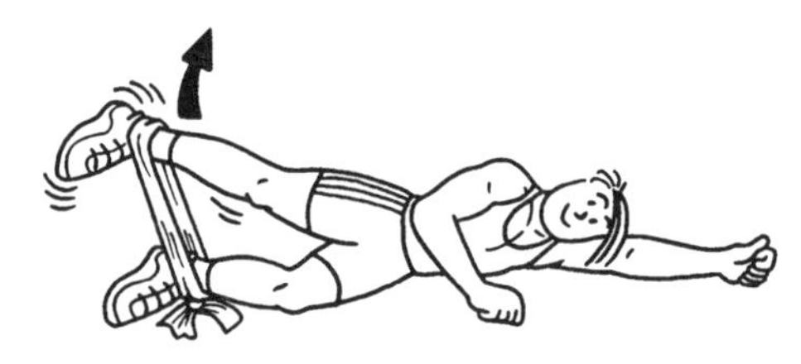

Descripción del ejercicio:
Posición inicial: tumbados lateralmente, con la cabeza apoyada sobre un brazo, enrollamos la banda elástica en los tobillos y flexionamos ligeramente la rodilla de la pierna que no realizará el movimiento mientras la otra permanece extendida.
Movimiento: Abducir la cadera, elevando el muslo hasta llegar a su máximo recorrido articular y volver a la posición inicial.
Aspectos a considerar:
Mantener la zona abdominal contraída.
Apoyar la cabeza en el brazo extendido en el suelo.

Musculatura solicitada: glúteos (mayor, mediano y menor).

Descripción del ejercicio:
Posición inicial: tumbados lateralmente, con el tronco y las rodillas flexionadas a 90° y con la cabeza apoyada

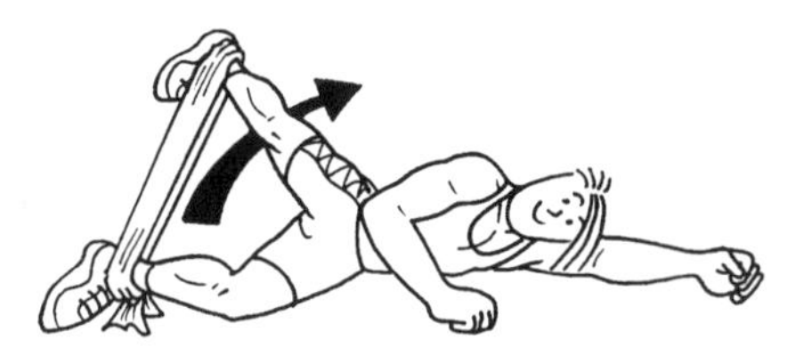

sobre un brazo, enrollamos la banda elástica en los tobillos.
Movimiento: realizar una extensión de la cadera hasta llegar a su máximo recorrido articular y volver a la posición inicial.
Aspectos a considerar:
Mantener la zona abdominal contraída durante el movimiento.
Extender la cadera, sin llegar a la hiperextensión de la misma.
Mantener siempre una ligera flexión de las rodillas.

Musculatura solicitada: glúteos (mayor, mediano y menor).

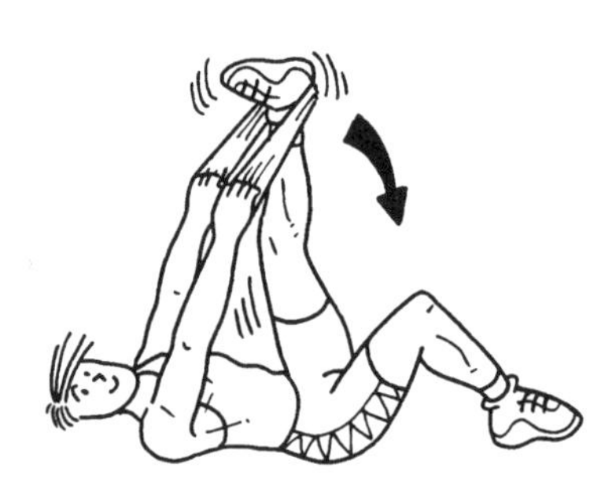

Descripción del ejercicio:
Posición inicial: tumbados boca arriba, flexionamos una cadera a 90° y con la rodilla ligeramente flexionada enrollamos una banda elástica en el tobillo y la sujetamos por sus extremos con las manos. Los codos permanecen estirados y la otra pierna apoyada en el suelo.
Movimiento: extender la cadera hasta llegar a tocar con el talón en el suelo y volver a la posición inicial.
Aspectos a considerar:
Mantener la zona abdominal contraída durante todo el movimiento.
Mantener los codos extendidos durante el movimiento.
El pie que apoya en el suelo hay que situarlo lo más próximo posible a los glúteos.
Los hombros deben estar flexionados a 45°, de modo que las manos se encuentren en el punto más elevado y adelantado al mismo tiempo.

Musculatura solicitada: glúteos (mayor, mediano y menor).

Descripción del ejercicio:

Posición inicial: encima de un estep inclinado, apoyados sobre una rodilla y los antebrazos, pasamos la banda elástica bajo el soporte del estep y enrollamos sus extremos en el tobillo de la pierna que no queda apoyada (rodilla flexionada).

Movimiento: extender la cadera, elevando el muslo, hasta llegar a su máximo recorrido articular.

Aspectos a considerar:

Mantener contraída la zona abdominal durante todo el movimiento.

Mantener la rodilla flexionada durante todo el movimiento.

Evitar el arqueo del tronco (zona lumbar), especialmente si se llega a realizar una ligera hiperextensión de la cadera.

Musculatura solicitada: glúteos (mayor, mediano y menor).

Descripción del ejercicio:

Posición inicial: encima de un estep inclinado, apoyados sobre una rodilla y los antebrazos, pasamos la banda elástica bajo el soporte del estep y enrollamos sus extremos en el pie de la pierna que no queda apoyada (rodilla extendida).

Movimiento: extender la cadera, elevando el muslo, hasta llegar a su máximo recorrido articular.

Aspectos a considerar:

Mantener contraída la zona abdominal durante todo el movimiento.

Mantener la rodilla extendida durante todo el movimiento.

Evitar el arqueo del tronco (zona lumbar), especialmente si se llega a realizar una ligera hiperextensión de la cadera.

Musculatura solicitada: glúteos (mediano, menor y mayor).

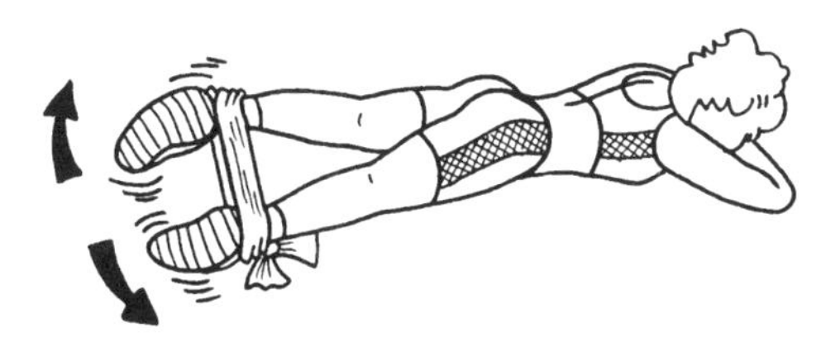

Descripción del ejercicio:

Posición inicial: tumbados boca abajo, con la cabeza apoyada sobre los brazos y con las rodillas extendidas, enrollamos la banda elástica alrededor de los tobillos.

Movimiento: abducir las caderas, separando los muslos al mismo tiempo, hasta llegar a su máximo recorrido articular y volver a la posición inicial.

Aspectos a considerar:

Mantener contraída la zona abdominal durante todo el movimiento.

Abandonar el ejercicio si se nota una sobrecarga en la zona lumbar.

Es conveniente colocar un cojín o similar bajo el abdomen para ayudar a evitar la hiperlordosis lumbar.

Musculatura solicitada: glúteos (mayor, mediano y menor).

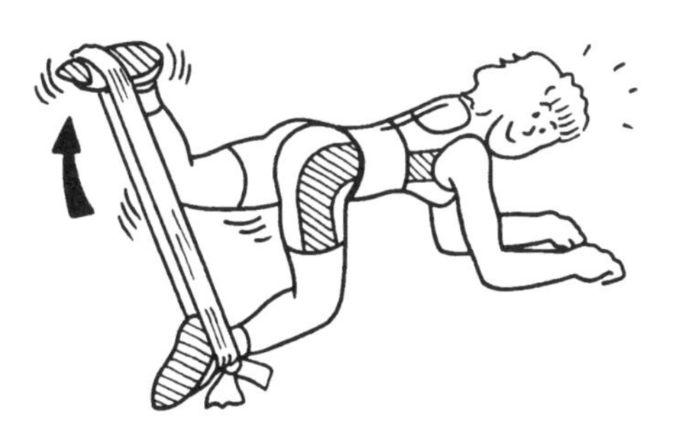

Descripción del ejercicio:

Posición inicial: en el suelo, apoyados sobre una rodilla y los antebrazos, enrollamos la banda elástica en el tobillo y enrollamos sus extremos en el pie de la pierna que no queda apoyada (rodilla flexionada).

Movimiento: extender la cadera, elevando el muslo, hasta llegar a su máximo recorrido articular.

Aspectos a considerar:

Mantener contraída la zona abdominal durante todo el movimiento.

Mantener la rodilla flexionada durante todo el movimiento.

Evitar el arqueo del tronco (zona lumbar), especialmente si se llega a realizar una ligera hiperextensión de la cadera.

Musculatura solicitada: glúteos (mayor, mediano y menor).

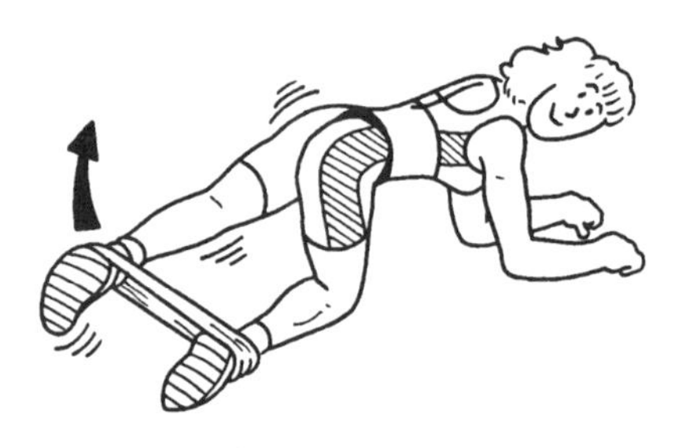

Descripción del ejercicio:

Posición inicial: en el suelo, apoyados sobre una rodilla y los antebrazos, pasamos la banda elástica por el tobillo y atamos sus extremos en el pie de la pierna que no queda apoyada (rodilla extendida).

Movimiento: extender la cadera, elevando el muslo, hasta llegar a su máximo recorrido articular.

Aspectos a considerar:

Mantener contraída la zona abdominal durante todo el movimiento.

Evitar el arqueo del tronco (zona lumbar), especialmente si se llega a realizar una ligera hiperextensión de la cadera.

Musculatura solicitada: glúteos (mayor, mediano y menor).

Descripción del ejercicio:

Posición inicial: en el suelo, apoyados sobre una rodilla y los antebrazos, enrollamos la banda elástica en el pie y con las manos la sujetamos por sus extremos. La

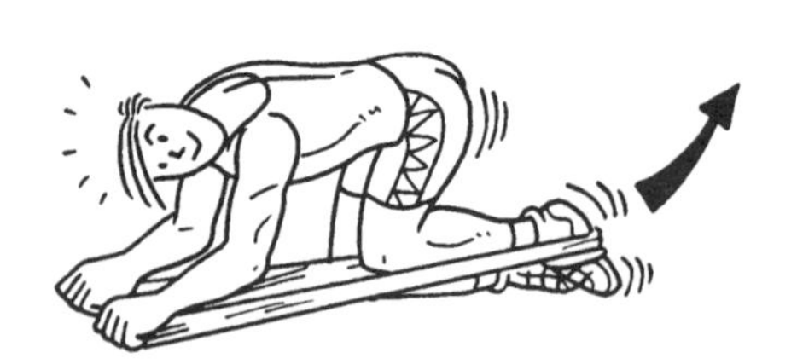

cadera de la pierna que va a realizar el movimiento debe estar totalmente flexionada.

Movimiento: extender la cadera, hasta alinear el muslo con el tronco y volver a la posición inicial.

Aspectos a considerar:

Mantener la zona abdominal contraída, durante todo el movimiento.

Partir de una posición inicial de flexión total de la cadera para poder realizar un movimiento más amplio.

No hiperextender la cadera.

Musculatura solicitada: glúteos (mayor, mediano y menor).

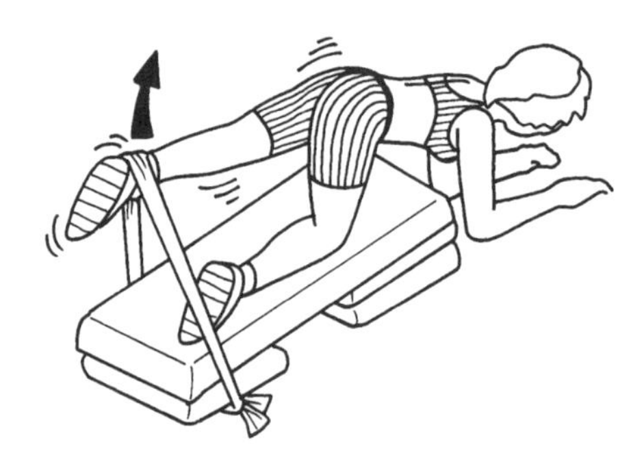

Descripción del ejercicio:

Posición inicial: encima de un estep inclinado, apoyados sobre una rodilla y con los antebrazos apoyados en el suelo, pasamos la banda elástica bajo el soporte del estep y atamos sus extremos en el pie de la pierna que no queda apoyada (rodilla extendida).

Movimiento: extender la cadera, elevando el muslo, hasta llegar a alinearlo con el tronco.

Aspectos a considerar:

Mantener contraída la zona abdominal durante todo el movimiento.

Evitar el arqueo del tronco (zona lumbar), especialmente si se llega a realizar una ligera hiperextensión de la cadera.

Si no se llega al suelo con los antebrazos, apoyar las manos con los codos extendidos.

Musculatura solicitada: glúteos (mayor, mediano y menor).

Descripción del ejercicio:
Posición inicial: sobre un estep inclinado, tumbados boca abajo, con el tronco flexionado y los antebrazos apoyados en el suelo, enrollamos la banda elástica en los tobillos.

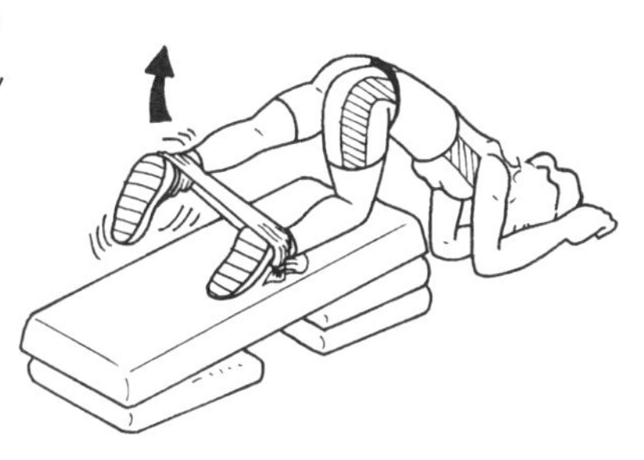

Movimiento: realizar una extensión de la cadera hasta alinear el muslo con el tronco y volver a la posición inicial.
Aspectos a considerar:
Mantener la zona abdominal contraída durante todo el movimiento.
No llegar hasta la hiperextensión de la cadera.

Musculatura solicitada: glúteos (mediano, menor y mayor).

Descripción del ejercicio:
Posición inicial: de pie, en posición básica, junto a la espaldera, enrollamos la banda elástica en los tobillos y con una mano nos agarramos a uno de sus barrotes.

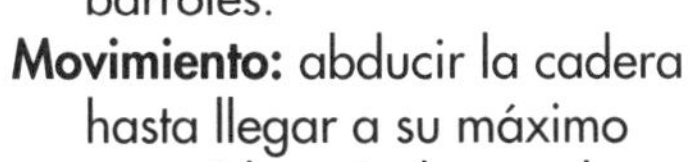

Movimiento: abducir la cadera hasta llegar a su máximo recorrido articular y volver a la posición inicial.
Aspectos a considerar:
Para evitar problemas de equilibrio, es necesario apoyarse en la espaldera o cualquier otro objeto fijo del que dispongamos.
En la posición inicial es conveniente partir de una aducción de la cadera que vamos a trabajar para aumentar el recorrido del movimiento.

Musculatura solicitada: glúteos (mediano, menor y mayor).

Descripción del ejercicio:
Posición inicial: tumbados junto a la espaldera, con un pie apoyado en el suelo (con la rodilla flexionada) y una cadera flexionada (muslo y pierna hacia arriba), pasamos la banda elástica por uno de sus barrotes y la enrollamos en el tobillo de la pierna cuya cadera se encuentra más flexionada.

Movimiento: abducir la cadera hasta llegar a su máximo recorrido articular.
Aspectos a considerar:
El muslo que hace el movimiento debe ser el más distante de la espaldera, de modo que en la posición inicial cruce el tronco para partir de una posición de aducción que permita un recorrido más amplio.

Musculatura solicitada: glúteos (mayor, mediano y menor).

Descripción del ejercicio:
Posición inicial: tumbados boca arriba, con la espaldera por detrás, apoyamos un pie en el suelo (con la rodilla flexionada) y con la cadera flexionada y la rodilla extendida enrollamos la banda elástica en un barrote de la espaldera en el tobillo de la pierna cuya cadera se encuentra más flexionada.

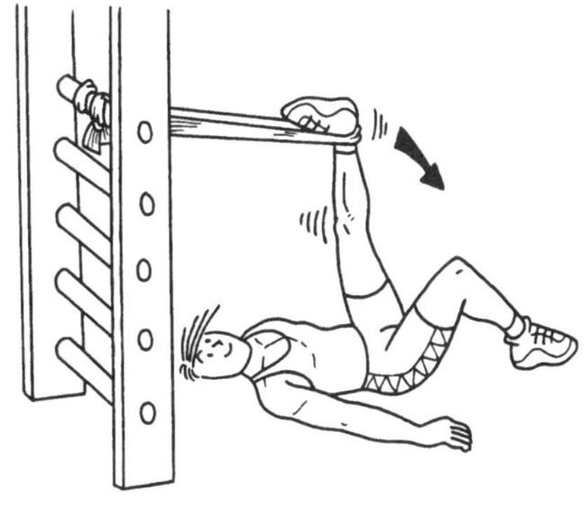

Movimiento: extender la cadera hasta llegar a tocar el suelo con el talón y volver a la posición inicial.
Aspectos a considerar:
Mantener la zona abdominal contraída durante todo el movimiento.
Para evitar sobrecargas en la zona lumbar este ejercicio puede realizarse colocando un estep declinado como superficie de apoyo.

Musculatura solicitada: glúteos (mayor, mediano y menor).

Descripción del ejercicio:
Posición inicial: apoyados en el suelo sobre una rodilla y los antebrazos, pasamos la banda elástica por uno de los barrotes inferiores de la espaldera y la enrollamos por sus extremos en el pie más alejado de la misma.

Movimiento: abducir la cadera hasta llegar a su máximo recorrido articular.
Aspectos a considerar:
Mantener la rodilla extendida durante todo el movimiento.

Musculatura solicitada: glúteos (mediano, menor y mayor).

Descripción del ejercicio:
Posición inicial: de pie, con las rodillas ligeramente flexionadas, enrollamos la banda elástica alrededor de las mismas.
Movimiento: abducir ambos muslos al mismo tiempo hasta llegar al máximo recorrido articular.
Aspectos a considerar:
Durante el movimiento los pies deben permanecer fijos en el suelo.
Mantener la zona abdominal contraída durante todo el movimiento.

Musculatura solicitada: glúteos (mediano, menor y mayor).

Descripción del ejercicio:
Posición inicial:
Sentados, con las rodillas extendidas y los pies juntos, enrollamos la banda elástica en los tobillos.
Movimiento: abducir las caderas al mismo tiempo hasta llegar a su máximo recorrido articular y volver a la posición inicial.

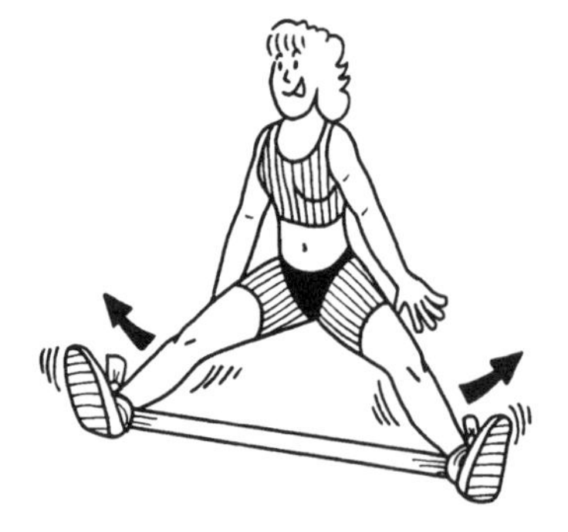

Aspectos a considerar:
Apoyar las manos por detrás de la espalda para mantener el tronco erguido y evitar extenderlo durante el movimiento.
El dibujo ilustra la posición final del ejercicio.

Musculatura solicitada: glúteos (mayor, mediano y menor).

Descripción del ejercicio:
Posición inicial: tumbados boca arriba sobre un estep inclinado, con la espaldera por detrás, apoyamos un pie en el suelo (con la rodilla flexionada) y con la cadera flexionada y la rodilla extendida enrollamos la banda elástica en un barrote de la espaldera en el tobillo de la pierna cuya cadera se encuentra más flexionada.
Movimiento: extender la cadera hasta llegar a tocar el suelo con el talón y volver a la posición inicial.
Aspectos a considerar:
Mantener la zona abdominal contraída durante todo el movimiento.
El ángulo formado por la inclinación del estep y el suelo impide realizar una extensión de la cadera completa, de manera que evita las sobrecargas en la zona lumbar.

Ejercicios con esteps

Musculatura solicitada: glúteos (mediano, menor y mayor).

Descripción del ejercicio:
Posición inicial: tumbados lateralmente, sobre un estep inclinado, con la cabeza apoyada sobre un brazo y las rodillas flexionadas a 90°.

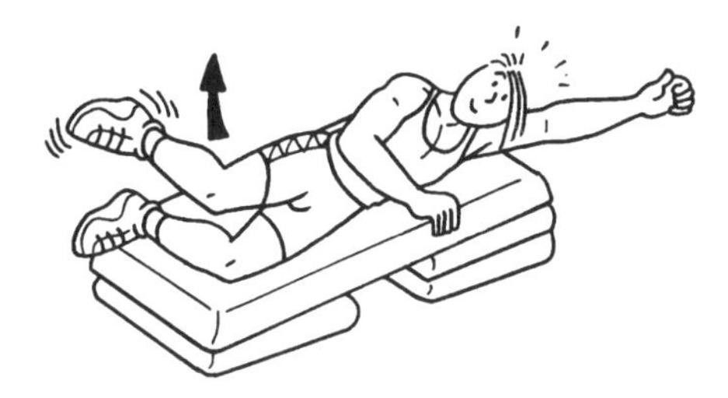

Movimiento: abducir la cadera, elevando el muslo hasta llegar a su máximo recorrido articular y volver a la posición inicial.

Aspectos a considerar:
Mantener la zona abdominal contraída.
Apoyar la cabeza en el brazo extendido en el suelo.

Musculatura solicitada: glúteos (mediano, menor y mayor).

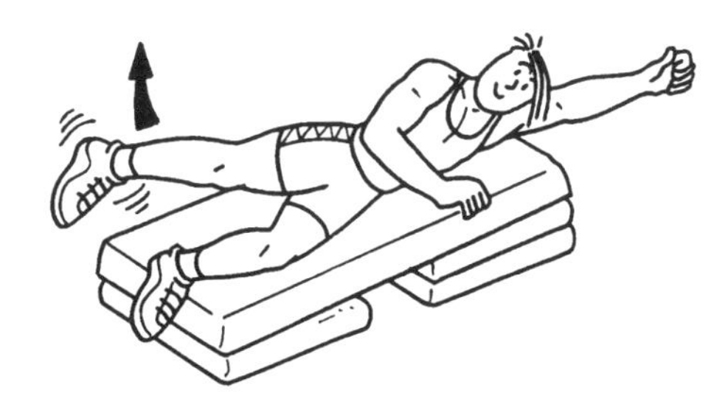

Descripción del ejercicio:

Posición inicial: tumbados lateralmente, sobre un estep inclinado, con la cabeza apoyada sobre un brazo y la rodilla que va a ejecutar el movimiento extendida.

Movimiento: abducir la cadera, elevando el muslo hasta llegar a su máximo recorrido articular y volver a la posición inicial.

Aspectos a considerar:
Mantener la zona abdominal contraída.
Apoyar la cabeza en el brazo extendido en el suelo.

Musculatura solicitada: glúteos (mayor, mediano y menor).

Descripción del ejercicio:

Posición inicial: encima de un estep inclinado, apoyados sobre una rodilla y los antebrazos, con la rodilla que va a realizar el movimiento flexionada a 90°.

Movimiento: extender la cadera, elevando el muslo, hasta llegar a su máximo recorrido articular.

Aspectos a considerar:
Mantener contraída la zona abdominal durante todo el movimiento.
Mantener la rodilla flexionada durante todo el movimiento.
Evitar el arqueo del tronco (zona lumbar), especialmente si se llega a realizar una ligera hiperextensión de la cadera.

Musculatura solicitada: glúteos (mayor, mediano y menor).

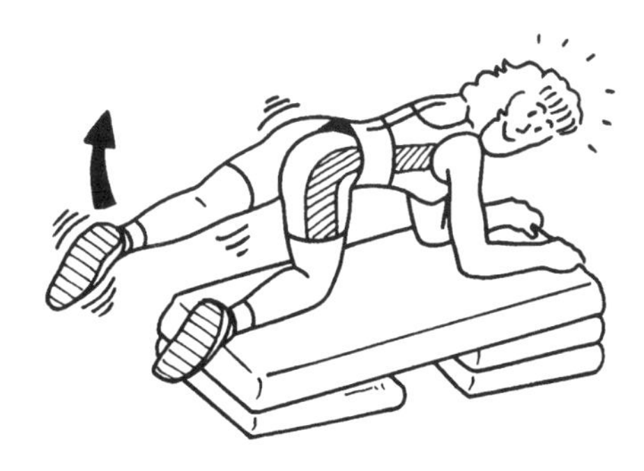

Descripción del ejercicio:

Posición inicial: encima de un estep inclinado, apoyados sobre una rodilla y los antebrazos, con la rodilla que va a realizar el movimiento extendida.

Movimiento: extender la cadera, elevando el muslo, hasta llegar a su máximo recorrido articular.

Aspectos a considerar:
Mantener contraída la zona abdominal durante todo el movimiento.
Mantener la rodilla flexionada durante todo el movimiento.
Evitar el arqueo del tronco (zona lumbar), especialmente si se llega a realizar una ligera hiperextensión de la cadera.

Musculatura solicitada: glúteos (mayor, mediano y menor).

Descripción del ejercicio:

Posición inicial: encima de un estep inclinado, apoyados sobre una rodilla, con los antebrazos apoyados en el

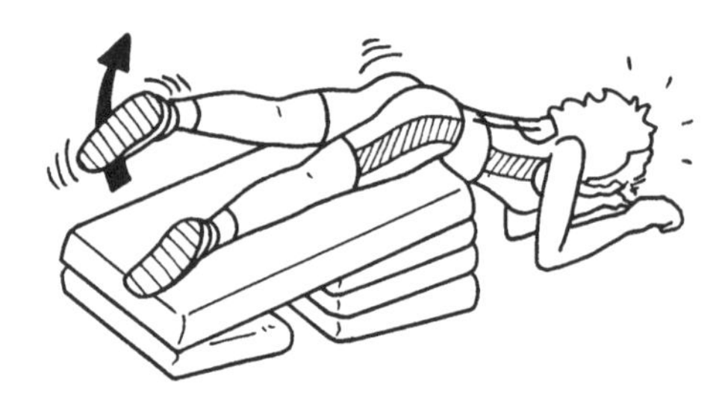

suelo y con la rodilla que va a realizar el movimiento extendida.

Movimiento: extender la cadera, elevando el muslo, hasta llegar a alinearlo con el tronco.

Aspectos a considerar:

Mantener contraída la zona abdominal durante todo el movimiento.

Evitar el arqueo del tronco (zona lumbar), especialmente si se llega a realizar una ligera hiperextensión de la cadera.

Si no se llega al suelo con los antebrazos, apoyar las manos con los codos extendidos.

Ejercicios con barra

Musculatura solicitada: glúteos (mediano, menor y mayor).

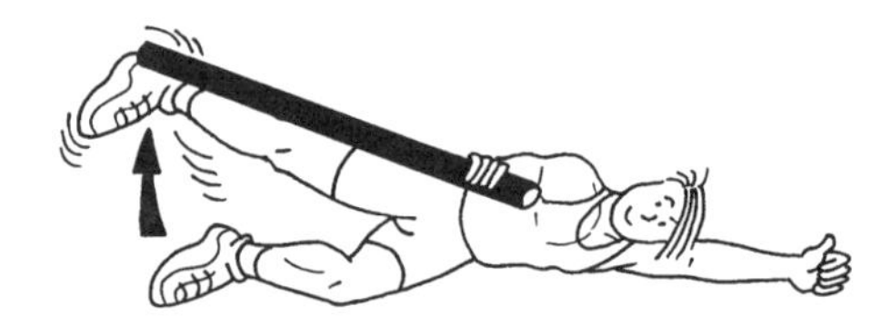

Descripción del ejercicio:

Posición inicial: tumbados lateralmente, con la rodilla de la pierna que toca el suelo flexionada y con la otra estirada, apoyamos la barra a lo largo del muslo de la pierna estirada, sujetándola con la mano a la altura del tronco.

Movimiento: abducir la cadera (de la pierna que tiene la rodilla estirada) hasta llegar a su máximo recorrido articular.

Aspectos a considerar:

Al abducir la cadera, procurar hacerlo sin flexionarla, ni extenderla durante el movimiento.

Dejar la cabeza relajada y apoyada sobre el brazo extendido.

Mantener la zona abdominal contraída durante todo el movimiento.

Ejercicios combinados con diferentes materiales

Musculatura solicitada: glúteos (mediano, menor y mayor).

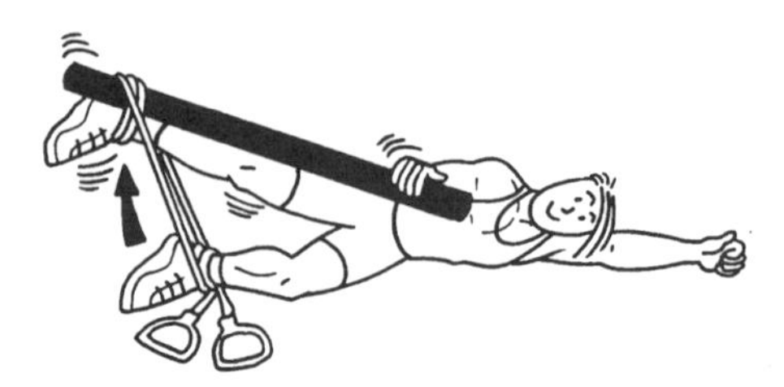

Descripción del ejercicio:

Posición inicial: tumbados lateralmente, con la rodilla de la pierna que toca el suelo ligeramente flexionada y con la otra estirada, apoyamos la barra a lo largo del muslo de la pierna estirada, sujetándola con la mano a la altura del tronco y enrollamos una goma elástica alrededor de los tobillos.

Movimiento: abducir la cadera (de la pierna que tiene la rodilla estirada) hasta llegar a su máximo recorrido articular.

Aspectos a considerar:

Al abducir la cadera, procurar hacerlo sin flexionarla, ni extenderla durante el movimiento.

Dejar la cabeza relajada y apoyada sobre el brazo extendido.

Mantener la zona abdominal contraída durante todo el movimiento.

Ejercicios por parejas con diferentes materiales

Musculatura solicitada: glúteos (mayor, mediano y menor).

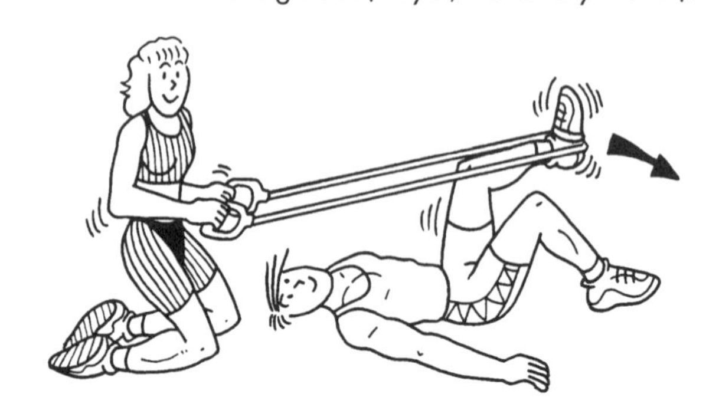

Descripción del ejercicio:

Posición inicial: tumbados boca arriba, con el compañero situado detrás, apoyamos un pie en el suelo (con la

rodilla flexionada) y con la cadera y la rodilla flexionada enrollamos la goma elástica en el pie mientras el compañero sujeta sus asas con las manos.
Movimiento: extender la cadera hasta llegar a tocar el suelo con el talón y volver a la posición inicial.
Aspectos a considerar:
Mantener la zona abdominal contraída durante todo el ejercicio.
Mantener la rodilla flexionada durante el movimiento permite no realizar la extensión completa de la cadera evitando sobrecargas innecesarias en la región lumbar.

Musculatura solicitada: glúteos (mayor, mediano y menor).

Descripción del ejercicio:
Posición inicial: tumbados boca arriba, con el compañero situado detrás, apoyamos un pie en el suelo (con la rodilla flexionada) y con la cadera flexionada y la rodilla extendida enrollamos la goma elástica en el tobillo mientras el compañero sujeta sus asas con las manos.
Movimiento: extender la cadera hasta llegar a tocar el suelo con el talón y volver a la posición inicial.
Aspectos a considerar:
Mantener la zona abdominal contraída durante todo el ejercicio.
Para evitar sobrecargas en la zona lumbar este ejercicio puede realizarse colocando un estep declinado como superficie de apoyo.

Musculatura solicitada: glúteos (mediano, menor y mayor).

Descripción del ejercicio:
Posición inicial: tumbados junto al compañero, con un pie apoyado en el suelo (con la rodilla flexionada) y una cadera flexionada (muslo y pierna hacia arriba), enrollamos la goma elástica en el tobillo de la pierna cuya cadera se encuentra más flexionada mientras el compañero sujeta la goma por sus asas.
Movimiento: abducir la cadera hasta llegar a su máximo recorrido articular.
Aspectos a considerar:
El muslo que hace el movimiento debe ser el más distante del compañero, de modo que en la posición inicial cruce el tronco para partir de una posición de aducción que permita un recorrido más amplio.

Musculatura solicitada: glúteos (mayor, mediano y menor).

Descripción del ejercicio:
Posición inicial: en el suelo, frente al compañero, apoyados sobre una rodilla y los antebrazos, enrollamos la banda elástica en el pie mientras el compañero la ata a su pierna por el otro extremo en su pie. La cadera de la pierna que va a realizar el movimiento debe estar totalmente flexionada.

Movimiento: extender la cadera, hasta alinear el muslo con el tronco y volver a la posición inicial.

Aspectos a considerar:

Mantener la zona abdominal contraída, durante todo el movimiento.
Partir de una posición inicial de flexión total de la cadera para poder realizar un movimiento más amplio.
No hiperextender la cadera.

Musculatura solicitada: glúteos (mediano, menor y mayor).

Descripción del ejercicio:

Posición inicial: de pie, en posición básica, junto al compañero, enrollamos una goma elástica en los tobillos de las piernas más alejadas de cada uno y nos apoyamos sobre el hombro del compañero.

Movimiento: abducir la cadera de cada uno al mismo tiempo, hasta llegar al máximo recorrido articular.

Aspectos a considerar:

No flexionar la rodilla durante el movimiento.
Partir de una posición de ligera abducción, si es posible, para ampliar el recorrido del movimiento.

Musculatura solicitada: glúteos (mayor, mediano y menor).

Descripción del ejercicio:

Posición inicial: de pie, en posición básica, frente al compañero, enrollamos una goma elástica en un tobillo de cada compañero y nos apoyamos sobre los hombros.

Movimiento: extender la cadera de cada uno al mismo tiempo, hasta llegar al máximo recorrido articular.

Aspectos a considerar:

No flexionar la rodilla durante el movimiento.
Partir de una posición de ligera abducción, si es posible, para ampliar el recorrido del movimiento.
Flexionar ligeramente el tronco para relajar la zona lumbar durante el ejercicio.

Músculos flexores (incurvadores) del tronco

Abdominales

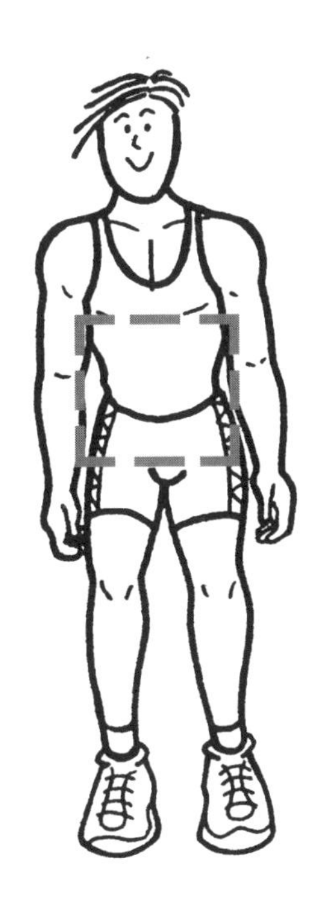

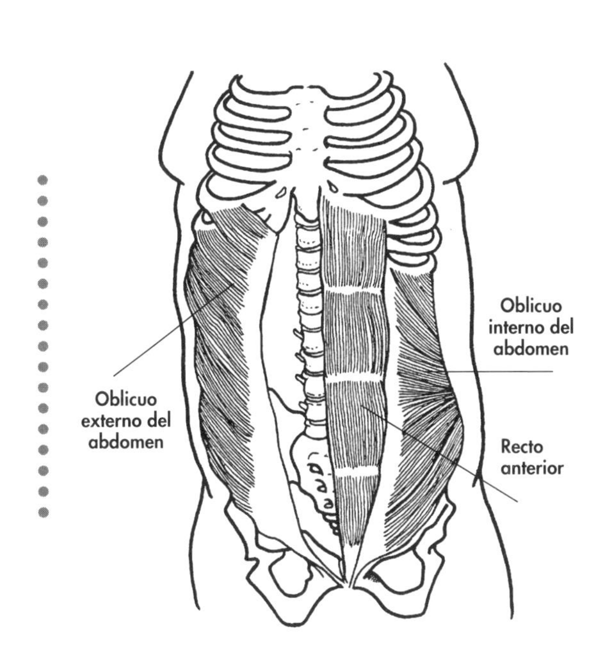

GRUPO MUSCULAR

Músculos flexores (incurvadores) del tronco. Abdominales

Ejercicios con gomas elásticas

Musculatura solicitada: recto anterior del abdomen, oblicuos externo e interno del abdomen.

Descripción del ejercicio:
Posición inicial: tumbados boca arriba, con las rodillas flexionadas, pasamos la goma elástica por detrás de la espaldera y con las manos a la altura del pecho la agarramos por sus asas.
Movimiento: incurvar el tronco hacia delante y volver a la posición inicial.
Aspectos a considerar:
Mantener los brazos y antebrazos pegados al tronco durante todo el movimiento.
No separar del suelo la zona lumbar.
Mantener siempre las rodillas flexionadas y el cuello erguido, sin flexionarlo.

Musculatura solicitada: recto anterior del abdomen, oblicuos externo e interno del abdomen.

Descripción del ejercicio:
Posición inicial: tumbados boca arriba, sobre el estep inclinado, con las rodillas flexionadas, pasamos la goma elástica por debajo de los soportes del estep y con las manos a la altura del pecho la agarramos por sus asas.

Movimiento: incurvar el tronco hacia delante y volver a la posición inicial
Aspectos a considerar:
Mantener los brazos y antebrazos pegados al tronco durante el movimiento.
No separar la zona lumbar de la superficie del estep.
Mantener siempre las rodillas flexionadas y el cuello erguido, sin flexionarlo.
La posición inclinada del estep facilita el ejercicio haciéndolo más suave.

Musculatura solicitada: recto anterior del abdomen, oblicuos externo e interno del abdomen.

Descripción del ejercicio:
Posición inicial: tumbados boca arriba, sobre el estep, con las rodillas flexionadas pasamos la goma elástica por debajo del mismo y con las manos a la altura del pecho la agarramos por sus asas.

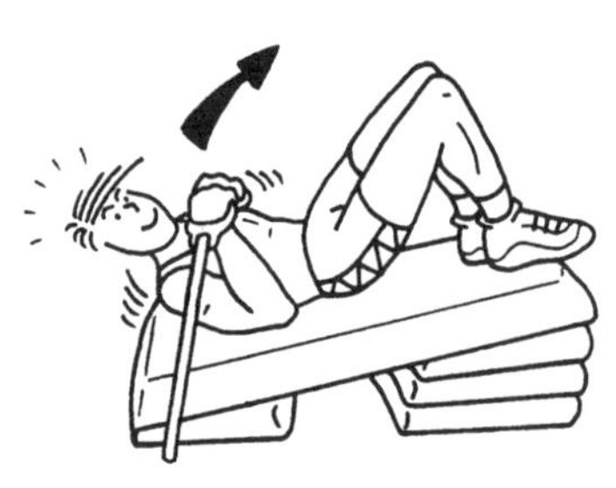

Movimiento: incurvar el tronco hacia delante y volver a la posición inicial.
Aspectos a considerar:
Mantener los brazos y antebrazos pegados al tronco durante el movimiento.
No separar la zona lumbar de la superficie del estep.
Mantener siempre las rodillas flexionadas y el cuello erguido, sin flexionarlo.
La posición declinada del estep dificulta el ejercicio haciéndolo más "*duro*".

Musculatura solicitada: recto anterior del abdomen, oblicuos externo e interno del abdomen.

Descripción del ejercicio:
Posición inicial: tumbados boca arriba, sobre el estep, con las rodillas flexionadas, pasamos la goma elástica por debajo de los soportes del mismo y con las manos a la altura del pecho la agarramos por sus asas.

Movimiento: incurvar el tronco hacia delante y volver a la posición inicial.

Aspectos a considerar:

Mantener los brazos y antebrazos pegados al tronco durante el movimiento.

No separar la zona lumbar de la superficie del estep.

Mantener siempre las rodillas flexionadas y el cuello erguido, sin flexionarlo.

Musculatura solicitada: recto anterior del abdomen (localizado en su zona inferior), oblicuo externo e interno del abdomen.

Descripción del ejercicio:

Posición inicial: tumbados boca arriba con las piernas elevadas (flexión de la cadera) y las rodillas semiflexionadas. Pasamos la goma elástica por encima de la zona del abdomen y la tensamos fuertemente sujetándola con las manos a ambos lados de la cadera.

Movimiento: incurvar el tronco, elevando la cadera, separándola de la superficie de apoyo.

Aspectos a considerar:

Mantener las piernas semiflexionadas y hacia arriba durante todo el movimiento.

Elevar la cadera todo lo posible, separándola al máximo de la superficie de apoyo.

La goma elástica debe estar tensada para ofrecer mayor resistencia.

Musculatura solicitada: oblicuo externo e interno del abdomen, recto anterior del abdomen.

Descripción del ejercicio:

Posición inicial:

Tumbados lateralmente sobre la superficie inclinada del estep, pasamos la goma elástica por debajo de sus soportes y con las manos a la altura del pecho la sujetamos por sus asas. Con las rodillas flexionadas a 90° apoyamos el pie de la pierna que queda debajo sobre la rodilla de la pierna que queda encima.

Movimiento: realizar una flexión lateral del tronco hacia arriba.

Aspectos a considerar:

No separar las piernas de la superficie de apoyo (evitar la V).

En la posición inicial la goma elástica rodea el tronco por la espalda hasta llegar a la altura del pecho.

La posición inclinada del estep facilita el ejercicio haciéndolo más suave.

Musculatura solicitada: oblicuo externo e interno del abdomen, recto anterior del abdomen.

Descripción del ejercicio:

Posición inicial:

tumbados lateralmente, sobre la superficie declinada del estep, pasamos la goma elástica por debajo de éste y con las manos a la altura del pecho la sujetamos por sus asas. Con las rodillas flexionadas a 90° apoyamos el pie de la pierna que queda debajo sobre la rodilla de la pierna que queda encima.

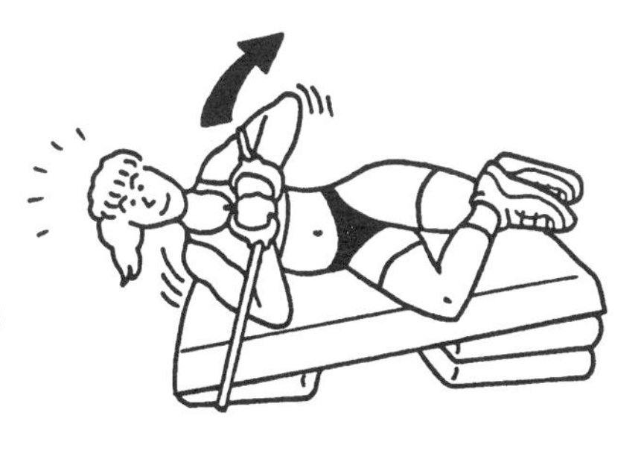

Movimiento: realizar una flexión lateral del tronco hacia arriba.

Aspectos a considerar:

No separar las piernas de la superficie de apoyo (evitar la V).

En la posición inicial la goma elástica rodea el tronco por la espalda hasta llegar a la altura del pecho.

La posición declinada del estep dificulta el ejercicio haciéndolo más *"duro"*.

Musculatura solicitada: recto anterior del abdomen, (localizado en su zona inferior), oblicuo externo e interno del abdomen.

Descripción del ejercicio:

Posición inicial: tumbados boca arriba con las rodillas flexionadas y los muslos lo más próximos al tronco,

pasamos la goma elástica por detrás de la espaldera y la sujetamos a los pies por sus asas.

Movimiento: incurvar el tronco basculando la cadera y llevando las rodillas en dirección a uno de los hombros.

Aspectos a considerar:

Mantener la zona lumbar de la espalda en contacto con la superficie.

Extender los brazos a lo largo y a ambos lados del cuerpo.

Mantener flexionadas las rodillas durante todo el movimiento.

Musculatura solicitada: recto anterior del abdomen, (localizado en su zona inferior), oblicuo externo e interno del abdomen.

Descripción del ejercicio:

Posición inicial: tumbados boca arriba, sobre la superficie de un estep inclinado, con las rodillas flexionadas y los muslos lo más próximos al tronco, pasamos la goma elástica por detrás de la espaldera y la sujetamos a los pies por sus asas.

Movimiento: incurvar el tronco basculando la cadera y llevando las rodillas en dirección a uno de los hombros.

Aspectos a considerar:

Mantener la zona lumbar de la espalda en contacto con la superficie.

Extender los brazos a lo largo y a ambos lados del cuerpo.

Mantener flexionadas las rodillas durante todo el movimiento.

La posición inclinada del estep dificulta el ejercicio haciéndolo más *"duro"*.

Musculatura solicitada: recto anterior del abdomen (localizado en su zona inferior), oblicuo externo e interno del abdomen.

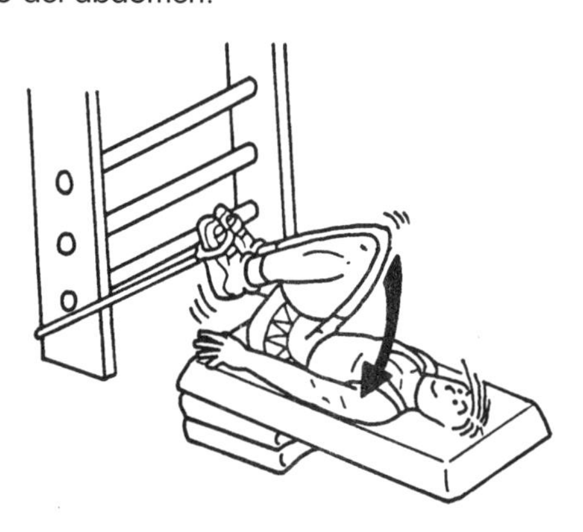

Descripción del ejercicio:

Posición inicial: tumbados boca arriba, sobre la superficie de un estep declinado, con las rodillas flexionadas y los muslos lo más próximos al tronco, pasamos la goma elástica por detrás de la espaldera y la sujetamos a los pies por sus asas.

Movimiento: incurvar el tronco llevando las rodillas en dirección a uno de los hombros.

Aspectos a considerar:

Mantener la zona lumbar de la espalda en contacto con la superficie.

Extender los brazos a lo largo y a ambos lados del cuerpo.

Mantener flexionadas las rodillas durante todo el movimiento.

La posición declinada del estep facilita el ejercicio haciéndolo más suave.

Musculatura solicitada: recto anterior del abdomen, oblicuo externo e interno del abdomen.

Descripción del ejercicio:

Posición inicial: tumbados boca arriba, con las rodillas flexionadas y los codos estirados por detrás de la

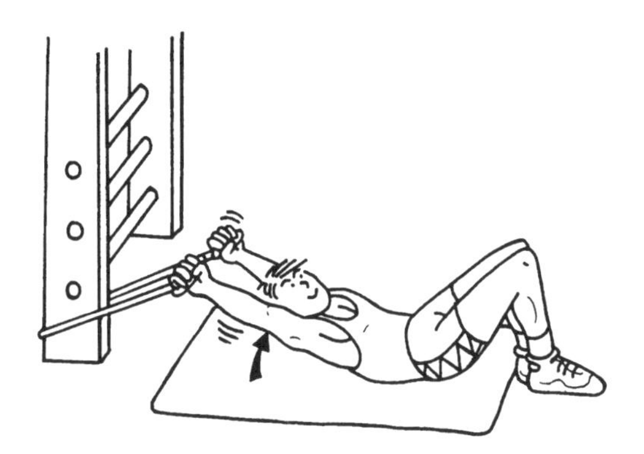

cabeza pasamos la goma elástica por la espaldera y con las manos la sujetamos por sus asas.
Movimiento: incurvar el tronco hacia adelante y volver a la posición inicial.
Aspectos a considerar:
No separar la zona lumbar de la superficie del suelo.
Intentar que la cabeza descanse sobre los brazos.
No dar impulsos con los brazos.
Los brazos deben quedar siempre por detrás de la cabeza y deben servir de apoyo de ésta.

Musculatura solicitada: recto anterior del abdomen, oblicuo externo e interno del abdomen.

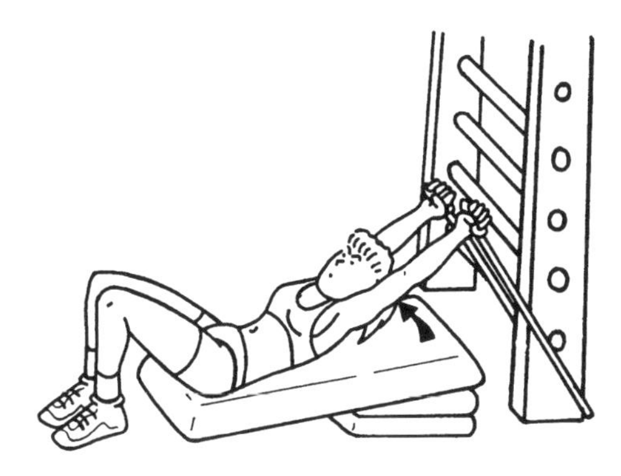

Descripción del ejercicio:
Posición inicial: tumbados boca arriba, sobre la superficie de un estep inclinado, con las rodillas flexionadas y los codos estirados por detrás de la cabeza pasamos la goma elástica por la espaldera y con las manos la sujetamos por sus asas.
Movimiento: incurvar el tronco hacia delante y volver a la posición inicial.
Aspectos a considerar:
No separar la zona lumbar del estep.
No dar impulsos con los brazos.
Los brazos deben quedar siempre por detrás de la cabeza y deben servir de apoyo de ésta.
La posición inclinada del estep facilita el ejercicio haciéndolo más suave.

Musculatura solicitada: recto anterior del abdomen, oblicuos externo e interno del abdomen.

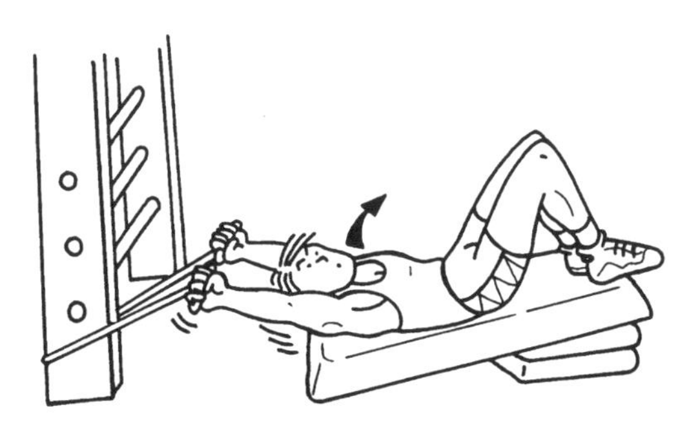

Descripción del ejercicio:
Posición inicial: tumbados boca arriba, sobre la superficie de un estep declinado, con las rodillas flexionadas y los codos estirados por detrás de la cabeza pasamos la goma elástica por la espaldera y con las manos la sujetamos por sus asas.
Movimiento: incurvar el tronco hacia adelante y volver a la posición inicial.
Aspectos a considerar:
No separar la zona lumbar del estep.
No dar impulsos con los brazos.
Los brazos deben quedar siempre por detrás de la cabeza y deben servir de apoyo de ésta.
La posición declinada del estep dificulta el ejercicio haciéndolo más *"duro"*.

Musculatura solicitada: oblicuos externo e interno, recto anterior del abdomen.

Descripción del ejercicio:

Posición inicial:
Tumbados con las rodillas flexionadas, pasamos la goma elástica por detrás de la espaldera y con las manos a la altura del pecho la sujetamos por sus asas.
Movimiento: incurvar el tronco girándolo primero hacia un lado y luego hacia el otro.

Aspectos a considerar:
Mantener los brazos pegados al tronco durante todo el movimiento.
No separar del suelo la zona lumbar.
Mantener siempre las rodillas flexionadas y el cuello erguido, sin flexionarlo.

Musculatura solicitada: oblicuos externo e interno, recto anterior del abdomen.

Descripción del ejercicio:
Posición inicial: tumbados sobre un estep con las rodillas flexionadas, pasamos la goma elástica por detrás de la espaldera y con las manos a la altura del pecho la agarramos por sus asas.
Movimiento: Incurvar el tronco girándolo hacia un lado primero y luego hacia el otro.
Aspectos a considerar:
Mantener los brazos pegados al tronco durante todo el movimiento.
No separar del estep la zona lumbar.
Mantener siempre las rodillas flexionadas y el cuello erguido, sin flexionarlo.

Musculatura solicitada: oblicuos externo e interno del abdomen, recto anterior del abdomen.

Descripción del ejercicio:
Posición inicial: tumbados, sobre un estep inclinado, con las rodillas flexionadas, pasamos la goma elástica por detrás de la espaldera y haciéndola pasar por debajo de los brazos la sujetamos por sus asas a la altura del pecho.
Movimiento: Incurvar el tronco girándolo primero hacia un lado y luego hacia el otro.
Aspectos a considerar:
Mantener los brazos pegados al tronco durante todo el movimiento.
No separar del estep la zona lumbar.
Mantener siempre las rodillas flexionadas y el cuello erguido, sin flexionarlo.
La posición inclinada del estep facilita el ejercicio haciéndolo más suave.

Musculatura solicitada: oblicuos externo e interno del abdomen, recto anterior del abdomen.

Descripción del ejercicio:
Posición inicial: tumbados, sobre un estep declinado, con las rodillas flexionadas, pasamos la goma elástica por detrás de la espaldera y haciéndola pasar por debajo de los brazos la agarramos por sus asas a la altura del pecho.
Movimiento: incurvar el tronco girándolo hacia un lado primero y luego hacia el otro.
Aspectos a considerar:
Mantener los brazos pegados al tronco durante todo el movimiento.
No separar del estep la zona lumbar.
Mantener siempre las rodillas flexionadas y el cuello erguido, sin flexionarlo.
La posición declinada del estep dificulta el ejercicio haciéndolo más *"duro"*.

Musculatura solicitada: recto anterior del abdomen, oblicuos externo e interno del abdomen.

Descripción del ejercicio:

Posición inicial: tumbados, sobre un estep inclinado, con las rodillas flexionadas, pasamos la goma elástica por detrás de la espaldera y haciéndola pasar por encima de los hombros la agarramos por sus asas a la altura del pecho.

Movimiento: Incurvar el tronco hacia delante y volver a la posición inicial.

Aspectos a considerar:

Mantener los brazos pegados al tronco durante todo el movimiento.
No separar del estep la zona lumbar.
Mantener siempre las rodillas flexionadas y el cuello erguido, sin flexionarlo.
La posición inclinada del estep facilita el ejercicio, haciéndolo más suave.

Musculatura solicitada: recto anterior del abdomen, oblicuos externo e interno del abdomen.

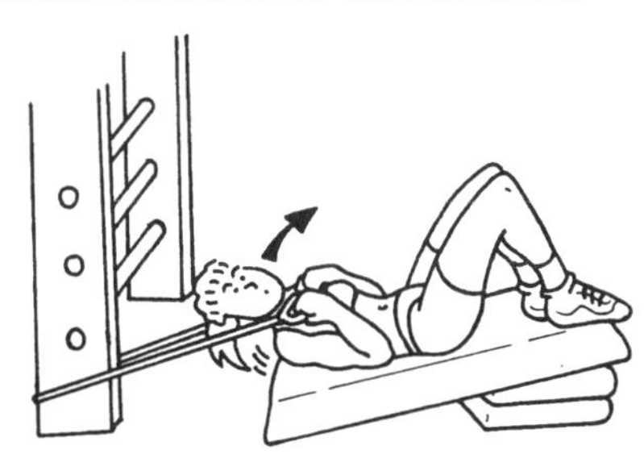

Descripción del ejercicio:

Posición inicial: tumbados, sobre un estep declinado, con las rodillas flexionadas, pasamos la goma elástica por detrás de la espaldera y haciéndola pasar por encima de los hombros la agarramos por sus asas a la altura del pecho.

Movimiento: Incurvar el tronco hacia delante y volver a la posición inicial.

Aspectos a considerar:

Mantener los brazos pegados al tronco durante todo el movimiento.
No separar del estep la zona lumbar.
Mantener siempre las rodillas flexionadas y el cuello erguido, sin flexionarlo.
La posición declinada del estep dificulta el ejercicio, haciéndolo más *"duro"*.

Musculatura solicitada: recto anterior del abdomen, oblicuos externo e interno del abdomen.

Descripción del ejercicio:

Posición inicial:

Tumbados, sobre un estep, con las rodillas flexionadas, pasamos la goma elástica por detrás de la espaldera y haciéndola pasar por encima de los hombros la agarramos por sus asas a la altura del pecho.

Movimiento: Incurvar el tronco hacia delante y volver a la posición inicial.

Aspectos a considerar:

Mantener los brazos pegados al tronco durante todo el movimiento.
No separar la zona lumbar del estep.
Mantener siempre las rodillas flexionadas y el cuello erguido, sin flexionarlo.
Espirar durante la incurvación del tronco hacia delante.

Musculatura solicitada: recto anterior del abdomen (localizado en su zona inferior), oblicuos externo e interno del abdomen.

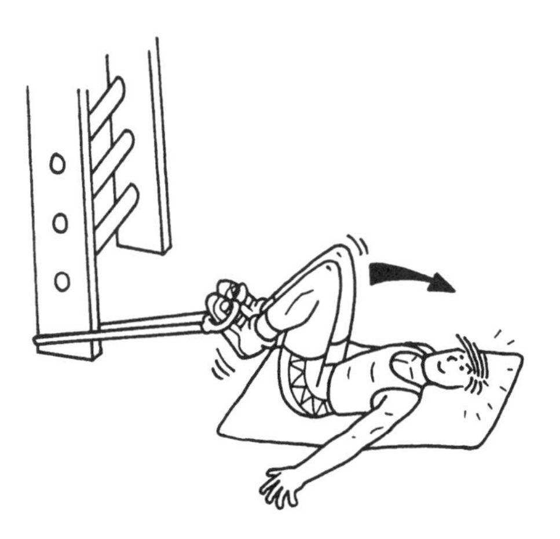

Descripción del ejercicio:
Posición inicial: tumbados boca arriba con las rodillas flexionadas y los muslos lo más próximos al tronco, pasamos la goma elástica por detrás de la espaldera y la sujetamos a los pies por sus asas.
Movimiento: incurvar el tronco llevando las rodillas en dirección al pecho.
Aspectos a considerar:
Mantener la zona lumbar en contacto con la superficie del suelo.
Separar ligeramente los brazos del cuerpo.
Mantener los talones lo más próximos posible a los glúteos durante todo el movimiento.

Musculatura solicitada: recto anterior del abdomen (localizado en su zona inferior), oblicuo externo e interno del abdomen.

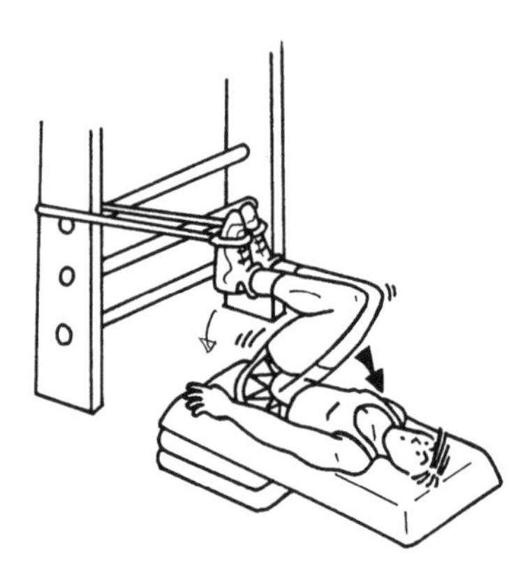

Descripción del ejercicio:
Posición inicial: tumbados boca arriba, sobre un estep declinado, con las rodillas flexionadas y los muslos lo más próximos al tronco, pasamos la goma elástica por detrás de la espaldera y la sujetamos a los pies por sus asas.
Movimiento: incurvar el tronco llevando las rodillas en dirección al pecho.
Aspectos a considerar:
La goma elástica debe pasar por detrás de la espaldera y ligeramente por encima de la posición de los pies.
Mantener la zona lumbar en contacto con la superficie del estep.
Sujetarse con las manos al estep.
Mantener los talones lo más próximos posible a los glúteos durante todo el movimiento.
La posición declinada del estep facilita el ejercicio haciéndolo mas suave.

Musculatura solicitada: recto anterior del abdomen (localizado en su zona inferior), oblicuos externo e interno del abdomen.

Descripción del ejercicio:
Posición inicial: tumbados boca arriba, sobre un estep inclinado, con las rodillas flexionadas y los muslos lo más próximos al tronco, pasamos la goma elástica por detrás de la espaldera y la sujetamos a los pies por sus asas.
Movimiento: incurvar el tronco llevando las rodillas en dirección al pecho.
Aspectos a considerar:
Mantener la zona lumbar en contacto con la superficie del estep.
Sujetarse con las manos al estep.
Mantener los talones lo más próximos posible a los glúteos durante todo el movimiento.
La posición inclinada del estep dificulta el ejercicio haciéndolo más *"duro"*.

Ejercicios con bandas elásticas

Musculatura solicitada: recto anterior del abdomen, oblicuos externo e interno del abdomen.

Descripción del ejercicio:

Posición inicial: tumbados boca arriba, con las rodillas flexionadas, pasamos la banda elástica por detrás de la espaldera y con las manos a la altura del pecho la agarramos por sus extremos.

Movimiento: incurvar el tronco hacia delante y volver a la posición inicial.

Aspectos a considerar:

Mantener los brazos y antebrazos pegados al tronco durante todo el movimiento.
No separar del suelo la zona lumbar.
Mantener siempre las rodillas flexionadas y el cuello erguido, sin flexionarlo.

Musculatura solicitada: recto anterior del abdomen, oblicuos externo e interno del abdomen.

Descripción del ejercicio:

Posición inicial: tumbados boca arriba, sobre el estep, con las rodillas flexionadas, pasamos la banda elástica por debajo de los soportes del estep y con las manos a la altura del pecho la agarramos por sus extremos.

Movimiento: incurvar el tronco hacia delante y volver a la posición inicial.

Aspectos a considerar:

Mantener los brazos y antebrazos pegados al tronco durante el movimiento.
No separar la zona lumbar de la superficie del estep.
Mantener siempre las rodillas flexionadas y el cuello erguido, sin flexionarlo.
La posición inclinada del estep facilita el ejercicio haciéndolo más suave.

Musculatura solicitada: recto anterior del abdomen, oblicuos externo e interno del abdomen.

Descripción del ejercicio:

Posición inicial: tumbados boca arriba, sobre el estep, con las rodillas flexionadas pasamos la banda elástica por debajo del mismo y con las manos a la altura del pecho la agarramos por sus extremos.

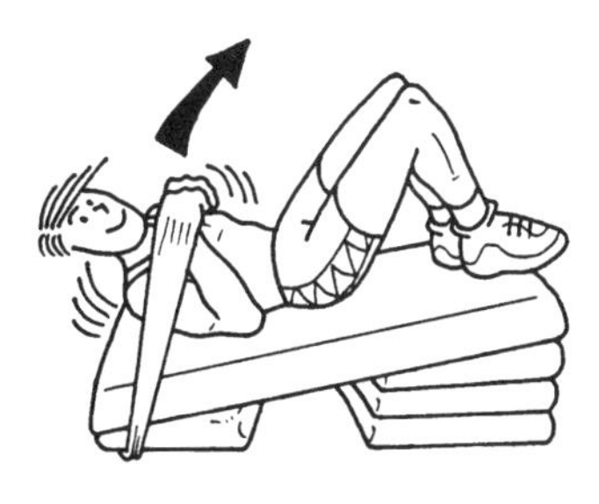

Movimiento: incurvar el tronco hacia delante y volver a la posición inicial.

Aspectos a considerar:

Mantener los brazos y antebrazos pegados al tronco durante el movimiento.
No separar la zona lumbar de la superficie del estep.
Mantener siempre las rodillas flexionadas y el cuello erguido, sin flexionarlo.
La posición declinada del estep dificulta el ejercicio haciéndolo más "*duro*".

Musculatura solicitada: recto anterior del abdomen, oblicuos externo e interno del abdomen.

Descripción del ejercicio:

Posición inicial: tumbados boca arriba, sobre el estep, con las rodillas flexionadas, pasamos la banda elástica por debajo de los soportes del mismo y con las manos a la altura del pecho la agarramos por sus extremos.

Movimiento: incurvar el tronco hacia delante y volver a la posición inicial.

Aspectos a considerar:

Mantener los brazos y antebrazos pegados al tronco durante el movimiento.
No separar la zona lumbar de la superficie del estep.
Mantener siempre las rodillas flexionadas y el cuello erguido, sin flexionarlo.

Musculatura solicitada: recto anterior del abdomen (localizado en su zona inferior), oblicuos externo e interno del abdomen.

Descripción del ejercicio:

Posición inicial: tumbados boca arriba con las piernas elevadas (flexión de la cadera) y las rodillas semiflexionadas. Pasamos la banda elástica por encima de la zona del abdomen y la tensamos fuertemente

sujetándola con las manos a ambos lados de la cadera.

Movimiento: incurvar el tronco elevando la cadera, separándola de la superficie de apoyo.

Aspectos a considerar:

Mantener las piernas semiflexionadas y hacia arriba durante todo el movimiento.

Elevar la cadera todo lo posible, separándola al máximo de la superficie de apoyo.

La banda elástica debe estar tensada para ofrecer mayor resistencia.

Musculatura solicitada: oblicuos externo e interno del abdomen, recto anterior del abdomen.

Descripción del ejercicio:

Posición inicial: tumbados lateralmente sobre la superficie inclinada del estep, pasamos la banda elástica por debajo de sus soportes y con las manos a la altura del pecho la sujetamos por sus extremos.

Con las rodillas flexionadas a 90° apoyamos el pie de la pierna que queda debajo sobre la rodilla de la pierna que queda encima.

Movimiento: realizar una flexión lateral del tronco hacia arriba.

Aspectos a considerar:

No separar las piernas de la superficie de apoyo (evitar la V).

En la posición inicial la banda elástica rodea el tronco por la espalda hasta llegar a la altura del pecho.

La posición inclinada del estep facilita el ejercicio haciéndolo más suave.

Musculatura solicitada: oblicuos externo e interno del abdomen, recto anterior del abdomen.

Descripción del ejercicio:

Posición inicial: tumbados lateralmente, sobre la superficie declinada del estep, pasamos la banda elástica por debajo de éste y con las manos a la altura del pecho la sujetamos por sus extremos. Con las rodillas flexionadas a 90° apoyamos el pie de la pierna que queda debajo sobre la rodilla de la pierna que queda encima.

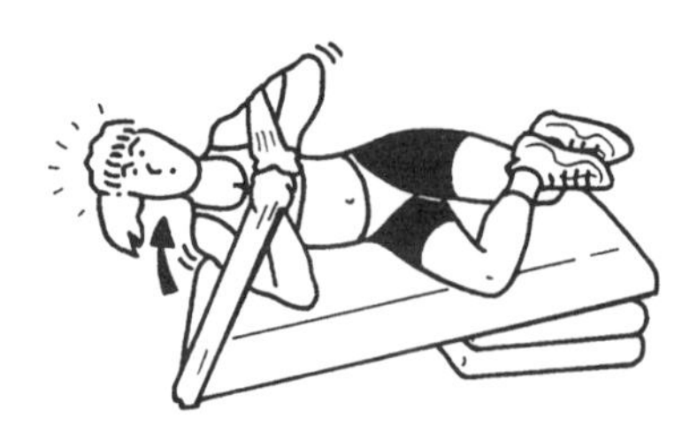

Movimiento: realizar una flexión lateral del tronco hacia arriba.

Aspectos a considerar:

No separar las piernas de la superficie de apoyo (evitar la V).

En la posición inicial la banda elástica rodea el tronco por la espalda hasta llegar a la altura del pecho.

La posición declinada del estep dificulta el ejercicio haciéndolo más *"duro"*.

Musculatura solicitada: recto anterior del abdomen (localizado en su zona inferior), oblicuos externo e interno del abdomen.

Descripción del ejercicio:

Posición inicial: tumbados boca arriba con las rodillas flexionadas y los muslos lo más próximos al tronco, pasamos la banda elástica por detrás de la espaldera y la enrollamos en los pies por los tobillos.

Movimiento: incurvar el tronco llevando las rodillas en dirección a uno de los hombros.

Aspectos a considerar:

Mantener la zona lumbar de la espalda en contacto con la superficie.

Extender los brazos a lo largo y a ambos lados del cuerpo.

Mantener flexionadas las rodillas durante todo el movimiento.

Enrollar bien la banda a los tobillos para evitar que se suelte durante el ejercicio.

Musculatura solicitada: recto anterior del abdomen (localizado en su zona inferior), oblicuos externo e interno del abdomen.

Descripción del ejercicio:

Posición inicial: tumbados boca arriba, sobre la superficie de un estep declinado, con las rodillas flexionadas y los muslos lo más próximos al tronco, pasamos la banda elástica por detrás de la espaldera y la atamos en los pies por los tobillos.

Movimiento: incurvar el tronco llevando las rodillas en dirección a uno de los hombros.

Aspectos a considerar:

Mantener la zona lumbar de la espalda en contacto con la superficie.
Sujetarse con las manos al estep.
Mantener flexionadas las rodillas durante todo el movimiento.
La posición declinada del estep facilita el ejercicio haciéndolo más suave.

Musculatura solicitada: recto anterior del abdomen (localizado en su zona inferior), oblicuos externo e interno del abdomen.

Descripción del ejercicio:

Posición inicial: tumbados boca arriba, sobre la superficie de un estep inclinado, con las rodillas flexionadas y los muslos lo más próximos al tronco, pasamos la banda elástica por detrás de la espaldera y la atamos en los pies por los tobillos.

Movimiento: incurvar el tronco llevando las rodillas en dirección a uno de los hombros.

Aspectos a considerar:

Mantener la zona lumbar de la espalda en contacto con la superficie.
Extender los brazos a lo largo y a ambos lados del cuerpo.
Mantener flexionadas las rodillas durante todo el movimiento.
La posición inclinada del estep dificulta el ejercicio haciéndolo más *"duro"*.

Musculatura solicitada: recto anterior del abdomen, oblicuos externo e interno del abdomen.

Descripción del ejercicio:

Posición inicial: tumbados boca arriba, con las rodillas flexionadas y los codos estirados por detrás de la cabeza pasamos la banda elástica por la espaldera y con las manos la sujetamos por sus extremos.

Movimiento: incurvar el tronco hacia delante y volver a la posición inicial.

Aspectos a considerar:

No separar la zona lumbar de la superficie del suelo.
Intentar que la cabeza descanse sobre los brazos.
No dar impulsos con los brazos, que deben quedar siempre por detrás de la cabeza y deben servir de apoyo de ésta.

Musculatura solicitada: recto anterior del abdomen, oblicuos externo e interno del abdomen.

Descripción del ejercicio:

Posición inicial: tumbados boca arriba, sobre la superficie de un estep inclinado, con las rodillas flexionadas y los codos estirados por detrás de la cabeza pasamos la

banda elástica por la espaldera y con las manos la sujetamos por sus extremos.

Movimiento: incurvar el tronco hacia delante y volver a la posición inicial.

Aspectos a considerar:

No separar la zona lumbar del estep.

No dar impulsos con los brazos, que deben quedar siempre por detrás de la cabeza y deben servir de apoyo de ésta.

La posición inclinada del estep facilita el ejercicio haciéndolo más suave.

Musculatura solicitada: recto anterior del abdomen, oblicuos externo e interno del abdomen.

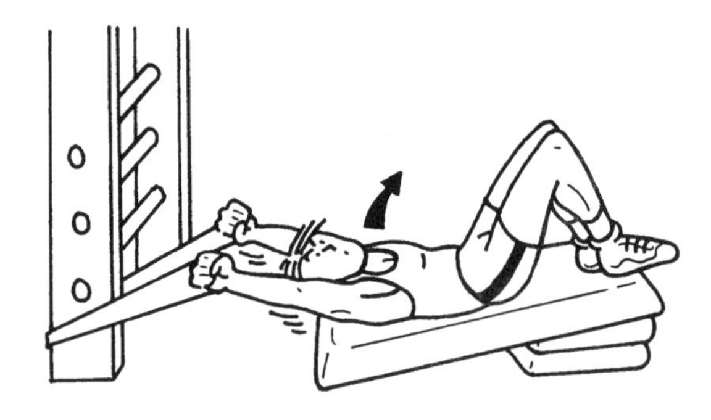

Descripción del ejercicio:

Posición inicial: tumbados boca arriba, sobre la superficie declinada de un estep, con las rodillas flexionadas y los codos estirados por detrás de la cabeza pasamos la banda elástica por la espaldera y con las manos la sujetamos por sus extremos.

Movimiento: incurvar el tronco hacia adelante y volver a la posición inicial.

Aspectos a considerar:

No separar la zona lumbar del estep.

No dar impulsos con los brazos, que deben quedar siempre por detrás de la cabeza y deben servir de apoyo de ésta.

La posición declinada del estep dificulta el ejercicio haciéndolo más *"duro"*.

Musculatura solicitada: oblicuos externo e interno del abdomen, recto anterior del abdomen.

Descripción del ejercicio:

Posición inicial: tumbados con las rodillas flexionadas, pasamos la banda elástica por detrás de la espaldera y haciéndola pasar por debajo de los brazos la agarramos por sus extremos a la altura del pecho.

Movimiento: Incurvar el tronco girándolo hacia un lado primero y luego hacia el otro.

Aspectos a considerar:

Mantener los brazos pegados al tronco durante todo el movimiento.

No separar la zona lumbar del suelo.

Mantener siempre las rodillas flexionadas y el cuello erguido, sin flexionarlo.

Musculatura solicitada: oblicuos externo e interno del abdomen, recto anterior del abdomen.

Descripción del ejercicio:

Posición inicial: tumbados sobre un estep con las rodillas flexionadas, pasamos la banda elástica por detrás de la espaldera y haciéndola pasar por debajo de los brazos la agarramos por sus extremos a la altura del pecho.

Movimiento: incurvar el tronco girándolo primero hacia un lado y luego hacia el otro.

Aspectos a considerar:

Mantener los brazos pegados al tronco durante todo el movimiento.

No separar del estep la zona lumbar.

Mantener siempre las rodillas flexionadas y el cuello erguido, sin flexionarlo.

Musculatura solicitada: oblicuos externo e interno del abdomen, recto anterior del abdomen.

Descripción del ejercicio:

Posición inicial: tumbados, sobre un estep inclinado, con las rodillas flexionadas, pasamos la banda elástica por detrás de la espaldera y haciéndola pasar por debajo de los brazos la agarramos por sus extremos a la altura del pecho.

Movimiento: incurvar el tronco girándolo primero hacia un lado y luego hacia el otro.

Aspectos a considerar:

Mantener los brazos pegados al tronco durante todo el movimiento.

No separar la zona lumbar del estep.

Mantener siempre las rodillas flexionadas y el cuello erguido, sin flexionarlo.

La posición inclinada del estep facilita el ejercicio haciéndolo más suave.

Musculatura solicitada: oblicuos externo e interno del abdomen, recto anterior del abdomen.

Descripción del ejercicio:

Posición inicial: tumbados, sobre un estep declinado, con las rodillas flexionadas, pasamos la banda elástica por detrás de la espaldera y haciéndola pasar por debajo de los brazos la agarramos por sus extremos a la altura del pecho.

Movimiento: Incurvar el tronco girándolo primero hacia un lado y luego hacia el otro.

Aspectos a considerar:

Mantener los brazos pegados al tronco durante todo el movimiento.

No separar la zona lumbar del estep.

Mantener siempre las rodillas flexionadas y el cuello erguido, sin flexionarlo.

La posición declinada del estep dificulta el ejercicio haciéndolo más *"duro"*.

Musculatura solicitada: recto anterior del abdomen, oblicuos externo e interno del abdomen.

Descripción del ejercicio:

Posición inicial: tumbados, sobre un estep inclinado, con las rodillas flexionadas, pasamos la banda elástica por detrás de la espaldera y haciéndola pasar por encima de los hombros la agarramos por sus extremos a la altura del pecho.

Movimiento: Incurvar el tronco hacia delante y volver a la posición inicial.

Aspectos a considerar:

Mantener los brazos pegados al tronco durante todo el movimiento.

No separar del estep la zona lumbar.

Mantener siempre las rodillas flexionadas y el cuello erguido, sin flexionarlo.

La posición inclinada del estep facilita el ejercicio, haciéndolo más suave.

Musculatura solicitada: recto anterior del abdomen, oblicuos externo e interno del abdomen.

Descripción del ejercicio:

Posición inicial: tumbados, sobre un estep declinado, con las rodillas flexionadas, pasamos la banda elástica por detrás de la espaldera y haciéndola pasar por encima de los hombros la agarramos por sus extremos a la altura del pecho.

Movimiento: Incurvar el tronco hacia adelante y volver a la posición inicial.

Aspectos a considerar:

Mantener los brazos pegados al tronco durante todo el movimiento.

No separar la zona lumbar del estep.

Mantener siempre las rodillas flexionadas y el cuello erguido, sin flexionarlo.

La posición declinada del estep dificulta el ejercicio, haciéndolo más *"duro"*.

Musculatura solicitada: recto anterior del abdomen, oblicuos externo e interno del abdomen.

Descripción del ejercicio:

Posición inicial: tumbados, sobre un estep, con las rodillas flexionadas, pasamos la banda elástica por detrás de la espaldera y haciéndola pasar por encima de los hombros la agarramos por sus extremos a la altura del pecho.

Movimiento: Incurvar el tronco hacia delante y volver a la posición inicial.

Aspectos a considerar:

Mantener los brazos pegados al tronco durante todo el movimiento.

No separar la zona lumbar del estep.

Mantener siempre las rodillas flexionadas y el cuello erguido, sin flexionarlo.

Espirar durante la incurvación del tronco hacia adelante.

Musculatura solicitada: recto anterior del abdomen (localizado en su zona inferior), oblicuos externo e interno del abdomen.

Descripción del ejercicio:

Posición inicial: tumbados boca arriba con las rodillas flexionadas y los muslos lo más próximos al tronco, pasamos la banda elástica por detrás de la espaldera y la atamos en los pies por los tobillos.

Movimiento: incurvar el tronco llevando las rodillas en dirección al pecho.
Aspectos a considerar:
Mantener la zona lumbar en contacto con la superficie del suelo.
Separar ligeramente los brazos del cuerpo.
Mantener los talones lo más próximos posible a los glúteos durante todo el movimiento.

Musculatura solicitada: recto anterior del abdomen (localizado en su zona inferior), oblicuos externo e interno del abdomen.

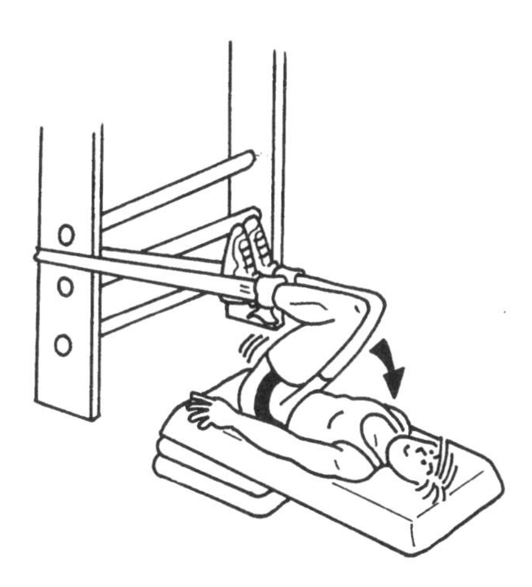

Descripción del ejercicio:
Posición inicial: tumbados boca arriba, sobre un estep declinado, con las rodillas flexionadas y los muslos lo más próximos al tronco, pasamos la banda elástica por detrás de la espaldera y la atamos en los pies por los tobillos.
Movimiento: incurvar el tronco llevando las rodillas en dirección al pecho.
Aspectos a considerar:
La banda elástica debe pasar por detrás de la espaldera y ligeramente por encima de la posición de los pies.
Mantener la zona lumbar en contacto con la superficie del estep.
Sujetarse con las manos al estep.
Mantener los talones lo más próximos posible a los glúteos durante todo el movimiento.
La posición declinada del estep facilita el ejercicio haciéndolo más suave.

Musculatura solicitada: recto anterior del abdomen (localizado en su zona inferior), oblicuos externo e interno del abdomen.

Descripción del ejercicio:
Posición inicial: tumbados boca arriba, sobre un estep inclinado, con las rodillas flexionadas y los muslos lo más próximos al tronco, pasamos la banda elástica por detrás de la espaldera y la atamos en los pies por los tobillos.
Movimiento: incurvar el tronco llevando las rodillas en dirección al pecho.
Aspectos a considerar:
La banda elástica debe pasar por detrás de la espaldera y ligeramente por encima de la posición de los pies.
Mantener la zona lumbar en contacto con la superficie del estep.
Sujetarse con las manos al estep.
Mantener los talones lo más próximos posible a los glúteos durante todo el movimiento.
La posición inclinada del estep dificulta el ejercicio haciéndolo más *"duro"*.

Ejercicios con mancuernas

Musculatura solicitada: recto anterior del abdomen, oblicuos externo e interno del abdomen.

Descripción del ejercicio:
Posición inicial:
Tumbados boca arriba con las rodillas flexionadas agarramos las mancuernas con las manos y las situamos apoyadas a la altura del pecho.

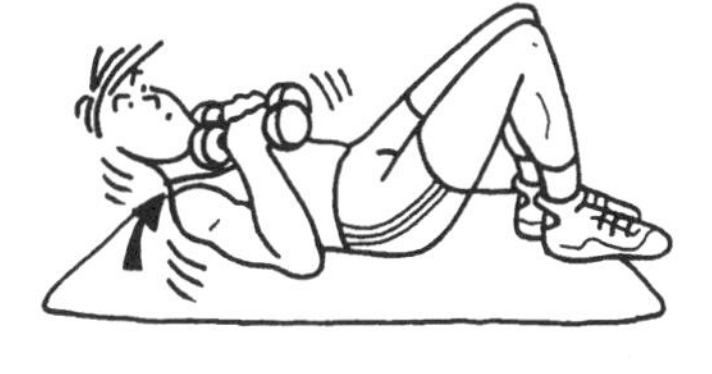

Movimiento: incurvar el tronco hacia delante y volver a la posición inicial.

Aspectos a considerar:
Mantener los brazos y antebrazos pegados al tronco durante todo el movimiento.
No separar del suelo la zona lumbar.
Mantener siempre las rodillas flexionadas y el cuello erguido, sin flexionarlo.

Musculatura solicitada: recto anterior del abdomen, oblicuos externo e interno del abdomen.

Descripción del ejercicio:
Posición inicial:
Tumbados boca arriba, sobre el estep inclinado, con las rodillas flexionadas agarramos las mancuernas con las manos y las situamos apoyadas a la altura del pecho.
Movimiento: incurvar el tronco hacia delante y volver a la posición inicial.
Aspectos a considerar:
Mantener los brazos y antebrazos pegados al tronco durante el movimiento.
No separar la zona lumbar de la superficie del estep.
Mantener siempre las rodillas flexionadas y el cuello erguido, sin flexionarlo.
La posición inclinada del estep facilita el ejercicio haciéndolo más suave.

Musculatura solicitada: recto anterior del abdomen, oblicuos externo e interno del abdomen.

Descripción del ejercicio:
Posición inicial: tumbados boca arriba, sobre el estep declinado, con las rodillas flexionadas agarramos las mancuernas con las manos y las situamos apoyadas a la altura del pecho.
Movimiento: incurvar el tronco hacia delante y volver a la posición inicial.
Aspectos a considerar:
Mantener los brazos y antebrazos pegados al tronco durante el movimiento.
No separar la zona lumbar de la superficie del estep.
Mantener siempre las rodillas flexionadas y el cuello erguido, sin flexionarlo.
La posición declinada del estep dificulta el ejercicio haciéndolo más *"duro"*.

Musculatura solicitada: oblicuos externo e interno del abdomen, recto anterior del abdomen.

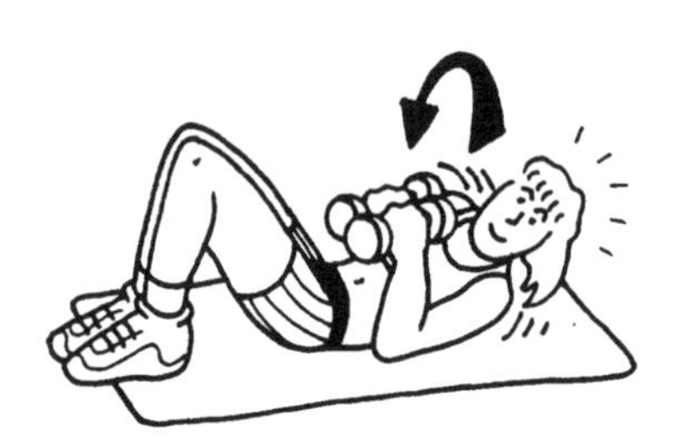

Descripción del ejercicio:
Posición inicial: tumbados boca arriba con las rodillas flexionadas agarramos las mancuernas con las manos y las situamos apoyadas a la altura del pecho.
Movimiento: incurvar el tronco girándolo primero hacia un lado y luego hacia el otro.
Aspectos a considerar:
Mantener los brazos y antebrazos pegados al tronco durante todo el movimiento.
No separar la zona lumbar del suelo.
Mantener siempre las rodillas flexionadas y el cuello erguido, sin flexionarlo.

Musculatura solicitada: recto anterior del abdomen, oblicuos externo e interno del abdomen.

Descripción del ejercicio:
Posición inicial: tumbados boca arriba, sobre el estep, con las rodillas flexionadas agarramos las mancuernas con las manos y las situamos apoyadas a la altura del pecho.

Movimiento: incurvar el tronco hacia adelante y volver a la posición inicial.
Aspectos a considerar:
Mantener los brazos y antebrazos pegados al tronco durante todo el movimiento.
No separar la zona lumbar del estep.

Mantener siempre las rodillas flexionadas y el cuello erguido, sin flexionarlo.

Musculatura solicitada: oblicuo externo e interno del abdomen, recto anterior del abdomen.

Descripción del ejercicio:
Posición inicial: tumbados lateralmente en el suelo y con las rodillas flexionadas a 90° apoyamos el pie de la pierna que queda debajo sobre la rodilla de la pierna que queda encima y con las manos, a la altura del pecho, sujetamos las mancuernas.

Movimiento: realizar una flexión lateral del tronco hacia arriba y volver a la posición inicial.
Aspectos a considerar:
No separar las piernas de la superficie de apoyo (evitar la V).
No separar los brazos del tronco durante el movimiento.

Musculatura solicitada: oblicuo externo e interno del abdomen, recto anterior del abdomen.

Descripción del ejercicio:
Posición inicial: tumbados lateralmente sobre la superficie de un estep inclinado y con las rodillas flexionadas a 90° apoyamos el pie de la pierna que queda debajo sobre la rodilla de la pierna que queda encima y con las manos, a la altura del pecho, sujetamos las mancuernas.

Movimiento: realizar una flexión lateral del tronco hacia arriba y volver a la posición inicial.
Aspectos a considerar:
No separar las piernas de la superficie de apoyo (evitar la V).
No separar los brazos del tronco durante el movimiento.

La posición inclinada del estep facilita el ejercicio haciéndolo más suave.

Musculatura solicitada: oblicuo externo e interno del abdomen, recto anterior del abdomen.

Descripción del ejercicio:
Posición inicial: tumbados lateralmente sobre la superficie de un estep declinado y con las rodillas flexionadas a 90° apoyamos el pie de la pierna que queda debajo sobre la rodilla de la pierna que queda encima y con las manos, a la altura del pecho, sujetamos las mancuernas.

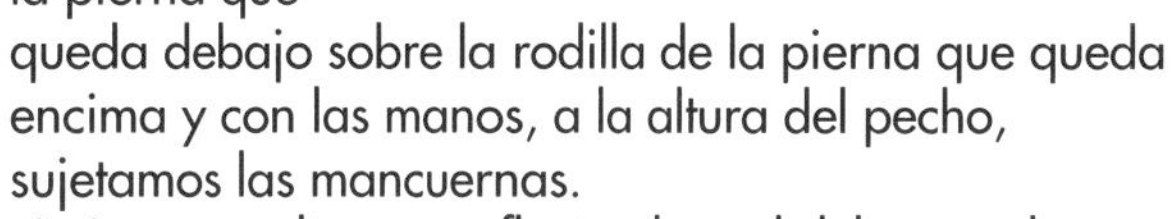

Movimiento: realizar una flexión lateral del tronco hacia arriba y volver a la posición inicial.
Aspectos a considerar:
No separar las piernas de la superficie de apoyo (evitar la V).
No separar los brazos del tronco durante el movimiento.
La posición declinada del estep dificulta el ejercicio haciéndolo más *"duro"*.

Musculatura solicitada: recto anterior del abdomen (localizado en su zona inferior), oblicuos externo e interno del abdomen.

Descripción del ejercicio:
Posición inicial: tumbados boca arriba con las rodillas flexionadas y los muslos lo más próximos al tronco, sujetamos una mancuerna entre cada muslo y pierna (por la zona poplítea).

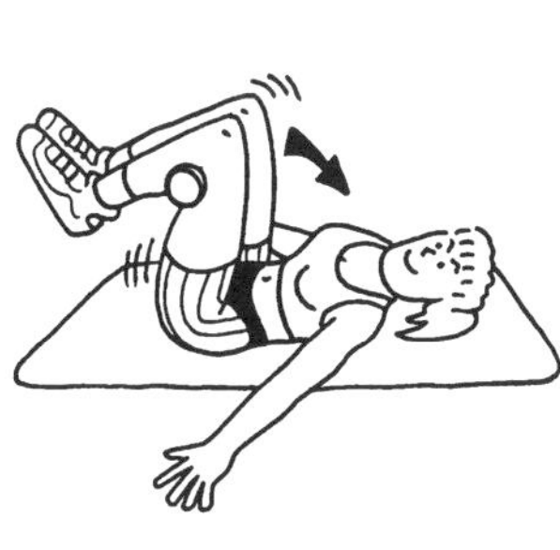

Movimiento: incurvar el tronco llevando las rodillas en dirección al pecho.
Aspectos a considerar:
Mantener la zona lumbar en contacto con la superficie del suelo.
Separar ligeramente los brazos del cuerpo.

Mantener los talones lo más próximos posible a los glúteos durante todo el movimiento.

Musculatura solicitada: recto anterior del abdomen (localizado en su zona inferior), oblicuos externo e interno del abdomen.

Descripción del ejercicio:

Posición inicial: tumbados boca arriba, sobre un estep inclinado, con las rodillas flexionadas y los muslos lo más próximos al tronco, sujetamos una mancuerna entre cada muslo y pierna (por la zona poplítea).

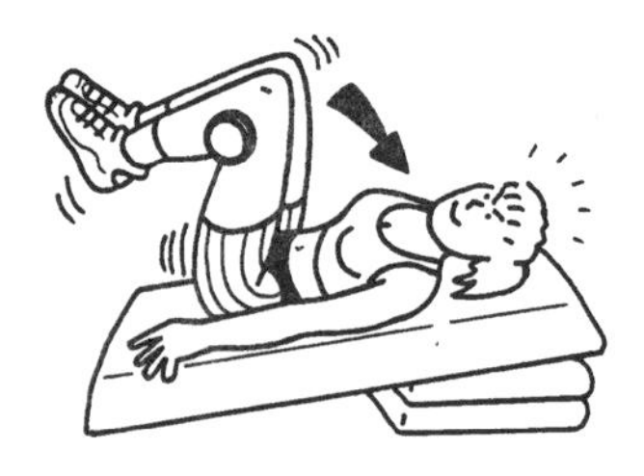

Movimiento: incurvar el tronco llevando las rodillas en dirección al pecho.

Aspectos a considerar:

Mantener la zona lumbar en contacto con la superficie del estep.
Sujetarse con las manos al estep.
Mantener los talones lo más próximos posible a los glúteos durante todo el movimiento.
La posición inclinada del estep dificulta el ejercicio haciéndolo más *"duro"*.

Musculatura solicitada: recto anterior del abdomen (localizado en su zona inferior), oblicuos externo e interno del abdomen.

Descripción del ejercicio:

Posición inicial: tumbados boca arriba, sobre un estep declinado, con las rodillas flexionadas y los muslos lo más próximos al tronco, sujetamos una mancuerna entre cada muslo y pierna (por la zona poplítea).

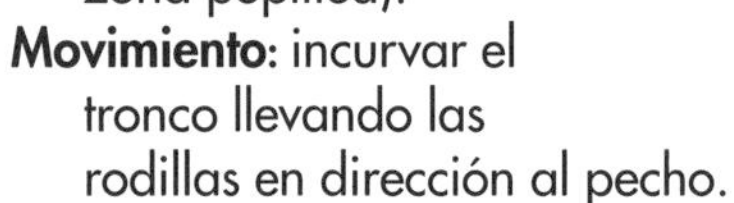

Movimiento: incurvar el tronco llevando las rodillas en dirección al pecho.

Aspectos a considerar:

Mantener la zona lumbar en contacto con la superficie del estep.
Sujetarse con las manos al estep.
Mantener los talones lo más próximos posible a los glúteos durante todo el movimiento.
La posición declinada del estep facilita el ejercicio haciéndolo más suave.

Musculatura solicitada: recto anterior del abdomen, oblicuos externo e interno del abdomen.

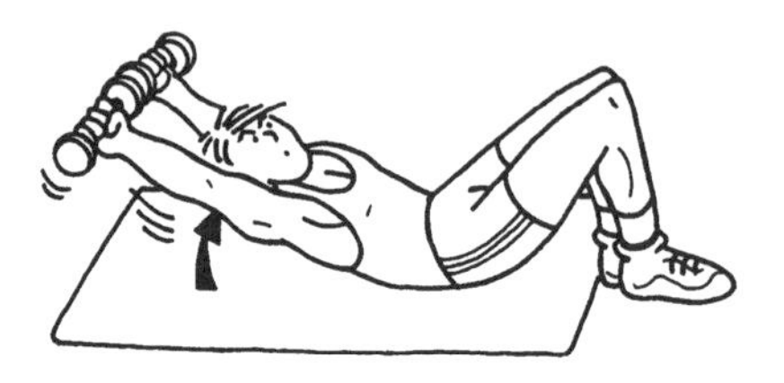

Descripción del ejercicio:

Posición inicial: tumbados en el suelo boca arriba, flexionamos las rodillas y con los codos estirados por detrás de la cabeza sujetamos las mancuernas.

Movimiento: incurvar el tronco hacia delante y volver a la posición inicial.

Aspectos a considerar:

No separar la zona lumbar de la superficie del suelo.
Intentar que la cabeza descanse sobre los brazos.
No dar impulsos con los brazos, que deben quedar siempre por detrás de la cabeza y deben servir de apoyo de ésta.

Musculatura solicitada: recto anterior del abdomen, oblicuos externo e interno del abdomen.

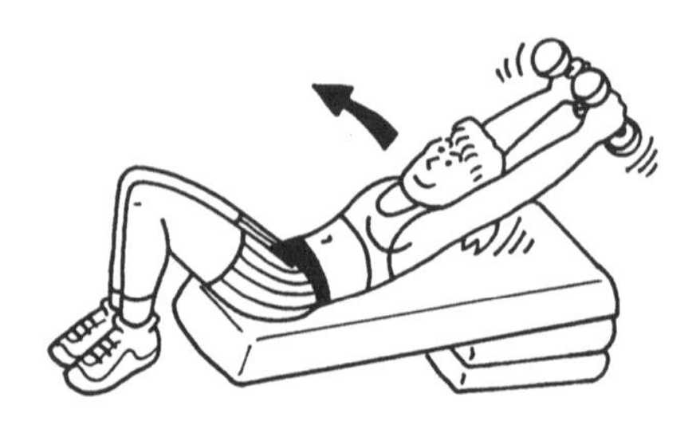

Descripción del ejercicio:

Posición inicial: tumbados boca arriba, sobre la superficie de un estep inclinado, flexionamos las rodillas y con los codos estirados por detrás de la cabeza sujetamos las mancuernas.

Movimiento: incurvar el tronco hacia delante y volver a la posición inicial.

Aspectos a considerar:
No separar la zona lumbar de la superficie del estep.
Intentar que la cabeza descanse sobre los brazos.
No dar impulsos con los brazos.
La posición inclinada del estep facilita el ejercicio haciéndolo más suave.

Musculatura solicitada: recto anterior del abdomen, oblicuos externo e interno del abdomen.

Descripción del ejercicio:
Posición inicial: tumbados boca arriba, sobre la superficie de un estep declinado, flexionamos las rodillas y con los codos estirados por detrás de la cabeza sujetamos las mancuernas.
Movimiento: incurvar el tronco hacia delante y volver a la posición inicial.
Aspectos a considerar:
No separar la zona lumbar de la superficie del estep.
Intentar que la cabeza descanse sobre los brazos.
No dar impulsos con los brazos.
La posición declinada del estep dificulta el ejercicio haciéndolo más *"duro"*.

Ejercicios con barra

Musculatura solicitada: recto anterior del abdomen, oblicuos externo e interno del abdomen.

Descripción del ejercicio:
Posición inicial: tumbados boca arriba con las rodillas flexionadas sujetamos la barra con las manos y la apoyamos sobre el tronco a la altura del pecho.

Movimiento: incurvar el tronco hacia delante y volver a la posición inicial.

Aspectos a considerar:
Mantener los brazos y antebrazos pegados al tronco durante todo el movimiento (no separar la barra del pecho).
No separar la zona lumbar del suelo.
Mantener siempre las rodillas flexionadas y el cuello erguido, sin flexionarlo.
El ejercicio será más intenso cuanto más cerca del cuello situemos la barra y menos intenso cuanto más lejos.

Musculatura solicitada: recto anterior del abdomen, oblicuos externo e interno del abdomen.

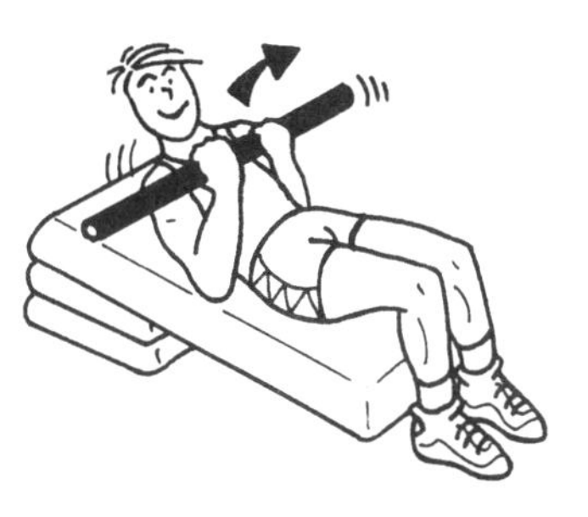

Descripción del ejercicio:
Posición inicial: tumbados boca arriba con las rodillas flexionadas, sobre la superficie de un estep inclinado, sujetamos la barra con las manos y la apoyamos sobre el tronco a la altura del pecho.
Movimiento: incurvar el tronco hacia delante y volver a la posición inicial.
Aspectos a considerar:
Mantener los brazos y antebrazos pegados al tronco durante todo el movimiento (no separar la barra del pecho).
No separar la zona lumbar del estep.
Mantener siempre las rodillas flexionadas y el cuello erguido, sin flexionarlo.
La posición inclinada del estep facilita el ejercicio haciéndolo más suave.

Musculatura solicitada: recto anterior del abdomen, oblicuos externo e interno del abdomen.

Descripción del ejercicio:
Posición inicial: tumbados boca arriba con las rodillas flexionadas, sobre la superficie de un estep declinado, agarramos la barra con las manos y la situamos apoyada a la altura del pecho.

Movimiento: incurvar el tronco hacia delante y volver a la posición inicial.

Aspectos a considerar:

Mantener los brazos y antebrazos pegados al tronco durante todo el movimiento (no separar la barra del pecho).

No separar la zona lumbar del estep.

Mantener siempre las rodillas flexionadas y el cuello erguido, sin flexionarlo.

La posición declinada del estep dificulta el ejercicio haciéndolo más *"duro"*.

Musculatura solicitada: oblicuo externo e interno del abdomen, recto anterior del abdomen.

Descripción del ejercicio:

Posición inicial: tumbados lateralmente, sobre un estep declinado y con las rodillas flexionadas a 90° apoyamos el pie de la pierna que queda debajo sobre la rodilla de la pierna que queda encima. La barra, situada longitudinalmente al cuerpo, la apoyamos en el suelo por uno de sus extremos y por el otro la sujetamos con las manos a la altura del pecho.

Movimiento: realizar una flexión lateral del tronco hacia arriba y volver a la posición inicial.

Aspectos a considerar:

No separar las piernas de la superficie de apoyo (evitar la V).

No separar los brazos del tronco durante el movimiento.

Musculatura solicitada: oblicuo externo e interno del abdomen, recto anterior del abdomen.

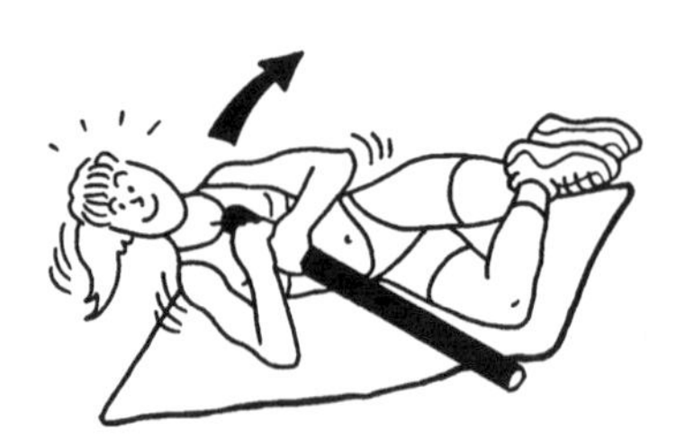

Descripción del ejercicio:

Posición inicial: tumbados lateralmente, en el suelo y con las rodillas flexionadas a 90° apoyamos el pie de la pierna que queda debajo sobre la rodilla de la pierna que queda encima. La barra, situada longitudinalmente al cuerpo, la apoyamos en el suelo por uno de sus extremos y por el otro la sujetamos con las manos a la altura del pecho.

Movimiento: realizar una flexión lateral del tronco hacia arriba y volver a la posición inicial.

Aspectos a considerar:

No separar las piernas de la superficie de apoyo (evitar la V).

No separar los brazos del tronco durante el movimiento.

La posición declinada del estep dificulta el ejercicio haciéndolo más *"duro"*.

Musculatura solicitada: oblicuo externo e interno del abdomen, recto anterior del abdomen.

Descripción del ejercicio:

Posición inicial: tumbados lateralmente, sobre un estep inclinado y con las rodillas flexionadas a 90° apoyamos el pie de la pierna que queda debajo sobre la rodilla de la pierna que queda encima. La barra, situada longitudinalmente al cuerpo, la apoyamos en el suelo por uno de sus extremos y por el otro la sujetamos con las manos a la altura del pecho.

Movimiento: realizar una flexión lateral del tronco hacia arriba y volver a la posición inicial.

Aspectos a considerar:

No separar las piernas de la superficie de apoyo (evitar la V).

No separar los brazos del tronco durante el movimiento.

La posición inclinada del estep facilita el ejercicio haciéndolo más suave.

Musculatura solicitada: recto anterior del abdomen (localizado en su zona inferior), oblicuos externo e interno del abdomen.

Descripción del ejercicio:

Posición inicial: tumbados boca arriba con las rodillas flexionadas y los muslos lo más próximos al tronco, sujetamos la barra entre los muslos y las piernas (por la zona poplítea).

Movimiento: incurvar el tronco llevando las rodillas en dirección al pecho.

Aspectos a considerar:

Mantener la zona lumbar en contacto con la superficie del suelo.

Separar ligeramente los brazos del cuerpo.

Mantener los talones lo más próximos posible a los glúteos durante todo el movimiento.

Musculatura solicitada: recto anterior del abdomen (localizado en su zona inferior), oblicuos externo e interno del abdomen.

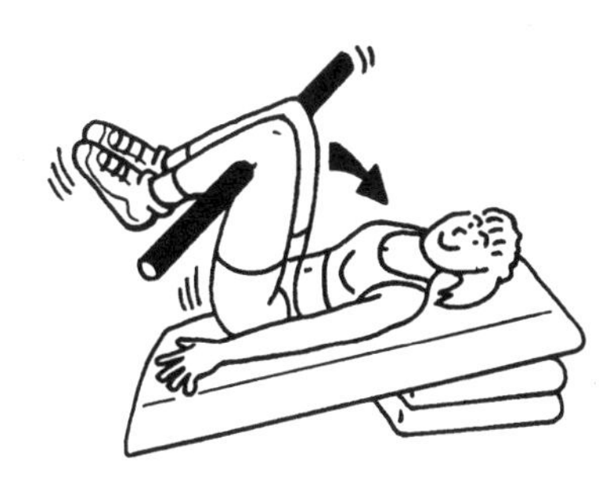

Descripción del ejercicio:

Posición inicial: tumbados boca arriba, sobre la superficie de un estep inclinado, con las rodillas flexionadas y los muslos lo más próximos al tronco, sujetamos la barra entre los muslos y las piernas (por la zona poplítea).

Movimiento: incurvar el tronco llevando las rodillas en dirección al pecho.

Aspectos a considerar:

Mantener la zona lumbar en contacto con la superficie del estep.

Sujetarse con las manos al estep.

Mantener los talones lo más próximos posible a los glúteos durante todo el movimiento.

La posición inclinada del estep dificulta el ejercicio haciéndolo más *"duro"*.

Musculatura solicitada: recto anterior del abdomen (localizado en su zona inferior), oblicuos externo e interno del abdomen.

Descripción del ejercicio:

Posición inicial: tumbados boca arriba, sobre la superficie de un estep declinado, con las rodillas flexionadas y los muslos lo más próximos al tronco, sujetamos la barra entre los muslos y las piernas (por la zona poplítea).

Movimiento: incurvar el tronco llevando las rodillas en dirección al pecho.

Aspectos a considerar:

Mantener la zona lumbar en contacto con la superficie del estep.

Sujetarse con las manos al estep.

Mantener los talones lo más próximos posible a los glúteos durante todo el movimiento.

La posición declinada del estep facilita el ejercicio haciéndolo más suave.

Musculatura solicitada: recto anterior del abdomen, oblicuos externo e interno del abdomen.

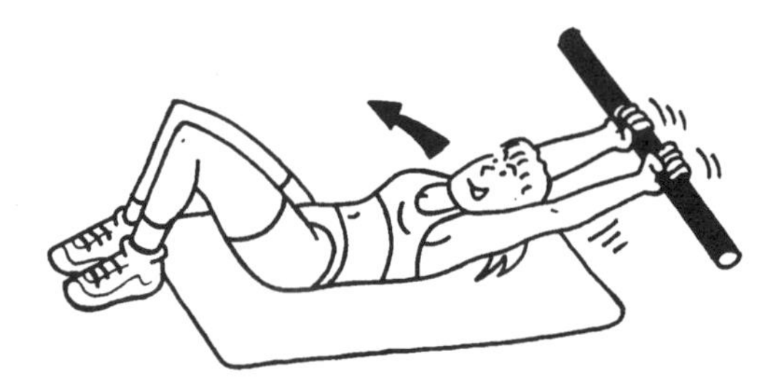

Descripción del ejercicio:
Posición inicial: tumbados en el suelo boca arriba, flexionamos las rodillas y con los codos estirados por detrás de la cabeza sujetamos la barra.
Movimiento: incurvar el tronco hacia delante y volver a la posición inicial.
Aspectos a considerar:
No separar la zona lumbar de la superficie del suelo.
Intentar que la cabeza descanse sobre los brazos.
No dar impulsos con los brazos.
Los brazos deben quedar siempre por detrás de la cabeza y deben servir de apoyo de ésta.

Musculatura solicitada: recto anterior del abdomen, oblicuos externo e interno del abdomen.

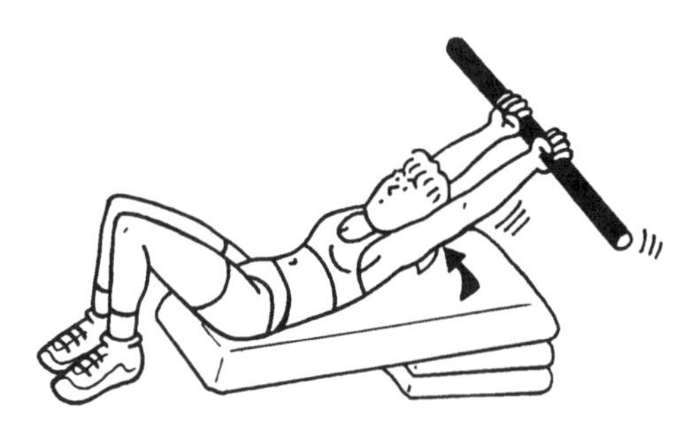

Descripción del ejercicio:
Posición inicial: tumbados boca arriba, sobre la superficie de un estep inclinado, flexionamos las rodillas y con los codos estirados por detrás de la cabeza sujetamos la barra.
Movimiento: incurvar el tronco hacia delante y volver a la posición inicial.
Aspectos a considerar:
No separar la zona lumbar de la superficie del estep.
Intentar que la cabeza descanse sobre los brazos.
No dar impulsos con los brazos.
La posición inclinada del estep facilita el ejercicio haciéndolo más suave.

Musculatura solicitada: recto anterior del abdomen, oblicuos externo e interno del abdomen.

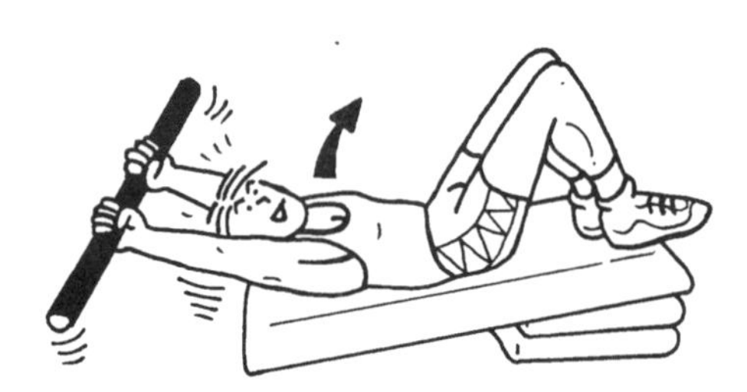

Descripción del ejercicio:
Posición inicial: tumbados boca arriba, sobre la superficie de un estep declinado, flexionamos las rodillas y con los codos estirados por detrás de la cabeza sujetamos la barra.
Movimiento: incurvar el tronco hacia delante y volver a la posición inicial.
Aspectos a considerar:
No separar la zona lumbar de la superficie del estep.
Intentar que la cabeza descanse sobre los brazos.
No dar impulsos con los brazos.
La posición declinada del estep dificulta el ejercicio haciéndolo más *"duro"*.

Musculatura solicitada: recto anterior del abdomen, oblicuos externo e interno del abdomen.

Descripción del ejercicio:
Posición inicial:
Tumbados en el suelo boca arriba, flexionamos las rodillas y con los codos flexionados sujetamos la barra con las manos a la altura del pecho.

Movimiento: incurvar el tronco hacia delante y volver a la posición inicial.
Aspectos a considerar:
No separar la zona lumbar de la superficie del suelo.
No dar impulsos con los brazos.
Mantener siempre las rodillas flexionadas y el cuello erguido, sin flexionarlo.

Musculatura solicitada: recto anterior del abdomen, oblicuos externo e interno del abdomen.

Descripción del ejercicio:
Posición inicial:
tumbados boca arriba, sobre la superficie de un estep inclinado, flexionamos las rodillas y con los codos flexionados sujetamos la barra con las manos a la altura del pecho.

Movimiento: incurvar el tronco hacia delante y volver a la posición inicial.
Aspectos a considerar:
No separar la zona lumbar de la superficie del estep.
No dar impulsos con los brazos.
Mantener siempre las rodillas flexionadas y el cuello erguido, sin flexionarlo.
La posición inclinada del estep facilita el ejercicio haciéndolo más suave.

Musculatura solicitada: recto anterior del abdomen, oblicuos externo e interno del abdomen.

Descripción del ejercicio:
Posición inicial: tumbados boca arriba, sobre la superficie de un estep declinado, flexionamos las rodillas y con los codos flexionados sujetamos la barra con las manos a la altura del pecho.

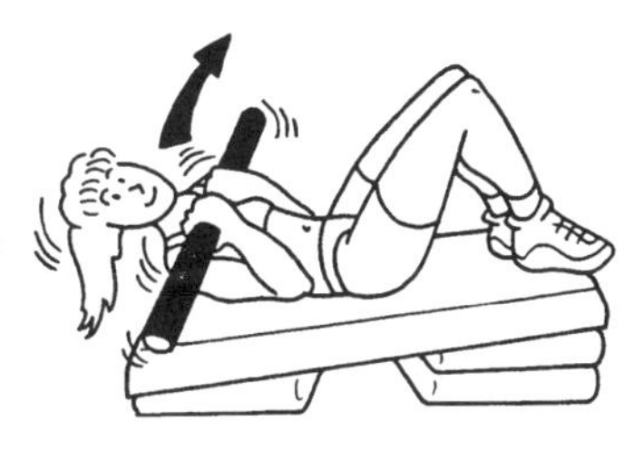

Movimiento: incurvar el tronco hacia delante y volver a la posición inicial.
Aspectos a considerar:
No separar la zona lumbar de la superficie del estep.
No dar impulsos con los brazos.
Mantener siempre las rodillas flexionadas y el cuello erguido, sin flexionarlo.
La posición declinada del estep dificulta el ejercicio haciéndolo más *"duro"*.

Musculatura solicitada: recto anterior del abdomen (localizado en su zona inferior), oblicuos externo e interno del abdomen.

Descripción del ejercicio:
Posición inicial:
tumbados boca arriba con las piernas elevadas (flexión de la cadera) y las rodillas semiflexionadas, colocamos la barra por encima de la zona del abdomen sujetándola con las manos a ambos lados de la cadera.

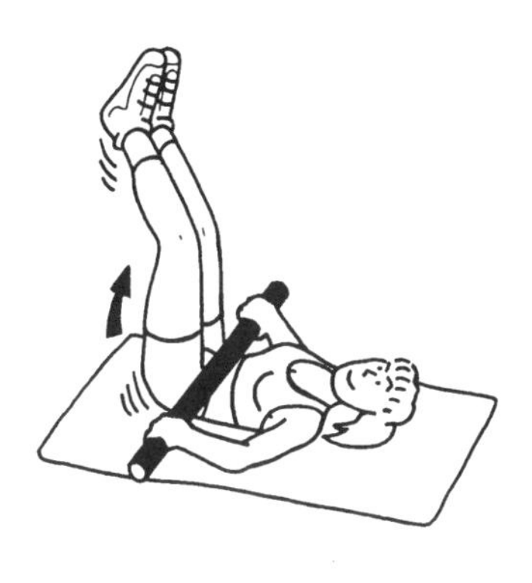

Movimiento: incurvar el tronco elevando la cadera, separándola de la superficie de apoyo.
Aspectos a considerar:
Mantener las piernas semiflexionadas y hacia arriba durante todo el movimiento.
Elevar la cadera sin separar la zona lumbar del suelo.
La barra debe estar situada en la zona baja del abdomen, entre tronco y muslo para ofrecer mayor intensidad al ejercicio.

Musculatura solicitada: recto anterior del abdomen (localizado en su zona inferior), oblicuos externo e interno del abdomen.

Descripción del ejercicio:
Posición inicial:
tumbados boca arriba, sobre la superficie de un estep inclinado, con las piernas elevadas (flexión de la cadera) y las rodillas semiflexionadas, colocamos la barra por encima de la zona del abdomen sujetándola con las manos a ambos lados de la cadera.

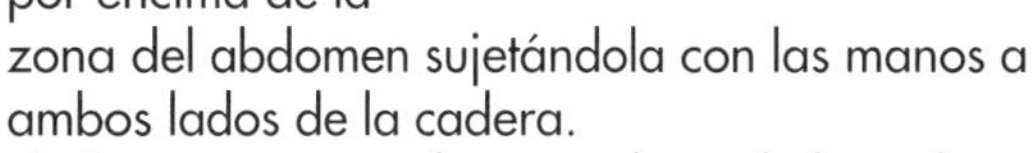

Movimiento: incurvar el tronco elevando la cadera, separándola de la superficie de apoyo.
Aspectos a considerar:
Mantener las piernas semiflexionadas y hacia arriba durante todo el movimiento.
Elevar la cadera sin separar la zona lumbar del estep.
La posición inclinada del estep dificulta el ejercicio haciéndolo más *"duro"*.

Musculatura solicitada: recto anterior del abdomen (localizado en su zona inferior), oblicuos externo e interno del abdomen.

Descripción del ejercicio:

Posición inicial: tumbados boca arriba, sobre la superficie de un estep declinado, con las piernas elevadas (flexión de la cadera) y las rodillas semiflexionadas, colocamos la barra por encima de la zona del abdomen sujetándola con las manos a ambos lados de la cadera.

Movimiento: incurvar el tronco elevando la cadera, separándola de la superficie de apoyo.

Aspectos a considerar:

Mantener las piernas semiflexionadas y hacia arriba durante todo el movimiento.

Elevar la cadera sin separar la zona lumbar del estep.

La posición declinada del estep facilita el ejercicio haciéndolo más suave.

Ejercicios con esteps

Musculatura solicitada: recto anterior del abdomen, oblicuos externo e interno del abdomen.

Descripción del ejercicio:

Posición inicial: tumbados boca arriba, sobre la superficie inclinada de un estep, flexionamos las rodillas y con los codos flexionados apoyamos las manos a la altura del pecho.

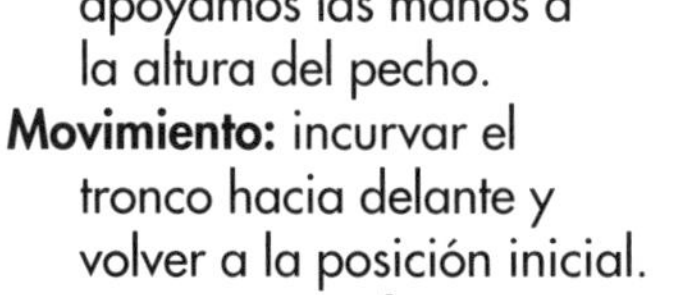

Movimiento: incurvar el tronco hacia delante y volver a la posición inicial.

Aspectos a considerar:

Mantener los brazos y antebrazos pegados al tronco durante todo el movimiento.

No separar del estep la zona lumbar.

Mantener siempre las rodillas flexionadas y el cuello erguido, sin flexionarlo.

La posición inclinada del estep facilita el ejercicio haciéndolo más suave.

Musculatura solicitada: recto anterior del abdomen, oblicuo externo e interno del abdomen.

Descripción del ejercicio:

Posición inicial: tumbados boca arriba, sobre la superficie declinada de un estep, flexionamos las rodillas y con los codos flexionados apoyamos las manos a la altura del pecho.

Movimiento: incurvar el tronco hacia delante y volver a la posición inicial.

Aspectos a considerar:

Mantener los brazos y antebrazos pegados al tronco durante todo el movimiento.

No separar del estep la zona lumbar.

Mantener siempre las rodillas flexionadas y el cuello erguido, sin flexionarlo.

La posición declinada del estep dificulta el ejercicio haciéndolo más *"duro"*.

Musculatura solicitada: oblicuo externo e interno del abdomen, recto anterior del abdomen.

Descripción del ejercicio:

Posición inicial: tumbados boca arriba, sobre la superficie inclinada de un estep, flexionamos las rodillas y con los codos flexionados apoyamos las manos a la altura del pecho.

Movimiento: incurvar el tronco girándolo primero hacia un lado y luego hacia el otro.

Aspectos a considerar:

Mantener los brazos y antebrazos pegados al tronco durante todo el movimiento.

No separar del estep la zona lumbar.

Mantener siempre las rodillas flexionadas y el cuello erguido, sin flexionarlo.

La posición inclinada del estep facilita el ejercicio.

Musculatura solicitada: oblicuo externo e interno del abdomen, recto anterior del abdomen.

Descripción del ejercicio:
Posición inicial:
tumbados boca arriba, sobre la superficie declinada de un estep, flexionamos las rodillas y con los codos flexionados apoyamos las manos a la altura del pecho.

Movimiento: incurvar el tronco girándolo primero hacia un lado y luego hacia el otro.
Aspectos a considerar:
Mantener los brazos y antebrazos pegados al tronco durante todo el movimiento.
No separar del estep la zona lumbar.
Mantener siempre las rodillas flexionadas y el cuello erguido, sin flexionarlo.
La posición declinada del estep dificulta el ejercicio haciéndolo más "duro".

Musculatura solicitada: oblicuo externo e interno del abdomen, recto anterior del abdomen.

Descripción del ejercicio:
Posición inicial:
tumbados lateralmente, sobre un estep declinado y con las rodillas flexionadas a 90° apoyamos el pie de la pierna que queda debajo sobre la rodilla de la pierna que queda encima.

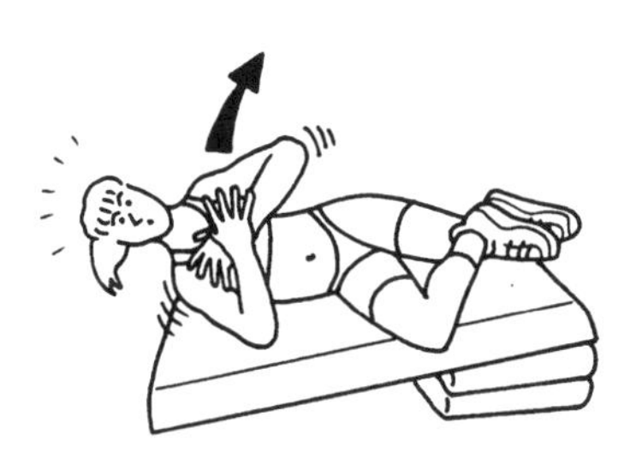

Movimiento: realizar una flexión lateral del tronco hacia arriba y volver a la posición inicial.
Aspectos a considerar:
No separar las piernas de la superficie de apoyo (evitar la V).
No separar los brazos del tronco durante el movimiento.
La posición declinada del estep dificulta el ejercicio haciéndolo más *"duro"*.

Musculatura solicitada: oblicuo externo e interno del abdomen, recto anterior del abdomen.

Descripción del ejercicio:
Posición inicial:
tumbados lateralmente, sobre un estep inclinado y con las rodillas flexionadas a 90° apoyamos el pie de la pierna que queda debajo sobre la rodilla de la pierna que queda encima.

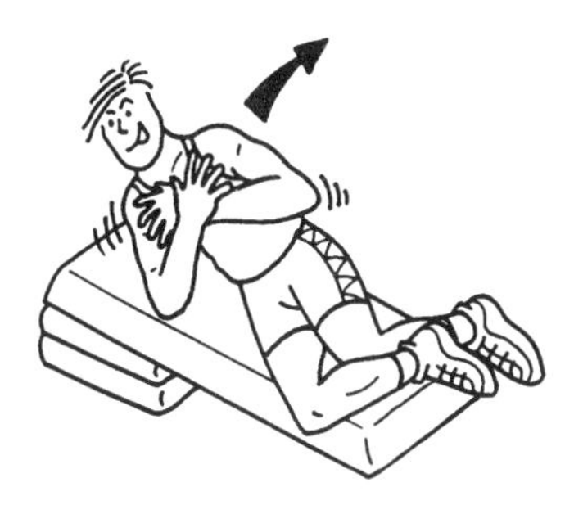

Movimiento: realizar una flexión lateral del tronco hacia arriba y volver a la posición inicial.
Aspectos a considerar:
No separar las piernas de la superficie de apoyo (evitar la V).
No separar los brazos del tronco durante el movimiento.
La posición inclinada del estep facilita el ejercicio haciéndolo más suave.

Musculatura solicitada: recto anterior del abdomen (localizado en su zona inferior), oblicuos externo e interno del abdomen.

Descripción del ejercicio:
Posición inicial:
tumbados boca arriba, sobre la superficie de un estep, flexionamos las rodillas situando los muslos lo más próximos al tronco.

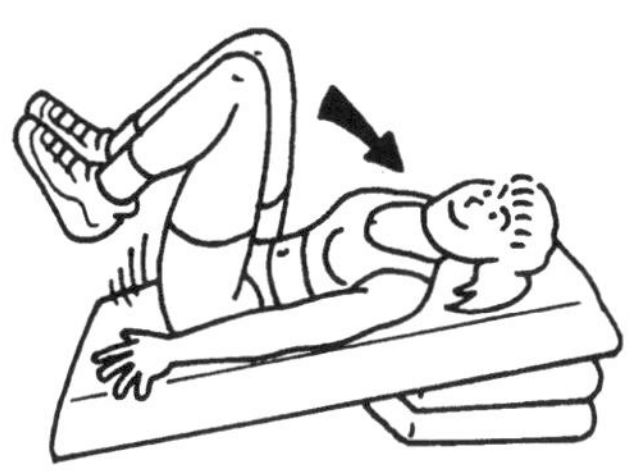

Movimiento: incurvar el tronco llevando las rodillas en dirección al pecho.
Aspectos a considerar:
Mantener la zona lumbar en contacto con la superficie del estep.
Separar ligeramente los brazos del cuerpo.
Mantener los talones lo más próximos posible a los glúteos durante todo el movimiento.

Musculatura solicitada: recto anterior del abdomen (localizado en su zona inferior), oblicuos externo e interno del abdomen.

Descripción del ejercicio:
Posición inicial: tumbados boca arriba, sobre la superficie de un estep, flexionamos las rodillas situando los muslos lo más próximos al tronco.

Movimiento: incurvar el tronco llevando las rodillas en dirección al pecho.

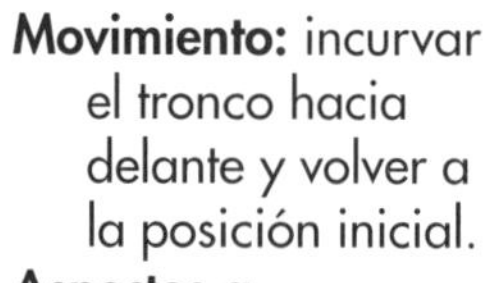

Aspectos a considerar:

Mantener la zona lumbar en contacto con la superficie del estep.
Separar ligeramente los brazos del cuerpo.
Mantener los talones lo más próximos posible a los glúteos durante todo el movimiento.
La posición inclinada del estep dificulta el ejercicio haciéndolo más *"duro"*.

Musculatura solicitada: recto anterior del abdomen (localizado en su zona inferior), oblicuos externo e interno del abdomen.

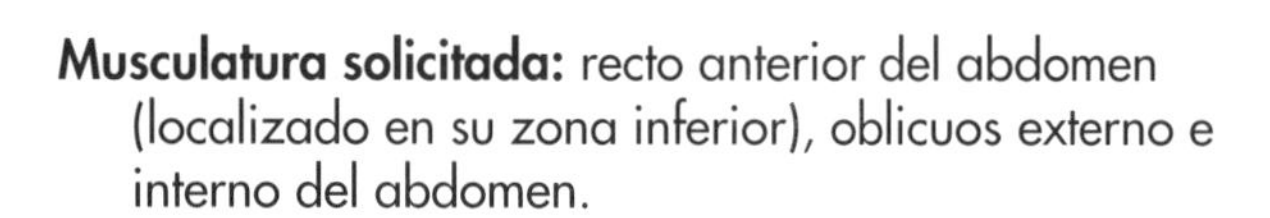

Descripción del ejercicio:

Posición inicial: tumbados boca arriba, sobre la superficie de un estep declinado, flexionamos las rodillas situando los muslos lo más próximos al tronco.

Movimiento: incurvar el tronco llevando las rodillas en dirección al pecho.

Aspectos a considerar:

Mantener la zona lumbar en contacto con la superficie del estep.
Separar ligeramente los brazos del cuerpo.
Mantener los talones lo más próximos posible a los glúteos durante todo el movimiento.
La posición declinada del estep facilita el ejercicio haciéndolo más suave.

Musculatura solicitada: recto anterior del abdomen, oblicuos externo e interno del abdomen.

Descripción del ejercicio:

Posición inicial: tumbados boca arriba, sobre la superficie de un estep inclinado, flexionamos las rodillas y situamos los brazos con los codos estirados por detrás de la cabeza.

Movimiento: incurvar el tronco hacia delante y volver a la posición inicial.

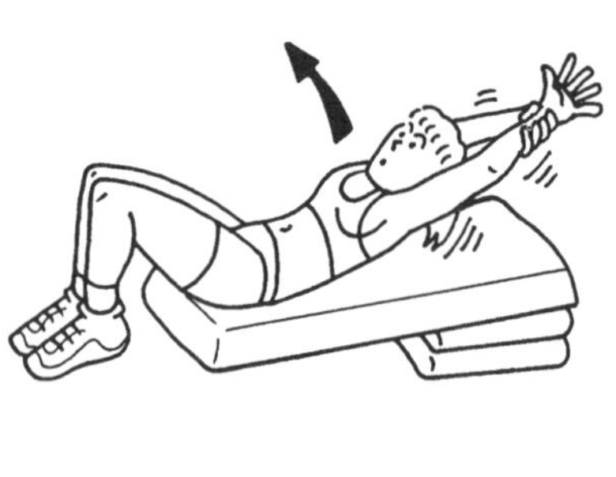

Aspectos a considerar:

No separar la zona lumbar de la superficie del estep.
Intentar que la cabeza descanse sobre los brazos.
No dar impulsos con los brazos.
La posición inclinada del estep facilita el ejercicio haciéndolo más suave.

Musculatura solicitada: recto anterior del abdomen, oblicuos externo e interno del abdomen.

Descripción del ejercicio:

Posición inicial: tumbados boca arriba, sobre la superficie de un estep declinado, flexionamos las rodillas y situamos los brazos con los codos estirados por detrás de la cabeza.

Movimiento: incurvar el tronco hacia delante y volver a la posición inicial.

Aspectos a considerar:

No separar la zona lumbar de la superficie del estep.
Intentar que la cabeza descanse sobre los brazos.
No dar impulsos con los brazos.
La posición declinada del estep dificulta el ejercicio haciéndolo más *"duro"*.

Ejercicios combinados con diferentes materiales

Musculatura solicitada: recto anterior del abdomen, oblicuos externo e interno del abdomen.

Descripción del ejercicio:

Posición inicial: tumbados boca arriba, sobre la superficie de un estep y con las rodillas flexionadas, pasamos la goma elástica por debajo de los soportes del estep y por los extremos de la barra. Con los codos flexionados agarramos la barra con las manos a la altura del pecho.

Movimiento: incurvar el tronco hacia delante y volver a la posición inicial.

Aspectos a considerar:

Mantener los brazos y antebrazos pegados al tronco durante el movimiento.

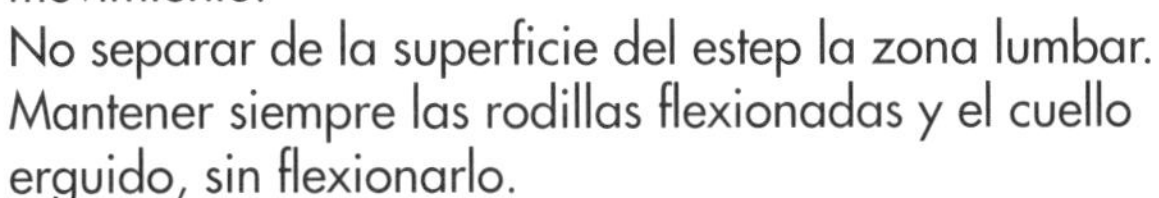

No separar de la superficie del estep la zona lumbar.

Mantener siempre las rodillas flexionadas y el cuello erguido, sin flexionarlo.

Mantener la goma bien tensada entre el soporte y la barra, en la posición inicial.

Musculatura solicitada: recto anterior, del abdomen, oblicuos externo e interno del abdomen.

Descripción del ejercicio:

Posición inicial: tumbados boca arriba, sobre la superficie de un estep inclinado y con las rodillas flexionadas, pasamos la goma elástica por debajo de los soportes del estep y por los extremos de la barra. Con los codos flexionados agarramos la barra con las manos a la altura del pecho.

Movimiento: incurvar el tronco hacia delante y volver a la posición inicial.

Aspectos a considerar:

Mantener los brazos y antebrazos pegados al tronco durante el movimiento.

No separar de la superficie del estep la zona lumbar.

Mantener siempre las rodillas flexionadas y el cuello erguido, sin flexionarlo.

La posición inclinada del estep facilita el ejercicio haciéndolo más suave.

Musculatura solicitada: recto anterior del abdomen, oblicuos externo e interno del abdomen.

Descripción del ejercicio:

Posición inicial: tumbados boca arriba, sobre la superficie de un estep declinado y con las rodillas flexionadas, pasamos la goma elástica por debajo de los soportes del estep y por los extremos de la barra. Con los codos flexionados agarramos la barra con las manos a la altura del pecho.

Movimiento: incurvar el tronco hacia delante y volver a la posición inicial.

Aspectos a considerar:

Mantener los brazos y antebrazos pegados al tronco durante el movimiento.

No separar de la superficie del estep la zona lumbar.

Mantener siempre las rodillas flexionadas y el cuello erguido, sin flexionarlo.

La posición declinada del estep dificulta el ejercicio haciéndolo más *"duro"*.

Musculatura solicitada: recto anterior del abdomen, oblicuos externo e interno del abdomen.

Descripción del ejercicio:

Posición inicial: tumbados boca arriba, sobre la superficie de un estep y con las rodillas flexionadas, pasamos la goma elástica por debajo de los soportes del estep y con las manos sujetamos al mismo tiempo sus asas y las mancuernas, situándolas a la altura del pecho.

Movimiento: incurvar el tronco hacia delante y volver a la posición inicial.

Aspectos a considerar:

Mantener los brazos y antebrazos pegados al tronco durante el movimiento.

No separar de la superficie del estep la zona lumbar.

Mantener siempre las rodillas flexionadas y el cuello erguido, sin flexionarlo.
En la posición inicial mantener la goma bien tensa entre el soporte y su agarre.

Musculatura solicitada: recto anterior del abdomen, oblicuos externo e interno del abdomen.

Descripción del ejercicio:
Posición inicial: tumbados boca arriba, sobre la superficie de un estep inclinado y con las rodillas flexionadas, pasamos la goma elástica por debajo de los soportes del estep y con las manos sujetamos al mismo tiempo sus asas y las mancuernas, situándolas a la altura del pecho.

Movimiento: incurvar el tronco hacia delante y volver a la posición inicial.
Aspectos a considerar:
Mantener los brazos y antebrazos pegados al tronco durante el movimiento.
No separar de la superficie del estep la zona lumbar.
Mantener siempre las rodillas flexionadas y el cuello erguido, sin flexionarlo.
La posición inclinada del estep facilita el ejercicio haciéndolo más suave.

Musculatura solicitada: recto anterior del abdomen, oblicuos externo e interno del abdomen.

Descripción del ejercicio:
Posición inicial:
Tumbados boca arriba, sobre la superficie de un estep declinado y con las rodillas flexionadas, pasamos la goma elástica por debajo de los soportes del estep y con las manos sujetamos al mismo tiempo sus asas y las mancuernas, situándolas a la altura del pecho.

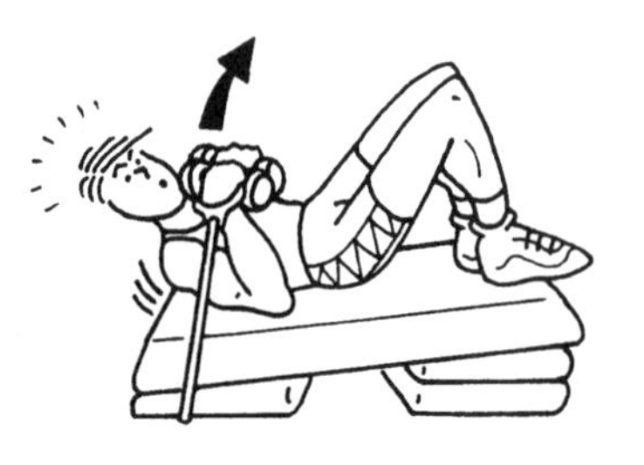

Movimiento: incurvar el tronco hacia delante y volver a la posición inicial.

Aspectos a considerar:
Mantener los brazos y antebrazos pegados al tronco durante el movimiento.
No separar de la superficie del estep la zona lumbar.
Mantener siempre las rodillas flexionadas y el cuello erguido, sin flexionarlo.
La posición declinada del estep dificulta el ejercicio haciéndolo más *"duro"*.

Musculatura solicitada: oblicuos externo e interno del abdomen, recto anterior del abdomen.
Descripción del ejercicio:
Posición inicial: tumbados boca arriba, sobre la superficie de un estep y con las rodillas flexionadas, pasamos la goma elástica por debajo de los soportes del estep y por los extremos de la barra. Con los codos flexionados agarramos la barra con las manos a la altura del pecho.

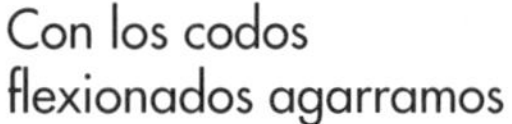

Movimiento: incurvar el tronco girándolo primero hacia un lado y luego hacia el otro.
Aspectos a considerar:
Mantener los brazos y antebrazos pegados al tronco durante el movimiento.
No separar de la superficie del estep la zona lumbar.
Mantener siempre las rodillas flexionadas y el cuello erguido, sin flexionarlo.
En la posición inicial, mantener la goma bien tensada entre el soporte y la barra.

Musculatura solicitada: oblicuos externo e interno del abdomen, recto anterior del abdomen.

Descripción del ejercicio:
Posición inicial:
tumbados boca arriba, sobre la superficie de un estep inclinado y con las rodillas flexionadas, pasamos la goma elástica por debajo de los soportes del estep y por los extremos de la barra.

Con los codos flexionados agarramos la barra con las manos (presa palmar) a la altura del pecho.

Movimiento: incurvar el tronco girándolo primero hacia un lado y luego hacia el otro.

Aspectos a considerar:

Mantener los brazos y antebrazos pegados al tronco durante el movimiento.

No separar de la superficie del estep la zona lumbar.

Mantener siempre las rodillas flexionadas y el cuello erguido, sin flexionarlo.

La posición inclinada del estep facilita el ejercicio haciéndolo más suave.

Musculatura solicitada: oblicuos externo e interno del abdomen, recto anterior del abdomen.

Descripción del ejercicio:

Posición inicial: tumbados boca arriba, sobre la superficie de un estep declinado y con las rodillas flexionadas, pasamos la goma elástica por debajo de los soportes del estep y por los extremos de la barra.

Con los codos flexionados agarramos la barra con las manos a la altura del pecho.

Movimiento: incurvar el tronco girándolo primero hacia un lado y luego hacia el otro.

Aspectos a considerar:

Mantener los brazos y antebrazos pegados al tronco durante el movimiento.

No separar de la superficie del estep la zona lumbar.

Mantener siempre las rodillas flexionadas y el cuello erguido, sin flexionarlo.

La posición declinada del estep dificulta el ejercicio haciéndolo más *"duro"*.

Musculatura solicitada: oblicuos externo e interno del abdomen, recto anterior del abdomen.

Descripción del ejercicio:

Posición inicial: tumbados boca arriba, sobre la superficie de un estep y con las rodillas flexionadas, pasamos la goma elástica por debajo de los soportes del estep y con las manos sujetamos al mismo tiempo sus asas y las mancuernas, situándolas a la altura del pecho.

Movimiento: incurvar el tronco girándolo primero hacia un lado y luego hacia el otro.

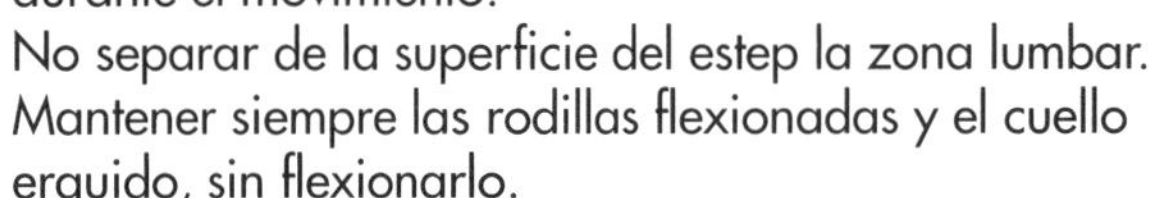

Aspectos a considerar:

Mantener los brazos y antebrazos pegados al tronco durante el movimiento.

No separar de la superficie del estep la zona lumbar.

Mantener siempre las rodillas flexionadas y el cuello erguido, sin flexionarlo.

Musculatura solicitada: oblicuos externo e interno del abdomen, recto anterior del abdomen.

Descripción del ejercicio:

Posición inicial: tumbados boca arriba, sobre la superficie de un estep inclinado y con las rodillas flexionadas, pasamos la goma elástica por debajo de los soportes del estep y con las manos sujetamos al mismo tiempo sus asas y las mancuernas, situándolas a la altura del pecho.

Movimiento: incurvar el tronco girándolo primero hacia un lado y luego hacia el otro.

Aspectos a considerar:

Mantener los brazos y antebrazos pegados al tronco durante el movimiento.

No separar de la superficie del estep la zona lumbar.

Mantener siempre las rodillas flexionadas y el cuello erguido, sin flexionarlo.

La posición inclinada del estep facilita el ejercicio haciéndolo más suave.

Musculatura solicitada: oblicuos externo e interno del abdomen, recto anterior del abdomen.

Descripción del ejercicio:

Posición inicial: tumbados boca arriba, sobre la superficie de un estep declinado y con las rodillas flexionadas, pasamos la goma elástica por debajo de los soportes del estep y con las manos sujetamos al mismo tiempo sus asas y las mancuernas, situándolas a la altura del pecho.

Movimiento: incurvar el tronco girándolo primero hacia un lado y luego hacia el otro.

Aspectos a considerar:
Mantener los brazos y antebrazos pegados al tronco durante el movimiento.
No separar de la superficie del estep la zona lumbar.
Mantener siempre las rodillas flexionadas y el cuello erguido, sin flexionarlo.
La posición declinada del estep dificulta el ejercicio haciéndolo más *"duro"*.

Musculatura solicitada: recto anterior del abdomen, oblicuos externo e interno del abdomen.

Descripción del ejercicio:
Posición inicial: tumbados boca arriba, sobre la superficie de un estep y con las rodillas flexionadas, pasamos la goma elástica por debajo de los soportes del estep y por los extremos de la barra. Con los codos extendidos sujetamos la barra con las manos a la altura del pecho.

Movimiento: incurvar el tronco hacia delante y volver a la posición inicial.
Aspectos a considerar:
Mantener los codos extendidos durante el movimiento.
No separar de la superficie del estep la zona lumbar.
Mantener siempre las rodillas flexionadas y el cuello erguido, sin flexionarlo.
Mantener la goma bien tensada entre el soporte y la barra, en la posición inicial.

Musculatura solicitada: recto anterior del abdomen, oblicuos externo e interno del abdomen.

Descripción del ejercicio:
Posición inicial: tumbados boca arriba, sobre la superficie de un estep inclinado y con las rodillas flexionadas, pasamos la goma elástica por debajo de los soportes del estep y por los extremos de la barra. Con los

codos extendidos agarramos la barra con las manos a la altura del pecho.
Movimiento: incurvar el tronco hacia delante y volver a la posición inicial.
Aspectos a considerar:
Mantener los codos extendidos durante el movimiento.
No separar de la superficie del estep la zona lumbar.
Mantener siempre las rodillas flexionadas y el cuello erguido, sin flexionarlo.
La posición inclinada del estep facilita el ejercicio haciéndolo más suave.

Musculatura solicitada: recto anterior del abdomen, oblicuos externo e interno del abdomen.

Descripción del ejercicio:
Posición inicial:
tumbados boca arriba, sobre la superficie de un estep declinado y con las rodillas flexionadas, pasamos la goma elástica por debajo de los soportes del estep y por los extremos de la barra. Con los codos extendidos agarramos la barra con las manos a la altura del pecho.

Movimiento: incurvar el tronco hacia delante y volver a la posición inicial.
Aspectos a considerar:
Mantener los codos extendidos durante el movimiento.
No separar de la superficie del estep la zona lumbar.
Mantener siempre las rodillas flexionadas y el cuello erguido, sin flexionarlo.
La posición declinada del estep dificulta el ejercicio haciéndolo más *"duro"*.

Musculatura solicitada: recto anterior del abdomen, oblicuos externo e interno del abdomen.

Descripción del ejercicio:
Posición inicial: tumbados boca arriba, sobre la superficie de un estep y con las rodillas flexionadas, pasamos la goma elástica por debajo de los soportes del estep y con las manos sujetamos al mismo tiempo sus asas y las mancuernas, situándolas a la altura del pecho con los codos extendidos.

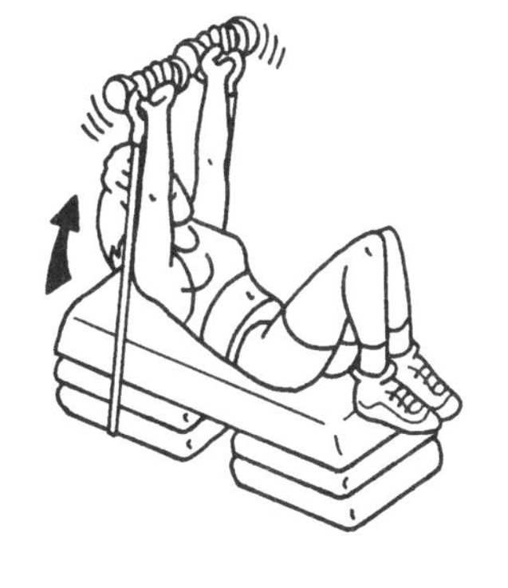

Movimiento: incurvar el tronco hacia adelante y volver a la posición inicial.
Aspectos a considerar:
Mantener los codos extendidos durante el movimiento.
No separar de la superficie del estep la zona lumbar.
Mantener siempre las rodillas flexionadas y el cuello erguido, sin flexionarlo.
En la posición inicial mantener la goma elástica bien tensa entre el soporte y el agarre.

Musculatura solicitada: recto anterior del abdomen, oblicuos externo e interno del abdomen.

Descripción del ejercicio:
Posición inicial: tumbados boca arriba, sobre la superficie de un estep inclinado y con las rodillas flexionadas, pasamos la goma elástica por debajo de los soportes del estep y con las manos sujetamos al mismo tiempo sus asas y las mancuernas, situándolas a la altura del pecho con los codos extendidos.

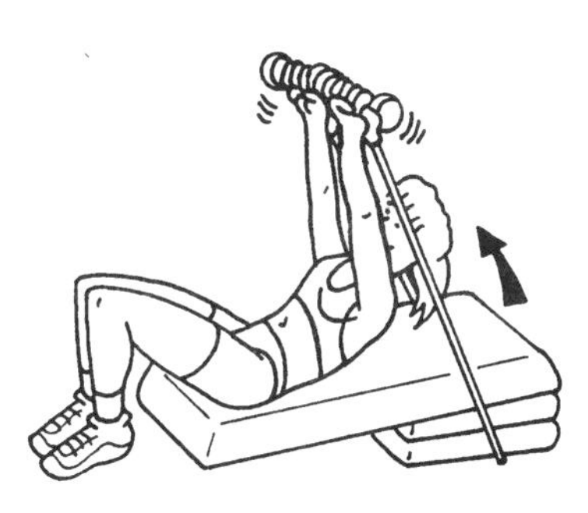

Movimiento: incurvar el tronco hacia delante y volver a la posición inicial.
Aspectos a considerar:
Mantener los codos extendidos durante el movimiento.
No separar de la superficie del estep la zona lumbar.
Mantener siempre las rodillas flexionadas y el cuello erguido, sin flexionarlo.
La posición inclinada del estep facilita el ejercicio haciéndolo más suave.

Musculatura solicitada: recto anterior del abdomen, oblicuos externo e interno del abdomen.

Descripción del ejercicio:
Posición inicial: tumbados boca arriba, sobre la superficie de un estep declinado y con las rodillas flexionadas, pasamos la goma elástica por debajo de los soportes del estep y con las manos sujetamos al mismo tiempo sus asas y las mancuernas, situándolas a la altura del pecho con los codos extendidos.

Movimiento: incurvar el tronco hacia delante y volver a la posición inicial.
Aspectos a considerar:
Mantener los codos extendidos durante el movimiento.
No separar de la superficie del estep la zona lumbar.
Mantener siempre las rodillas flexionadas y el cuello erguido, sin flexionarlo.
La posición declinada del estep dificulta el ejercicio haciéndolo más *"duro"*.

Musculatura solicitada: oblicuos externo e interno del abdomen, recto anterior del abdomen.

Descripción del ejercicio:
Posición inicial: tumbados lateralmente sobre la superficie del estep, pasamos la goma elástica por debajo de sus soportes y con las manos a la altura del pecho la agarramos por sus asas a la vez que sujetamos una mancuerna con cada mano. Con las rodillas flexionadas a 90° apoyamos el pie de la pierna que queda debajo sobre la rodilla de la pierna que queda encima.

Movimiento: realizar una flexión lateral del tronco hacia arriba.

Aspectos a considerar:

No separar las piernas de la superficie de apoyo (evitar la V).

En la posición inicial la goma elástica rodea el tronco por la espalda hasta llegar a la altura del pecho.

Musculatura solicitada: oblicuo externo e interno del abdomen, recto anterior del abdomen.

Descripción del ejercicio:

Posición inicial: tumbados lateralmente sobre la superficie declinada del estep, pasamos la goma elástica por debajo de sus soportes y con las manos a la altura del pecho la agarramos por sus asas a la vez que sujetamos una mancuerna con cada mano. Con las rodillas flexionadas a 90° apoyamos el pie de la pierna que queda debajo sobre la rodilla de la pierna que queda encima.

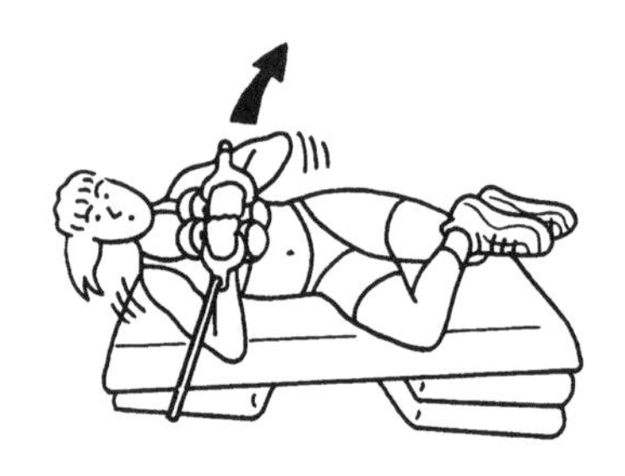

Movimiento: realizar una flexión lateral del tronco hacia arriba.

Aspectos a considerar:

No separar las piernas de la superficie de apoyo (evitar la V).

En la posición inicial la goma elástica rodea el tronco por la espalda hasta llegar a la altura del pecho.

La posición declinada del estep dificulta el ejercicio haciéndolo más *"duro"*.

Musculatura solicitada: oblicuo externo e interno del abdomen, recto anterior del abdomen.

Descripción del ejercicio:

Posición inicial: tumbados lateralmente sobre la superficie inclinada del estep, pasamos la goma elástica por debajo de sus soportes y con las manos a la altura del pecho la agarramos por sus asas a la vez que sujetamos una mancuerna con cada mano. Con las rodillas flexionadas a 90° apoyamos el pie de la pierna que queda debajo sobre la rodilla de la pierna que queda encima.

Movimiento: realizar una flexión lateral del tronco hacia arriba.

Aspectos a considerar:

No separar las piernas de la superficie de apoyo (evitar la V).

En la posición inicial la goma elástica rodea el tronco por la espalda hasta llegar a la altura del pecho.

La posición inclinada del estep facilita el ejercicio haciéndolo más suave.

Musculatura solicitada: oblicuo externo e interno del abdomen, recto anterior del abdomen.

Descripción del ejercicio:

Posición inicial: tumbados lateralmente sobre la superficie del estep, pasamos la goma elástica por debajo de sus soportes y con las manos a la altura del pecho la sujetamos por sus asas. La barra, situada longitudinalmente al cuerpo, la apoyamos en el suelo por uno de sus extremos y por el otro la agarramos con las manos a la vez que sujetamos las asas de la goma.

Con las rodillas flexionadas a 90° apoyamos el pie de la pierna que queda debajo sobre la rodilla de la pierna que queda encima.

Movimiento: realizar una flexión lateral del tronco hacia arriba.

Aspectos a considerar:

No separar las piernas de la superficie de apoyo (evitar la V).

En la posición inicial la goma elástica rodea el tronco por la espalda hasta llegar a la altura del pecho.

Musculatura solicitada: oblicuo externo e interno del abdomen, recto anterior del abdomen.

Descripción del ejercicio:

Posición inicial: tumbados lateralmente, sobre la superficie inclinada del estep, pasamos la goma elástica por debajo de sus soportes y con las manos a la altura del pecho la sujetamos por sus asas. La

barra, situada longitudinalmente al cuerpo, la apoyamos en el suelo por uno de sus extremos y por el otro la agarramos con las manos a la vez que sujetamos las asas de la goma. Con las rodillas flexionadas a 90° apoyamos el pie de la pierna que queda debajo sobre la rodilla de la pierna que queda encima.

Movimiento: realizar una flexión lateral del tronco hacia arriba.

Aspectos a considerar:

No separar las piernas de la superficie de apoyo (evitar la V).

En la posición inicial la goma elástica rodea el tronco por la espalda hasta llegar a la altura del pecho.

La posición inclinada del estep facilita el ejercicio haciéndolo más suave.

Musculatura solicitada: oblicuo externo e interno del abdomen, recto anterior del abdomen.

Descripción del ejercicio:

Posición inicial: tumbados lateralmente, sobre la superficie declinada del estep, pasamos la goma elástica por debajo de sus soportes y con las manos a la altura del pecho la sujetamos por sus asas. La barra, situada longitudinalmente al cuerpo, la apoyamos en el suelo por uno de sus extremos y por el otro la agarramos con las manos a la vez que sujetamos las asas de la goma. Con las rodillas flexionadas a 90° apoyamos el pie de la pierna que queda debajo sobre la rodilla de la pierna que queda encima.

Movimiento: realizar una flexión lateral del tronco hacia arriba.

Aspectos a considerar:

No separar las piernas de la superficie de apoyo (evitar la V).

En la posición inicial la goma elástica rodea el tronco por la espalda hasta llegar a la altura del pecho.

La posición declinada del estep dificulta el ejercicio haciéndolo más *"duro"*.

Musculatura solicitada: recto anterior del abdomen, oblicuos externo e interno del abdomen.

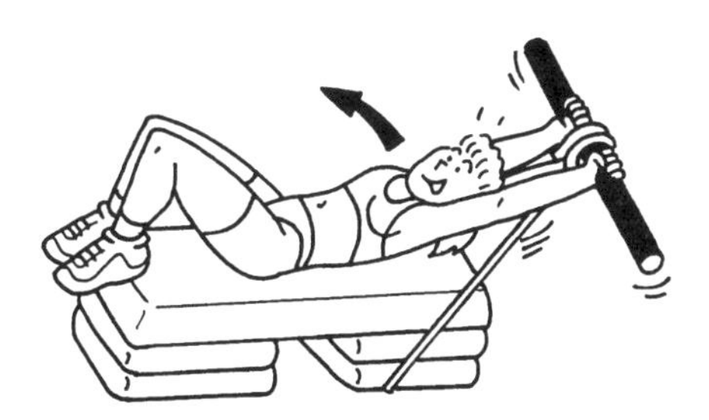

Descripción del ejercicio:

Posición inicial: tumbados boca arriba, sobre la superficie de un estep y con las rodillas flexionadas, pasamos la goma elástica por debajo de los soportes del estep y por los extremos de la barra. Con los codos extendidos por detrás de la cabeza, agarramos la barra y las asas de la goma con las manos.

Movimiento: incurvar el tronco hacia delante y volver a la posición inicial.

Aspectos a considerar:

Mantener los codos extendidos durante el movimiento.

No separar de la superficie del estep la zona lumbar.

Mantener las rodillas flexionadas y la cabeza apoyada en los brazos.

En la posición inicial, mantener la goma elástica bien tensa entre el soporte y la barra.

Musculatura solicitada: recto anterior del abdomen, oblicuos externo e interno del abdomen.

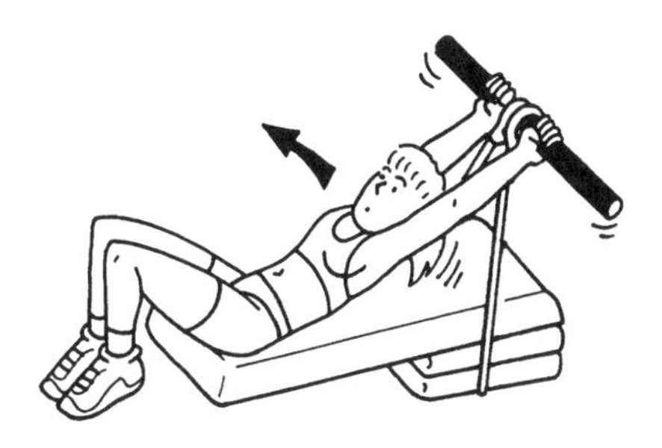

Descripción del ejercicio:

Posición inicial: tumbados boca arriba, sobre la superficie inclinada de un estep y con las rodillas flexionadas, pasamos la goma elástica por debajo de los soportes del estep y por los extremos de la barra. Con los codos extendidos, por detrás de la cabeza, agarramos la barra y las asas de la goma con las manos.

Movimiento: incurvar el tronco hacia delante y volver a la posición inicial.

Aspectos a considerar:

Mantener los codos extendidos durante el movimiento.
No separar de la superficie del estep la zona lumbar.
Mantener las rodillas flexionadas y la cabeza apoyada en los brazos.
En la posición inicial, mantener la goma elástica bien tensa entre el soporte y la barra.
La posición inclinada del estep facilita el ejercicio haciéndolo más suave.

Musculatura solicitada: recto anterior del abdomen, oblicuos externo e interno del abdomen.

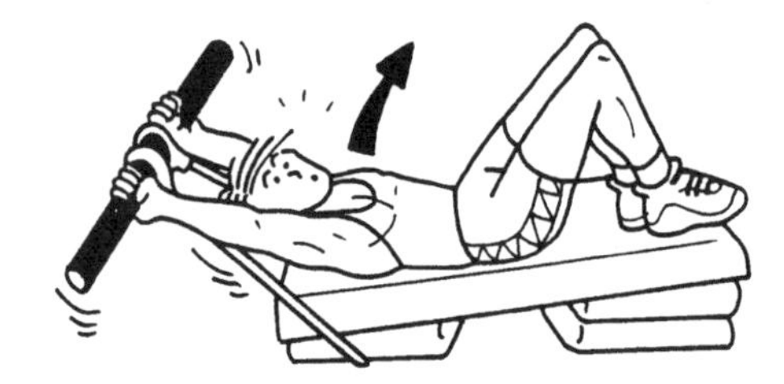

Descripción del ejercicio:

Posición inicial: tumbados boca arriba, sobre la superficie declinada de un estep y con las rodillas flexionadas, pasamos la goma elástica por debajo de los soportes del estep y por los extremos de la barra. Con los codos extendidos, por detrás de la cabeza, agarramos la barra y las asas de la goma con las manos.

Movimiento: incurvar el tronco hacia delante y volver a la posición inicial.

Aspectos a considerar:

Mantener los codos extendidos durante el movimiento.
No separar de la superficie del estep la zona lumbar.
Mantener las rodillas flexionadas y la cabeza apoyada en los brazos.
Mantener la goma elástica bien tensada entre el soporte y la barra, en la posición inicial.
La posición declinada del estep dificulta el ejercicio haciéndolo más *"duro"*.

Musculatura solicitada: recto anterior del abdomen, oblicuos externo e interno del abdomen.

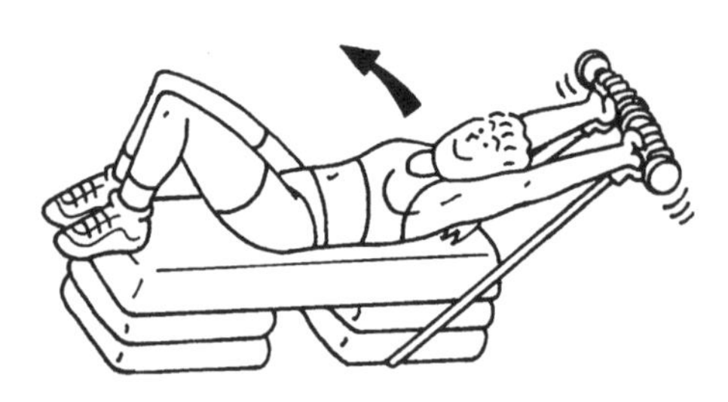

Descripción del ejercicio:

Posición inicial: tumbados boca arriba, sobre la superficie de un estep y con las rodillas flexionadas, pasamos la goma elástica por debajo de los soportes del estep y con los codos extendidos por detrás de la cabeza, agarramos con las manos las asas de la goma y las mancuernas.

Movimiento: incurvar el tronco hacia delante y volver a la posición inicial.

Aspectos a considerar:

Mantener los codos extendidos por detrás de la cabeza durante todo el movimiento.
No separar de la superficie del estep la zona lumbar.
Mantener siempre las rodillas flexionadas y la cabeza apoyada en los brazos.
En la posición inicial, mantener la goma elástica bien tensa entre el soporte y la barra.

Musculatura solicitada: recto anterior del abdomen, oblicuos externo e interno del abdomen.

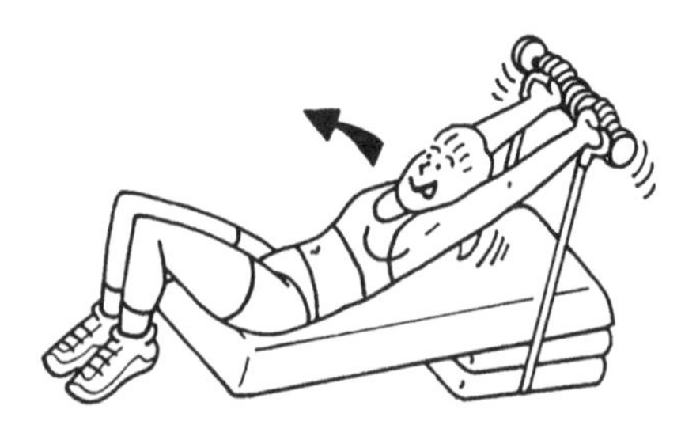

Descripción del ejercicio:

Posición inicial: tumbados boca arriba, sobre la superficie inclinada de un estep y con las rodillas flexionadas, pasamos la goma elástica por debajo de los soportes del estep y con los codos extendidos por detrás de la cabeza, agarramos con las manos las asas de la goma y las mancuernas.

Movimiento: incurvar el tronco hacia delante y volver a la posición inicial.

Aspectos a considerar:

Mantener los codos extendidos por detrás de la cabeza durante todo el movimiento.
No separar de la superficie del estep la zona lumbar.

Mantener siempre las rodillas flexionadas y la cabeza apoyada en los brazos.
En la posición inicial, mantener la goma elástica bien tensa entre el soporte y la barra.
La posición inclinada del estep facilita el ejercicio haciéndolo más suave.

Musculatura solicitada: recto anterior del abdomen, oblicuo externo e interno del abdomen.

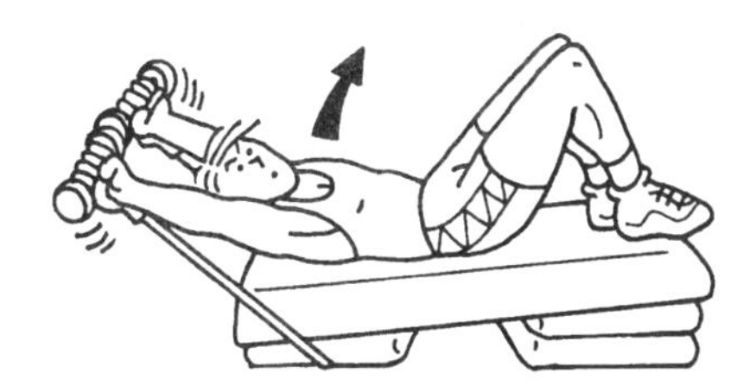

Descripción del ejercicio:
Posición inicial: tumbados boca arriba, sobre la superficie declinada de un estep y con las rodillas flexionadas, pasamos la goma elástica por debajo de los soportes del estep y con los codos extendidos por detrás de la cabeza, agarramos con las manos las asas de la goma y las mancuernas.
Movimiento: incurvar el tronco hacia delante y volver a la posición inicial.
Aspectos a considerar:
Mantener los codos extendidos por detrás de la cabeza durante todo el movimiento.
No separar de la superficie del estep la zona lumbar.
Mantener siempre las rodillas flexionadas y la cabeza apoyada en los brazos.
En la posición inicial, mantener la goma elástica bien tensa entre el soporte y la barra.
La posición declinada del estep dificulta el ejercicio haciéndolo más *"duro"*.

Ejercicios por parejas con diferentes materiales

Musculatura solicitada:
Recto anterior del abdomen, oblicuos externo e interno del abdomen.
Descripción del ejercicio:
Posición inicial: tumbados boca arriba, con las rodillas flexionadas y los codos estirados por detrás de la cabeza pasamos la goma elástica por detrás de las

piernas del compañero y con las manos la sujetamos por sus asas.
Movimiento: incurvar el tronco hacia delante y volver a la posición inicial.
Aspectos a considerar:
No separar la zona lumbar de la superficie del suelo.
Intentar que la cabeza descanse sobre los brazos.
No dar impulsos con los brazos.
En la posición inicial, mantener la goma elástica bien tensa entre el soporte y la barra.
El compañero puede pisar la goma en lugar de pasarla por detrás de sus piernas, si se prefiere.

Musculatura solicitada: recto anterior del abdomen, oblicuos externo e interno del abdomen.

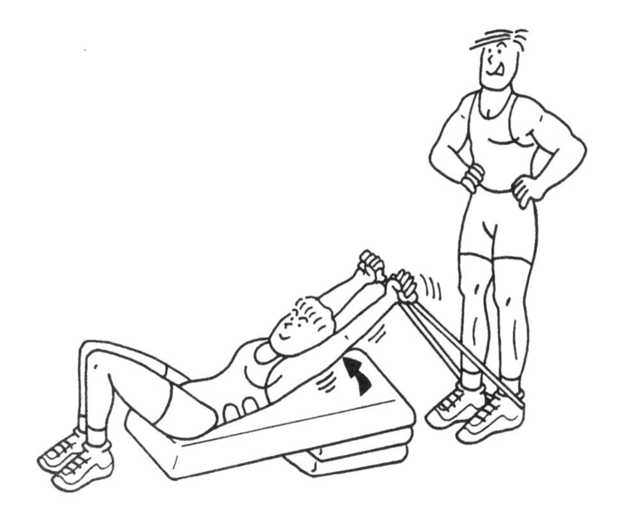

Descripción del ejercicio:
Posición inicial: tumbados boca arriba, sobre la superficie inclinada de un estep, con las rodillas flexionadas y los codos estirados por detrás de la cabeza pasamos

la goma elástica por detrás de las piernas del compañero y con las manos la sujetamos por sus asas.
Movimiento: incurvar el tronco hacia delante y volver a la posición inicial.
Aspectos a considerar:
No separar la zona lumbar de la superficie del suelo.
Intentar que la cabeza descanse sobre los brazos.
No dar impulsos con los brazos.
En la posición inicial, mantener la goma elástica bien tensa entre el soporte y la barra.
El compañero puede pisar la goma en lugar de pasarla por detrás de sus piernas, si se prefiere.
La posición inclinada del estep facilita el ejercicio haciéndolo más suave.

Musculatura solicitada: recto anterior del abdomen, oblicuos externo e interno del abdomen.

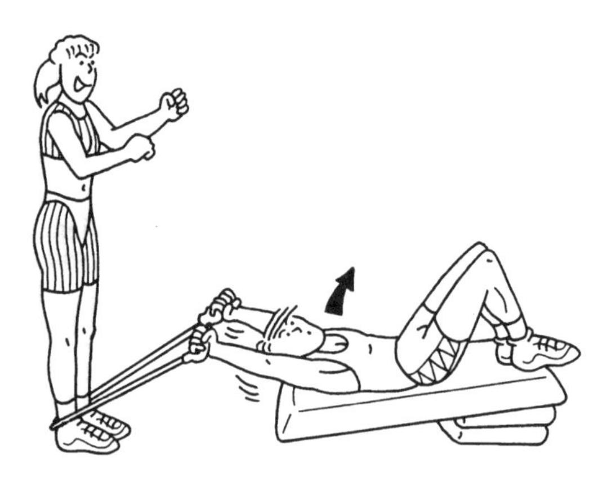

Descripción del ejercicio:
Posición inicial: tumbados boca arriba, sobre la superficie declinada de un estep, con las rodillas flexionadas y los codos estirados por detrás de la cabeza pasamos la goma elástica por detrás de las piernas del compañero y con las manos la sujetamos por sus asas.
Movimiento: incurvar el tronco hacia delante y volver a la posición inicial.
Aspectos a considerar:
No separar la zona lumbar de la superficie del suelo.
Intentar que la cabeza descanse sobre los brazos.
No dar impulsos con los brazos.
En la posición inicial, mantener la goma bien tensa entre el soporte y la barra.
El compañero puede pisar la goma en lugar de pasarla por detrás de sus piernas, si se prefiere.
La posición declinada del estep dificulta el ejercicio haciéndolo más "duro".

Musculatura solicitada: recto anterior del abdomen, oblicuos externo e interno del abdomen.

Descripción del ejercicio:
Posición inicial: tumbados boca arriba, sobre la superficie de un estep, con las rodillas flexionadas y los codos estirados por detrás de la cabeza pasamos la goma elástica por detrás de las piernas del compañero y con las manos la sujetamos por sus asas.
Movimiento: incurvar el tronco hacia delante y volver a la posición inicial.
Aspectos a considerar:
No separar la zona lumbar de la superficie del suelo.
Intentar que la cabeza descanse sobre los brazos.
No dar impulsos con los brazos.
En la posición inicial, mantener la goma elástica bien tensa entre el soporte y la barra.
El compañero puede pisar la goma en lugar de pasarla por detrás de sus piernas, si se prefiere.

Musculatura solicitada: recto anterior del abdomen, oblicuos externo e interno del abdomen.

Descripción del ejercicio:

Posición inicial: tumbados boca arriba, con las rodillas flexionadas y los codos estirados por detrás de la cabeza pasamos la banda elástica por detrás de las piernas del compañero y con las manos la sujetamos por sus extremos.

Movimiento: incurvar el tronco hacia delante y volver a la posición inicial.

Aspectos a considerar:

No separar la zona lumbar de la superficie del suelo.
Intentar que la cabeza descanse sobre los brazos.
No dar impulsos con los brazos.
En la posición inicial, mantener la goma elástica bien tensa entre el soporte y la barra.
El compañero puede pisar la banda en lugar de pasarla por detrás de sus piernas, si se prefiere.

Musculatura solicitada: recto anterior del abdomen, oblicuos externo e interno del abdomen.

Descripción del ejercicio:

Posición inicial: tumbados boca arriba, sobre la superficie inclinada de un estep, con las rodillas flexionadas y los codos estirados por detrás de la cabeza pasamos la banda elástica por detrás de las piernas del compañero y con las manos la sujetamos por sus extremos.

Movimiento: incurvar el tronco hacia delante y volver a la posición inicial.

Aspectos a considerar:

No separar la zona lumbar de la superficie del suelo.
Intentar que la cabeza descanse sobre los brazos.
No dar impulsos con los brazos.
En la posición inicial, mantener la goma elástica bien tensa entre el soporte y la barra.
El compañero puede pisar la banda en lugar de pasarla por detrás de sus piernas, si se prefiere.
La posición inclinada del estep facilita el ejercicio haciéndolo más suave.

Musculatura solicitada: recto anterior del abdomen, oblicuos externo e interno del abdomen.

Descripción del ejercicio:

Posición inicial: tumbados boca arriba, sobre la superficie declinada de un estep, con las rodillas flexionadas y los codos estirados por detrás de la cabeza pasamos la banda elástica por detrás de las piernas del compañero y con las manos la sujetamos por sus extremos.

Movimiento: incurvar el tronco hacia delante y volver a la posición inicial.

Aspectos a considerar:

No separar la zona lumbar de la superficie del suelo.
Intentar que la cabeza descanse sobre los brazos.
No dar impulsos con los brazos.
En la posición inicial, mantener la goma elástica bien tensa entre el soporte y la barra.
El compañero puede pisar la banda en lugar de pasarla por detrás de sus piernas, si se prefiere.
La posición declinada del estep dificulta el ejercicio haciéndolo más "duro".

Musculatura solicitada: recto anterior del abdomen, oblicuos externo e interno del abdomen.

Descripción del ejercicio:

Posición inicial: tumbados boca arriba, sobre la superficie de un estep, con las rodillas flexionadas y los codos estirados por detrás de la cabeza pasamos la banda elástica por detrás de las piernas del compañero y con las manos la sujetamos por sus extremos.

Movimiento: incurvar el tronco hacia delante y volver a la posición inicial.
Aspectos a considerar:
No separar la zona lumbar de la superficie del suelo.
Intentar que la cabeza descanse sobre los brazos.
No dar impulsos con los brazos.
En la posición inicial, mantener la goma bien tensa entre el soporte y la barra.
El compañero puede pisar la banda en lugar de pasarla por detrás de sus piernas, si se prefiere.

Musculatura solicitada: oblicuos externo e interno del abdomen, recto anterior del abdomen.

Descripción del ejercicio:
Posición inicial: tumbados con las rodillas flexionadas, pasamos la goma elástica bajo los pies del compañero y haciéndola pasar por debajo de los brazos la sujetamos por sus asas a la altura del pecho.
Movimiento: incurvar el tronco girándolo primero hacia un lado y luego hacia el otro.
Aspectos a considerar:
Mantener los brazos pegados al tronco durante todo el movimiento.
No separar del suelo la zona lumbar.
Mantener siempre las rodillas flexionadas y el cuello erguido, sin flexionarlo.

Musculatura solicitada: oblicuos externo e interno del abdomen, recto anterior del abdomen.

Descripción del ejercicio:
Posición inicial: tumbados, sobre un estep inclinado, con las rodillas flexionadas, pasamos la goma elástica bajo los pies del compañero y haciéndola pasar por debajo de los brazos la sujetamos por sus asas a la altura del pecho.
Movimiento: incurvar el tronco girándolo primero hacia un lado y luego hacia el otro.
Aspectos a considerar:
Mantener los brazos pegados al tronco durante todo el movimiento.
No separar del estep la zona lumbar.
Mantener siempre las rodillas flexionadas y el cuello erguido, sin flexionarlo.
La posición inclinada del estep facilita el ejercicio haciéndolo más suave.

Musculatura solicitada: oblicuos externo e interno del abdomen, recto anterior del abdomen.

Descripción del ejercicio:
Posición inicial: tumbados, sobre un estep declinado, con las rodillas flexionadas, pasamos la goma elástica bajo los pies del compañero y haciéndola pasar por debajo de los brazos la agarramos por sus asas a la altura del pecho.
Movimiento: incurvar el tronco girándolo primero hacia un lado y luego hacia el otro.

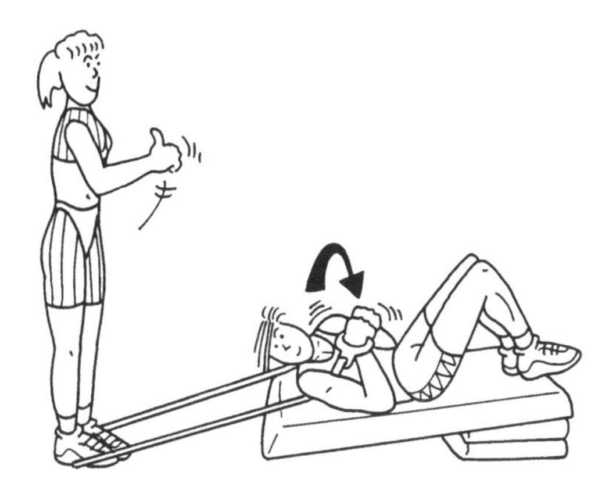

Aspectos a considerar:
Mantener los brazos pegados al tronco durante todo el movimiento.
No separar del estep la zona lumbar.
Mantener siempre las rodillas flexionadas y el cuello erguido, sin flexionarlo.
La posición declinada del estep dificulta el ejercicio haciéndolo más *"duro"*.

Musculatura solicitada: recto anterior del abdomen, oblicuos externo e interno del abdomen.

Descripción del ejercicio:
Posición inicial: tumbados sobre un estep con las rodillas flexionadas, pasamos la goma elástica bajo los pies del compañero y haciéndola pasar por debajo de los brazos la agarramos por sus asas a la altura del pecho.
Movimiento: incurvar el tronco girándolo primero hacia un lado y luego hacia el otro.
Aspectos a considerar:
Mantener los brazos pegados al tronco durante todo el movimiento.
No separar del estep la zona lumbar.
Mantener siempre las rodillas flexionadas y el cuello erguido, sin flexionarlo.

Musculatura solicitada: oblicuos externo e interno del abdomen, recto anterior del abdomen.

Descripción del ejercicio:
Posición inicial: tumbados con las rodillas flexionadas, pasamos la banda elástica por detrás de las piernas del compañero y haciéndola pasar por debajo de los brazos la agarramos por sus extremos a la altura del pecho.
Movimiento: incurvar el tronco girándolo primero hacia un lado y luego hacia el otro.
Aspectos a considerar:
Mantener los brazos pegados al tronco durante todo el movimiento.
No separar del suelo la zona lumbar.
Mantener siempre las rodillas flexionadas y el cuello erguido, sin flexionarlo.

Musculatura solicitada: oblicuos externo e interno del abdomen, recto anterior del abdomen.

Descripción del ejercicio:
Posición inicial: tumbados, sobre un estep inclinado, con las rodillas flexionadas, pasamos la banda elástica por detrás de las piernas del compañero y haciéndola pasar por debajo de los brazos la agarramos por sus extremos a la altura del pecho.
Movimiento: incurvar el tronco girándolo primero hacia un lado y luego hacia el otro.
Aspectos a considerar:
Mantener los brazos pegados al tronco durante todo el movimiento.
No separar del estep la zona lumbar.
Mantener siempre las rodillas flexionadas y el cuello erguido, sin flexionarlo.
La posición inclinada del estep facilita el ejercicio haciéndolo más suave.

Musculatura solicitada: oblicuos externo e interno del abdomen, recto anterior del abdomen.

Descripción del ejercicio:
Posición inicial: tumbados, sobre un estep declinado, con las rodillas flexionadas, pasamos la banda elástica por detrás de las piernas del compañero y haciéndola pasar por debajo de los brazos la agarramos por sus extremos a la altura del pecho.
Movimiento: incurvar el tronco girándolo primero hacia un lado y luego hacia el otro.
Aspectos a considerar:
Mantener los brazos pegados al tronco durante todo el movimiento.
No separar del estep la zona lumbar.
Mantener siempre las rodillas flexionadas y el cuello erguido, sin flexionarlo.
La posición declinada del estep dificulta el ejercicio haciéndolo más *"duro"*.

Musculatura solicitada: oblicuos externo e interno del abdomen, recto anterior del abdomen.

Descripción del ejercicio:
Posición inicial: tumbados sobre un estep con las rodillas flexionadas, pasamos la banda elástica bajo los pies del compañero y haciéndola pasar por debajo de los brazos la agarramos por sus extremos a la altura del pecho.
Movimiento: incurvar el tronco girándolo primero hacia un lado y luego hacia el otro.
Aspectos a considerar:
Mantener los brazos pegados al tronco durante todo el movimiento.
No separar del estep la zona lumbar.
Mantener siempre las rodillas flexionadas y el cuello erguido, sin flexionarlo.

Musculatura solicitada: recto anterior del abdomen, oblicuos externo e interno del abdomen.

Descripción del ejercicio:
Posición inicial: tumbados boca arriba con las rodillas flexionadas pasamos la goma elástica bajo los pies del compañero y con las manos a la altura del pecho la sujetamos por sus asas.
Movimiento: incurvar el tronco hacia delante y volver a la posición inicial.
Aspectos a considerar:
Mantener los brazos y antebrazos pegados al tronco durante todo el movimiento.
No separar del suelo la zona lumbar.
Mantener siempre las rodillas flexionadas y el cuello erguido, sin flexionarlo.

Musculatura solicitada: recto anterior del abdomen, oblicuos externo e interno del abdomen.

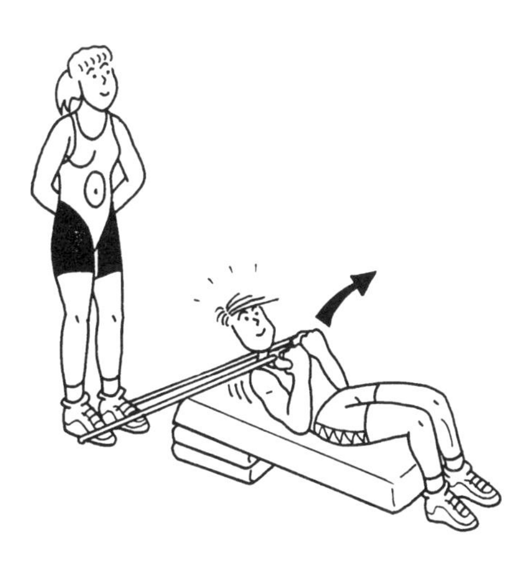

Descripción del ejercicio:
Posición inicial: tumbados boca arriba, sobre el estep inclinado, con las rodillas flexionadas pasamos la goma elástica bajo los pies del compañero y con las manos a la altura del pecho la sujetamos por sus asas.
Movimiento: incurvar el tronco hacia delante y volver a la posición inicial.
Aspectos a considerar:
Mantener los brazos y antebrazos pegados al tronco durante el movimiento.
No separar de la superficie del estep la zona lumbar.
Mantener siempre las rodillas flexionadas y el cuello erguido, sin flexionarlo.
La posición inclinada del estep facilita el ejercicio haciéndolo más suave.

Musculatura solicitada: recto anterior del abdomen, oblicuos externo e interno del abdomen.

Descripción del ejercicio:
Posición inicial: tumbados boca arriba, sobre el estep, con las rodillas flexionadas pasamos la goma elástica bajo los pies del compañero y con las manos a la altura del pecho la agarramos por sus asas.
Movimiento: incurvar el tronco hacia delante y volver a la posición inicial.
Aspectos a considerar:
Mantener los brazos y antebrazos pegados al tronco durante el movimiento.
No separar de la superficie del estep la zona lumbar.
Mantener siempre las rodillas flexionadas y el cuello erguido, sin flexionarlo.
La posición declinada del estep dificulta el ejercicio haciéndolo más *"duro"*.

Musculatura solicitada: recto anterior del abdomen, oblicuos externo e interno del abdomen.

Descripción del ejercicio:
Posición inicial: tumbados boca arriba, sobre el estep, con las rodillas flexionadas, pasamos la goma elástica

bajo los pies del compañero y con las manos a la altura del pecho la agarramos por sus asas.

Movimiento: incurvar el tronco hacia delante y volver a la posición inicial.

Aspectos a considerar:

Mantener los brazos y antebrazos pegados al tronco durante el movimiento.

No separar de la superficie del estep la zona lumbar.

Mantener siempre las rodillas flexionadas y el cuello erguido, sin flexionarlo.

Musculatura solicitada: recto anterior del abdomen, oblicuos externo e interno del abdomen.

Descripción del ejercicio:

Posición inicial: tumbados boca arriba, con las rodillas flexionadas pasamos la banda elástica bajo los pies del compañero y con las manos a la altura del pecho la agarramos por sus extremos.

Movimiento: incurvar el tronco hacia delante y volver a la posición inicial.

Aspectos a considerar:

Mantener los brazos y antebrazos pegados al tronco durante todo el movimiento.

No separar del suelo la zona lumbar.

Mantener siempre las rodillas flexionadas y el cuello erguido, sin flexionarlo.

Musculatura solicitada: recto anterior del abdomen, oblicuos externo e interno del abdomen.

Descripción del ejercicio:

Posición inicial: tumbados boca arriba, sobre el estep inclinado, con las rodillas flexionadas pasamos la banda elástica por detrás de las piernas del

compañero y con las manos a la altura del pecho la agarramos por sus extremos.

Movimiento: incurvar el tronco hacia delante y volver a la posición inicial.

Aspectos a considerar:

Mantener los brazos y antebrazos pegados al tronco durante el movimiento.

No separar de la superficie del estep la zona lumbar.

Mantener siempre las rodillas flexionadas y el cuello erguido, sin flexionarlo.

La posición inclinada del estep facilita el ejercicio haciéndolo más suave.

Musculatura solicitada: recto anterior del abdomen, oblicuos externo e interno del abdomen.

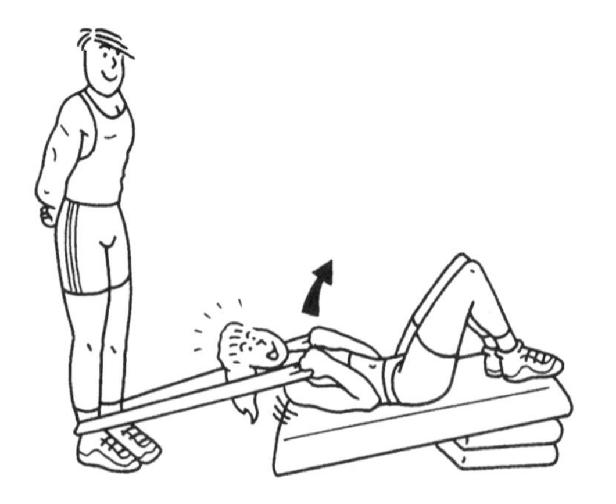

Descripción del ejercicio:

Posición inicial: tumbados boca arriba, sobre el estep declinado, con las rodillas flexionadas pasamos la banda elástica por detrás de las piernas del compañero y con las manos a la altura del pecho la agarramos por sus extremos.

Movimiento: incurvar el tronco hacia delante y volver a la posición inicial.

Aspectos a considerar:

Mantener los brazos y antebrazos pegados al tronco durante el movimiento.

No separar de la superficie del estep la zona lumbar.

Mantener siempre las rodillas flexionadas y el cuello erguido, sin flexionarlo.

La posición declinada del estep dificulta el ejercicio haciéndolo más "*duro*".

Musculatura solicitada: recto anterior del abdomen, oblicuos externo e interno del abdomen.

Descripción del ejercicio:

Posición inicial: tumbados boca arriba, sobre el estep, con las rodillas flexionadas, pasamos la banda elástica bajo los pies del compañero y con las manos a la altura del pecho la agarramos por sus extremos.

Movimiento: incurvar el tronco hacia delante y volver a la posición inicial.

Aspectos a considerar:

Mantener los brazos y antebrazos pegados al tronco durante el movimiento.

No separar de la superficie del estep la zona lumbar.

Mantener siempre las rodillas flexionadas y el cuello erguido, sin flexionarlo.

Musculatura solicitada: recto anterior del abdomen (localizado en su zona inferior), oblicuos externo e interno del abdomen.

Descripción del ejercicio:

Posición inicial: tumbados boca arriba con las rodillas flexionadas y los muslos lo más próximos al tronco, enrollamos la goma elástica en los pies. El compañero situado delante nuestro sujeta la goma elástica por sus asas.

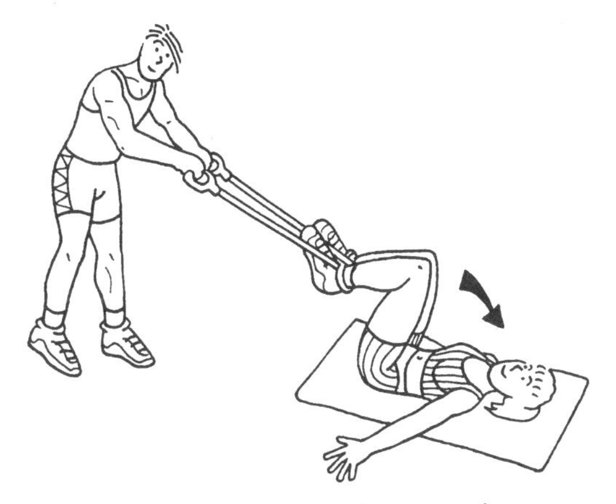

Movimiento: incurvar el tronco llevando las rodillas en dirección al pecho.

Aspectos a considerar:

Mantener la zona lumbar en contacto con la superficie del suelo.

Separar ligeramente los brazos del cuerpo.

Mantener los talones lo más próximos posible a los glúteos durante todo el movimiento.

Mantener la goma elástica bien tensa en la posición inicial.

Musculatura solicitada: recto anterior del abdomen (localizado en su zona inferior), oblicuos externos e interno del abdomen.

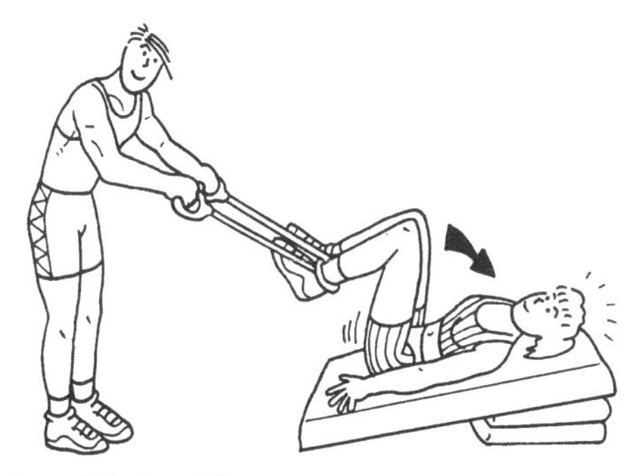

Descripción del ejercicio:

Posición inicial: tumbados boca arriba, sobre un estep inclinado, con las rodillas flexionadas y los muslos lo más próximos al tronco, enrollamos la goma elástica en los pies. El compañero situado delante nuestro sujeta la goma elástica por sus asas.

Movimiento: incurvar el tronco llevando las rodillas en dirección al pecho.

Aspectos a considerar:

Mantener la zona lumbar en contacto con la superficie del suelo.

Sujetarse con las manos al estep.
Mantener los talones lo más próximos posible a los glúteos durante todo el movimiento.
Mantener la goma elástica bien tensa en la posición inicial.
La posición inclinada del estep dificulta el ejercicio haciéndolo más "duro".

Musculatura solicitada: recto anterior del abdomen (localizado en su zona inferior), oblicuos externo e interno del abdomen.

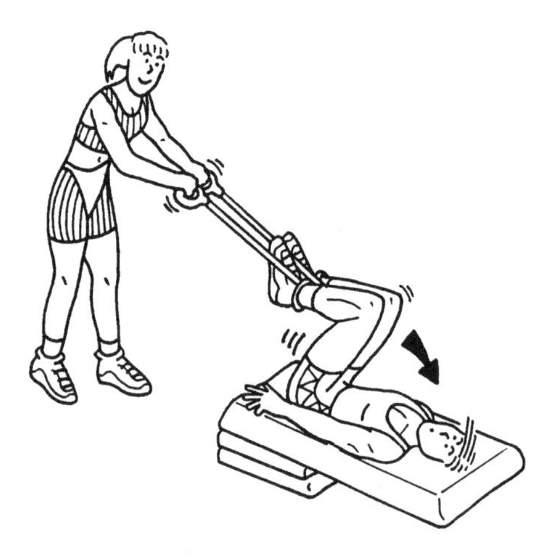

Descripción del ejercicio:
Posición inicial: tumbados boca arriba, sobre un estep declinado, con las rodillas flexionadas y los muslos lo más próximos al tronco, enrollamos la goma elástica en los pies. El compañero situado delante nuestro sujeta la goma elástica por sus asas.
Movimiento: incurvar el tronco llevando las rodillas en dirección al pecho.
Aspectos a considerar:
Mantener la zona lumbar en contacto con la superficie del suelo.
Sujetarse con las manos al estep.
Mantener los talones lo más próximos posible a los glúteos durante todo el movimiento.
Mantener la goma elástica bien tensa en la posición inicial.
La posición declinada del estep facilita el ejercicio haciéndolo más suave.

Musculatura solicitada: recto anterior del abdomen (localizado en su zona inferior), oblicuos externo e interno del abdomen.

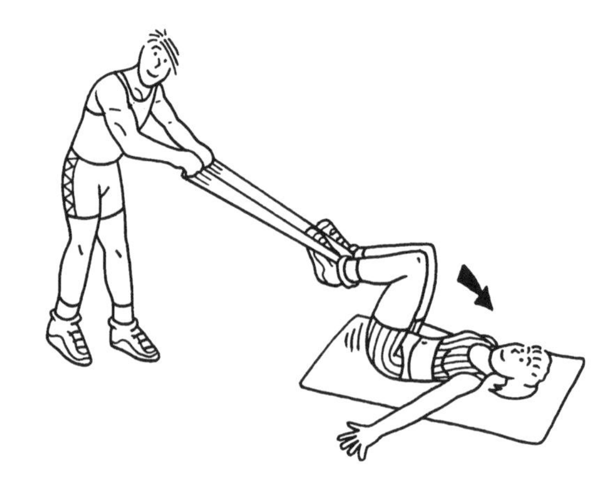

Descripción del ejercicio:
Posición inicial: tumbados boca arriba con las rodillas flexionadas y los muslos lo más próximos al tronco, enrollamos la banda elástica en los pies. El compañero situado delante nuestro sujeta la banda elástica por sus extremos.
Movimiento: incurvar el tronco llevando las rodillas en dirección al pecho.
Aspectos a considerar:
Mantener la zona lumbar en contacto con la superficie del suelo.
Separar ligeramente los brazos del cuerpo.
Mantener los talones lo más próximos posible a los glúteos durante todo el movimiento.
Mantener la banda elástica bien tensa en la posición inicial.

Musculatura solicitada: recto anterior del abdomen (localizado en su zona inferior), oblicuos externo e interno del abdomen.

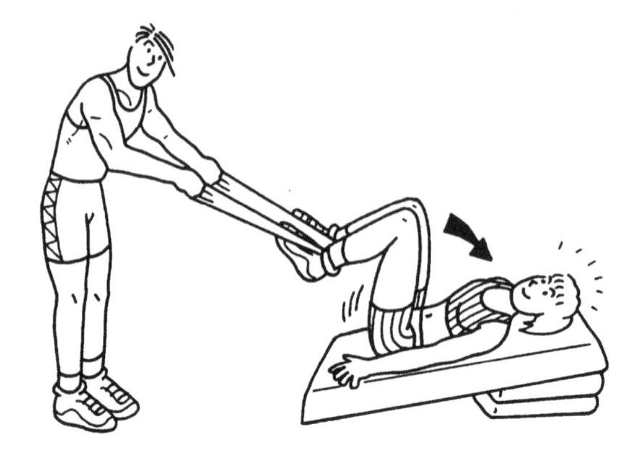

Descripción del ejercicio:
Posición inicial: tumbados boca arriba, sobre un estep inclinado, con las rodillas flexionadas y los muslos lo

más próximos al tronco, enrollamos la banda elástica en los pies. El compañero situado delante nuestro sujeta la banda elástica por sus extremos.
Movimiento: incurvar el tronco llevando las rodillas en dirección al pecho.
Aspectos a considerar:
Mantener la zona lumbar en contacto con la superficie del suelo.
Sujetarse con las manos al estep.
Mantener los talones lo más próximos posible a los glúteos durante todo el movimiento.
Mantener la banda elástica bien tensa en la posición inicial.
La posición inclinada del estep dificulta el ejercicio haciéndolo más "duro".

Musculatura solicitada: recto anterior del abdomen (localizado en su zona inferior), oblicuos externo e interno del abdomen.

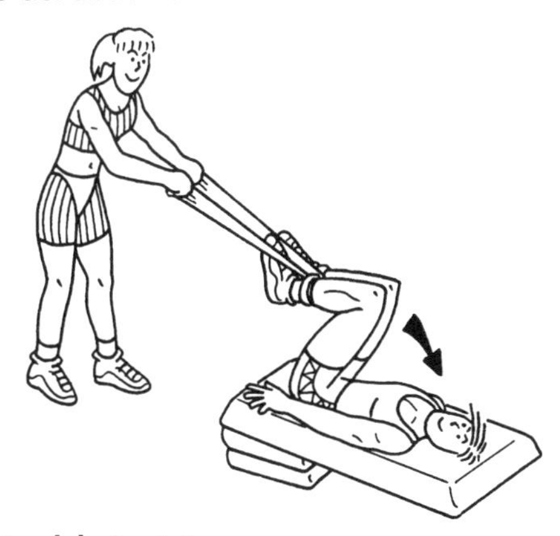

Descripción del ejercicio:
Posición inicial: tumbados boca arriba, sobre un estep declinado, con las rodillas flexionadas y los muslos lo más próximos al tronco, enrollamos la banda elástica en los pies. El compañero situado delante nuestro sujeta la banda elástica por sus extremos.
Movimiento: incurvar el tronco llevando las rodillas en dirección al pecho.
Aspectos a considerar:
Mantener la zona lumbar en contacto con la superficie del suelo.
Sujetarse con las manos al estep.
Mantener los talones lo más próximos posible a los glúteos durante todo el movimiento.
Mantener la banda elástica bien tensa en la posición inicial.
La posición declinada del estep facilita el ejercicio haciéndolo más suave.

Musculatura solicitada: recto anterior del abdomen, oblicuos externo e interno del abdomen.

Descripción del ejercicio:
Posición inicial: de rodillas, sentados sobre los talones y de espaldas al compañero agarramos, con las manos, las asas de la goma elástica a la altura de la base del cuello. El compañero, por detrás sujeta la goma elástica por su punto medio, ofreciendo resistencia.
Movimiento: incurvar el tronco hacia delante y hacia abajo.
Aspectos a considerar:
No hacer el movimiento con el tronco recto, procurar incurvarlo.
Mantener la posición de sentados sobre los talones durante todo el movimiento.
La intensidad del ejercicio dependerá, entre otros factores, de la resistencia que ejerza el compañero con la goma elástica.

Musculatura solicitada: recto anterior del abdomen, oblicuos externo e interno del abdomen.

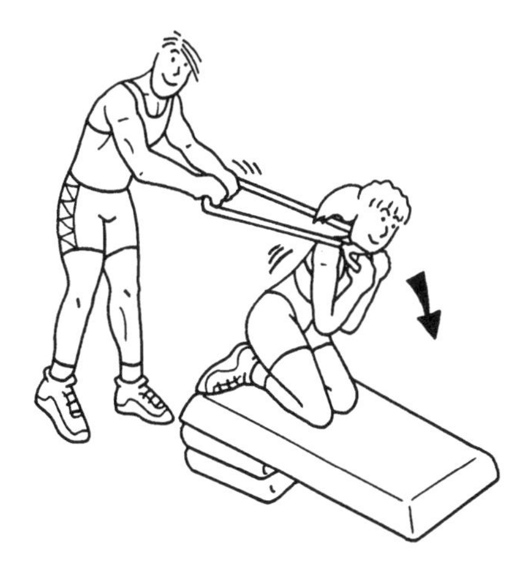

Descripción del ejercicio:
Posición inicial: de rodillas, sentados en los talones, sobre un estep declinado y de espaldas al compañero agarramos, con las manos, las asas de la goma elástica a la altura de la base del cuello. El compañero, por detrás, sujeta la goma elástica por su punto medio, ofreciendo resistencia.
Movimiento: incurvar el tronco hacia delante y hacia abajo.
Aspectos a considerar:
No hacer el movimiento con el tronco recto, procurar incurvarlo.
Mantener la posición de sentados sobre los talones durante todo el movimiento.
La intensidad del ejercicio, en este caso, es menor puesto que el estep se coloca en posición declinada.

Musculatura solicitada: recto anterior del abdomen, oblicuos externo e interno del abdomen.

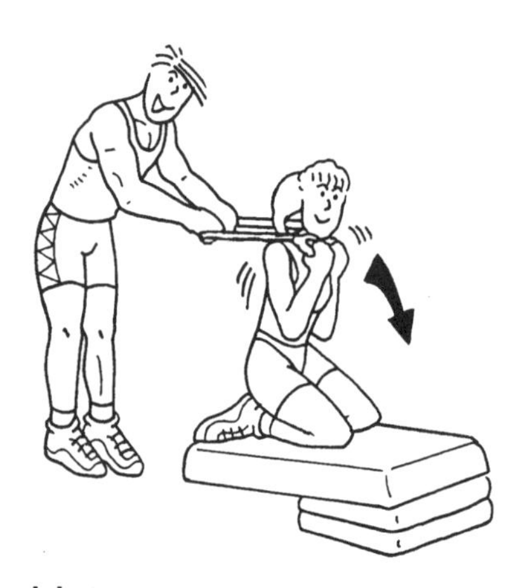

Descripción del ejercicio:
Posición inicial: de rodillas, sentados en los talones, sobre un estep inclinado y de espaldas al compañero agarramos, con las manos, las asas de la goma elástica a la altura de la base del cuello. El compañero, por detrás, sujeta la goma elástica por su punto medio, ofreciendo resistencia.
Movimiento: incurvar el tronco hacia delante y hacia abajo.
Aspectos a considerar:
No hacer el movimiento con el tronco recto, procurar incurvarlo.
Mantener la posición de sentados sobre los talones durante todo el movimiento.
La intensidad del ejercicio, en este caso, es mayor puesto que el estep se coloca en posición inclinada.

Musculatura solicitada: recto anterior del abdomen, oblicuos externo e interno del abdomen.

Descripción del ejercicio:
Posición inicial: de rodillas, sentados sobre los talones y de espaldas al compañero agarramos, con las manos, los extremos de la banda elástica a la altura de la base del cuello. El compañero, por detrás, sujeta la banda elástica por su punto medio, ofreciendo resistencia.
Movimiento: incurvar el tronco hacia delante y hacia abajo.
Aspectos a considerar:
No hacer el movimiento con el tronco recto, procurar incurvarlo.
Mantener la posición de sentados sobre los talones durante todo el movimiento.
La intensidad del ejercicio dependerá, entre otros factores, de la resistencia que ejerza el compañero con la banda elástica.

Musculatura solicitada: recto anterior del abdomen, oblicuos externo e interno del abdomen.

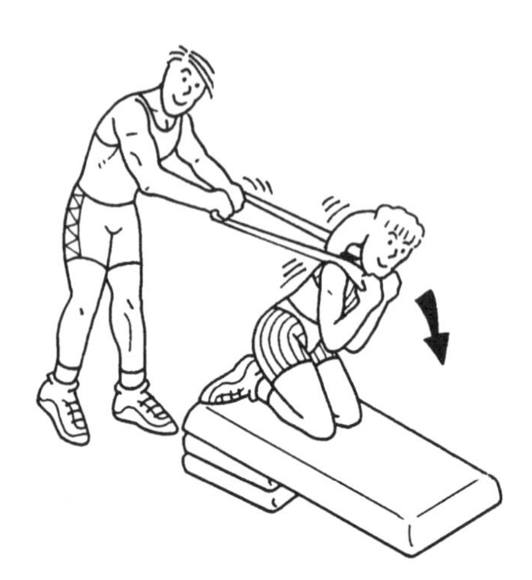

Descripción del ejercicio:
Posición inicial: de rodillas, sentados en los talones, sobre un estep inclinado y de espaldas al compañero agarramos, con las manos, los extremos de la banda elástica a la altura de la base del cuello. El compañero, por detrás, sujeta la banda elástica por su punto medio, ofreciendo resistencia.
Movimiento: incurvar el tronco hacia delante y hacia abajo.
Aspectos a considerar:
No hacer el movimiento con el tronco recto, procurar incurvarlo.
Mantener la posición de sentados sobre los talones durante todo el movimiento.
La intensidad del ejercicio, en este caso, es menor dado que el estep se coloca en posición inclinada.

Musculatura solicitada: recto anterior del abdomen, oblicuos externo e interno del abdomen.

Descripción del ejercicio:
Posición inicial: de rodillas, sentados en los talones, sobre un estep declinado y de espaldas al compañero agarramos, con las manos, los extremos de la banda elástica a la altura de la base del cuello. El compañero, por detrás, sujeta la banda elástica por su punto medio, ofreciendo resistencia.
Movimiento: incurvar el tronco hacia delante y hacia abajo.
Aspectos a considerar:
No hacer el movimiento con el tronco recto, procurar incurvarlo.
Mantener la posición de sentados sobre los talones durante todo el movimiento.
La intensidad del ejercicio, en este caso, es mayor puesto que el estep se coloca en posición declinada.

Músculos extensores del tronco

Cuadrado lumbar y paravertebrales

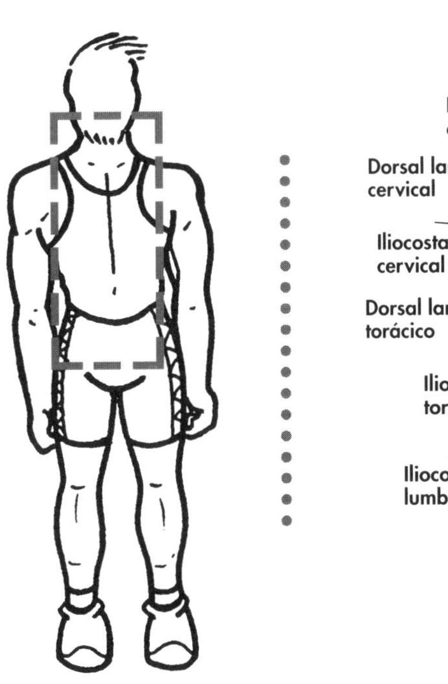

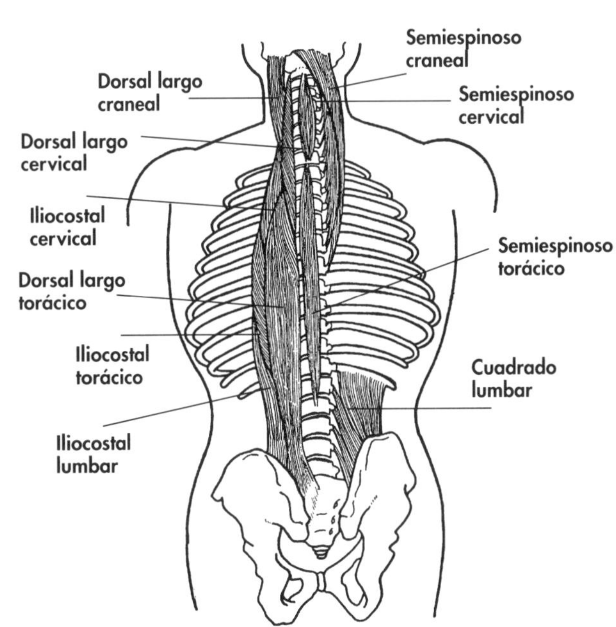

GRUPO MUSCULAR:

Músculos extensores del tronco. Cuadrado lumbar y paravertebrales

Ejercicios con gomas elásticas

Musculatura solicitada: extensor de la columna vertebral (iliocostal, dorsal largo, semiespinoso), cuadrado lumbar.

Descripción del ejercicio:
Posición inicial: sentados con las rodillas flexionadas y con las caderas rotadas hacia el exterior, enrollamos la goma elástica en los pies; con el tronco y los codos flexionados al máximo la agarramos por sus asas a la altura del pecho.
Movimiento: incurvar el tronco extendiéndolo progresivamente, hasta quedar en posición erecta (con el tronco totalmente perpendicular a la superficie de apoyo).
Aspectos a considerar:
En la posición inicial es muy importante partir de una postura en la que el tronco esté flexionado al máximo. Esta máxima flexión dependerá de la flexibilidad coxo-femoral de cada sujeto.
Cuanto más flexionado esté el tronco, en la posición inicial, más largo será el recorrido del ejercicio y mayor, por tanto, su efectividad.

Musculatura solicitada: extensor de la columna vertebral (iliocostal, dorsal largo, semiespinoso), cuadrado lumbar.

Descripción del ejercicio:
Posición inicial: sentados, frente a la espaldera, con las rodillas flexionadas, pasamos la goma elástica por detrás de uno de sus barrotes y con las manos la agarramos por sus asas. Los brazos, con los codos extendidos permanecen ligeramente inclinados hacia arriba (flexión del hombro).
Movimiento: incurvar el tronco extendiéndolo progresivamente, hasta que la espalda se apoye completamente en el suelo.
Aspectos a considerar:
Es conveniente que la goma elástica pase por detrás de un barrote de la espaldera, que quede elevado por encima de la línea de los hombros del sujeto, de manera que brazos y goma elástica formen una misma línea.
Mantener los codos extendidos durante todo el movimiento.

Musculatura solicitada: extensor de la columna vertebral (iliocostal, dorsal largo, semiespinoso), cuadrado lumbar.

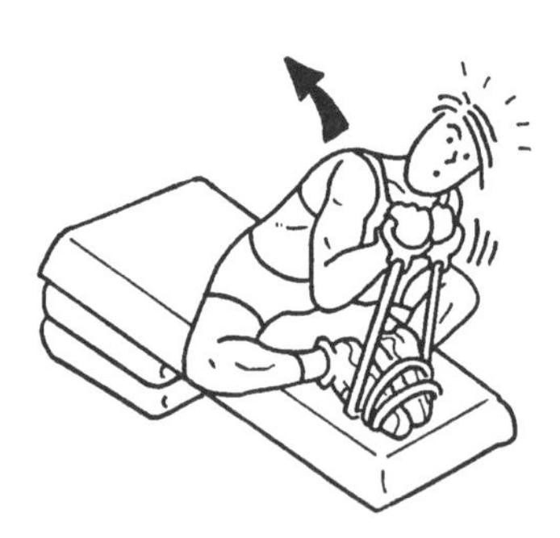

Descripción del ejercicio:
Posición inicial: sentados, sobre la superficie de un estep inclinado, con las rodillas flexionadas y con las caderas rotadas hacia el exterior, enrollamos la goma elástica en los pies y con el tronco y los codos flexionados al máximo la agarramos por sus asas a la altura del pecho.
Movimiento: incurvar el tronco extendiéndolo progresivamente, hasta sobrepasar ligeramente la posición erecta del tronco (buscar la perpendicularidad del tronco respecto al suelo, no respecto a la superficie del estep).
Aspectos a considerar:
En la posición inicial es muy importante partir de una postura en la que el tronco esté flexionado al máximo.
La posición inclinada del estep permite realizar un recorrido más largo en el movimiento (gracias a que podemos sobrepasar, sin peligro, la posición erecta

del tronco), de manera que aumenta la efectividad del ejercicio.

Musculatura solicitada: extensor de la columna vertebral (iliocostal, dorsal largo, semiespinoso), cuadrado lumbar.

Descripción del ejercicio:
Posición inicial: sentados, frente a la espaldera, sobre la superficie de un estep declinado y con las rodillas flexionadas, pasamos la goma elástica por detrás de uno de los barrotes de la espaldera y con las manos la agarramos por sus asas. Los brazos, con los codos extendidos, permanecen ligeramente inclinados hacia arriba (flexión del hombro).
Movimiento: incurvar el tronco extendiéndolo progresivamente, hasta que la espalda se apoye completamente en la superficie del estep.
Aspectos a considerar:
Es conveniente que la goma elástica pase por detrás de un barrote de la espaldera que quede elevado por encima de la línea de los hombros del sujeto, de manera que brazos y goma elástica formen una misma línea.
La posición inclinada del estep permite un mayor recorrido, haciendo que el ejercicio sea más completo.

Ejercicios con bandas elásticas

Musculatura solicitada: extensor de la columna vertebral (iliocostal, dorsal largo, semiespinoso), cuadrado lumbar.

Descripción del ejercicio:
Posición inicial: sentados con las rodillas flexionadas y con las caderas rotadas hacia el exterior, enrollamos la banda elástica en los pies y con el tronco y los codos flexionados al máximo la sujetamos por sus extremos a la altura del pecho.
Movimiento: incurvar el tronco extendiéndolo progresivamente, hasta quedar en posición erecta (con el tronco totalmente perpendicular a la superficie de apoyo).
Aspectos a considerar:
En la posición inicial es muy importante partir de una postura en la que el tronco esté flexionado al máximo. Esta máxima flexión dependerá de la flexibilidad coxo-femoral de cada sujeto.
Cuanto más flexionado esté el tronco, en la posición inicial, más largo será el recorrido del ejercicio y mayor, por tanto, su efectividad.

Musculatura solicitada: extensor de la columna vertebral (iliocostal, dorsal largo, semiespinoso), cuadrado lumbar.

Descripción del ejercicio:
Posición inicial: sentados, frente a la espaldera, con las rodillas flexionadas, pasamos la banda elástica por detrás de uno de sus barrotes y con las manos la agarramos por sus extremos. Los brazos, con los codos extendidos permanecen ligeramente inclinados hacia arriba (flexión del hombro).

Movimiento: incurvar el tronco extendiéndolo progresivamente, hasta que la espalda apoye completamente en el suelo.

Aspectos a considerar:

Es conveniente que la banda elástica pase por detrás de un barrote de la espaldera que quede elevado por encima de la línea de los hombros del sujeto, de manera que brazos y banda elástica formen una misma línea.

Mantener los codos extendidos durante todo el movimiento.

Musculatura solicitada: extensor de la columna vertebral (iliocostal, dorsal largo, semiespinoso), cuadrado lumbar.

Descripción del ejercicio:

Posición inicial: sentados, sobre la superficie de un estep inclinado, con las rodillas flexionadas y con las caderas rotadas hacia el exterior, enrollamos la banda elástica en los pies y con el tronco y los codos flexionados al máximo la sujetamos por sus extremos a la altura del pecho.

Movimiento: incurvar el tronco extendiéndolo progresivamente, hasta sobrepasar ligeramente la posición erecta del tronco (buscar la perpendicularidad del tronco respecto al suelo, no respecto a la superficie del estep).

Aspectos a considerar:

En la posición inicial es muy importante partir de una postura en la que el tronco esté flexionado al máximo. La posición inclinada del estep permite realizar un recorrido más largo en el movimiento (gracias a que podemos sobrepasar, sin peligro, la posición erecta del tronco), de manera que aumenta la efectividad del ejercicio.

Musculatura solicitada: extensor de la columna vertebral (iliocostal, dorsal largo, semiespinoso), cuadrado lumbar.

Descripción del ejercicio:

Posición inicial: sentados, frente a la espaldera, sobre la superficie de un estep inclinado y con las rodillas flexionadas, pasamos la banda elástica por detrás de uno de los barrotes de la espaldera y con las manos la sujetamos por sus extremos. Los brazos, con los codos extendidos, permanecen ligeramente inclinados hacia arriba (flexión del hombro).

Movimiento: incurvar el tronco extendiéndolo progresivamente, hasta que la espalda se apoye completamente en la superficie del estep.

Aspectos a considerar:

Es conveniente que la banda elástica pase por detrás de un barrote de la espaldera que quede elevado por encima de la línea de los hombros del sujeto, de manera que brazos y banda elástica formen una misma línea.

La posición inclinada del estep permite un mayor recorrido, haciendo que el ejercicio sea más completo.

Ejercicios con mancuernas

Musculatura solicitada: extensor de la columna vertebral (iliocostal, dorsal largo, semiespinoso), cuadrado lumbar.

Descripción del ejercicio:

Posición inicial: sentados, con las rodillas flexionadas y las caderas rotadas hacia el exterior, agarramos las mancuernas con las manos y con los codos flexionados pegamos los brazos al cuerpo.

Movimiento: incurvar el tronco extendiéndolo progresivamente, hasta quedar en posición erecta (con el tronco totalmente perpendicular a la superficie de apoyo).

Aspectos a considerar:

En la posición inicial es muy importante partir de una postura en la que el tronco esté flexionado al máximo. Esta máxima flexión dependerá de la flexibilidad coxo-femoral de cada sujeto.

Cuanto más flexionado esté el tronco en la posición inicial, más largo será el recorrido del ejercicio y mayor, por tanto, su efectividad.

Musculatura solicitada: extensor de la columna vertebral (iliocostal, dorsal largo, semiespinoso), cuadrado lumbar.

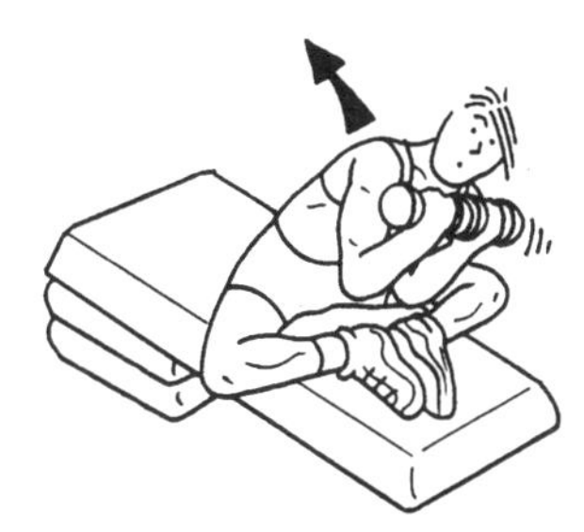

Descripción del ejercicio:

Posición inicial: sentados, sobre la superficie inclinada de un estep, con las rodillas flexionadas y las caderas rotadas hacia el exterior, agarramos las mancuernas con las manos y con los codos flexionados pegamos los brazos al cuerpo.

Movimiento: incurvar el tronco extendiéndolo progresivamente, hasta sobrepasar ligeramente la posición erecta del tronco (buscar la perpendicularidad del tronco respecto al suelo, no respecto a la superficie del estep).

Aspectos a considerar:

En la posición inicial es muy importante partir de una postura en la que el tronco esté flexionado al máximo. Esta máxima flexión dependerá de la flexibilidad coxo-femoral de cada sujeto.

Cuanto más flexionado esté el tronco en la posición inicial, más largo será el recorrido del ejercicio y mayor, por tanto, su efectividad.

Ejercicios con barra

Musculatura solicitada: extensor de la columna vertebral (iliocostal, dorsal largo, semiespinoso), cuadrado lumbar.

Descripción del ejercicio:

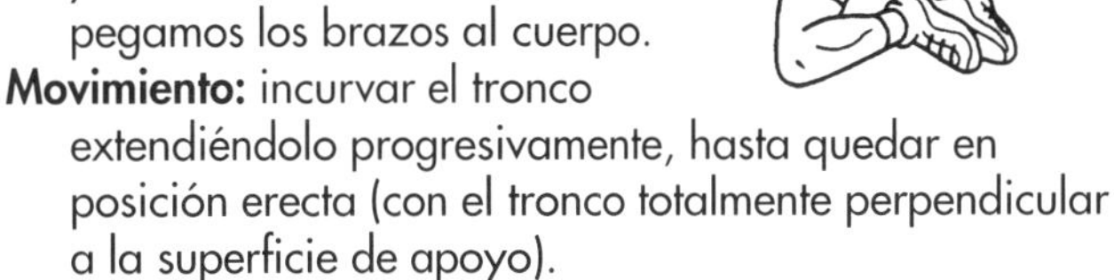

Posición inicial: sentados, con las rodillas flexionadas y las caderas rotadas hacia el exterior, sujetamos la barra con las manos y con los codos flexionados pegamos los brazos al cuerpo.

Movimiento: incurvar el tronco extendiéndolo progresivamente, hasta quedar en posición erecta (con el tronco totalmente perpendicular a la superficie de apoyo).

Aspectos a considerar:

En la posición inicial es muy importante partir de una postura en la que el tronco esté flexionado al máximo. Esta máxima flexión dependerá de la flexibilidad coxo-femoral de cada sujeto.

Cuanto más flexionado esté el tronco en la posición inicial, más largo será el recorrido del ejercicio y mayor, por tanto, su efectividad.

Musculatura solicitada: extensor de la columna vertebral (iliocostal, dorsal largo, semiespinoso), cuadrado lumbar.

Descripción del ejercicio:

Posición inicial: sentados, sobre la superficie inclinada de un estep, con las rodillas flexionadas y las caderas rotadas hacia el exterior, agarramos la barra con las manos y con los codos flexionados pegamos los brazos al cuerpo.

Movimiento: incurvar el tronco extendiéndolo progresivamente, hasta sobrepasar ligeramente la posición erecta del tronco (buscar la perpendicularidad del tronco respecto al suelo, no respecto a la superficie del estep).

Aspectos a considerar:

En la posición inicial es muy importante partir de una postura en la que el tronco esté flexionado al máximo. Esta máxima flexión dependerá de la flexibilidad coxo-femoral de cada sujeto.

Cuanto más flexionado esté el tronco en la posición inicial, más largo será el recorrido del ejercicio y mayor, por tanto, su efectividad.

Ejercicios combinados con diferentes materiales

Musculatura solicitada: extensor de la columna vertebral (iliocostal, dorsal largo, semiespinoso), cuadrado lumbar.

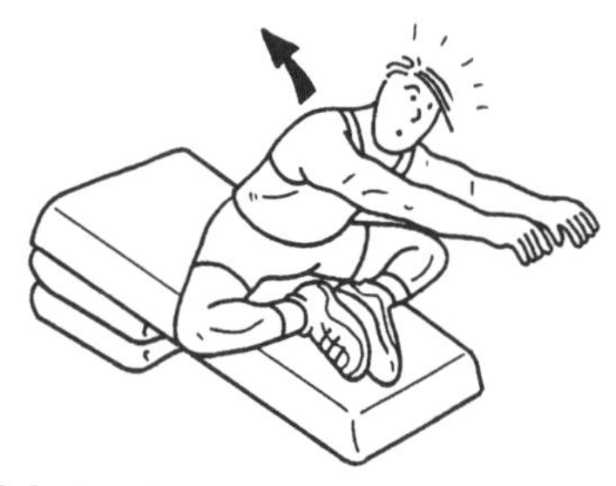

Descripción del ejercicio:
Posición inicial: sentados, sobre la superficie de un estep inclinado, con las rodillas flexionadas y las caderas rotadas hacia el exterior, inclinamos el tronco hacia delante (flexionado) manteniendo los codos extendidos y los hombros flexionados.
Movimiento: incurvar el tronco extendiéndolo progresivamente, hasta sobrepasar ligeramente la posición erecta del tronco (buscar la perpendicularidad del tronco respecto al suelo, no respecto a la superficie del estep).
Aspectos a considerar:
Mantener los codos extendidos para hacer el ejercicio más intenso.
Cuanto más flexionado esté el tronco en la posición inicial, más largo será el recorrido del ejercicio y mayor, por tanto, su efectividad.
Si se prefiere un ejercicio menos intenso, flexionar los codos y juntar los brazos al tronco.

Musculatura solicitada: extensor de la columna vertebral (iliocostal, dorsal largo, semiespinoso), cuadrado lumbar.

Descripción del ejercicio:
Posición inicial: sentados con las rodillas flexionadas y con las caderas rotadas hacia el exterior, enrollamos la goma elástica en los pies y pasamos sus asas por los extremos de la barra. Con el tronco y los codos flexionados al máximo agarramos la barra y las asas de la goma a la altura del pecho.
Movimiento: incurvar el tronco extendiéndolo progresivamente, hasta quedar en posición erecta (con el tronco totalmente perpendicular a la superficie de apoyo).
Aspectos a considerar:
En la posición inicial es muy importante partir de una postura en la que el tronco esté flexionado al máximo. Cuanto más flexionado esté el tronco en la posición inicial, más largo será el recorrido del ejercicio y mayor, por tanto, su efectividad.

Musculatura solicitada: extensor de la columna vertebral (iliocostal, dorsal largo, semiespinoso), cuadrado lumbar.

Descripción del ejercicio:
Posición inicial: sentados frente a la espaldera, con las rodillas flexionadas, fijamos la goma elástica en uno de sus barrotes y pasamos sus asas por los extremos de la barra. Con las manos, agarramos la barra y las asas de la goma, manteniendo los codos extendidos con los brazos ligeramente inclinados hacia arriba (flexión del hombro).
Movimiento: incurvar el tronco extendiéndolo progresivamente, hasta que la espalda se apoye completamente en el suelo.
Aspectos a considerar:
Es conveniente que la goma elástica pase por detrás de un barrote de la espaldera que quede elevado por encima de la línea de los hombros del sujeto, de manera que brazos y goma elástica formen una misma línea.
Mantener los codos extendidos durante todo el movimiento.

Musculatura solicitada: extensor de la columna vertebral (iliocostal, dorsal largo, semiespinoso), cuadrado lumbar.

Descripción del ejercicio:
Posición inicial: sentados, sobre la superficie inclinada de un estep, con las rodillas flexionadas y con las caderas rotadas hacia el exterior, enrollamos la goma elástica en los pies y pasamos sus asas por los extremos de la barra. Con el tronco y los codos flexionados al máximo agarramos la barra y las asas de la goma a la altura del pecho.
Movimiento: incurvar el tronco extendiéndolo progresivamente, hasta sobrepasar ligeramente la posición erecta del tronco (buscar la perpendicularidad del tronco respecto al suelo, no respecto a la superficie del estep).
Aspectos a considerar:
En la posición inicial es muy importante partir de una postura en la que el tronco esté flexionado al máximo. Cuanto más flexionado esté el tronco en la posición inicial, más largo será el recorrido del ejercicio y mayor, por tanto, su efectividad.

Musculatura solicitada: extensor de la columna vertebral (iliocostal, dorsal largo, semiespinoso), cuadrado lumbar.

Descripción del ejercicio:
Posición inicial: sentados, sobre la superficie declinada de un estep, frente a la espaldera y con las rodillas flexionadas, fijamos la goma elástica en uno de sus barrotes y pasamos sus asas por los extremos de la barra. Con las manos, agarramos la barra y las asas de la goma, manteniendo los codos extendidos con los brazos ligeramente inclinados hacia arriba (flexión del hombro).
Movimiento: incurvar el tronco extendiéndolo progresivamente, hasta que la espalda se apoye completamente en la superficie del estep.
Aspectos a considerar:
Es conveniente que la goma elástica pase por detrás de un barrote de la espaldera que quede por encima de la línea de los hombros del sujeto, de manera que brazos y goma elástica formen una misma línea.
Mantener los codos extendidos durante todo el movimiento.
La posición inclinada del estep permite un mayor recorrido, haciendo que el ejercicio sea más completo.

Musculatura solicitada: extensor de la columna vertebral (iliocostal, dorsal largo, semiespinoso), cuadrado lumbar.

Descripción del ejercicio:
Posición inicial: sentados con las rodillas flexionadas y con las caderas rotadas hacia el exterior, enrollamos la banda elástica en los pies y con el tronco y los codos flexionados al máximo agarramos la barra a la vez que sujetamos la banda elástica por sus extremos y a la altura del pecho.
Movimiento: incurvar el tronco extendiéndolo progresivamente, hasta quedar en posición erecta (con el tronco totalmente perpendicular a la superficie de apoyo).
Aspectos a considerar:
En la posición inicial es muy importante partir de una postura en la que el tronco esté flexionado al máximo. Cuanto más flexionado esté el tronco en la posición inicial, más largo será el recorrido del ejercicio y mayor, por tanto, su efectividad.

Musculatura solicitada:
Extensor de la columna vertebral (iliocostal, dorsal largo, semiespinoso), cuadrado lumbar.

Descripción del ejercicio:
Posición inicial: sentados, frente a la espaldera, con las rodillas flexionadas, pasamos la banda elástica por detrás de uno de sus barrotes y con las manos la agarramos por sus extremos a la vez que sujetamos la

barra. Los brazos, con los codos extendidos permanecen ligeramente inclinados hacia arriba (flexión del hombro).

Movimiento: incurvar el tronco extendiéndolo progresivamente, hasta que la espalda se apoye completamente en el suelo.

Aspectos a considerar:

Es conveniente que la banda elástica pase por detrás de un barrote de la espaldera que quede por encima de la línea de los hombros del sujeto, de manera que brazos y banda elástica formen una misma línea. Mantener los codos extendidos durante todo el movimiento.

Musculatura solicitada: extensor de la columna vertebral (iliocostal, dorsal largo, semiespinoso), cuadrado lumbar.

Descripción del ejercicio:

Posición inicial: sentados, sobre la superficie de un estep inclinado, con las rodillas flexionadas y con las caderas rotadas hacia el exterior, enrollamos la banda elástica en los pies y con el tronco y los codos flexionados al máximo agarramos la barra a la vez que sujetamos la banda elástica por sus extremos y a la altura del pecho.

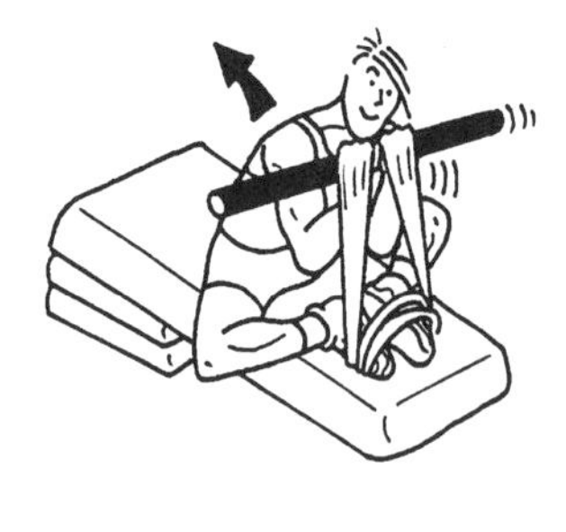

Movimiento: incurvar el tronco extendiéndolo progresivamente, hasta quedar en posición erecta (con el tronco totalmente perpendicular a la superficie de apoyo).

Aspectos a considerar:

En la posición inicial es muy importante partir de una postura en la que el tronco esté flexionado al máximo. Cuanto más flexionado esté el tronco en la posición inicial, más largo será el recorrido del ejercicio y mayor, por tanto, su efectividad.

Musculatura solicitada: extensor de la columna vertebral (iliocostal, dorsal largo, semiespinoso), cuadrado lumbar.

Descripción del ejercicio:

Posición inicial: sentados, frente a la espaldera, sobre la superficie de un estep inclinado, con las rodillas flexionadas, pasamos la banda elástica por detrás de uno de sus barrotes y con las manos la agarramos por sus extremos a la vez que sujetamos la barra. Los brazos, con los codos extendidos permanecen ligeramente inclinados hacia arriba (flexión del hombro).

Movimiento: incurvar el tronco extendiéndolo progresivamente, hasta que la espalda se apoye completamente en el suelo.

Aspectos a considerar:

Es conveniente que la banda elástica pase por detrás de un barrote de la espaldera que quede por encima de la línea de los hombros del sujeto, de manera que brazos y banda elástica formen una misma línea. Mantener los codos extendidos durante todo el movimiento.

Ejercicios por parejas con diferentes materiales

Musculatura solicitada: extensor de la columna vertebral (iliocostal, dorsal largo, semiespinoso), cuadrado lumbar.

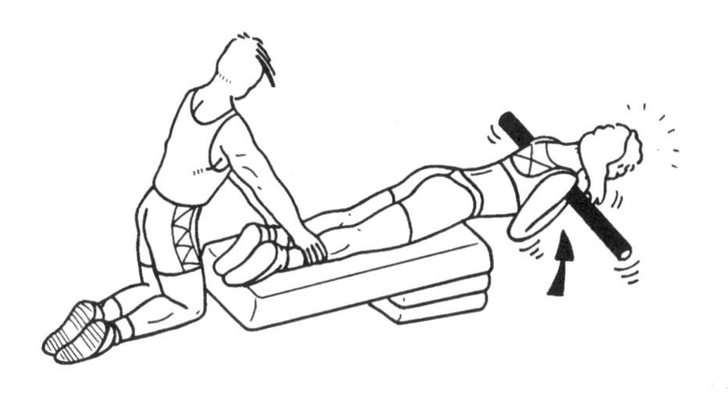

Descripción del ejercicio:

Posición inicial: tumbados boca abajo, sobre la superficie de un estep inclinado y con la cadera situada en el extremo del mismo, flexionamos el tronco hasta tocar con el pecho en el suelo y con los codos flexionados y los brazos pegados al tronco agarramos la barra con las manos y la situamos a la altura del pecho. El compañero, situado detrás nuestro, nos sujeta por los tobillos.

Movimiento: elevar el tronco extendiéndolo hasta situarlo en línea con los muslos y las piernas.

Aspectos a considerar:

Evitar hacer una hiperextensión del tronco.
Mantener los brazos pegados al tronco durante todo el movimiento.

Musculatura solicitada: extensor de la columna vertebral (iliocostal, dorsal largo, semiespinoso), cuadrado lumbar.

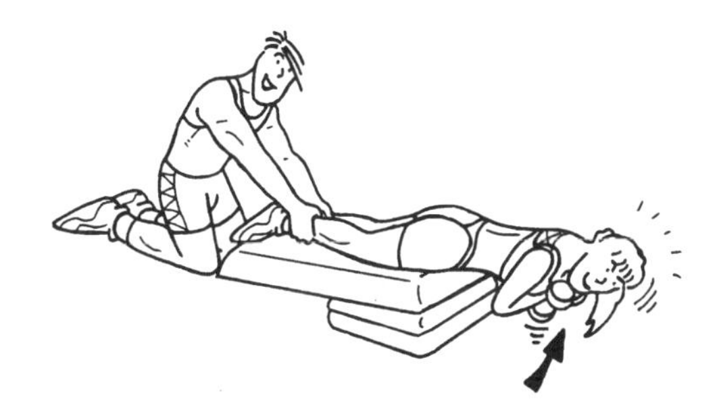

Descripción del ejercicio:

Posición inicial: tumbados boca abajo, sobre la superficie de un estep inclinado y con la cadera situada en el extremo del mismo, flexionamos el tronco hasta tocar con el pecho en el suelo y con los codos flexionados y los brazos pegados al tronco agarramos las mancuernas con las manos y las situamos a la altura del pecho. El compañero, situado detrás nuestro, nos sujeta por los tobillos.

Movimiento: elevar el tronco extendiéndolo hasta situarlo en línea con los muslos y las piernas.

Aspectos a considerar:

Evitar llegar a hacer una hiperextensión del tronco.
Mantener los brazos pegados al tronco durante todo el movimiento.

Musculatura solicitada: extensor de la columna vertebral (iliocostal, dorsal largo, semiespinoso), cuadrado lumbar.

Descripción del ejercicio:

Posición inicial: tumbados boca abajo, sobre la superficie de un estep inclinado y con la cadera situada en el extremo del mismo, flexionamos el tronco hasta tocar con el pecho en el suelo y con los codos flexionados y los brazos pegados al tronco sujetamos las asas de la goma elástica con las manos y las situamos a la altura del pecho. El compañero, situado frente a nosotros, sujeta la goma enrollada en sus pies.

Movimiento: elevar el tronco extendiéndolo hasta situarlo en línea con los muslos y las piernas.

Aspectos a considerar:

Evitar hacer una hiperextensión del tronco.
Mantener los brazos pegados al tronco durante todo el movimiento.

Musculatura solicitada: extensor de la columna vertebral (iliocostal, dorsal largo, semiespinoso), cuadrado lumbar.

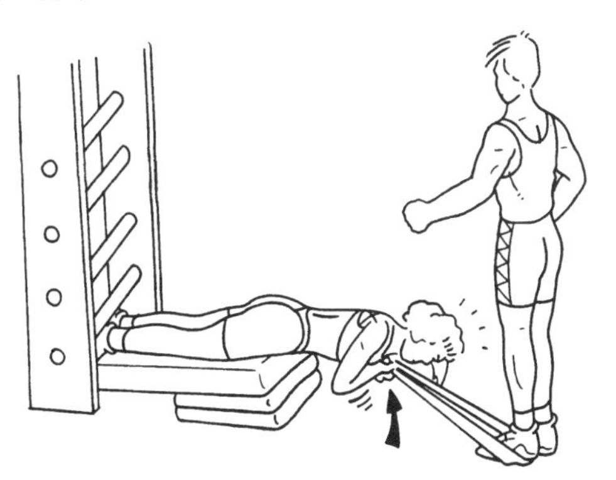

Descripción del ejercicio:

Posición inicial: tumbados boca abajo, sobre la superficie de un estep inclinado y con la cadera situada en el extremo del mismo, flexionamos el tronco hasta tocar con el pecho en el suelo y con los codos flexionados y los brazos pegados al tronco sujetamos los extremos de la banda elástica con las manos y las situamos a la altura del pecho. El compañero, situado en frente nuestro, sujeta la goma enrollándola en sus pies o pisándola.

Movimiento: elevar el tronco extendiéndolo hasta situarlo en línea con los muslos y las piernas.

Aspectos a considerar:

Evitar hacer una hiperextensión del tronco.
Mantener los brazos pegados al tronco durante todo el movimiento.

Musculatura solicitada: extensor de la columna vertebral (iliocostal, dorsal largo, semiespinoso), cuadrado lumbar, bíceps braquial (contracción isométrica).

Descripción del ejercicio:

Posición inicial: tumbados boca abajo, sobre la superficie de un estep inclinado y con la cadera situada en el extremo del mismo, flexionamos el tronco hasta tocar con el pecho en el suelo y con los codos flexionados pasamos las asas de la goma elástica por los extremos de la barra y la agarramos con las manos situadas a la altura de los hombros. El compañero, situado en frente, sujeta la goma enrollándola en sus pies.

Movimiento: elevar el tronco extendiéndolo hasta situarlo en línea con los muslos y las piernas.

Aspectos a considerar:

Evitar hacer una hiperextensión del tronco.
Mantener los brazos pegados al tronco durante todo el movimiento.

Este ejercicio también se puede hacer con una pica, para disminuir, si se desea, su intensidad.

Musculatura solicitada: extensor de la columna vertebral (iliocostal, dorsal largo, semiespinoso), cuadrado lumbar.

Descripción del ejercicio:

Posición inicial: sentados frente al compañero, con las rodillas flexionadas, sujetamos la goma elástica con las manos y extendemos los brazos hacia delante y a la altura del pecho. El compañero, enfrente y colocado en la misma posición sujeta la goma elástica por el otro extremo.

Movimiento: extender el tronco incurvándolo hasta llegar a apoyar toda la espalda en el suelo.

Aspectos a considerar:

Para aumentar la intensidad del ejercicio se puede doblar la goma o bien hacer el ejercicio ambos sujetos a la vez.
Mantener los codos estirados durante todo el movimiento.

Musculatura solicitada: extensor de la columna vertebral (iliocostal, dorsal largo, semiespinoso), cuadrado lumbar.

Descripción del ejercicio:

Posición inicial: sentados frente al compañero, con las rodillas flexionadas, sujetamos la banda elástica con las manos y extendemos los brazos hacia adelante y a la altura del pecho. El compañero, enfrente y colocado en la misma posición, sujeta la banda elástica por el otro extremo.

Movimiento: extender el tronco incurvándolo hasta llegar a apoyar toda la espalda en el suelo.

Aspectos a considerar:

Para aumentar la intensidad del ejercicio se puede doblar la banda o bien hacer el ejercicio ambos sujetos a la vez.

Mantener los codos estirados durante todo el movimiento.

Músculos de la articulación del hombro

Deltoides

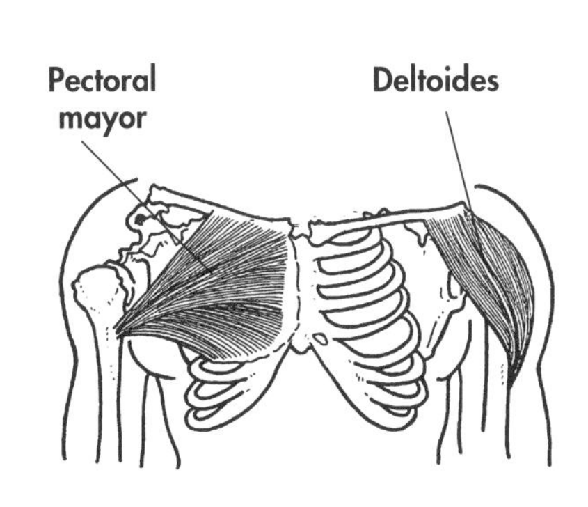

Dorsal ancho

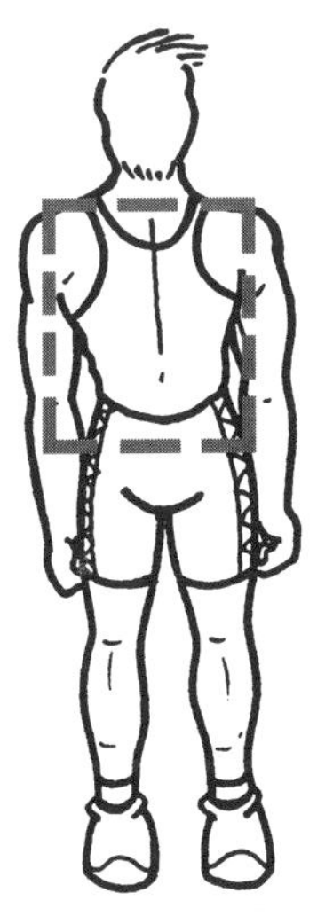

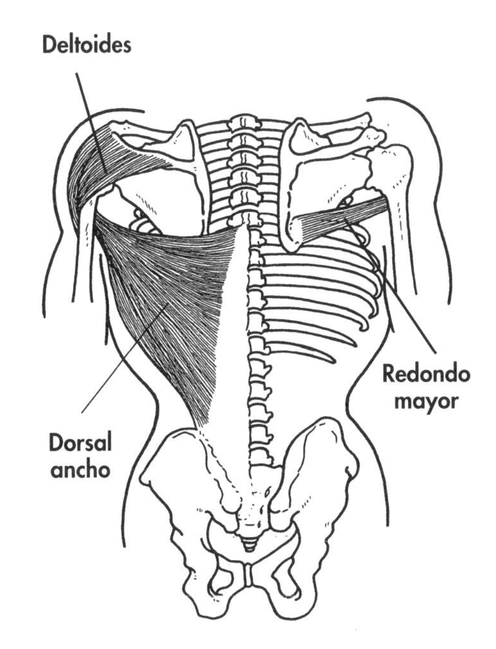

Pectoral mayor

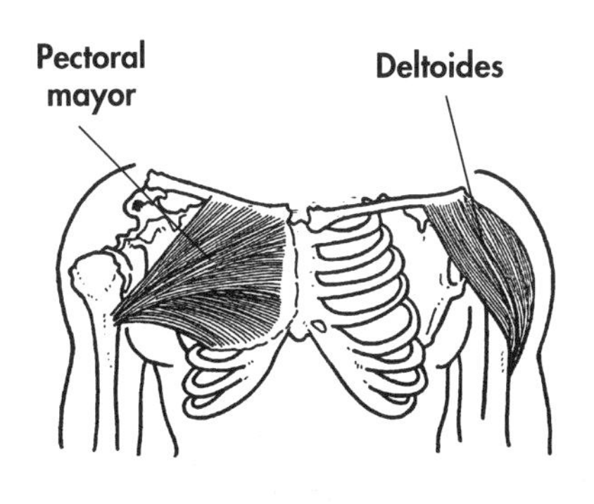

GRUPO MUSCULAR

Músculos de la articulación del hombro. Deltoides

Ejercicios con gomas elásticas

Musculatura solicitada: deltoides.

Descripción del ejercicio:
Posición inicial: de pie, en posición básica, con los codos ligeramente flexionados, pisamos la goma elástica con ambos pies y con las manos (presa dorsal) la agarramos por sus asas.

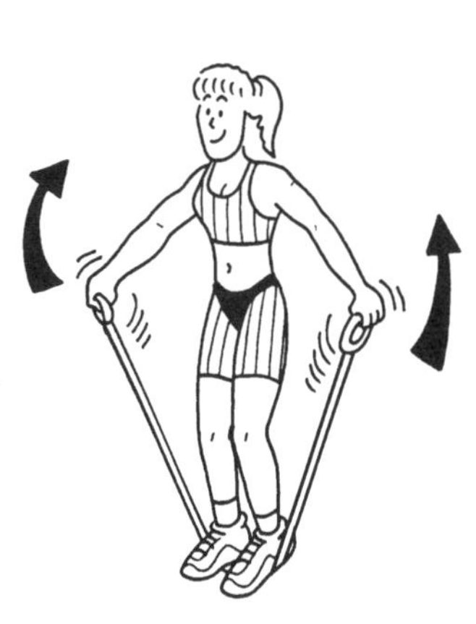

Movimiento: abducir los hombros hasta llegar a la altura de la base del cuello y volver a la posición inicial.
Aspectos a considerar:
Mantener el tronco fijo durante el movimiento.
Mantener una ligera flexión de los codos durante todo el movimiento.
No arquear el tronco durante el movimiento de abducción.
No flexionar y extender las piernas durante el movimiento.

Musculatura solicitada: deltoides (localizado en sus fibras anteriores).

Descripción del ejercicio:
Posición inicial: de pie, en posición básica, con los hombros y los codos ligeramente flexionados, pisamos la goma elástica con ambos pies y con las manos (presa dorsal) la agarramos por sus asas.

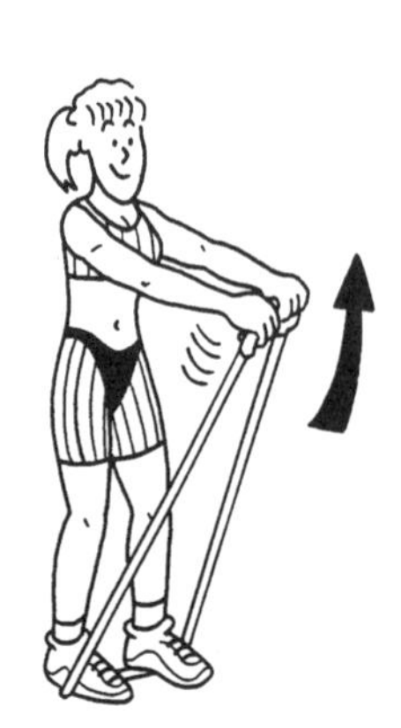

Movimiento: flexionar los hombros (elevando los brazos) hasta llegar a la altura de los mismos y volver a la posición inicial.

Aspectos a considerar:
Mantener el tronco fijo durante el movimiento.
Mantener una ligera flexión de los codos durante todo el movimiento.
No arquear el tronco durante el movimiento de abducción.
No flexionar y extender las piernas durante el movimiento.

Musculatura solicitada: deltoides (localizado en sus fibras posteriores).

Descripción del ejercicio:
Posición inicial: de pie, en posición básica, con los codos ligeramente flexionados, pisamos la goma elástica con ambos pies y con las manos (presa palmar) la agarramos por sus asas.

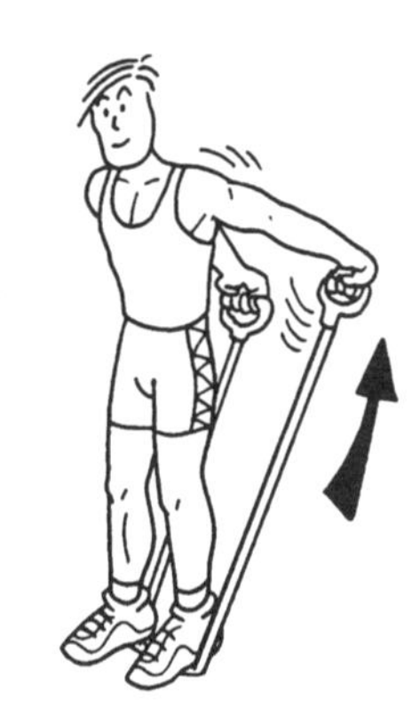

Movimiento: realizar una retroversión (hiperextensión) de los hombros, hasta su máximo recorrido articular.
Aspectos a considerar:
Mantener el tronco fijo durante todo el movimiento.
Mantener los codos ligeramente flexionados.

Musculatura solicitada: deltoides.

Descripción del ejercicio:
Posición inicial: sentados en el suelo, con las rodillas ligeramente flexionadas y con el tronco apoyado sobre los muslos, pasamos la goma elástica bajo los glúteos y con las manos la agarramos por sus asas.

Movimiento: realizar una flexión de los hombros a la vez que extendemos los codos hasta su máximo recorrido articular.
Aspectos a considerar:
Mantener el tronco apoyado sobre los muslos durante todo el movimiento.

Musculatura solicitada: deltoides.

Descripción del ejercicio:

Posición inicial: de pie, en posición básica, pisamos la goma elástica y con los codos flexionados la sujetamos por sus asas a la altura de los hombros.

Movimiento: extender los codos, a la vez que flexionamos los hombros hasta su máximo recorrido articular.

Aspectos a considerar:

Mantener el cuerpo en posición básica durante todo el movimiento.

No flexionar y extender las piernas durante el movimiento.

Mantener contraída la zona abdominal durante todo el movimiento.

Musculatura solicitada: deltoides.

Descripción del ejercicio:

Posición inicial: de pie, en posición básica, situados lateralmente a la espaldera, pasamos la goma elástica por uno de sus barrotes inferiores y con el codo ligeramente flexionado sujetamos una de sus asas con la mano del lado opuesto a la espaldera. La otra mano sujeta la otra asa.

Movimiento: abducir el hombro hasta llegar a la altura de la base del cuello y volver a la posición inicial.

Aspectos a considerar:

No flexionar lateralmente el tronco durante el movimiento.

No flexionar y extender las rodillas durante el ejercicio.

Se puede aumentar o disminuir la intensidad del ejercicio modificando las distancias de agarre entre la mano y la espaldera.

Musculatura solicitada: deltoides, trapecio.

Descripción del ejercicio:

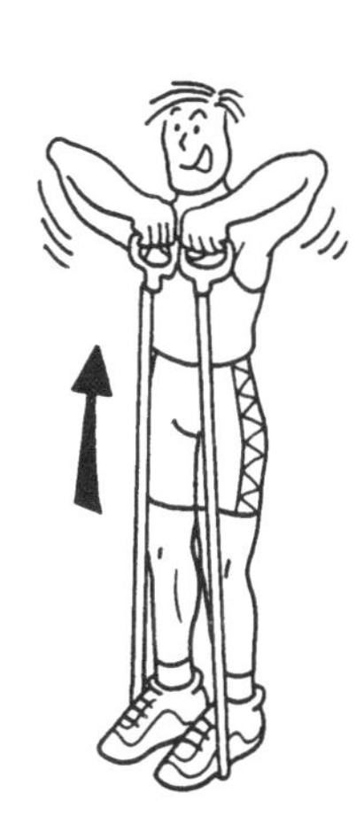

Posición inicial: de pie, en posición básica, con los codos totalmente extendidos y con los brazos por delante del tronco, pisamos la goma elástica y la agarramos por sus asas.

Movimiento: sin separar las manos, abducir los hombros al mismo tiempo que flexionamos los codos hasta llegar a su máximo recorrido articular.

Aspectos a considerar:

Mantener la posición básica durante todo el movimiento.

No realizar flexiones y extensiones de las rodillas durante todo el movimiento.

No separar las manos.

Musculatura solicitada: deltoides.

Descripción del ejercicio:

Posición inicial: de pie, con las rodillas flexionadas a 90° y con el tronco apoyado sobre los muslos, pisamos la goma elástica agarrándola por sus asas manteniendo los codos ligeramente flexionados.

Movimiento: realizar una extensión seguida de una hiperextensión horizontal, hasta su máximo recorrido articular.

Aspectos a considerar:

Mantener el tronco bien apoyado sobre los muslos.

Es conveniente realizar una doble pasada de la goma en los pies para acortar su longitud.

Musculatura solicitada: deltoides.

Descripción del ejercicio:

Posición inicial: sentados, con las rodillas flexionadas y los pies en el suelo, pasamos la goma elástica bajo los glúteos y con los codos flexionados sujetamos sus asas a la altura de los hombros.

Movimiento: extender los codos, a la vez que flexionamos los hombros hasta su máximo recorrido articular.

Aspectos a considerar:
No arquear el tronco durante el movimiento y mantener la zona abdominal contraída.

Musculatura solicitada: deltoides y dorsal ancho.

Descripción del ejercicio:

Posición inicial: de pie, en posición básica, frente a la espaldera, pasamos la goma elástica por uno de sus barrotes y con los codos estirados la agarramos (presa dorsal) por las asas.

Movimiento: realizar una retroversión (hiperextensión) de los hombros, hasta su máximo recorrido articular.

Aspectos a considerar:
Mantener el tronco fijo durante todo el movimiento.
Mantener los codos ligeramente flexionados.
Este ejercicio incide especialmente en la porción posterior del deltoides.

Ejercicios con bandas elásticas

Musculatura solicitada: deltoides.

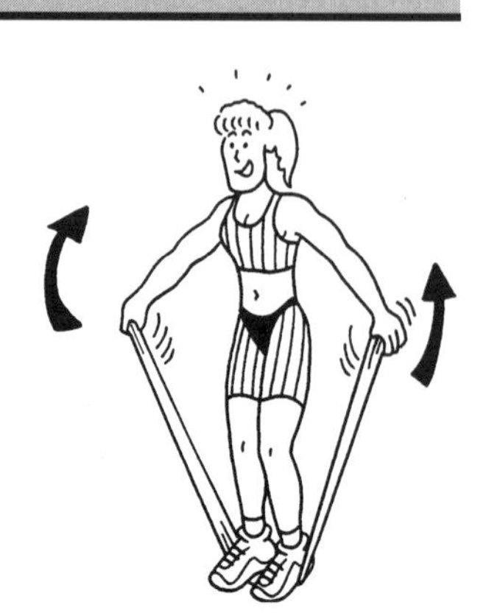

Descripción del ejercicio:

Posición inicial: de pie, en posición básica, con los codos ligeramente flexionados, pisamos la banda elástica con ambos pies y con las manos (presa dorsal) la agarramos por sus extremos.

Movimiento: abducir los hombros hasta llegar a la altura de la base del cuello y volver a la posición inicial.

Aspectos a considerar:
Mantener el tronco fijo durante el movimiento.
Mantener una ligera flexión de los codos durante todo el movimiento.
No arquear el tronco durante el movimiento de abducción.
No flexionar y extender las piernas durante el movimiento.

Musculatura solicitada: deltoides.

Descripción del ejercicio:

Posición inicial: de pie, en posición básica, con los hombros y los codos ligeramente flexionados, pisamos la banda elástica con ambos pies y con las manos (presa dorsal) la sujetamos por sus extremos.

Movimiento: flexionar los hombros (elevando los brazos) hasta llegar a la altura de los mismos y volver a la posición inicial.

Aspectos a considerar:
Mantener el tronco fijo durante el movimiento.
Mantener una ligera flexión de los codos durante todo el movimiento.
No arquear el tronco durante el movimiento de flexión.
No flexionar y extender las piernas durante el movimiento.

Musculatura solicitada: deltoides (localizado en sus fibras posteriores).

Descripción del ejercicio:

Posición inicial: de pie, en posición básica, con los codos ligeramente flexionados, pisamos la banda elástica con ambos pies y con las manos (presa palmar) la sujetamos por sus extremos.

Movimiento: realizar una retroversión (hiperextensión) de los hombros, hasta su máximo recorrido articular.

Aspectos a considerar:
Mantener el tronco fijo durante todo el movimiento.
Mantener los codos ligeramente flexionados.

Musculatura solicitada: deltoides.

Descripción del ejercicio:

Posición inicial: sentados en el suelo, con las rodillas ligeramente flexionadas y con el tronco apoyado sobre los muslos, pasamos la banda elástica bajo los glúteos y con las manos la agarramos por sus extremos.
Movimiento: realizar una extensión de los codos a la vez que flexionamos los hombros hasta su máximo recorrido articular.

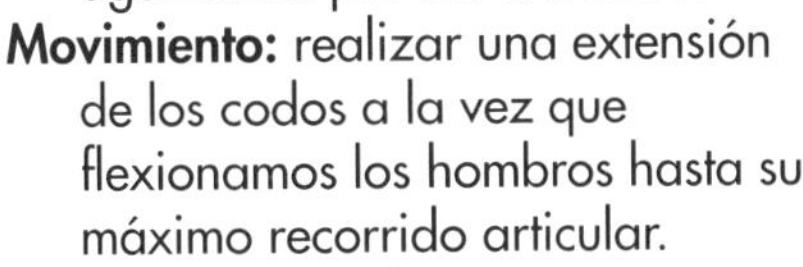

Aspectos a considerar:
Mantener el tronco apoyado sobre los muslos durante todo el movimiento.

Musculatura solicitada: deltoides.

Descripción del ejercicio:
Posición inicial: de pie, en posición básica, pisamos la banda elástica y con los codos flexionados la sujetamos por sus extremos a la altura de los hombros.
Movimiento: extender los codos, a la vez que flexionamos los hombros hasta su máximo recorrido articular.
Aspectos a considerar:
Mantener el cuerpo en posición básica durante todo el movimiento.
No flexionar y extender las piernas durante el movimiento.
Mantener contraída la zona abdominal durante todo el movimiento.

Musculatura solicitada: deltoides.

Descripción del ejercicio:
Posición inicial: de pie, en posición básica, situados lateralmente a la espaldera, pasamos la banda

elástica por uno de sus barrotes inferiores y con el codo ligeramente flexionado agarramos su extremo con la mano del lado opuesto a la espaldera. La otra mano sujeta el otro extremo.
Movimiento: abducir el hombro hasta llegar a la base del cuello y volver a la posición inicial.
Aspectos a considerar:
No flexionar lateralmente el tronco durante el movimiento.
No flexionar y extender las rodillas durante el ejercicio.

Musculatura solicitada: deltoides y trapecio.

Descripción del ejercicio:

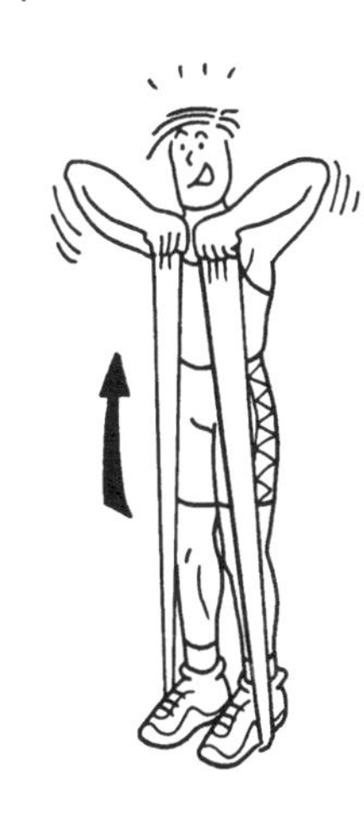

Posición inicial: de pie, en posición básica, con los codos totalmente extendidos y con los brazos por delante del tronco, pisamos la banda elástica y la agarramos por sus extremos.
Movimiento: sin separar las manos, abducir los hombros al mismo tiempo que flexionamos los codos hasta llegar a su máximo recorrido articular.
Aspectos a considerar:
Mantener la posición básica durante todo el movimiento.
No realizar flexiones y extensiones de las rodillas durante todo el movimiento.
No separar las manos.

Musculatura solicitada: deltoides (localizado en sus fibras posteriores).

Descripción del ejercicio:
Posición inicial: de pie, con las rodillas flexionadas a 90° y con el tronco apoyado sobre los muslos, pisamos la banda elástica agarrándola por sus extremos, con los codos ligeramente flexionados.

Movimiento: realizar una extensión seguida de una hiperextensión horizontal, hasta su máximo recorrido articular.
Aspectos a considerar:
Mantener el tronco bien apoyado sobre los muslos.
Es conveniente realizar una doble pasada de la banda en los pies para acortar su longitud.
Este ejercicio incide especialmente en las fibras posteriores del deltoides.

Musculatura solicitada: deltoides.

Descripción del ejercicio:
Posición inicial: sentados, con las rodillas flexionadas y los pies en el suelo, pasamos la banda elástica bajo los glúteos y con los codos flexionados sujetamos sus extremos a la altura de los hombros.

Movimiento: extender los codos, a la vez que flexionamos los hombros hasta su máximo recorrido articular.
Aspectos a considerar:
No arquear el tronco durante el movimiento y mantener la zona abdominal contraída.

Musculatura solicitada: deltoides (localizado en sus fibras posteriores).

Descripción del ejercicio:
Posición inicial: de pie, en posición básica, frente a la espaldera, pasamos la banda elástica por uno de sus barrotes y con los codos estirados la agarramos por sus extremos.
Movimiento: realizar una retroversión (hiperextensión) de los hombros, hasta su máximo recorrido articular.

Aspectos a considerar:
Mantener el tronco fijo durante todo el movimiento.
Mantener los codos ligeramente flexionados.
Este ejercicio incide especialmente en la porción posterior del deltoides.

Ejercicios con mancuernas

Musculatura solicitada: deltoides.

Descripción del ejercicio:
Posición inicial: de pie, en posición básica y con los codos ligeramente flexionados, agarramos una mancuerna con cada mano.

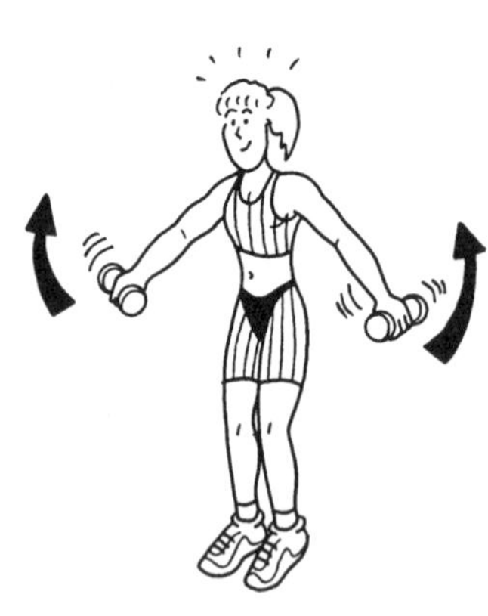

Movimiento: abducir los hombros hasta llegar a la altura de la base del cuello y volver a la posición inicial.
Aspectos a considerar:
Mantener el tronco fijo durante el movimiento.
Mantener una ligera flexión de los codos durante todo el movimiento.
No arquear el tronco durante el movimiento de abducción.
No flexionar y extender las piernas durante el movimiento.

Musculatura solicitada: deltoides (localizado en sus fibras anteriores).

Descripción del ejercicio:
Posición inicial: de pie, en posición básica, con los hombros y los codos ligeramente flexionados, agarramos una mancuerna con cada mano.
Movimiento: flexionar los hombros (elevando los brazos) hasta llegar a la altura de los mismos y volver a la posición inicial.
Aspectos a considerar:
Mantener el tronco fijo durante el movimiento.
Mantener una ligera flexión de los codos durante todo el movimiento.
No flexionar y extender las piernas durante el movimiento.

Musculatura solicitada: deltoides (localizado en sus fibras posteriores).

Descripción del ejercicio:
Posición inicial: de pie, en posición básica y con los codos ligeramente flexionados, agarramos una mancuerna con cada mano.

Movimiento: realizar una retroversión (hiperextensión) de los hombros, hasta su máximo recorrido articular.
Aspectos a considerar:
Mantener el tronco fijo durante todo el movimiento.
Mantener los codos ligeramente flexionados.

Musculatura solicitada: deltoides.

Descripción del ejercicio:
Posición inicial: sentados en el suelo, con las rodillas ligeramente flexionadas, con el tronco apoyado sobre los muslos y con los codos flexionados, agarramos una mancuerna con cada mano.
Movimiento: realizar una extensión de los codos a la vez que flexionamos los hombros hasta su máximo recorrido

articular.
Aspectos a considerar:
Mantener el tronco apoyado sobre los muslos durante todo el movimiento.

Musculatura solicitada: deltoides.

Descripción del ejercicio:
Posición inicial: de pie, en posición básica y con los codos flexionados, agarramos una mancuerna con cada mano y las situamos a la altura de los hombros.
Movimiento: extender los codos, a la vez que flexionamos los hombros hasta su máximo recorrido articular.
Aspectos a considerar:
Mantener el cuerpo en posición básica durante todo el movimiento.
No flexionar ni extender las piernas durante el movimiento.
Mantener contraída la zona abdominal durante todo el movimiento.

Musculatura solicitada: deltoides (fundamentalmente fibras anteriores).

Descripción del ejercicio:
Posición inicial: de pie, en posición básica, apoyamos una mano sobre un muslo y con la otra agarramos una mancuerna, manteniendo el codo ligeramente flexionado.
Movimiento: flexionar el hombro (anteversión) hasta llegar a la altura de la base del cuello y volver a la posición inicial.
Aspectos a considerar:
No flexionar lateralmente el tronco durante el movimiento.
No flexionar y extender las rodillas durante el ejercicio.

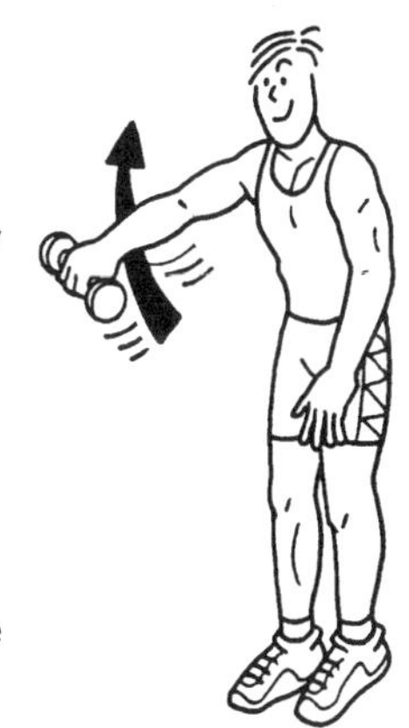

Musculatura solicitada: deltoides y trapecio.

Descripción del ejercicio:
Posición inicial: de pie, en posición básica, con los codos totalmente extendidos y con los brazos por delante del tronco, agarramos una mancuerna con cada mano.
Movimiento: sin separar las manos, abducir los hombros al mismo tiempo que flexionamos los codos hasta llegar a su máximo recorrido articular.

Aspectos a considerar:
Mantener la posición básica durante todo el movimiento.
No realizar flexiones y extensiones de las rodillas durante todo el movimiento.
No separar las manos.

Musculatura solicitada: deltoides (localizado en sus fibras posteriores).

Descripción del ejercicio:
Posición inicial: de pie, con las rodillas flexionadas a 90° y con el tronco apoyado sobre los muslos, agarramos una mancuerna con cada mano y mantenemos los codos ligeramente flexionados.

Movimiento: realizar una extensión seguida de una hiperextensión horizontal, hasta su máximo recorrido articular.
Aspectos a considerar:
Mantener el tronco bien apoyado sobre los muslos.

Musculatura solicitada: deltoides.

Descripción del ejercicio:
Posición inicial: sentados, con las rodillas y los codos flexionados y los pies en el suelo, agarramos una mancuerna con cada mano y las situamos a la altura de los hombros.

Movimiento: extender los codos, a la vez que flexionamos los hombros hasta su máximo recorrido articular.
Aspectos a considerar:
No arquear el tronco durante el movimiento y mantener la zona abdominal contraída.

Musculatura solicitada: deltoides.

Descripción del ejercicio:
Posición inicial: de pie, en posición básica y con los codos ligeramente flexionados, agarramos una mancuerna con cada mano.
Movimiento: realizar circunducciones de los hombros (hacia adelante, hacia atrás o alternadamente).
Aspectos a considerar:
Mantener el tronco fijo durante el movimiento.
Mantener una ligera flexión de los codos durante todo el movimiento.
No arquear el tronco durante el movimiento de abducción.
La amplitud de las circunducciones no deben ser demasiado grandes.

Ejercicios con barra

Musculatura solicitada: deltoides y trapecio.

Descripción del ejercicio:
Posición inicial: de pie, en posición básica, con los codos totalmente extendidos y con los brazos por delante del tronco, agarramos la barra con las manos separadas a ambos lados del tronco.

Movimiento: abducir los hombros al mismo tiempo que flexionamos los codos hasta llegar a su máximo recorrido articular.

Aspectos a considerar:
Mantener la posición básica durante todo el movimiento.
No realizar flexiones y extensiones de las rodillas durante el movimiento.

Musculatura solicitada: deltoides (localizado en sus fibras anteriores).

Descripción del ejercicio:

Posición inicial: de pie, en posición básica, con los hombros y los codos ligeramente flexionados, agarramos la barra con las manos.

Movimiento: flexionar los hombros (elevando los brazos) hasta llegar a la altura de los mismos y volver a la posición inicial.

Aspectos a considerar:
Mantener el tronco fijo durante el movimiento.
Mantener una ligera flexión de los codos durante todo el movimiento.
No flexionar y extender las piernas durante el movimiento.

Musculatura solicitada: deltoides (localizado en sus fibras posteriores).

Descripción del ejercicio:

Posición inicial: de pie, en posición básica y con los codos ligeramente flexionados, agarramos la barra por detrás de los glúteos.

Movimiento: realizar una retroversión (hiperextensión) de los hombros, hasta su máximo recorrido articular.

Aspectos a considerar:
Mantener el tronco fijo durante todo el movimiento.
Mantener los codos ligeramente flexionados.

Musculatura solicitada: deltoides.

Descripción del ejercicio:

Posición inicial: sentados en el suelo, con las rodillas ligeramente flexionadas, con el tronco apoyado sobre los muslos y con los codos flexionados, agarramos la barra a la altura y por detrás de la cabeza.

Movimiento: realizar una extensión de los codos a la vez que flexionamos los hombros hasta su máximo recorrido articular.

Aspectos a considerar:
Mantener el tronco apoyado sobre los muslos durante todo el movimiento.
Flexionar ligeramente la cabeza para facilitar el paso de la barra.

Musculatura solicitada: deltoides.

Descripción del ejercicio:

Posición inicial: de pie, en posición básica y con los codos flexionados, agarramos la barra por delante y a la altura de los hombros.

Movimiento: extender los codos, a la vez que flexionamos los hombros hasta su máximo recorrido articular.

Aspectos a considerar:
Mantener el cuerpo en posición básica durante todo el movimiento.
No flexionar y extender las piernas durante el movimiento.
Mantener contraída la zona abdominal durante todo el movimiento.

Musculatura solicitada:
deltoides.

Descripción del ejercicio:

Posición inicial: de pie, en posición básica y con los codos flexionados, agarramos la barra por detrás y a la altura de la cabeza.

Movimiento: extender los codos, a la vez que flexionamos los hombros hasta su máximo recorrido articular.

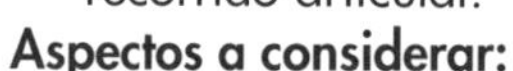

Aspectos a considerar:

Mantener el cuerpo en posición básica durante todo el movimiento.
No flexionar y extender las piernas durante el movimiento.
Mantener contraída la zona abdominal durante todo el movimiento.
Flexionar ligeramente la cabeza para facilitar el paso de la barra.

Musculatura solicitada: deltoides.

Descripción del ejercicio:

Posición inicial: de pie, en posición básica, apoyamos una mano sobre un muslo y con la otra agarramos la barra, manteniendo el codo ligeramente flexionado.

Movimiento: abducir el hombro hasta llegar a la altura de la base del cuello y volver a la posición inicial.

Aspectos a considerar:

No flexionar lateralmente el tronco durante el movimiento.
No flexionar y extender las rodillas durante el ejercicio.
En la posición inicial el tronco se encuentra ligeramente flexionado (lateralmente) hacia el lado en el que apoyamos la mano sobre el muslo.

Musculatura solicitada: deltoides y trapecio.

Descripción del ejercicio:

Posición inicial: de pie, en posición básica, con los codos totalmente extendidos y con los brazos por delante del tronco, agarramos la barra con las manos juntas.

Movimiento: abducir los hombros al mismo tiempo que flexionamos los codos hasta llegar a su máximo recorrido articular.

Aspectos a considerar:

Mantener la posición básica durante todo el movimiento.
No realizar flexiones y extensiones de las rodillas durante el movimiento.
No separar las manos.

Musculatura solicitada: deltoides.

Descripción del ejercicio:

Posición inicial: de pie, en posición básica, apoyamos una mano sobre un muslo y con la otra agarramos la barra, manteniendo el codo y el hombro ligeramente flexionados.

Movimiento: realizar circunducciones del hombro.

Aspectos a considerar:

No flexionar lateralmente el tronco durante el movimiento.
No flexionar y extender las rodillas durante el ejercicio.
En la posición inicial el tronco se encuentra ligeramente flexionado (lateralmente) hacia el lado en el que apoyamos la mano sobre el muslo.

Ejercicios combinados con diferentes materiales

Musculatura solicitada: deltoides.

Descripción del ejercicio:

Posición inicial: de pie, en posición básica, pisamos la goma elástica y con los codos flexionados sujetamos sus asas y una barra, a la altura de los hombros.

Movimiento: extender los codos, a la vez que flexionamos los hombros hasta su máximo recorrido articular.

Aspectos a considerar:
Mantener el cuerpo en posición básica durante todo el movimiento.
No flexionar ni extender las piernas durante el movimiento.
Mantener contraída la zona abdominal durante todo el movimiento.

Musculatura solicitada: deltoides (localizado en sus fibras anteriores).

Descripción del ejercicio:

Posición inicial: de pie, en posición básica, con los hombros y los codos ligeramente flexionados, pisamos la goma elástica con ambos pies, y con las manos (presa dorsal) agarramos sus asas y la barra.

Movimiento: flexionar los hombros (elevando los brazos) hasta llegar a la altura de los mismos y volver a la posición inicial.

Aspectos a considerar:
Mantener el tronco fijo durante el movimiento.
Mantener una ligera flexión de los codos durante todo el movimiento.
No arquear el tronco durante el movimiento de abducción.
No flexionar y extender las piernas durante el movimiento.

Musculatura solicitada: deltoides (localizado en sus fibras posteriores).

Descripción del ejercicio:

Posición inicial: de pie, en posición básica, con los codos ligeramente flexionados, pisamos la goma elástica con ambos pies y con las manos (presa palmar) agarramos sus asas y una barra, por detrás del tronco, a la altura de las caderas.

Movimiento: realizar una retroversión (hiperextensión) de los hombros, hasta su máximo recorrido articular.

Aspectos a considerar:
Mantener el tronco fijo durante todo el movimiento, no flexionarlo durante el movimiento.
Mantener los codos ligeramente flexionados.

Musculatura solicitada: deltoides.

Descripción del ejercicio:

Posición inicial: sentados sobre un estep, con las rodillas ligeramente flexionadas y con el tronco apoyado sobre los muslos, pasamos la goma elástica bajo un estep y con las manos agarramos sus asas y una barra.

Movimiento: realizar una extensión de los codos a la vez que flexionamos los hombros hasta su máximo recorrido articular.

Aspectos a considerar:
Mantener el tronco apoyado sobre los muslos durante todo el movimiento.

Musculatura solicitada: deltoides.

Descripción del ejercicio:

Posición inicial: de pie, en posición básica, situados lateralmente a la espaldera, pasamos la goma elástica por uno de sus barrotes inferiores y con el codo ligeramente flexionado agarramos una de sus asas y la barra con la mano del lado opuesto a la espaldera. La otra mano sujeta la otra asa.

Movimiento: abducir el hombro hasta llegar a la base del cuello y volver a la posición inicial.
Aspectos a considerar:
No flexionar lateralmente el tronco durante el movimiento.
No flexionar y extender las rodillas durante el ejercicio.

Musculatura solicitada: deltoides (localizado en sus fibras posteriores).

Descripción del ejercicio:
Posición inicial: de pie, en posición básica, con los codos ligeramente flexionados, pasamos la goma elástica por uno de los barrotes inferiores de la espaldera y con las manos agarramos sus asas y una barra, por detrás del tronco, a la altura de las caderas.
Movimiento: realizar una retroversión (hiperextensión) de los hombros, hasta su máximo recorrido articular.
Aspectos a considerar:
Mantener el tronco fijo durante todo el movimiento, no flexionarlo durante el movimiento.
Mantener los codos ligeramente flexionados.

Musculatura solicitada: deltoides y trapecio.

Descripción del ejercicio:
Posición inicial: de pie, en posición básica, con los codos totalmente extendidos y con los brazos por delante del tronco, pisamos la goma elástica y con las manos juntas agarramos sus asas y una barra.

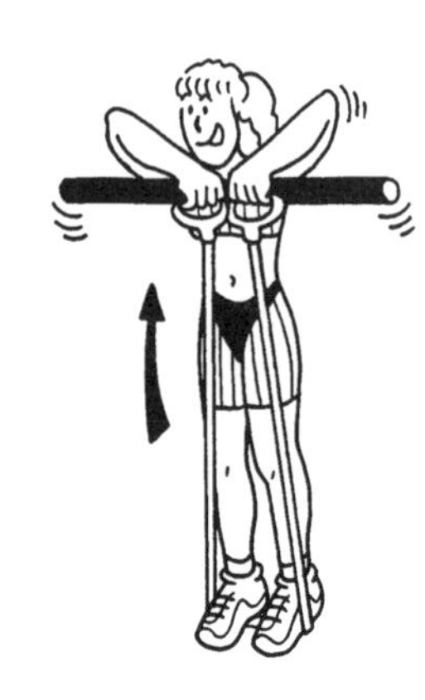

Movimiento: sin separar las manos, abducir los hombros al mismo tiempo que flexionamos los codos hasta llegar a su máximo recorrido articular.
Aspectos a considerar:
Mantener la posición básica durante todo el movimiento.
No realizar flexiones y extensiones de las rodillas durante todo el movimiento.
No separar las manos.

Musculatura solicitada: deltoides (localizado en sus fibras posteriores).

Descripción del ejercicio:
Posición inicial: sentados, con las rodillas ligeramente flexionadas, pasamos la goma elástica alrededor de los pies y con los codos estirados agarramos sus asas y una barra.
Movimiento: realizar una extensión horizontal de los hombros al tiempo que los abducimos flexionando los codos y llevando las manos a la altura de la cara.
Aspectos a considerar:
Mantener el tronco erguido y contraída la zona abdominal.
Hacer una doble pasada de la goma por los pies, para mayor seguridad en el ejercicio.

Musculatura solicitada: deltoides.

Descripción del ejercicio:
Posición inicial: de pie, en posición básica, pisamos la goma elástica con un pie y con el codo ligeramente

flexionado, agarramos sus asas y una barra con la mano.

Movimiento: abducir el hombro hasta llegar a la base del cuello y volver a la posición inicial.

Aspectos a considerar:
No flexionar lateralmente el tronco durante el movimiento.
No flexionar y extender las rodillas durante el ejercicio.
Mantener una ligera flexión del codo durante todo el movimiento.

Musculatura solicitada: deltoides.

Descripción del ejercicio:
Posición inicial: de pie, en posición básica, pisamos la goma elástica con un pie y con el codo flexionado y la mano (presa palmar) a la altura del hombro agarramos sus asas y una barra.

Movimiento: flexionar el hombro al mismo tiempo que extendemos el codo hasta llegar a su máximo recorrido articular.

Aspectos a considerar:
No flexionar lateralmente el tronco durante el movimiento.
No flexionar y extender las rodillas durante el ejercicio.

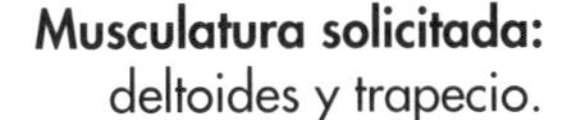

Musculatura solicitada: deltoides y trapecio.

Descripción del ejercicio:
Posición inicial: de pie, en posición básica, con los codos totalmente extendidos y con los brazos por delante del tronco, pisamos la goma elástica y con las manos agarramos sus asas y una barra.

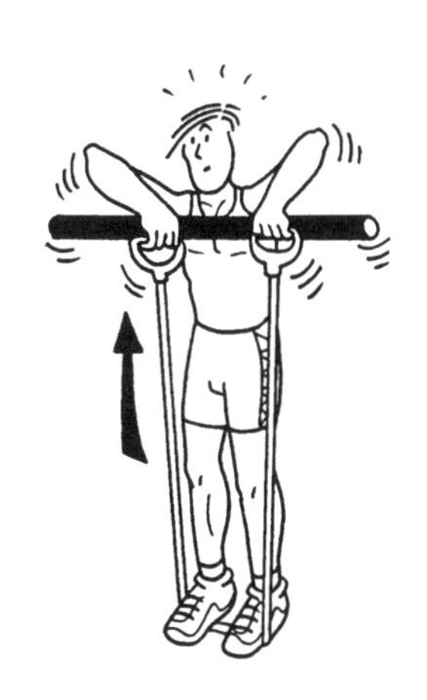

Movimiento: con las manos juntas, abducir los hombros al mismo tiempo que flexionamos los codos hasta llegar a su máximo recorrido articular.

Aspectos a considerar:
Mantener la posición básica durante todo el movimiento.
No realizar flexiones y extensiones de las rodillas durante todo el movimiento.
No separar las manos.

Musculatura solicitada: deltoides.

Descripción del ejercicio:
Posición inicial: de pie, en posición básica, pisamos la goma elástica con un pie y con el hombro abducido a 45°, flexionamos ligeramente el codo, agarrando sus asas y una barra con la mano.

Movimiento: realizar circunducciones del hombro.

Aspectos a considerar:
No flexionar lateralmente el tronco durante el movimiento.
No flexionar y extender las rodillas durante el ejercicio.
Mantener una ligera flexión del codo durante todo el movimiento.

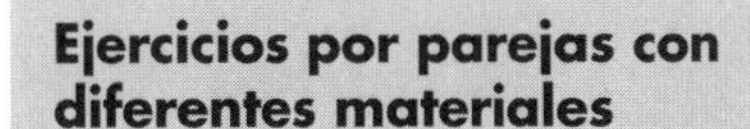

Ejercicios por parejas con diferentes materiales

Musculatura solicitada: deltoides.

Descripción del ejercicio:

Posición inicial: de pie, en posición básica, situados frente al compañero y con los codos ligeramente flexionados, agarramos las asas de la goma elástica (presa dorsal), mientras el compañero pisa y sujeta la goma.

Movimiento: Abducir los hombros hasta llegar a la altura de la base del cuello y volver a la posición inicial.

Aspectos a considerar:

Mantener el tronco fijo durante el movimiento.
Mantener una ligera flexión de los codos durante todo el movimiento.
No arquear el tronco durante el movimiento de abducción.
No flexionar y extender las piernas durante el movimiento.

Musculatura solicitada: deltoides (localizado en sus fibras anteriores).

Descripción del ejercicio:

Posición inicial: de pie, en posición básica, con los hombros en ligera hiperextensión, agarramos las asas de la goma elástica que el compañero pisa y sujeta detrás nuestro.

Movimiento: flexionar los hombros (elevando los brazos) hasta llegar a la altura de los mismos y volver a la posición inicial.

Aspectos a considerar:

Mantener el tronco fijo durante el movimiento.
Mantener una ligera flexión de los codos durante todo el movimiento.
No arquear el tronco durante el movimiento de abducción.
No flexionar y extender las piernas durante el movimiento.

Musculatura solicitada: deltoides (localizado en sus fibras posteriores).

Descripción del ejercicio:

Posición inicial: de pie, en posición básica, frente al compañero, con los hombros y los codos ligeramente flexionados, agarramos la goma por sus asas, mientras el compañero la sujeta pisándola.

Movimiento: realizar una retroversión (primero extensión y seguido hiperextensión) de los hombros, hasta su máximo recorrido articular.

Aspectos a considerar:

Mantener el tronco fijo durante todo el movimiento.
Mantener los codos ligeramente flexionados.

Musculatura solicitada: deltoides.

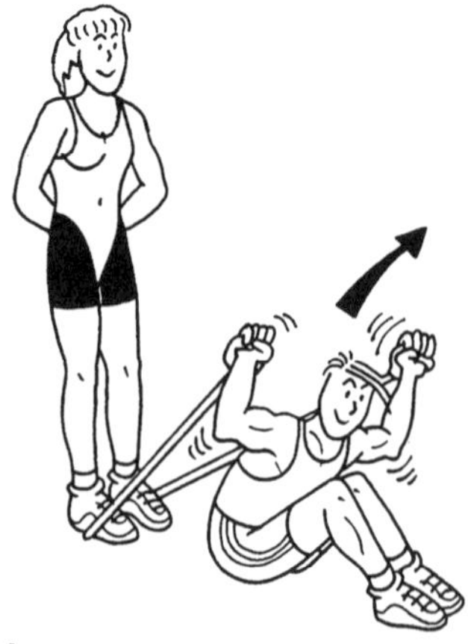

Descripción del ejercicio:

Posición inicial: sentados en el suelo, con las rodillas ligeramente flexionadas y con el tronco apoyado sobre los muslos, pasamos la goma elástica bajo los pies del compañero y con las manos la sujetamos por sus asas.

Movimiento: realizar una flexión de los hombros a la vez que extendemos los codos hasta su máximo recorrido articular.

Aspectos a considerar:
Mantener el tronco apoyado sobre los muslos durante todo el movimiento.
Mantener contraída la zona abdominal durante todo el movimiento.
El recorrido del movimiento debe realizarse por detrás de la nuca.

Musculatura solicitada: deltoides.
Descripción del ejercicio:
Posición inicial: de pie, en posición básica, frente al compañero, pasamos la goma elástica bajo sus pies, y con los codos flexionados la sujetamos por sus asas a la altura de los hombros.

Movimiento: extender los codos, a la vez que flexionamos los hombros hasta su máximo recorrido articular.
Aspectos a considerar:
Mantener el cuerpo en posición básica durante todo el movimiento.
No flexionar y extender las piernas durante el movimiento.
Mantener contraída la zona abdominal durante todo el movimiento.

Musculatura solicitada: deltoides.

Descripción del ejercicio:
Posición inicial: de pie, en posición básica, de espaldas al compañero, pasamos la goma elástica bajo sus pies y con los codos flexionados la sujetamos por sus asas a la altura de los hombros y por detrás de la nuca.
Movimiento: extender los codos, a la vez que flexionamos los hombros hasta su máximo recorrido articular.
Aspectos a considerar:
Mantener el cuerpo en posición básica durante todo el movimiento.
No flexionar y extender las piernas durante el movimiento.

Musculatura solicitada: deltoides.

Descripción del ejercicio:
Posición inicial: de pie, en posición básica, frente al compañero, pasamos la goma elástica bajo sus pies y con los codos flexionados sujetamos, con las manos, sus asas y una barra a la altura de los hombros.

Movimiento: extender los codos, a la vez que flexionamos los hombros hasta su máximo recorrido articular.
Aspectos a considerar:
Mantener el cuerpo en posición básica durante todo el movimiento.
No flexionar y extender las piernas durante el movimiento.
Mantener contraída la zona abdominal durante todo el movimiento.

Musculatura solicitada: deltoides.

Descripción del ejercicio:
Posición inicial: de pie, en posición básica, de espaldas al compañero, pasamos la goma elástica bajo sus pies y con los codos flexionados sujetamos sus asas y una barra a la altura de los hombros y por detrás de la nuca.

Movimiento: extender los codos, a la vez que flexionamos los hombros hasta su máximo recorrido articular.

Aspectos a considerar:
Mantener el cuerpo en posición básica durante todo el movimiento.
No flexionar y extender las piernas durante el movimiento.
Mantener contraída la zona abdominal durante todo el movimiento.
El recorrido del movimiento debe realizarse por detrás de la nuca.

Musculatura solicitada: deltoides.

Descripción del ejercicio:
Posición inicial: de pie, en posición básica, situados lateralmente al compañero y con el codo ligeramente flexionado, agarramos las asas de la goma elástica, mientras el compañero pisa y sujeta la goma.

Movimiento: abducir el hombro hasta llegar a la base del cuello y volver a la posición inicial.
Aspectos a considerar:

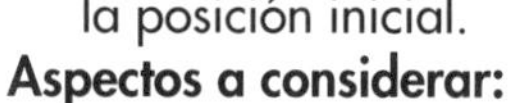

No flexionar lateralmente el tronco durante el movimiento.
No flexionar y extender las rodillas durante el ejercicio.
Mantener una ligera flexión del codo durante todo el movimiento.

Musculatura solicitada: deltoides y trapecio.

Descripción del ejercicio:
Posición inicial: de pie, en posición básica, con los codos totalmente extendidos y con los brazos por delante del tronco, agarramos las asas de la goma elástica, mientras el compañero pisa y sujeta la goma.

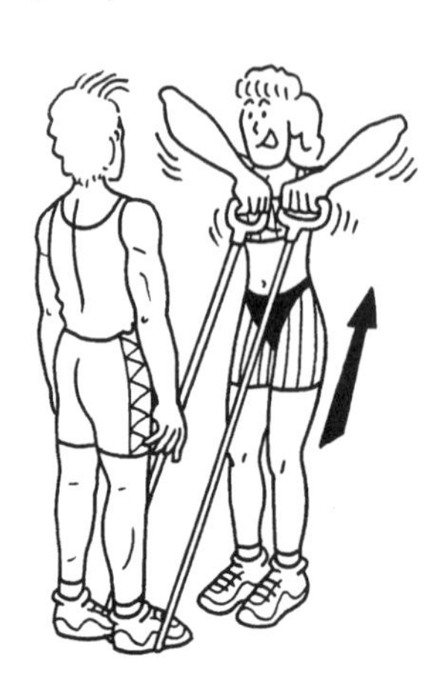

Movimiento: sin separar las manos, abducir los hombros al mismo tiempo que flexionamos los codos hasta llegar a su máximo recorrido articular.
Aspectos a considerar:
Mantener la posición básica durante todo el movimiento.
No realizar flexiones y extensiones de las rodillas durante todo el movimiento.
No separar las manos.

Musculatura solicitada: deltoides (localizado en sus fibras posteriores).

Descripción del ejercicio:
Posición inicial: de pie, con las rodillas flexionadas a 90° y con el tronco apoyado sobre los muslos, agarramos las asas de la goma elástica, mientras el compañero pisa y sujeta la goma.
Movimiento: realizar una extensión seguida de una hiperextensión horizontal, hasta su máximo recorrido articular.

Aspectos a considerar:
Mantener el tronco bien apoyado sobre los muslos.
Es conveniente realizar una doble pasada de la goma en los pies para acortar su longitud.
Este ejercicio incide especialmente en la porción posterior del deltoides.

Musculatura solicitada: deltoides.
Descripción del ejercicio:
Posición inicial: sentados, con las rodillas flexionadas, los pies en el suelo y con los codos flexionados, agarramos las asas de la goma elástica, mientras el compañero sujeta la goma pisándola.

Movimiento: extender los codos, a la vez que flexionamos los hombros hasta su máximo recorrido articular.

Aspectos a considerar:
No arquear el tronco durante el movimiento y mantener la zona abdominal contraída.

No arquear el tronco durante el movimiento de abducción.
No flexionar y extender las piernas durante el movimiento.

Musculatura solicitada: deltoides.

Descripción del ejercicio:
Posición inicial: de pie, en posición básica, situados frente al compañero y con los codos ligeramente flexionados, agarramos las mancuernas y las asas de la goma elástica mientras el compañero pisa y sujeta la goma.
Movimiento: abducir los hombros hasta llegar a la altura de la base del cuello y volver a la posición inicial.
Aspectos a considerar:
Mantener el tronco fijo durante el movimiento.
Mantener una ligera flexión de los codos durante todo el movimiento.
No arquear el tronco durante el movimiento de abducción.
No flexionar y extender las piernas durante el movimiento.

Musculatura solicitada: deltoides (localizado en sus fibras anteriores).

Descripción del ejercicio:
Posición inicial: de pie, en posición básica, con los hombros en ligera hiperextensión, agarramos las mancuernas y las asas de la goma elástica que el compañero pisa y sujeta detrás nuestro.
Movimiento: flexionar los hombros (elevando los brazos) hasta llegar a la altura de los mismos y volver a la posición inicial.
Aspectos a considerar:
Mantener el tronco fijo durante el movimiento.
Mantener una ligera flexión de los codos durante todo el movimiento.

Musculatura solicitada: deltoides (localizado en sus fibras posteriores).

Descripción del ejercicio:
Posición inicial: de pie, en posición básica, frente al compañero, con los hombros y los codos ligeramente flexionados, agarramos las mancuernas y las asas de la goma que el compañero pisa y sujeta.
Movimiento: realizar una retroversión (primero extensión y a continuación hiperextensión) de los hombros, hasta su máximo recorrido articular.
Aspectos a considerar:
Mantener el tronco fijo durante todo el movimiento.
Mantener los codos ligeramente flexionados.

Musculatura solicitada: deltoides.

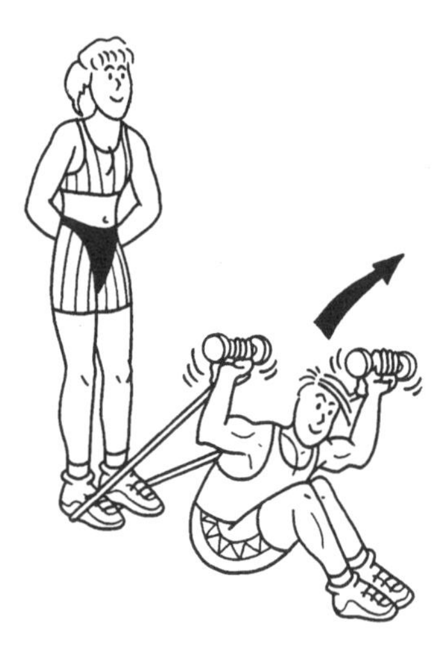

Descripción del ejercicio:
Posición inicial: sentados en el suelo, con las rodillas ligeramente flexionadas y con el tronco apoyado sobre los muslos, pasamos la goma elástica bajo los pies del compañero y con las manos agarramos sus asas y las mancuernas.
Movimiento: realizar una flexión de los hombros a la vez que extendemos los codos hasta su máximo recorrido articular.
Aspectos a considerar:
Mantener el tronco apoyado sobre los muslos durante todo el movimiento.

Musculatura solicitada: deltoides.

Descripción del ejercicio:
Posición inicial: de pie, en posición básica, frente al compañero, pasamos la goma elástica bajo sus pies y con los codos flexionados agarramos las mancuernas y las asas de la goma a la altura de los hombros.
Movimiento: extender los codos, a la vez que flexionamos los hombros hasta su máximo recorrido articular.

Aspectos a considerar:
Mantener el cuerpo en posición básica durante todo el movimiento.
No flexionar y extender las piernas durante el movimiento.
Mantener contraída la zona abdominal durante todo el movimiento.

Musculatura solicitada: deltoides.

Descripción del ejercicio:
Posición inicial: de pie, en posición básica, de espaldas al compañero, pasamos la goma elástica bajo sus pies y con los codos flexionados agarramos las mancuernas y las asas de la goma a la altura de los hombros y por detrás de la nuca.
Movimiento: extender los codos, a la vez que flexionamos los hombros hasta su máximo recorrido articular.
Aspectos a considerar:
Mantener el cuerpo en posición básica durante todo el movimiento.
No flexionar y extender las piernas durante el movimiento.
Mantener contraída la zona abdominal durante todo el movimiento.
El recorrido del movimiento debe realizarse por detrás de la nuca.

Musculatura solicitada: deltoides.

Descripción del ejercicio:
Posición inicial: de pie, en posición básica, situados lateralmente al compañero, pasamos la goma elástica bajo sus pies y con el codo ligeramente flexionado agarramos una de sus asas y la mancuerna con la mano del lado opuesto al compañero. La otra mano sujeta la otra asa.

Movimiento: abducir el hombro hasta llegar a la base del cuello y volver a la posición inicial.

Aspectos a considerar:

No flexionar lateralmente el tronco durante el movimiento.

No flexionar y extender las rodillas durante el ejercicio.

Musculatura solicitada: deltoides y trapecio.

Descripción del ejercicio:

Posición inicial: de pie, en posición básica, con los codos totalmente extendidos y con los brazos por delante del tronco, agarramos las mancuernas y las asas de la goma elástica mientras el compañero sujeta la goma, pisándola.

Movimiento: sin separar las manos, abducir los hombros al mismo tiempo que flexionamos los codos, hasta llegar a su máximo recorrido articular.

Aspectos a considerar:

Mantener la posición básica durante todo el movimiento.

No realizar flexiones y extensiones de las rodillas durante todo el movimiento.

No separar las manos.

Musculatura solicitada: deltoides (localizado en sus fibras posteriores).

Descripción del ejercicio:

Posición inicial: de pie, con las rodillas flexionadas a 90° y con el tronco apoyado sobre los muslos, agarramos las mancuernas y las asas de la goma elástica mientras el compañero pisa y sujeta la goma.

Movimiento: realizar una extensión seguida de una hiperextensión horizontal, hasta su máximo recorrido articular.

Aspectos a considerar:

Mantener el tronco bien apoyado sobre los muslos.

Es conveniente realizar una doble pasada de la goma en los pies para acortar su longitud.

Este ejercicio incide especialmente en la porción posterior del deltoides.

Musculatura solicitada: deltoides.

Descripción del ejercicio:

Posición inicial: sentados, con las rodillas flexionadas, los pies en el suelo y con los codos flexionados, agarramos las mancuernas y las asas de la goma elástica mientras el compañero pisa y sujeta la goma.

Movimiento: extender los codos, a la vez que flexionamos los hombros hasta su máximo recorrido articular.

Aspectos a considerar:

No arquear el tronco durante el movimiento y mantener la zona abdominal contraída.

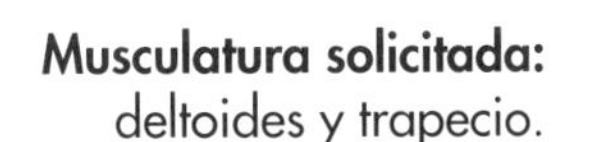

Musculatura solicitada: deltoides y trapecio.

Descripción del ejercicio:

Posición inicial: de pie, en posición básica, situados frente al compañero y con los hombros aducidos, agarramos la barra y las asas de la goma elástica mientras el compañero pisa y sujeta la goma.

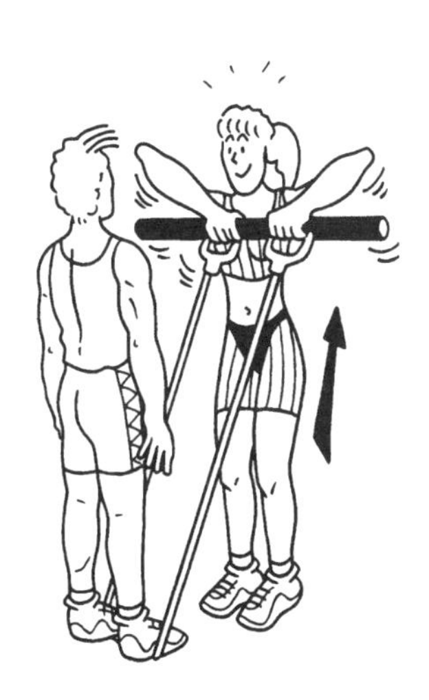

Movimiento: abducir los hombros hasta llegar a la altura de la base del cuello y volver a la posición inicial.

Aspectos a considerar:

Mantener el tronco fijo durante el movimiento.
Mantener una ligera flexión de los codos durante todo el movimiento.
No arquear el tronco durante el movimiento de abducción.
No flexionar y extender las piernas durante el movimiento.

Musculatura solicitada: deltoides (localizado en sus fibras anteriores).

Descripción del ejercicio:

Posición inicial: de pie, en posición básica, con los hombros en extensión, agarramos la barra y las asas de la goma elástica mientras el compañero la sujeta detrás nuestro, pisándola.

Movimiento: flexionar los hombros (elevando los brazos) hasta llegar a la altura de los mismos y volver a la posición inicial.

Aspectos a considerar:

Mantener el tronco fijo durante el movimiento.
Mantener una ligera flexión de los codos durante todo el movimiento.
No arquear el tronco durante el movimiento de abducción.
No flexionar y extender las piernas durante el movimiento.

Musculatura solicitada: deltoides (localizado en sus fibras posteriores).

Descripción del ejercicio:

Posición inicial: de pie, en posición básica, frente al compañero, con los hombros y los codos extendidos, agarramos la barra y las asas de la goma mientras el compañero sujeta la goma pisándola.

Movimiento: realizar una retroversión (hiperextensión) de los hombros, hasta su máximo recorrido articular.

Aspectos a considerar:

Mantener el tronco fijo durante todo el movimiento.
Mantener los codos ligeramente flexionados.

Musculatura solicitada: deltoides.

Descripción del ejercicio:

Posición inicial: sentados en el suelo, con las rodillas ligeramente flexionadas y con el tronco apoyado sobre los muslos, pasamos la goma elástica bajo los pies del compañero y con las manos agarramos sus asas y la barra.

Movimiento: realizar una flexión de los hombros a la vez que extendemos los codos hasta su máximo recorrido articular.

Aspectos a considerar:

Mantener el tronco apoyado sobre los muslos durante todo el movimiento.

Musculatura solicitada: deltoides (fundamentalmente fibras intermedias).

Descripción del ejercicio:

Posición inicial: de pie, en posición básica, pasamos la goma elástica bajo los pies del compañero y con los codos flexionados agarramos la barra y las asas de la goma a la altura de los hombros.

Movimiento: extender los codos, a la vez que flexionamos los hombros hasta su máximo recorrido articular.

Aspectos a considerar:

Mantener el cuerpo en posición básica durante todo el movimiento.

No flexionar y extender las piernas durante el movimiento.

Mantener contraída la zona abdominal durante todo el movimiento.

Musculatura solicitada: deltoides.

Descripción del ejercicio:

Posición inicial: de pie, en posición básica, pasamos la goma elástica bajo los pies del compañero y con los codos flexionados agarramos la barra y las asas de la goma a la altura de los hombros y por detrás de la nuca.

Movimiento: extender los codos, a la vez que flexionamos los hombros hasta su máximo recorrido articular.

Aspectos a considerar:

Mantener el cuerpo en posición básica durante todo el movimiento.

No flexionar y extender las piernas durante el movimiento.

Mantener contraída la zona abdominal durante todo el movimiento.

El recorrido del movimiento debe realizarse por detrás de la nuca.

Musculatura solicitada: deltoides.

Descripción del ejercicio:

Posición inicial: de pie, en posición básica, situados lateralmente al compañero, pasamos la goma elástica bajo sus pies y con el codo ligeramente flexionado agarramos una de sus asas y la barra con la mano del lado opuesto al compañero. La otra mano sujeta la otra asa.

Movimiento: abducir el hombro hasta llegar a la base del cuello y volver a la posición inicial.

Aspectos a considerar:

No flexionar lateralmente el tronco durante el movimiento.

No flexionar y extender las rodillas durante el ejercicio.

Mantener una ligera flexión del tronco durante todo el movimiento.

Musculatura solicitada: deltoides y trapecio.

Descripción del ejercicio:

Posición inicial: de pie, en posición básica, con los codos totalmente extendidos y con los brazos por delante del tronco, agarramos la barra y las asas de la goma elástica mientras el compañero pisa y sujeta la goma.

Movimiento: sin separar las manos, abducir los hombros al mismo tiempo que flexionamos los codos hasta llegar a su máximo recorrido articular.

Aspectos a considerar:
Mantener la posición básica durante todo el movimiento.
No realizar flexiones y extensiones de las rodillas durante todo el movimiento.
No separar las manos.

Musculatura solicitada: deltoides.

Descripción del ejercicio:
Posición inicial: sentados, con las rodillas flexionadas, los pies en el suelo y con los codos flexionados, agarramos la barra y las asas de la goma elástica mientras el compañero pisa y sujeta la goma.

Movimiento: extender los codos, a la vez que flexionamos los hombros hasta su máximo recorrido articular.
Aspectos a considerar:
No arquear el tronco durante el movimiento y mantener la zona abdominal contraída.

GRUPO MUSCULAR

Músculos de la articulación del hombro. Dorsal ancho

Ejercicios con gomas elásticas

Musculatura solicitada: dorsal ancho, redondo mayor.

Descripción del ejercicio:
Posición inicial: sentados, con las rodillas ligeramente flexionadas, pasamos la goma elástica alrededor de los pies y con los codos estirados la sujetamos por sus asas.

Movimiento: realizar una retroversión de los hombros y flexionar los codos llevando las manos a los lados del abdomen.

Aspectos a considerar:
Mantener el tronco erguido y contraída la zona abdominal.
Mantener siempre los codos paralelos.
Hacer una doble pasada de la goma por los pies, para mayor seguridad en el ejercicio.

Musculatura solicitada: dorsal ancho, redondo mayor.

Descripción del ejercicio:
Posición inicial: de pie, sobre el estep, en posición básica, pasamos la goma elástica por debajo de los soportes del estep y con el tronco ligeramente flexionado, agarramos las asas con las manos. Los brazos permanecen a ambos lados del tronco con los codos casi estirados.
Movimiento: realizar una retroversión de los hombros hasta llegar a su máximo recorrido articular a la vez que flexionamos los codos.

Aspectos a considerar:
Mantener el tronco ligeramente flexionado durante todo el movimiento.
Mantener el tronco fijo contrayendo la zona abdominal.
No abducir los hombros durante el movimiento.

Musculatura solicitada: dorsal ancho, redondo mayor.

Descripción del ejercicio:
Posición inicial: en posición básica, con un pie apoyado sobre el estep, pasamos la goma elástica por debajo de los soportes y la agarramos por sus asas con la mano contraria del pie apoyado en el estep. La otra mano la apoyamos en el muslo de la pierna adelantada.

Movimiento: realizar una retroversión del hombro hasta su máximo recorrido articular a la vez que flexionamos el codo.

Aspectos a considerar:
Cargar el peso del tronco sobre la mano apoyada en el muslo para mantener relajada la zona lumbar.
No abducir los hombros durante el movimiento.

Musculatura solicitada: dorsal ancho, redondo mayor.

Descripción del ejercicio:
Posición inicial: sentados de espaldas a la espaldera, con las rodillas ligeramente flexionadas, pasamos la goma elástica por encima de uno de sus barrotes y con los codos estirados por encima de la cabeza, sujetamos, con las manos, las asas de la goma.
Movimiento: aducir los hombros (descendiendo los hombros lateralmente) al mismo tiempo que flexionamos los codos hasta situar las manos a ambos lados y a la altura de la cabeza.
Aspectos a considerar:
Mantener el tronco fijo, sin incurvarlo durante el movimiento.

Musculatura solicitada: dorsal ancho, redondo mayor.

Descripción del ejercicio:
Posición inicial: sentados frente a la espaldera, con las rodillas ligeramente flexionadas, pasamos la goma elástica por uno de los barrotes inferiores de la espaldera. Sujetamos las asas de la goma elástica con las manos manteniendo los brazos a la altura del pecho y los codos estirados.
Movimiento: realizar una retroversión de los hombros hasta su máximo recorrido articular a la vez que flexionamos los codos.
Aspectos a considerar:
Mantener el tronco fijo, sin extenderlo durante todo el movimiento.
Flexionar y extender el tronco durante el movimiento en caso de querer trabajar la musculatura extensora del tronco (paravertebrales y cuadrado lumbar).
No abducir los hombros durante el movimiento.

Musculatura solicitada: dorsal ancho, redondo mayor.

Descripción del ejercicio:
Posición inicial: en posición básica, pasamos la goma elástica por detrás de uno de los barrotes de la espaldera y la agarramos con las manos por sus asas.

Mantener los codos flexionados y los hombros abducidos a la altura de las escápulas.
Movimiento: realizar una retroversión de los hombros hasta su máximo recorrido articular manteniendo los hombros abducidos.
Aspectos a considerar:
Mantener los hombros siempre abducidos a 90° (brazos paralelos al suelo).

Musculatura solicitada: dorsal ancho, redondo mayor.
Descripción del ejercicio:
Posición inicial: de pie, en posición básica, con los hombros totalmente flexionados (brazos elevados hacia arriba) y los codos estirados, agarramos las asas de la goma elástica con las manos de forma que quede bien tensa.

Movimiento: aducir el hombro a la vez que flexionamos el codo, mientras el otro brazo se mantiene fijo, con el codo ligeramente flexionado.
Aspectos a considerar:
Mantener la posición básica durante todo el movimiento.
Procurar que el recorrido durante toda la aducción del hombro se realice por detrás de la cabeza.

Musculatura solicitada: dorsal ancho, redondo mayor.

Descripción del ejercicio:
Posición inicial: de pie, frente a la espaldera, en posición básica, pasamos la goma elástica por uno de sus barrotes a la altura de la cabeza. Agarramos las asas de la goma con las manos y mantenemos los brazos a la altura del pecho con los codos estirados.
Movimiento: extender los hombros hasta situar los brazos a la altura del tronco.
Aspectos a considerar:
Mantener el tronco fijo durante todo el movimiento.
No flexionar los codos durante el movimiento de extensión de los hombros.

Musculatura solicitada: dorsal ancho, redondo mayor.

Descripción del ejercicio:
Posición inicial: de pie, en posición básica y situados lateralmente a la espaldera, pasamos la goma elástica por uno de sus barrotes a la altura de la cabeza y con el hombro flexionado lateralmente (abducido) y el codo estirado agarramos las asas con la mano.
Movimiento: aducir el hombro (extensión lateral) hasta situar el brazo junto al tronco.
Aspectos a considerar:
Mantener la posición básica durante todo el movimiento.
No flexionar el codo durante el movimiento (mantenerlo ligeramente flexionado).
En la posición inicial el brazo debe estar estirado por encima de la línea de los hombros para asegurar un recorrido amplio y completo.

Musculatura solicitada: dorsal ancho, redondo mayor.

Descripción del ejercicio:
Posición inicial: de rodillas, frente a la espaldera, con el tronco flexionado, apoyamos una mano en el suelo y

pasamos la goma elástica por detrás de uno de los barrotes de la espaldera. Con la otra mano sujetamos la goma elástica por sus asas mientras mantenemos el codo estirado y el hombro flexionado.

Movimiento: realizar una extensión del hombro, a la vez que flexionamos el codo hasta llegar a una hiperextensión del hombro.

Aspectos a considerar:
En la posición inicial el hombro debe estar flexionado y el codo totalmente estirado.
En la posición final del movimiento la mano debe estar situada junto al tronco, el codo debe estar flexionado y el hombro en posición de hiperextensión.

Musculatura solicitada: dorsal ancho, redondo mayor.

Descripción del ejercicio:
Posición inicial: en posición básica, con el tronco ligeramente inclinado hacia adelante, pasamos la goma elástica por debajo de los pies y con los codos estirados agarramos la goma por sus asas.
Movimiento: realizar una retroversión de los hombros a la vez que flexionamos los codos.
Aspectos a considerar:
Mantener el tronco un poco más inclinado de lo normal en la posición básica. No moverlo durante el movimiento.
Mantener los codos paralelos.

Musculatura solicitada: dorsal ancho, redondo mayor.

Descripción del ejercicio:
Posición inicial: en posición básica, con un pie adelantado, pisamos la goma elástica agarrándola con la mano contraria por sus asas. La otra mano la apoyamos en el muslo de la pierna adelantada.

Movimiento: realizar una retroversión del hombro hasta su máximo recorrido articular a la vez que flexionamos el codo.
Aspectos a considerar:
Cargar el peso del tronco sobre la mano apoyada en el muslo.
No mover el tronco durante el movimiento.

Ejercicios con bandas elásticas

Musculatura solicitada: dorsal ancho, redondo mayor.

Descripción del ejercicio:
Posición inicial: sentados, con las rodillas ligeramente flexionadas, pasamos la banda elástica alrededor de los pies y con los codos estirados la agarramos por sus extremos.

Movimiento: realizar una retroversión de los hombros y flexionar los codos llevando las manos a los lados del abdomen.
Aspectos a considerar:
Mantener el tronco erguido y contraída la zona abdominal.
Mantener siempre los codos paralelos.
Hacer una doble pasada de la goma por los pies, para mayor seguridad en el ejercicio.

Musculatura solicitada: dorsal ancho, redondo mayor.

Descripción del ejercicio:
Posición inicial: sentados sobre el estep, con las rodillas ligeramente flexionadas, pasamos la banda elástica por debajo de los soportes y con los codos estirados la agarramos por sus extremos.

Movimiento: realizar una retroversión de los

hombros y flexionar los codos llevando las manos a los lados del abdomen.

Aspectos a considerar:

Mantener el tronco erguido y contraída la zona abdominal.

Mantener siempre los codos paralelos.

Musculatura solicitada: dorsal ancho, redondo mayor.

Descripción del ejercicio:

Posición inicial: en posición básica, con un pie apoyado sobre el estep, pasamos la banda elástica por debajo de los soportes y la agarramos por sus extremos con la mano contraria del pie apoyado en el estep. La otra mano la apoyamos en el muslo de la pierna adelantada.

Movimiento: realizar una retroversión del hombro hasta su máximo recorrido articular a la vez que flexionamos el codo.

Aspectos a considerar:

Cargar el peso del tronco sobre la mano apoyada en el muslo para mantener relajada la zona lumbar.

Apoyar el pie hacia la mitad del estep, si es posible, para evitar que se levante por la parte donde está la banda.

No abducir el hombro durante el movimiento.

Musculatura solicitada: dorsal ancho, redondo mayor.

Descripción del ejercicio:

Posición inicial: sentados, de espaldas a la espaldera, con las rodillas ligeramente flexionadas, pasamos la banda elástica por encima de uno de sus barrotes y con los codos estirados por encima de la cabeza, la agarramos por sus extremos.

Movimiento: aducir los hombros (descendiendo los hombros lateralmente) al mismo tiempo que flexionamos los codos hasta situar las manos a ambos lados y a la altura de la cabeza.

Aspectos a considerar:

Mantener el tronco fijo sin incurvarlo durante el movimiento.

Musculatura solicitada: dorsal ancho, redondo mayor.

Descripción del ejercicio:

Posición inicial: sentados, frente a la espaldera, con las rodillas ligeramente flexionadas, pasamos la banda elástica por uno de los barrotes inferiores de la espaldera. Sujetamos la banda elástica por sus extremos, manteniendo los brazos a la altura del pecho y los codos estirados.

Movimiento: realizar una retroversión de los hombros hasta su máximo recorrido articular a la vez que flexionamos los codos.

Aspectos a considerar:

Mantener el tronco fijo sin extenderlo durante todo el movimiento.

Flexionar y extender el tronco durante el movimiento en caso de querer trabajar la musculatura extensora del tronco (paravertebrales y cuadrado lumbar).

No abducir los hombros durante el movimiento.

Musculatura solicitada: dorsal ancho, redondo mayor.

Descripción del ejercicio:

Posición inicial: en posición básica, pasamos la banda elástica por detrás de uno de los barrotes de la espaldera y la agarramos con las manos por sus extremos. Mantener los codos flexionados y los hombros abducidos a la altura de las escápulas.

Movimiento: realizar una retroversión de los hombros hasta su máximo recorrido articular manteniendo los hombros abducidos.
Aspectos a considerar:
Mantener los hombros siempre abducidos a 90° (brazos paralelos al suelo).

Musculatura solicitada: dorsal ancho, redondo mayor.

Descripción del ejercicio:
Posición inicial: de pie, en posición básica, con los hombros totalmente flexionados (brazos elevados hacia arriba) y los codos estirados, agarramos ambos extremos de la goma elástica con una mano y el lado contrario con la otra mano de forma que quede bien tensa.

Movimiento: aducir el hombro a la vez que flexionamos el codo, mientras el otro brazo se mantiene fijo con el codo ligeramente flexionado.
Aspectos a considerar:
Mantener la posición básica durante todo el movimiento.
Procurar que el recorrido durante toda la aducción del hombro se realice por detrás de la cabeza.

Musculatura solicitada: dorsal ancho, redondo mayor.

Descripción del ejercicio:
Posición inicial: de pie, frente a la espaldera, en posición básica, pasamos la banda elástica por uno de sus barrotes a la altura de la cabeza, agarrando sus extremos con las manos y mantenemos los brazos a la altura del pecho con los codos estirados.
Movimiento: extender los hombros hasta situar los brazos a la altura del tronco.
Aspectos a considerar:
Mantener el tronco fijo durante todo el movimiento.
No flexionar los codos durante el movimiento de extensión de los hombros.

Musculatura solicitada: dorsal ancho, redondo mayor.
Descripción del ejercicio:

Posición inicial: de pie, en posición básica y situados lateralmente a la espaldera, pasamos la banda elástica por uno de sus barrotes a la altura de la cabeza y con el hombro flexionado lateralmente

(abducido) y el codo estirado agarramos sus extremos con la mano.
Movimiento: aducir el hombro (extensión lateral) hasta situar el brazo junto al tronco.
Aspectos a considerar:
Mantener la posición básica durante todo el movimiento.
No flexionar el codo durante el movimiento (mantenerlo ligeramente flexionado).
En la posición inicial el brazo debe estar estirado por encima de la línea de los hombros para asegurar un recorrido amplio y completo.

Musculatura solicitada: dorsal ancho, redondo mayor.
Descripción del ejercicio:

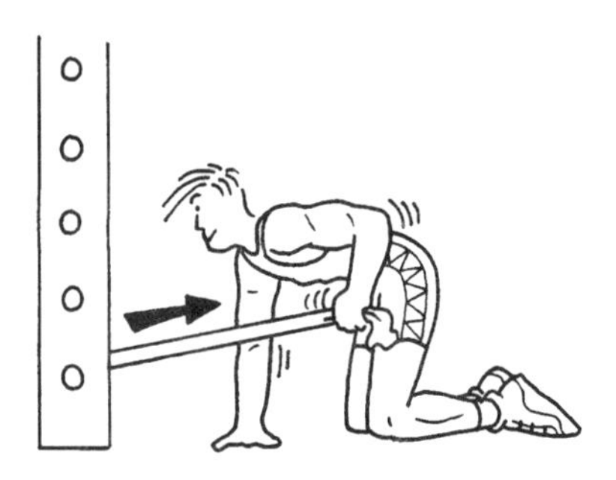

Posición inicial: de rodillas, frente a la espaldera, con el tronco flexionado, apoyamos una mano en el suelo y pasamos la banda elástica por detrás de uno de los barrotes de la espaldera. Con la otra mano agarramos la banda elástica por sus extremos mientras mantenemos el codo estirado y el hombro flexionado.
Movimiento: realizar una extensión del hombro, a la vez que flexionamos el codo hasta llegar a una hiperextensión del hombro.
Aspectos a considerar:
En la posición inicial el hombro debe estar flexionado y el codo totalmente estirado.
En la posición final del movimiento la mano debe estar situada junto al tronco, el codo debe estar flexionado y el hombro en posición de hiperextensión.

Musculatura solicitada: dorsal ancho, redondo mayor.

Descripción del ejercicio:
Posición inicial: en posición básica, con el tronco ligeramente inclinado hacia adelante, pasamos la banda elástica por debajo de los pies y con los codos estirados agarramos la banda por sus extremos.

Movimiento: realizar una retroversión de los hombros a la vez que flexionamos los codos.
Aspectos a considerar:
Mantener el tronco un poco más inclinado de lo normal en la posición básica. No moverlo durante el movimiento.
No abducir los hombros durante el movimiento.

Musculatura solicitada: dorsal ancho, redondo mayor.

Descripción del ejercicio:

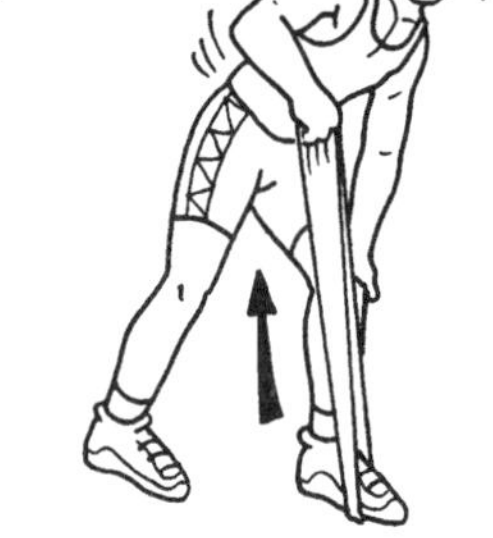

Posición inicial: en posición básica, con un pie adelantado, pisamos la banda elástica sujetándola con la mano contraria por sus extremos. La otra mano la apoyamos en el muslo de la pierna adelantada.
Movimiento: realizar una retroversión del hombro hasta su máximo recorrido articular a la vez que flexionamos el codo.
Aspectos a considerar:
Cargar el peso del tronco sobre la mano apoyada en el muslo.
No mover el tronco durante el movimiento.
No abducir el hombro durante el movimiento.

Ejercicios con barra

Musculatura solicitada: dorsal ancho, redondo mayor.

Descripción del ejercicio:

Posición inicial: en posición básica, con el tronco ligeramente inclinado hacia adelante, agarramos la barra con las manos, mientras mantenemos los codos estirados.
Movimiento: realizar una retroversión de los hombros a la vez que flexionamos los codos.

Aspectos a considerar:
Mantener el tronco un poco más inclinado de lo normal en la posición básica. No moverlo durante el movimiento.

Musculatura solicitada: dorsal ancho, redondo mayor.

Descripción del ejercicio:
Posición inicial: en posición básica, con un pie adelantado, apoyamos la barra en el suelo por detrás de la pierna de apoyo más atrasada y sujetamos con la mano su otro extremo.

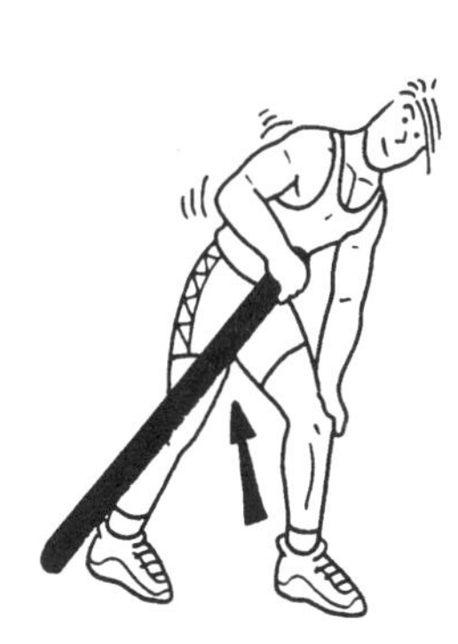

Movimiento: realizar una retroversión del hombro hasta su máximo recorrido articular a la vez que flexionamos el codo.
Aspectos a considerar:
Cargar el peso del tronco sobre la mano apoyada en el muslo.
No abducir el hombro ni mover el tronco durante el movimiento.

Ejercicios con mancuernas

Musculatura solicitada: dorsal ancho, redondo mayor.

Descripción del ejercicio:
Posición inicial: en posición básica, con un pie adelantado, agarramos una mancuerna con la mano contraria y la otra mano la apoyamos en el muslo de la pierna adelantada.
Movimiento: realizar una retroversión del hombro hasta su máximo recorrido articular a la vez que flexionamos el codo.
Aspectos a considerar:
Cargar el peso del tronco sobre la mano apoyada en el muslo.
No abducir el hombro ni mover el tronco durante el movimiento.

Musculatura solicitada: dorsal ancho, redondo mayor.

Descripción del ejercicio:
Posición inicial: en posición básica, con el tronco ligeramente inclinado hacia delante, agarramos una mancuerna con cada mano, al tiempo que mantenemos los codos estirados.
Movimiento: realizar una retroversión de los hombros a la vez que flexionamos los codos.
Aspectos a considerar:
Mantener el tronco un poco más inclinado de lo normal en la posición básica. No moverlo durante el movimiento.
Contraer la zona abdominal para relajar o aligerar la tensión que se produce en la zona lumbar durante la realización del ejercicio.
No abducir los hombros en el ejercicio.

Ejercicios combinados con diferentes materiales

Musculatura solicitada: dorsal ancho, redondo mayor.

Descripción del ejercicio:
Posición inicial: sentados, con las rodillas ligeramente flexionadas, enrollamos la goma elástica alrededor de los pies y pasamos sus asas por los extremos de la pica. Con los codos estirados agarramos las asas y la pica con las manos.
Movimiento: realizar una retroversión de los hombros y flexionar los codos llevando la pica hasta el pecho.
Aspectos a considerar:
Mantener el tronco erguido y contraída la zona abdominal.
Mantener siempre los codos paralelos.
Hacer una doble pasada de la goma por los pies, para mayor seguridad en el ejercicio.

Musculatura solicitada: dorsal ancho, redondo mayor.

Descripción del ejercicio:

Posición inicial: de pie, sobre el estep, en posición básica, con el tronco ligeramente flexionado, pasamos la goma elástica por debajo de los soportes del estep y sus asas por los extremos de la pica. Con los brazos a ambos lados del tronco y los codos casi estirados agarramos la pica y las asas con las manos.

Movimiento: realizar una retroversión de los hombros hasta llegar a su máximo recorrido articular a la vez que flexionamos los codos.

Aspectos a considerar:

Mantener el tronco ligeramente flexionado durante todo el movimiento.

Mantener el tronco fijo contrayendo la zona abdominal.

No abducir los hombros durante el movimiento.

Musculatura solicitada: dorsal ancho, redondo mayor.

Descripción del ejercicio:

Posición inicial: sentados, de espaldas a la espaldera, con las rodillas ligeramente flexionadas, pasamos la goma elástica por encima de uno de sus barrotes y las asas de la goma por los extremos de la pica. Con los codos estirados por encima de la cabeza, agarramos con las manos las asas de la goma y la pica.

Movimiento: aducir los hombros (descendiendo los hombros lateralmente) al mismo tiempo que flexionamos los codos hasta situar las manos a ambos lados y a la altura de la cabeza.

Aspectos a considerar:

Mantener el tronco fijo sin incurvarlo durante el movimiento.

Musculatura solicitada: dorsal ancho, redondo mayor.

Descripción del ejercicio:

Posición inicial: sentado frente a la espaldera, con las rodillas ligeramente flexionadas, pasamos la goma elástica por uno de los barrotes inferiores de la espaldera y sus asas por los extremos de la pica. Con los codos estirados y los brazos a la altura del pecho agarramos la pica y las asas de la goma.

Movimiento: realizar una retroversión de los hombros hasta su máximo recorrido articular a la vez que flexionamos los codos.

Aspectos a considerar:

Mantener el tronco fijo, sin extenderlo durante todo el movimiento.

Flexionar y extender el tronco durante el movimiento en caso de querer trabajar la musculatura extensora del tronco (paravertebrales y cuadrado lumbar).

No abducir los hombros durante el movimiento.

Musculatura solicitada: dorsal ancho, redondo mayor.

Descripción del ejercicio:

Posición inicial: de pie, frente a la espaldera, en posición básica, pasamos la goma elástica por uno de sus barrotes a la altura de la cabeza y las asas de la goma por los extremos de la pica. Con los codos estirados y los hombros flexionados agarramos con las manos las asas de la goma y la pica.

Movimiento: extender los hombros hasta situar los brazos a la altura del tronco.

Aspectos a considerar:
Mantener el tronco fijo durante todo el movimiento.
No flexionar los codos durante el movimiento de extensión de los hombros.

Musculatura solicitada: dorsal ancho, redondo mayor.

Descripción del ejercicio:
Posición inicial: sentados, con las rodillas ligeramente flexionadas, pasamos la banda elástica alrededor de los pies y enrollamos sus extremos en la pica. Con los codos estirados agarramos la pica y los extremos de la banda con las manos.

Movimiento: realizar una retroversión de los hombros y flexionar los codos llevando la pica hasta el pecho.
Aspectos a considerar:
Mantener el tronco erguido y contraída la zona abdominal.
Mantener siempre los codos paralelos.
Hacer una doble pasada de la banda por los pies, para mayor seguridad en el ejercicio.

Musculatura solicitada: dorsal ancho, redondo mayor.

Descripción del ejercicio:
Posición inicial: sentados sobre el estep, con las rodillas ligeramente flexionadas, pasamos la banda elástica por debajo de los soportes y enrollamos sus extremos a la pica. Con los codos estirados agarramos con las manos la pica y los extremos de la banda.

Movimiento: realizar una retroversión de los hombros y flexionar los codos llevando las manos a los lados del abdomen.
Aspectos a considerar:
Mantener el tronco erguido y contraída la zona abdominal.
Mantener siempre los codos paralelos.
Si se prefiere, se puede coger pica y banda con las manos en lugar de enrollarla a la pica.

Musculatura solicitada: dorsal ancho, redondo mayor.

Descripción del ejercicio:
Posición inicial: sentados, de espaldas a la espaldera, con las rodillas ligeramente flexionadas, pasamos la banda elástica por encima de uno de sus barrotes y enrollamos sus extremos en la pica. Con los codos estirados por encima de la cabeza, agarramos con las manos la pica y los extremos de la banda.
Movimiento: aducir los hombros (descendiendo los hombros lateralmente) al mismo tiempo que flexionamos los codos hasta situar las manos a ambos lados y a la altura de la cabeza.
Aspectos a considerar:
Mantener el tronco fijo sin incurvarlo durante el movimiento.

Musculatura solicitada: dorsal ancho, redondo mayor.

Descripción del ejercicio:
Posición inicial: sentados, frente a la espaldera, con las rodillas ligeramente flexionadas, pasamos la banda elástica por uno de los barrotes inferiores de la espaldera y enrollamos sus extremos en la pica. Con los codos estirados y los hombros flexionados a la altura del pecho, agarramos con las manos la pica y los extremos de la banda.
Movimiento: realizar una retroversión de los hombros hasta su máximo recorrido articular a la vez que flexionamos los codos.
Aspectos a considerar:
Mantener el tronco fijo sin extenderlo durante todo el movimiento.
Flexionar y extender el tronco durante el movimiento en caso de querer trabajar la musculatura extensora del tronco (paravertebrales y cuadrado lumbar).
No abducir los hombros durante el movimiento.

Musculatura solicitada: dorsal ancho, redondo mayor.

Descripción del ejercicio:
Posición inicial: de pie, frente a la espaldera, en posición básica, pasamos la banda elástica por uno de sus barrotes a la altura de la cabeza y enrollamos sus extremos a la pica. Con los codos estirados y los hombros flexionados agarramos con las manos la pica y los extremos de la banda.
Movimiento: extender los hombros hasta situar los brazos a la altura del tronco.
Aspectos a considerar:
Mantener el tronco fijo durante todo el movimiento.
No flexionar los codos durante el movimiento de extensión de los hombros.
Si se prefiere, se puede sujetar pica y banda con las manos en lugar de enrollarla o atarla en la pica.

Musculatura solicitada: dorsal ancho, redondo mayor.

Descripción del ejercicio:
Posición inicial:
sentados, con las rodillas ligeramente flexionadas, enrollamos la goma elástica alrededor de los pies y pasamos sus asas por los extremos de la barra. Con los codos estirados agarramos las asas y la barra con las manos.

Movimiento: realizar una retroversión de los hombros y flexionar los codos llevando la barra hasta el pecho.
Aspectos a considerar:
Mantener el tronco erguido y contraída la zona abdominal.
Mantener siempre los codos paralelos.
Hacer una doble pasada de la goma por los pies, para mayor seguridad en el ejercicio.

Musculatura solicitada: dorsal ancho, redondo mayor.

Descripción del ejercicio:
Posición inicial: de pie, sobre el estep, en posición básica, con el tronco ligeramente flexionado, pasamos la goma elástica por debajo de los soportes del estep y sus asas por los extremos de la barra. Con los brazos a ambos lados del tronco y los codos casi estirados agarramos la barra y las asas con las manos.

Movimiento: realizar una retroversión de los hombros hasta llegar a su máximo recorrido articular a la vez que flexionamos los codos.

Aspectos a considerar: mantener el tronco ligeramente flexionado durante todo el movimiento.
Mantener el tronco fijo contrayendo la zona abdominal.
No abducir los hombros durante el movimiento.

Musculatura solicitada: dorsal ancho, redondo mayor.

Descripción del ejercicio:

Posición inicial: sentados, de espaldas a la espaldera, con las rodillas ligeramente flexionadas, pasamos la goma elástica por encima de uno de sus barrotes y las asas de la goma por los extremos de la barra. Con los codos estirados por encima de la cabeza, agarramos con las manos las asas de la goma y la barra.

Movimiento: aducir los hombros (descendiendo los hombros lateralmente) al mismo tiempo que flexionamos los codos, hasta situar las manos a ambos lados y a la altura de la cabeza.

Aspectos a considerar:
Mantener el tronco fijo sin incurvarlo durante el movimiento.

Musculatura solicitada: dorsal ancho, redondo mayor.

Descripción del ejercicio:

Posición inicial: sentados, frente a la espaldera, con las rodillas ligeramente flexionadas, pasamos la goma elástica por uno de los barrotes inferiores de la espaldera y sus asas por los extremos de la barra. Con los codos estirados y los brazos a la altura del pecho agarramos la barra y las asas de la goma.

Movimiento: realizar una retroversión de los hombros hasta su máximo recorrido articular a la vez que flexionamos los codos.

Aspectos a considerar:
Mantener el tronco fijo, sin extenderlo durante todo el movimiento.
Flexionar y extender el tronco durante el movimiento en caso de querer trabajar la musculatura extensora del tronco (paravertebrales y cuadrado lumbar).
No abducir los hombros durante el movimiento.

Musculatura solicitada: dorsal ancho, redondo mayor.

Descripción del ejercicio:

Posición inicial: de pie, frente a la espaldera, en posición básica, pasamos la goma elástica por uno de sus barrotes a la altura de la cabeza y las asas de la goma por los extremos de la barra. Con los codos estirados y los hombros flexionados agarramos con las manos las asas de la goma y la barra.

Movimiento: extender los hombros hasta situar los brazos a la altura del tronco.

Aspectos a considerar:

Mantener el tronco fijo durante todo el movimiento.
No flexionar los codos durante el movimiento de extensión de los hombros.
En este ejercicio la barra facilita el movimiento disminuyendo la intensidad del mismo.

Musculatura solicitada: dorsal ancho, redondo mayor.

Descripción del ejercicio:

Posición inicial: sentados, con las rodillas ligeramente flexionadas, pasamos la banda elástica alrededor de los pies y enrollamos sus extremos en la barra. Con los codos estirados agarramos la barra y los extremos de la banda con las manos.

Movimiento: realizar una retroversión de los hombros y flexionar los codos llevando la barra hasta el pecho.

Aspectos a considerar:

Mantener el tronco erguido y contraída la zona abdominal.
Mantener siempre los codos paralelos.
Hacer una doble pasada de la goma por los pies, para mayor seguridad en el ejercicio.

Musculatura solicitada: dorsal ancho, redondo mayor.

Descripción del ejercicio:

Posición inicial: sentados, sobre el estep, con las rodillas ligeramente flexionadas, pasamos la banda elástica por debajo de los soportes y enrollamos sus extremos a la barra. Con los codos estirados agarramos con las manos la barra y los extremos de la banda.

Movimiento: realizar una retroversión de los hombros y flexionar los codos, llevando las manos a los lados del abdomen.

Aspectos a considerar:

Mantener el tronco erguido y contraída la zona abdominal.
Mantener siempre los codos paralelos.

Musculatura solicitada: dorsal ancho, redondo mayor.

Descripción del ejercicio:

Posición inicial: sentados, de espaldas a la espaldera, con las rodillas ligeramente flexionadas, pasamos la banda elástica por encima de uno de sus barrotes y enrollamos sus extremos en la barra. Con los codos estirados por encima de la cabeza, agarramos con las manos la barra y los extremos de la banda.

Movimiento: aducir los hombros (descendiendo los hombros lateralmente) al mismo tiempo que flexionamos los codos hasta situar las manos a ambos lados y a la altura de la cabeza.

Aspectos a considerar:

Mantener el tronco fijo sin incurvarlo durante el movimiento.
En este ejercicio la barra facilita el movimiento disminuyendo la intensidad del mismo.

Musculatura solicitada: dorsal ancho, redondo mayor.

Descripción del ejercicio:

Posición inicial: sentados, frente a la espaldera, con las rodillas ligeramente flexionadas, pasamos la banda elástica por uno de los barrotes inferiores de la espaldera y enrollamos sus extremos en la barra. Con los codos estirados y los hombros flexionados a la

altura del pecho agarramos con las manos la barra y los extremos de la banda.

Movimiento: realizar una retroversión de los hombros hasta su máximo recorrido articular a la vez que flexionamos los codos.

Aspectos a considerar:

Mantener el tronco fijo sin extenderlo durante todo el movimiento.

Flexionar y extender el tronco durante el movimiento en caso de querer trabajar la musculatura extensora del tronco (paravertebrales y cuadrado lumbar).

No abducir los hombros durante el movimiento.

Musculatura solicitada: dorsal ancho, redondo mayor.

Descripción del ejercicio:

Posición inicial: de pie, frente a la espaldera, en posición básica, pasamos la banda elástica por uno de sus barrotes a la altura de la cabeza y enrollamos sus extremos a la barra. Con los codos estirados y los hombros flexionados agarramos con las manos la barra y los extremos de la banda.

Movimiento: extender los hombros hasta situar los brazos a la altura del tronco.

Aspectos a considerar:

Mantener el tronco fijo durante todo el movimiento.

No flexionar los codos durante el movimiento de extensión de los hombros.

Musculatura solicitada: dorsal ancho, redondo mayor.

Descripción del ejercicio:

Posición inicial: en posición básica, con el tronco ligeramente inclinado hacia adelante, pisamos la goma elástica y pasamos sus asas por los extremos de la pica. Con los codos estirados, agarramos con las manos la pica y las asas de la goma.

Movimiento: realizar una retroversión de los hombros a la vez que flexionamos los codos.

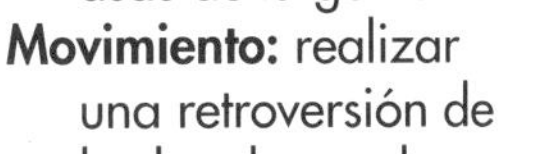

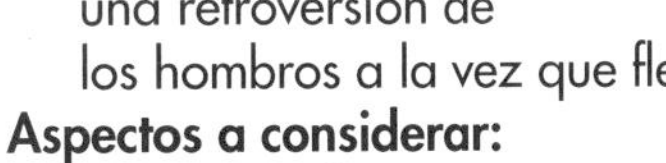

Aspectos a considerar:

Mantener el tronco un poco más inclinado de lo normal en la posición básica. No moverlo durante el movimiento.

No abducir los hombros durante el movimiento.

Musculatura solicitada: dorsal ancho, redondo mayor.

Descripción del ejercicio:

Posición inicial: en posición básica, con el tronco ligeramente inclinado hacia adelante, pisamos la banda elástica y enrollamos sus extremos en la pica. Con los codos estirados, agarramos con las manos la pica y los extremos de la banda.

Movimiento: realizar una retroversión de los hombros a la vez que flexionamos los codos.

Aspectos a considerar:
Mantener el tronco un poco más inclinado de lo normal en la posición básica. No moverlo durante el ejercicio.
No abducir los hombros durante el movimiento.

Musculatura solicitada: dorsal ancho, redondo mayor.

Descripción del ejercicio:
Posición inicial: en posición básica, con el tronco ligeramente inclinado hacia delante, pisamos la goma elástica y pasamos sus asas por los extremos de la barra. Con los codos estirados, agarramos con las manos la barra y las asas de la goma.

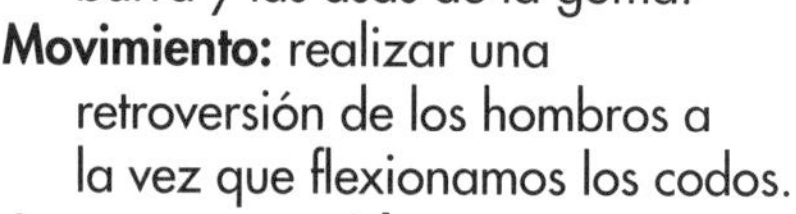

Movimiento: realizar una retroversión de los hombros a la vez que flexionamos los codos.
Aspectos a considerar:
Mantener el tronco un poco más inclinado de lo normal en la posición básica. No moverlo durante el ejercicio.
No abducir los hombros durante el movimiento.

Musculatura solicitada: dorsal ancho, redondo mayor.

Descripción del ejercicio:
Posición inicial: en posición básica, con el tronco ligeramente inclinado hacia delante, pisamos la banda elástica y enrollamos sus extremos en la barra. Con los codos estirados, agarramos con las manos la barra y los extremos de la banda.

Movimiento: realizar una retroversión de los hombros a la vez que flexionamos los codos.
Aspectos a considerar:
Mantener el tronco un poco más inclinado de lo normal en la posición básica. No moverlo durante el ejercicio.
No abducir los hombros durante el movimiento.

Musculatura solicitada: dorsal ancho, redondo mayor.

Descripción del ejercicio:
Posición inicial: en posición básica, con un pie adelantado, apoyamos la pica en el suelo por detrás de la pierna de apoyo más atrasada y pasamos la goma elástica por debajo del pie adelantado. Con la mano, sujetamos el extremo de la pica y las asas de la goma.

Movimiento: realizar una retroversión del hombro hasta su máximo recorrido articular a la vez que flexionamos el codo.
Aspectos a considerar:
Cargar el peso del tronco sobre la mano apoyada en el muslo.
No mover el tronco durante el movimiento.
Si la goma queda poco tensada, realizar varias vueltas alrededor del pie hasta que quede con la tensión adecuada para la realización del ejercicio.
No abducir el hombro durante el movimiento.
Apoyar la pica en algún tope (pared, estep, etc.) para evitar que se desplace hacia atrás durante el movimiento.

Musculatura solicitada: dorsal ancho, redondo mayor.

Descripción del ejercicio:
Posición inicial: en posición básica, con un pie adelantado, apoyamos la pica en el suelo por detrás de la pierna de apoyo más atrasada y pasamos la banda elástica por debajo del pie adelantado. Enrollamos los extremos de la banda en la pica y los sujetamos con la mano.

Movimiento: realizar una retroversión del hombro hasta su máximo recorrido articular a la vez que flexionamos el codo.
Aspectos a considerar:
Cargar el peso del tronco sobre la mano apoyada en el muslo.

No mover el tronco durante el movimiento.
Si la goma queda poco tensada, realizar varias vueltas alrededor del pie hasta que quede con la tensión adecuada para la realización del ejercicio.
No abducir el hombro durante el movimiento.
Apoyar la pica en algún tope (pared, estep, etc.) para evitar que se desplace hacia atrás durante el movimiento.

Musculatura solicitada: dorsal ancho, redondo mayor.

Descripción del ejercicio:
Posición inicial: en posición básica, con un pie adelantado, apoyamos la barra en el suelo por detrás de la pierna de apoyo más atrasada y pasamos la goma elástica por debajo del pie adelantado. Con la mano, sujetamos el extremo de la barra y las asas de la goma.

Movimiento: realizar una retroversión del hombro hasta su máximo recorrido articular a la vez que flexionamos el codo.
Aspectos a considerar:
Cargar el peso del tronco sobre la mano apoyada en el muslo.
No mover el tronco durante el movimiento.
Si la goma queda poco tensada, realizar varias vueltas alrededor del pie hasta que quede con la tensión adecuada para la realización del ejercicio.

Musculatura solicitada: dorsal ancho, redondo mayor.

Descripción del ejercicio:
Posición inicial: en posición básica, con un pie adelantado, apoyamos la barra en el suelo por detrás de la pierna de apoyo más atrasada y pasamos la banda elástica por debajo del pie adelantado. Enrollamos los extremos de la banda en la barra y las sujetamos con la mano.

Movimiento: realizar una retroversión del hombro hasta su máximo recorrido articular a la vez que flexionamos el codo.
Aspectos a considerar:
Cargar el peso del tronco sobre la mano apoyada en el muslo.
No mover el tronco durante el movimiento.
Si la goma queda poco tensada, realizar varias vueltas alrededor del pie hasta que quede con la tensión adecuada para la realización del ejercicio.
No abducir el hombro durante el movimiento.

Musculatura solicitada: dorsal ancho, redondo mayor.

Descripción del ejercicio:
Posición inicial: en posición básica, con un pie adelantado, pasamos la goma elástica por debajo del pie y con la mano del mismo lado agarramos sus asas y una mancuerna. La otra mano la apoyamos en el muslo de la pierna adelantada.

Movimiento: realizar una retroversión del hombro hasta su máximo recorrido articular a la vez que flexionamos el codo.
Aspectos a considerar:
Cargar el peso del tronco sobre la mano apoyada en el muslo.
No mover el tronco durante el movimiento.
No abducir el hombro durante el movimiento.

Musculatura solicitada: dorsal, ancho, redondo mayor.

Descripción del ejercicio:
Posición inicial: en posición básica, con un pie adelantado, pasamos la banda elástica por debajo del pie y con la mano del lado contrario agarramos sus extremos y una mancuerna. La otra mano la apoyamos en el muslo de la pierna adelantada.
Movimiento: realizar una retroversión del hombro hasta su máximo recorrido articular a la vez que flexionamos el codo.

Aspectos a considerar:
Cargar el peso del tronco sobre la mano apoyada en el muslo.
No mover el tronco durante el movimiento.
No abducir el hombro durante el movimiento.

Musculatura solicitada: dorsal ancho, redondo mayor.

Descripción del ejercicio:
Posición inicial: en posición básica, con el tronco ligeramente inclinado hacia adelante, pasamos la goma elástica por debajo de los pies y agarramos una de sus asas y una mancuerna con cada mano, al tiempo que mantenemos los codos estirados.

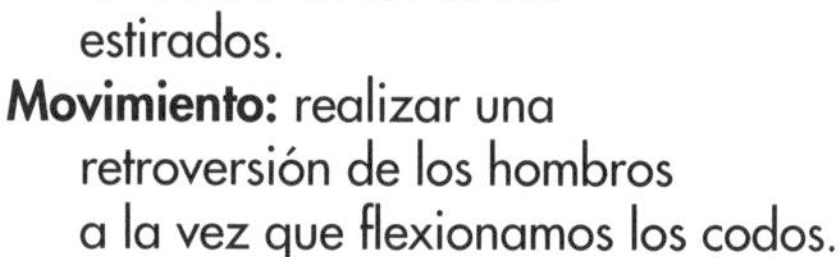

Movimiento: realizar una retroversión de los hombros a la vez que flexionamos los codos.
Aspectos a considerar:
Mantener el tronco un poco más inclinado de lo normal en la posición básica. No moverlo durante el movimiento.
Contraer la zona abdominal para relajar o aligerar la tensión que se produce en la zona lumbar durante la realización del ejercicio.
No abducir el hombro durante el movimiento.
Los pies deben pisar la goma elástica por la zona de los talones.

Musculatura solicitada: dorsal ancho, redondo mayor.

Descripción del ejercicio:
Posición inicial: en posición básica, con el tronco ligeramente inclinado hacia adelante, pasamos la banda elástica por debajo de los pies y agarramos cada extremo de la banda y una mancuerna con cada mano, mientras mantenemos los codos estirados.

Movimiento: realizar una retroversión de los hombros a la vez que flexionamos los codos.
Aspectos a considerar:
Mantener el tronco un poco más inclinado de lo normal en la posición básica. No moverlo durante el movimiento.
Contraer la zona abdominal para relajar o aligerar la tensión que se produce en la zona lumbar durante la realización del ejercicio.
No abducir el hombro durante el movimiento.
Los pies deben pisar la banda elástica por la zona de los talones.

GRUPO MUSCULAR

Músculos de la articulación del hombro. Pectoral

Ejercicios con gomas elásticas

Musculatura solicitada: pectoral mayor, tríceps braquial.

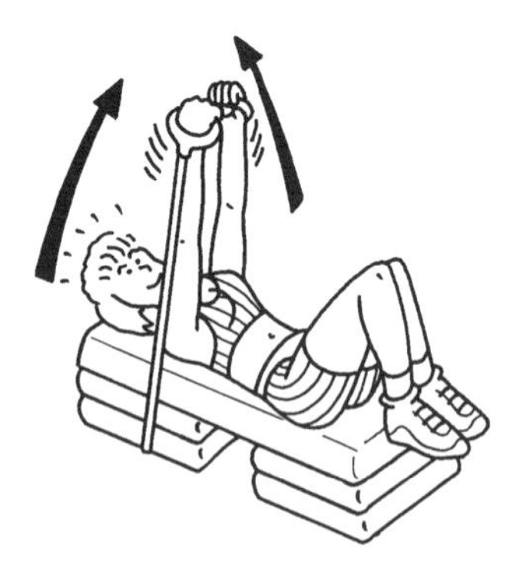

Descripción del ejercicio:
Posición inicial: tumbados boca arriba, sobre la superficie de un estep y con las rodillas flexionadas, pasamos la goma elástica por debajo de los soportes del estep y con los codos flexionados agarramos con las manos las asas de la goma.
Movimiento: extender los codos hacia arriba hasta llegar a su máximo recorrido articular (extensión completa del codo).
Aspectos a considerar:
Mantener siempre los pies encima del estep.
El movimiento de flexión y extensión de los codos debe

realizarse siempre en sentido perpendicular a la superficie de apoyo.

Musculatura solicitada: pectoral mayor, tríceps braquial.

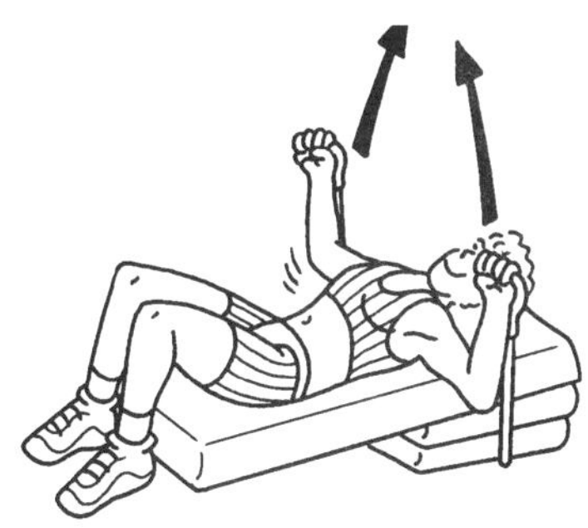

Descripción del ejercicio:
Posición inicial: tumbados boca arriba, sobre la superficie inclinada de un estep y con las rodillas flexionadas, pasamos la goma elástica por debajo de los soportes del estep y con los codos flexionados agarramos con las manos las asas de la goma.
Movimiento: extender los codos hacia arriba hasta llegar a su máximo recorrido articular (extensión completa del codo).
Aspectos a considerar:
El movimiento de flexión y extensión de los codos debe realizarse siempre en sentido perpendicular al suelo.
La posición inclinada del estep permite una implicación mayor de las fibras musculares de la zona superior del músculo pectoral mayor.

Musculatura solicitada: pectoral mayor, tríceps braquial.

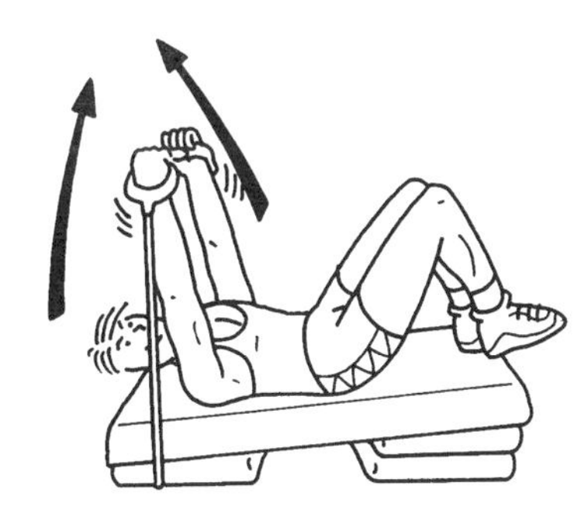

Descripción del ejercicio:
Posición inicial: tumbados boca arriba, sobre la superficie declinada de un estep y con las rodillas flexionadas, pasamos la goma elástica por debajo de los soportes del estep y con los codos flexionados agarramos las asas de la goma.
Movimiento: extender los codos hacia arriba hasta llegar a su máximo recorrido articular (extensión completa del codo).
Aspectos a considerar:
Mantener siempre los pies encima del estep.
El movimiento de flexión y extensión de los codos debe realizarse siempre en sentido perpendicular al suelo.
La posición declinada del estep permite una implicación mayor de las fibras musculares de la zona inferior del músculo pectoral mayor.

Musculatura solicitada: pectoral mayor.

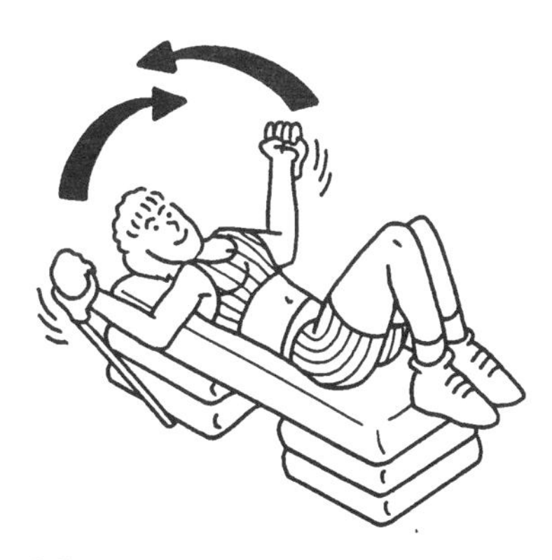

Descripción del ejercicio:
Posición inicial: tumbados boca arriba, sobre la superficie de un estep, con las rodillas flexionadas y los brazos en cruz, pasamos la goma elástica por debajo de los soportes del estep y sujetamos las asas con las manos, manteniendo los codos semiflexionados.
Movimiento: aducir los hombros (en el plano horizontal o transversal) hasta que los antebrazos se crucen a la altura del pecho y volver a la posición inicial.
Aspectos a considerar:
Mantener los codos semiflexionados durante todo el movimiento.
Mantener los talones lo más próximos posible a los glúteos.
Cruzar los antebrazos a la altura (y por delante) del pecho.

Musculatura solicitada: pectoral mayor.
Descripción del ejercicio:
Posición inicial: tumbados boca arriba, sobre la superficie inclinada de un estep, con las rodillas flexionadas y los brazos en cruz, pasamos la goma elástica por debajo de los soportes del estep y sujetamos las asas con las manos, manteniendo los codos semiflexionados.

Movimiento: aducir los hombros (en el plano horizontal o transversal) hasta que los antebrazos se crucen a la altura del pecho y volver a la posición inicial.

Aspectos a considerar:

Mantener los codos semiflexionados durante todo el movimiento.

Mantener los talones lo más próximos posible a los glúteos.

Cruzar los antebrazos a la altura (y por delante) del pecho.

La posición inclinada del estep permite una implicación mayor de las fibras musculares de la zona superior del músculo pectoral mayor.

Musculatura solicitada: pectoral mayor.

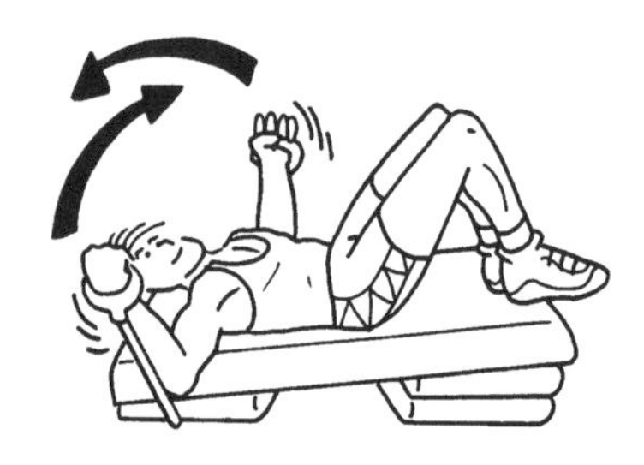

Descripción del ejercicio:

Posición inicial: tumbados boca arriba, sobre la superficie declinada de un estep, con las rodillas flexionadas y los brazos en cruz, pasamos la goma elástica por debajo de los soportes del estep y sujetamos las asas con las manos, manteniendo los codos semiflexionados.

Movimiento: aducir los hombros (en el plano horizontal o transversal) hasta que los antebrazos se crucen a la altura del pecho y volver a la posición inicial.

Aspectos a considerar:

Mantener los codos semiflexionados durante todo el movimiento.

Mantener los talones lo más próximos posible a los glúteos.

Cruzar los antebrazos a la altura (y por delante) del pecho.

La posición declinada del estep permite una implicación mayor de las fibras musculares de la zona inferior del músculo pectoral mayor.

Musculatura solicitada: pectoral mayor.

Descripción del ejercicio:

Posición inicial: tumbados boca arriba longitudinalmente sobre el estep, con los codos flexionados y los brazos por detrás de la cabeza, pasamos la goma elástica por detrás de la espaldera (barrote inferior) y con las manos la sujetamos por sus asas manteniendo las rodillas flexionadas y los talones lo más próximos posible a los glúteos.

Movimiento: extender los hombros llevando los codos desde detrás de la cabeza a los lados del tronco.

Aspectos a considerar:

Mantener los codos flexionados a 90° durante todo el movimiento. Mantener la zona lumbar relajada, ayudarse contrayendo la zona abdominal, especialmente cuando los codos se sitúan detrás de la cabeza.

Musculatura solicitada: pectoral mayor.

Descripción del ejercicio:

Posición inicial: de pie, en posición básica, pisamos la goma elástica, y con los codos semiflexionados, situamos los brazos en prolongación con el tronco, y agarramos las asas de la goma con las manos.

Movimiento: Aducir los hombros, cruzando los brazos por delante del tronco hasta llegar al máximo recorrido articular posible.

Aspectos a considerar:
Mantener los codos semiflexionados, en la misma posición, durante todo el movimiento.
Contraer especialmente los pectorales mayores al finalizar el recorrido de aducción de los hombros (concentrar el movimiento).

Musculatura solicitada: pectoral mayor, tríceps braquial.

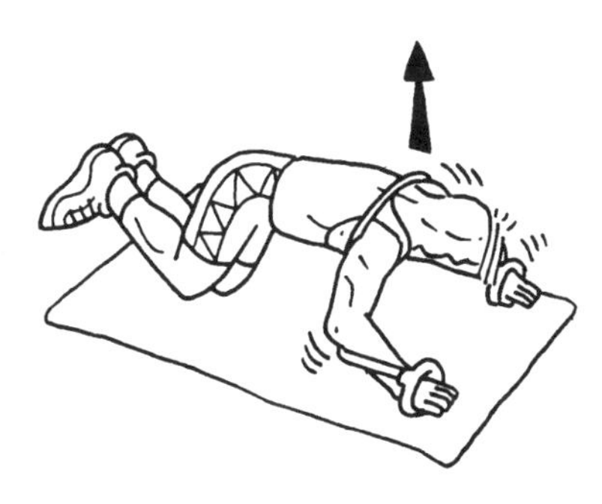

Descripción del ejercicio:
Posición inicial: de rodillas, con el tronco flexionado, apoyamos las manos en el suelo ligeramente separadas y a la altura de los hombros. Pasamos la goma elástica por detrás de las escápulas y la sujetamos por sus asas, con las manos.
Movimiento: flexionar los brazos lo máximo posible y estirarlos hasta llegar a la posición inicial.
Aspectos a considerar:
El tronco debe permanecer desplazado hacia delante de modo que el peso recaiga sobre los brazos.
Es muy importante mantener contraído el abdomen durante todo el movimiento de flexión de brazos, para evitar el arqueo de la zona lumbar.

Musculatura solicitada: pectoral mayor, tríceps braquial.

Descripción del ejercicio:
Posición inicial: en posición básica, pasamos la goma elástica por detrás de la espalda a la altura de las escápulas y con los codos flexionados la sujetamos por sus asas.
Movimiento: extender los codos hacia delante manteniendo los brazos a la altura de los hombros.
Aspectos a considerar:
Mantener la posición básica durante todo el movimiento.
Mantener siempre los brazos paralelos con las manos separadas a una anchura mayor que la de los hombros.

Musculatura solicitada: pectoral mayor, dorsal ancho.

Descripción del ejercicio:

Posición inicial: en posición básica, pasamos la goma elástica por un barrote de la espaldera a la altura de la cabeza, y con los hombros flexionados la agarramos por sus asas con las manos situadas por encima y por detrás de la espalda.

Movimiento: extender los hombros llevando los codos desde detrás de la cabeza a los lados del tronco.

Aspectos a considerar:

Mantener el cuerpo ligeramente inclinado hacia delante, contrayendo el abdomen para contrarrestar la fuerza de la goma.

Mantener los codos ligeramente flexionados durante todo el movimiento.

Ejercicios con bandas elásticas

Musculatura solicitada: pectoral mayor, tríceps braquial.

Descripción del ejercicio:

Posición inicial: tumbados boca arriba, sobre la superficie de un estep y con las rodillas flexionadas, pasamos la banda elástica por debajo de los soportes del estep y con los codos flexionados la agarramos por sus extremos.

Movimiento: extender los codos hacia arriba hasta llegar a su máximo recorrido articular (extensión completa del codo).

Aspectos a considerar:

Mantener siempre los pies encima del estep.

El movimiento de flexión y extensión de los codos debe realizarse siempre en sentido perpendicular a la superficie de apoyo.

Musculatura solicitada: pectoral mayor, tríceps braquial.

Descripción del ejercicio:

Posición inicial: tumbados boca arriba, sobre la superficie inclinada de un estep y con las rodillas flexionadas, pasamos la banda elástica por debajo de los soportes del estep y con los codos flexionados la agarramos por sus extremos.

Movimiento: extender los codos hacia arriba hasta llegar a su máximo recorrido articular (extensión completa del codo).

Aspectos a considerar:

El movimiento de flexión y extensión de los codos debe realizarse siempre en sentido perpendicular al eje longitudinal del suelo.

La posición inclinada del estep permite una implicación mayor de las fibras musculares de la zona superior del músculo pectoral mayor.

Mantener los talones lo más próximos posible a los glúteos.

Musculatura solicitada: pectoral mayor, tríceps braquial.

Descripción del ejercicio:

Posición inicial: tumbados boca arriba, sobre la superficie declinada de un estep y con las rodillas flexionadas, pasamos la banda elástica por debajo de los soportes del estep y con los codos flexionados la agarramos por sus extremos.

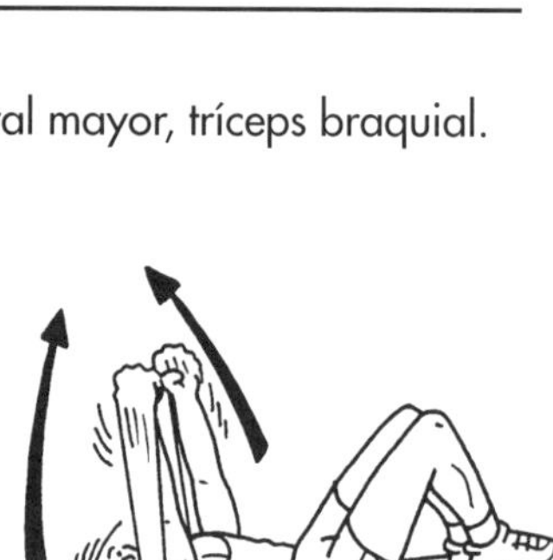

Movimiento: extender los codos hacia arriba hasta llegar a su máximo recorrido articular (extensión completa del codo).

Aspectos a considerar:

Mantener siempre los pies encima del estep.

El movimiento de flexión y extensión de los codos debe realizarse siempre en sentido perpendicular al eje longitudinal del suelo.

La posición declinada del estep permite una implicación mayor de las fibras musculares de la zona inferior del músculo pectoral mayor.

Musculatura solicitada: pectoral mayor.

Descripción del ejercicio:

Posición inicial: tumbados boca arriba, sobre la superficie de un estep, con las rodillas flexionadas y los brazos en cruz, pasamos la banda elástica por debajo de los

soportes del estep y la sujetamos por sus extremos, manteniendo los codos semiflexionados.
Movimiento: aducir los hombros (en el plano horizontal o transversal) hasta que los antebrazos se crucen a la altura del pecho y volver a la posición inicial.
Aspectos a considerar:
Mantener los codos semiflexionados durante todo el movimiento.
Mantener los talones lo más próximos posible a los glúteos.
Cruzar los antebrazos a la altura (y por delante) del pecho.

Musculatura solicitada: pectoral mayor.

Descripción del ejercicio:
Posición inicial: tumbados boca arriba, sobre la superficie inclinada de un estep, con las rodillas flexionadas y los brazos en cruz, pasamos la banda elástica por debajo de los soportes del estep y la sujetamos por sus extremos, manteniendo los codos semiflexionados.

Movimiento: aducir los hombros (en el plano horizontal o transversal) hasta que los antebrazos se crucen a la altura del pecho y volver a la posición inicial.
Aspectos a considerar:
Mantener los codos semiflexionados durante todo el movimiento.
Mantener los talones lo más próximos posible a los glúteos.
Cruzar los antebrazos a la altura (y por delante) del pecho.
La posición inclinada del estep permite una implicación mayor de las fibras musculares de la zona superior del músculo pectoral mayor.

Musculatura solicitada: pectoral mayor.

Descripción del ejercicio:
Posición inicial: tumbados boca arriba, sobre la superficie declinada de un estep, con las rodillas flexionadas y los brazos en cruz, pasamos la banda elástica por debajo de los soportes del estep y la sujetamos por sus extremos, manteniendo los codos semiflexionados.

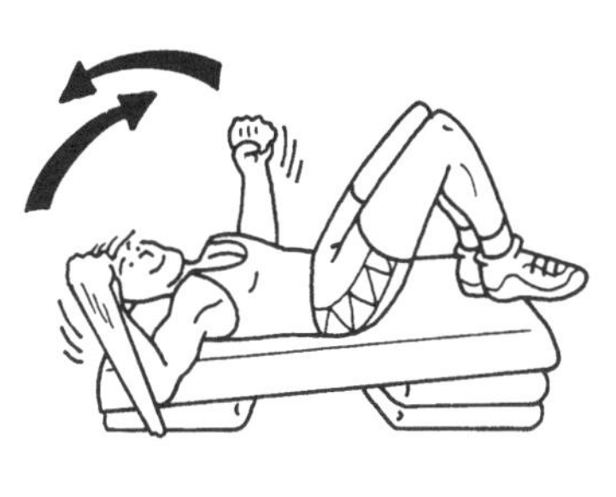

Movimiento: aducir los hombros (en el plano horizontal o transversal) hasta que los antebrazos se crucen a la altura del pecho y volver a la posición inicial.
Aspectos a considerar:
Mantener los codos semiflexionados durante todo el movimiento.
Mantener los talones lo más próximos posible a los glúteos.
Cruzar los antebrazos a la altura (y por delante) del pecho.
La posición declinada del estep permite una implicación mayor de las fibras musculares de la zona inferior del músculo pectoral mayor.

Musculatura solicitada: pectoral mayor, dorsal ancho.

Descripción del ejercicio:
Posición inicial: tumbados boca arriba longitudinalmente sobre el estep, con los codos flexionados y los brazos por detrás de la cabeza, pasamos la banda elástica por detrás de la espaldera (barrote inferior) y con las manos la sujetamos por sus extremos manteniendo las rodillas flexionadas y los talones lo más próximos posible a los glúteos.

Movimiento: extender los hombros llevando los codos desde detrás de la cabeza a los lados del tronco (ver posición final)

Aspectos a considerar:
Mantener los codos flexionados a 90° durante todo el movimiento. Mantener la zona lumbar relajada, ayudarse contrayendo la zona abdominal, especialmente cuando los codos se sitúan detrás de la cabeza.
Siempre que sea posible, mantener los talones lo más cerca posible de los glúteos.

Musculatura solicitada: pectoral mayor.

Descripción del ejercicio:
Posición inicial: de pie, en posición básica, pisamos la banda elástica y con los codos semiflexionados, situamos los brazos en prolongación con el tronco y con las manos agarramos la banda por sus extremos.

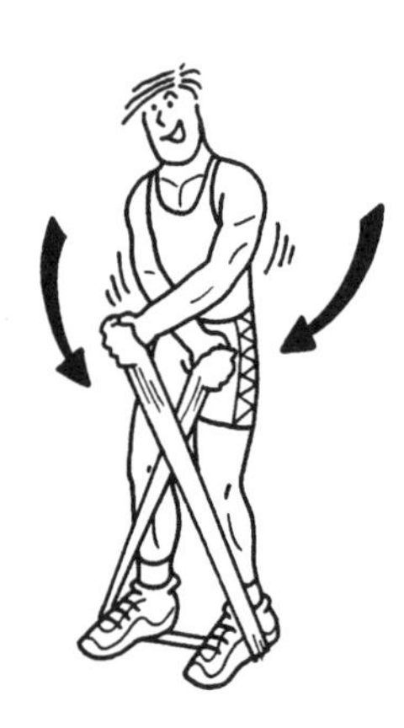

Movimiento: Aducir los hombros, cruzando los brazos por delante del tronco hasta llegar al máximo recorrido articular posible.

Aspectos a considerar:
Mantener los codos semiflexionados, en la misma posición, durante todo el movimiento.
Contraer especialmente los pectorales mayores al finalizar el recorrido de aducción de los hombros (concentrar el movimiento).

Musculatura solicitada: pectoral mayor, tríceps braquial.

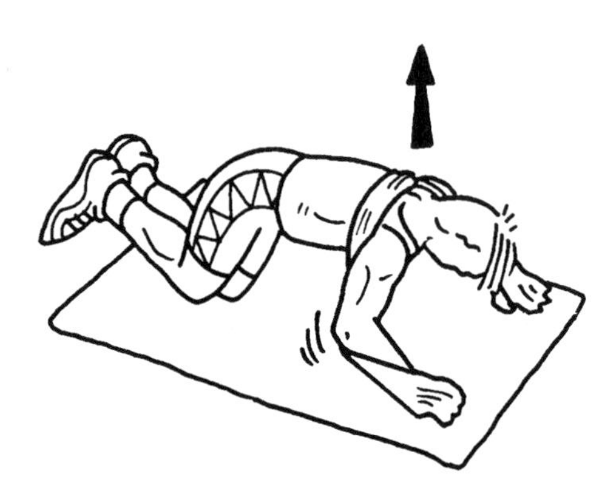

Descripción del ejercicio:
Posición inicial: de rodillas, con el tronco flexionado, apoyamos las manos en el suelo ligeramente separadas y a la altura de los hombros. Pasamos la banda elástica por detrás de las escápulas y la sujetamos con las manos por sus extremos.

Movimiento: flexionar los brazos lo máximo posible y estirarlos hasta llegar a la posición inicial.

Aspectos a considerar:
El tronco debe permanecer desplazado hacia adelante de modo que el peso recaiga sobre los brazos.
Es muy importante mantener contraído el abdomen durante todo el movimiento de flexión de brazos, para evitar el arqueo de la zona lumbar.

Musculatura solicitada: pectoral mayor, tríceps braquial.

Descripción del ejercicio:
Posición inicial: en posición básica, pasamos la banda elástica por detrás de la espalda, a la altura de las escápulas y con los codos flexionados la sujetamos por sus extremos.

Movimiento: extender los codos hacia delante manteniendo los brazos a la altura de los hombros.

Aspectos a considerar:
Mantener la posición básica durante todo el movimiento.
Mantener siempre los brazos paralelos con las manos separadas a una anchura mayor que la de los hombros.

Musculatura solicitada: pectoral mayor, dorsal ancho.

Descripción del ejercicio:
Posición inicial: en posición básica, pasamos la banda elástica por un barrote de la espaldera a la altura de la cabeza, y con los hombros flexionados la

agarramos por sus extremos con las manos, situadas por encima y por detrás de la espalda.

Movimiento: extender los hombros llevando los codos desde detrás de la cabeza a los lados del tronco.

Aspectos a considerar:

Mantener el cuerpo ligeramente inclinado hacia adelante, contrayendo el abdomen para contrarrestar la fuerza de la goma.

Mantener los codos ligeramente flexionados durante todo el movimiento.

Ejercicios con mancuernas

Musculatura solicitada: pectoral mayor, tríceps braquial.

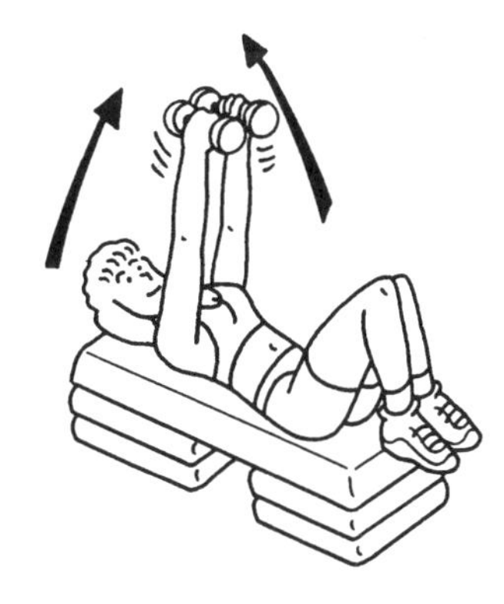

Descripción del ejercicio:

Posición inicial: tumbados, con las rodillas flexionadas, sobre la superficie de un estep, agarramos las mancuernas y con los codos flexionados situamos los brazos a cada lado del tronco.

Movimiento: extender los codos hacia arriba hasta llegar a su máximo recorrido articular (extensión completa del codo).

Aspectos a considerar:

Mantener siempre los pies encima del estep.

El movimiento de flexión y extensión de los codos debe realizarse siempre en sentido perpendicular a la superficie de apoyo.

Musculatura solicitada: pectoral mayor, tríceps braquial.

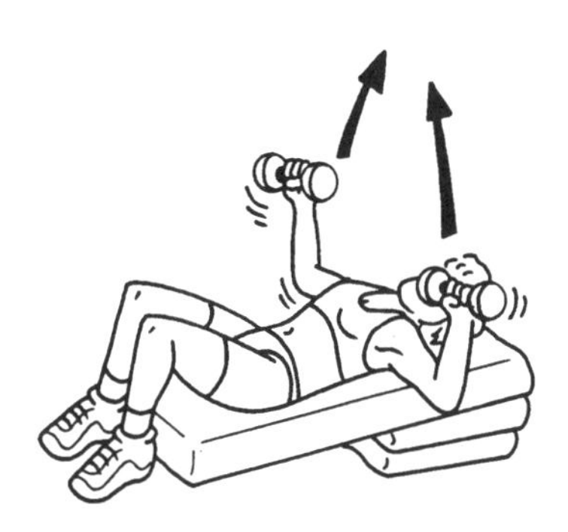

Descripción del ejercicio:

Posición inicial: tumbados, con las rodillas flexionadas, sobre la superficie inclinada de un estep, agarramos las mancuernas y con los codos flexionados situamos los brazos a cada lado del tronco.

Movimiento: extender los codos hacia arriba hasta llegar a su máximo recorrido articular (extensión completa del codo).

Aspectos a considerar:

El movimiento de flexión y extensión de los codos debe realizarse siempre en sentido perpendicular al eje longitudinal del suelo.

La posición inclinada del estep permite una implicación mayor de las fibras musculares de la zona superior del músculo pectoral mayor.

Mantener los talones lo más próximos posible a los glúteos.

Musculatura solicitada: pectoral mayor, tríceps braquial.

Descripción del ejercicio:

Posición inicial: tumbados, con las rodillas flexionadas, sobre la superficie declinada de un estep, agarramos las mancuernas y con los codos flexionados situamos los brazos a cada lado del tronco.

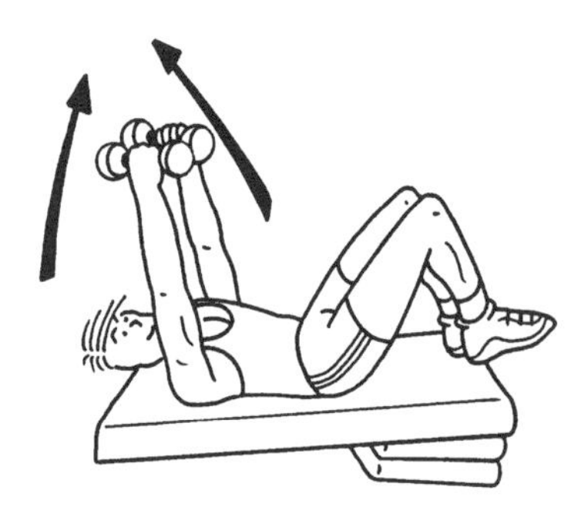

Movimiento: extender los codos hacia arriba hasta llegar a su máximo recorrido articular (extensión completa del codo).

Aspectos a considerar:

Mantener siempre los pies encima del estep.

El movimiento de flexión y extensión de los codos debe realizarse siempre en sentido perpendicular al eje longitudinal del suelo.

La posición declinada del estep permite una implicación mayor de las fibras musculares de la zona inferior del músculo pectoral mayor.

Musculatura solicitada: pectoral mayor.

Descripción del ejercicio:

Posición inicial:

Tumbados boca arriba, sobre la superficie de un estep, con las rodillas flexionadas y los brazos en cruz, agarramos las mancuernas manteniendo los codos semiflexionados.

Movimiento: aducir los hombros (en el plano horizontal o transversal) hasta que los antebrazos se crucen a la altura del pecho y volver a la posición inicial.

Aspectos a considerar:

Mantener los codos semiflexionados durante todo el movimiento.

Mantener los talones lo más próximos posible a los glúteos.

Cruzar los antebrazos a la altura (y por delante) del pecho.

Musculatura solicitada: pectoral mayor.

Descripción del ejercicio:

Posición inicial: tumbados boca arriba, sobre la superficie inclinada de un estep, con las rodillas flexionadas y los brazos en cruz, agarramos las mancuernas manteniendo los codos semiflexionados.

Movimiento: aducir los hombros (en el plano horizontal o transversal) hasta que los antebrazos se crucen a la altura del pecho y volver a la posición inicial.

Aspectos a considerar:

Mantener los codos semiflexionados durante todo el movimiento.

Mantener los talones lo más próximos posible a los glúteos.

Cruzar los antebrazos a la altura (y por delante) del pecho.

La posición inclinada del estep permite una implicación mayor de las fibras musculares de la zona superior del músculo pectoral mayor.

Musculatura solicitada: pectoral mayor.

Descripción del ejercicio:

Posición inicial:

tumbados boca arriba, sobre la superficie declinada de un estep, con las rodillas flexionadas y los brazos en cruz, agarramos las mancuernas manteniendo los codos semiflexionados.

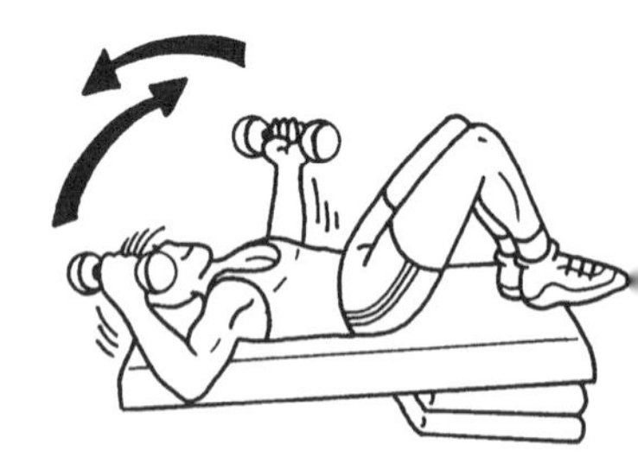

Movimiento: aducir los hombros (en el plano horizontal o transversal) hasta que los antebrazos se crucen a la altura del pecho y volver a la posición inicial.

Aspectos a considerar:

Mantener los codos semiflexionados durante todo el movimiento.

Mantener los talones lo más próximos posible a los glúteos.

Cruzar los antebrazos a la altura (y por delante) del pecho.

La posición declinada del estep permite una

implicación mayor de las fibras musculares de la zona inferior del músculo pectoral mayor.

Musculatura solicitada: pectoral mayor, dorsal ancho.

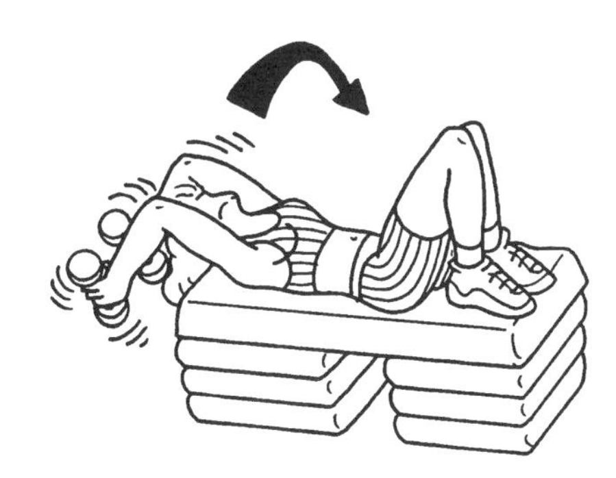

Descripción del ejercicio:
Posición inicial: tumbados boca arriba longitudinalmente sobre el estep, agarramos las mancuernas con las manos y con los codos flexionados y los brazos por detrás de la cabeza, mantenemos las rodillas flexionadas y los talones lo más próximos posible a los glúteos.
Movimiento: extender los hombros llevando los codos desde detrás de la cabeza a los lados del tronco.
Aspectos a considerar:
Mantener los codos flexionados a 90° durante todo el movimiento. Mantener la zona lumbar relajada, ayudarse contrayendo la zona abdominal, especialmente cuando los codos se sitúan detrás de la cabeza.
Siempre que sea posible, mantener los talones lo más cerca posible de los glúteos.

Musculatura solicitada: pectoral mayor.

Descripción del ejercicio:
Posición inicial: de pie, en posición básica, agarramos las mancuernas y situamos los brazos en prolongación con el tronco, manteniendo los codos semiflexionados.
Movimiento: aducir los hombros, cruzando los brazos por delante del tronco hasta llegar al máximo recorrido articular posible.

Aspectos a considerar:
Mantener los codos semiflexionados, en la misma posición, durante todo el movimiento.
Contraer especialmente los pectorales mayores al finalizar el recorrido de aducción de los hombros (concentrar el movimiento).

Ejercicios con barra

Musculatura solicitada: pectoral mayor, tríceps braquial.

Descripción del ejercicio:
Posición inicial: tumbados, con las rodillas flexionadas sobre la superficie de un estep, agarramos la barra y la apoyamos sobre el pecho.

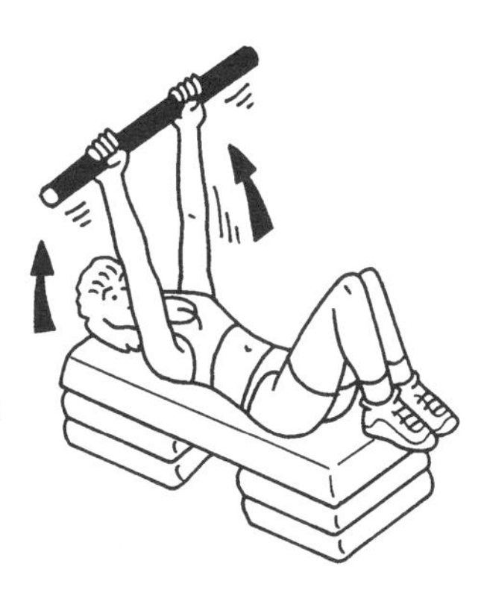

Movimiento: extender los codos hacia arriba hasta llegar a su máximo recorrido articular (extensión completa del codo).
Aspectos a considerar:
Mantener siempre los pies encima del estep.
El movimiento de flexión y extensión de los codos debe realizarse siempre en sentido perpendicular a la superficie de apoyo.
El agarre debe ser dorsal y las manos deben estar separadas y situadas a ambos lados del tronco.

Musculatura solicitada: pectoral mayor, tríceps braquial.

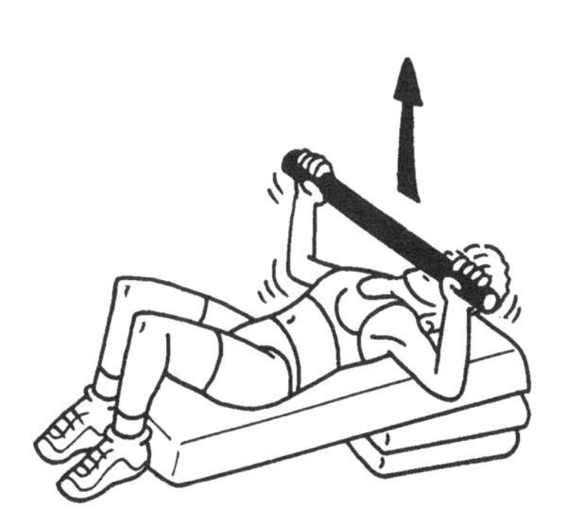

Descripción del ejercicio:
Posición inicial: tumbados, con las rodillas flexionadas sobre la superficie inclinada de un estep, agarramos la barra y la apoyamos sobre el pecho.
Movimiento: extender los codos hacia arriba hasta llegar a su máximo recorrido articular (extensión completa del codo).
Aspectos a considerar:
El agarre debe ser dorsal y las manos deben estar separadas y situadas a ambos lados del tronco.
El movimiento de flexión y extensión de los codos debe realizarse siempre en sentido perpendicular al eje longitudinal del suelo.
La posición inclinada del estep permite una implicación mayor de las fibras musculares de la zona superior del músculo pectoral mayor.

Musculatura solicitada: pectoral mayor, tríceps braquial.

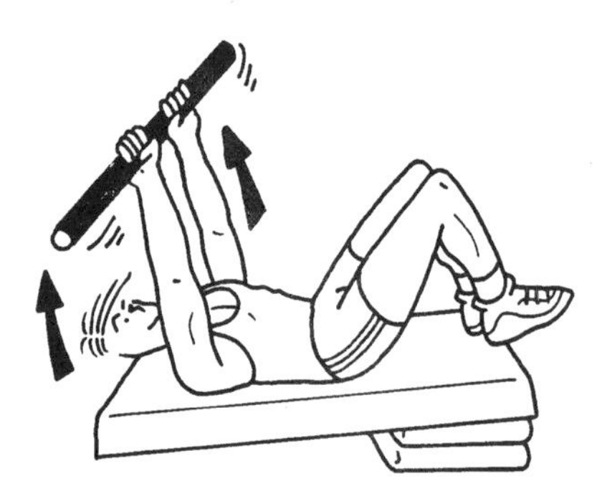

Descripción del ejercicio:
Posición inicial: tumbados, con las rodillas flexionadas sobre la superficie declinada de un estep, agarramos la barra y la apoyamos sobre el pecho.
Movimiento: extender los codos hacia arriba hasta llegar a su máximo recorrido articular (extensión completa del codo).
Aspectos a considerar:
Mantener siempre los pies encima del estep.
El agarre debe ser dorsal y las manos deben estar separadas y situadas a ambos lados del tronco.
El movimiento de flexión y extensión de los codos debe realizarse siempre en sentido perpendicular al eje longitudinal del suelo.
La posición declinada del estep permite una implicación mayor de las fibras musculares de la zona inferior del músculo pectoral mayor.

Musculatura solicitada: pectoral mayor, dorsal ancho.

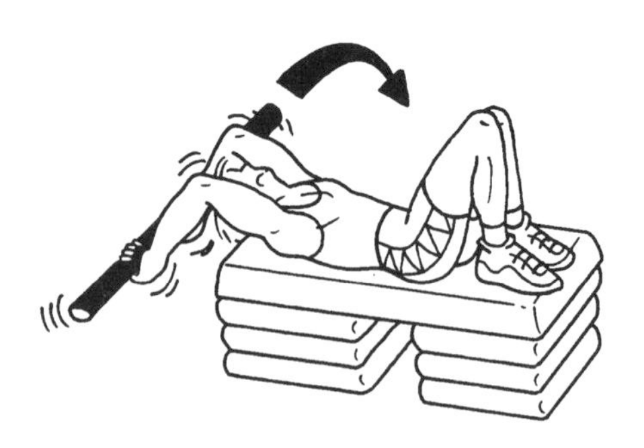

Descripción del ejercicio:
Posición inicial: tumbados boca arriba longitudinalmente sobre el estep, agarramos la barra con las manos y con los codos flexionados y los brazos por detrás de la cabeza, mantenemos las rodillas flexionadas y los talones lo más próximos posible a los glúteos.
Movimiento: extender los hombros llevando los codos desde detrás de la cabeza a los lados del tronco.
Aspectos a considerar:
Mantener los codos flexionados a 90° durante todo el movimiento. Mantener la zona lumbar relajada, ayudarse contrayendo la zona abdominal, especialmente cuando los codos se sitúan detrás de la cabeza.
La presa debe ser palmar y con muy poca separación entre ambas manos.
Siempre que sea posible, mantener los talones lo más cerca posible de los glúteos.

Musculatura solicitada: pectoral mayor, (contracción isométrica).

Descripción del ejercicio:
Posición inicial: de pie, en posición básica, agarramos la barra sujetándola con la palma de la mano en cada extremo y con los codos estirados.
Movimiento: intentar aducir los hombros (como si quisiéramos juntar las manos).
Aspectos a considerar:
Mantener los codos estirados durante todo el movimiento.

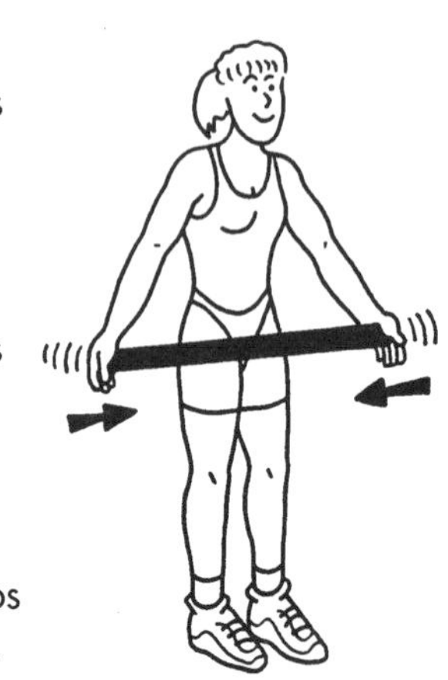

Este ejercicio está basado en una contracción de tipo isométrico.

Ejercicios combinados con diferentes materiales

Musculatura solicitada: pectoral mayor, tríceps braquial.

Descripción del ejercicio:

Posición inicial: tumbados boca arriba, sobre la superficie de un estep y con las rodillas flexionadas, pasamos la goma elástica por debajo de los soportes del estep y por los extremos de la barra. Con los codos flexionados agarramos la barra con las manos y la apoyamos en el pecho.

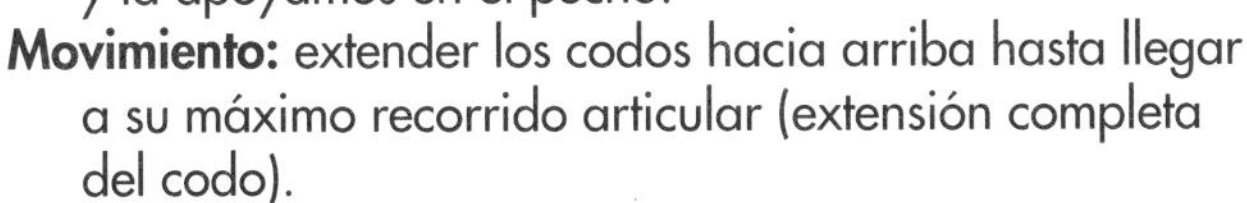

Movimiento: extender los codos hacia arriba hasta llegar a su máximo recorrido articular (extensión completa del codo).

Aspectos a considerar:

Mantener siempre los pies encima del estep.

El movimiento de flexión y extensión de los codos debe realizarse siempre en sentido perpendicular a la superficie de apoyo.

El agarre debe ser dorsal y las manos deben estar separadas y situadas a ambos lados del tronco.

Musculatura solicitada: pectoral mayor, tríceps braquial.

Descripción del ejercicio:

Posición inicial: tumbados boca arriba, sobre la superficie inclinada de un estep y con las rodillas flexionadas, pasamos la goma elástica por debajo de los soportes del estep y por los extremos de la barra. Con los codos flexionados agarramos la barra con las manos (presa dorsal) y la apoyamos en el pecho.

Movimiento: extender los codos hacia arriba hasta llegar a su máximo recorrido articular (extensión completa del codo).

Aspectos a considerar:

El movimiento de flexión y extensión de los codos debe realizarse siempre en sentido perpendicular al eje longitudinal del suelo.

La posición inclinada del estep permite una implicación mayor de las fibras musculares de la zona superior del músculo pectoral mayor.

El agarre debe ser dorsal y las manos deben estar separadas y situadas a ambos lados del tronco.

Musculatura solicitada: pectoral mayor, tríceps braquial.

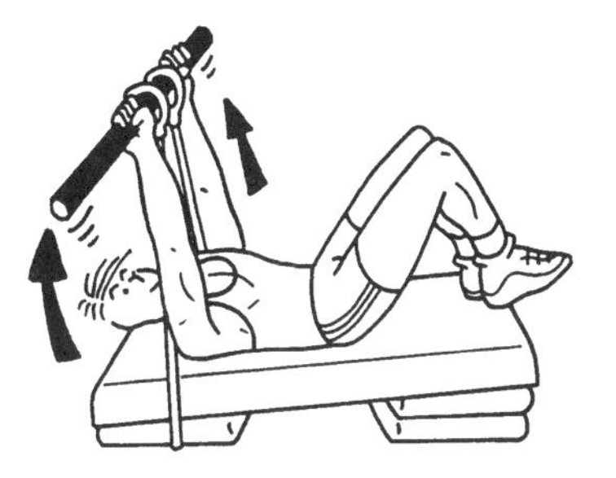

Descripción del ejercicio:

Posición inicial: tumbados boca arriba, sobre la superficie declinada de un estep y con las rodillas flexionadas, pasamos la goma elástica por debajo de los soportes del estep y por los extremos de la barra. Con los codos flexionados agarramos la barra con las manos (presa dorsal) y la apoyamos en el pecho.

Movimiento: extender los codos hacia arriba hasta llegar a su máximo recorrido articular (extensión completa del codo).

Aspectos a considerar:

Mantener siempre los pies encima del estep.

El movimiento de flexión y extensión de los codos debe realizarse siempre en sentido perpendicular al eje longitudinal del suelo.

La posición declinada del estep permite una implicación mayor de las fibras musculares de la zona inferior del músculo pectoral mayor.

El agarre debe ser dorsal y las manos deben estar separadas y situadas a ambos lados del tronco.

Musculatura solicitada: pectoral mayor, tríceps braquial.

Descripción del ejercicio:

Posición inicial: tumbados boca arriba, sobre la superficie de un estep y con las rodillas flexionadas, pasamos la banda elástica por debajo de los soportes del estep y

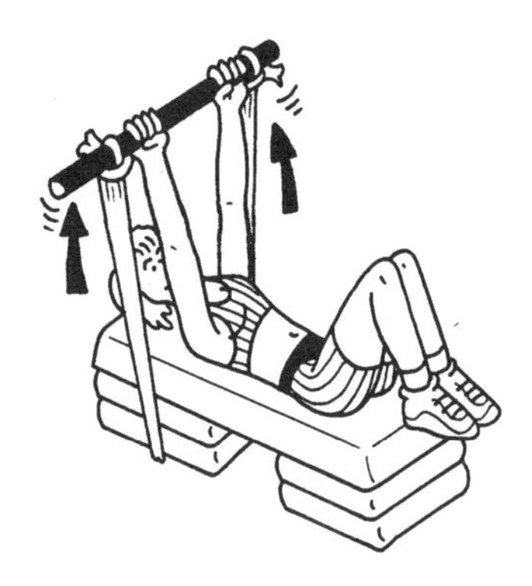

la atamos por sus extremos en la barra. Con los codos flexionados agarramos la barra con las manos (presa dorsal) y la apoyamos en el pecho.

Movimiento: extender los codos hacia arriba hasta llegar a su máximo recorrido articular (extensión completa del codo).

Aspectos a considerar:

Mantener siempre los pies encima del estep.

El movimiento de flexión y extensión de los codos debe realizarse siempre en sentido perpendicular a la superficie de apoyo.

El agarre debe ser palmar y las manos deben estar separadas y situadas a ambos lados del tronco.

Musculatura solicitada: pectoral mayor, tríceps braquial.

Descripción del ejercicio:

Posición inicial: tumbados boca arriba, sobre la superficie inclinada de un estep y con las rodillas flexionadas, pasamos la banda elástica por debajo de los soportes del estep y la atamos por sus extremos en la barra. Con los codos flexionados agarramos la barra con las manos (presa dorsal) y la apoyamos en el pecho.

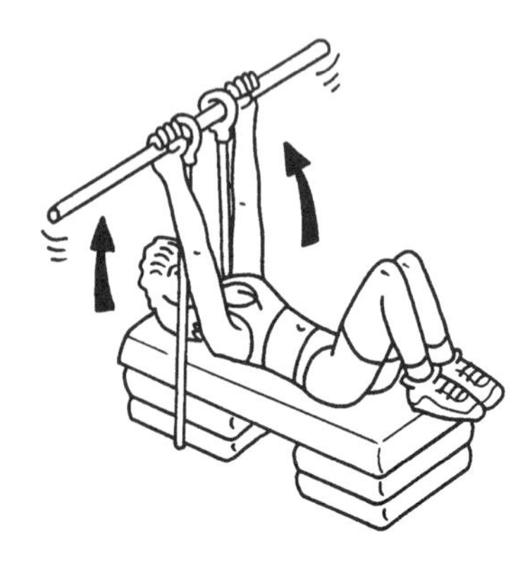

Movimiento: extender los codos hacia arriba hasta llegar a su máximo recorrido articular (extensión completa del codo).

Aspectos a considerar:

El movimiento de flexión y extensión de los codos debe realizarse siempre en sentido perpendicular al eje longitudinal del suelo.

La posición inclinada del estep permite una implicación mayor de las fibras musculares de la zona superior del músculo pectoral mayor.

El agarre debe ser dorsal y las manos deben estar separadas y situadas a ambos lados del tronco.

Musculatura solicitada: pectoral mayor, tríceps braquial.

Descripción del ejercicio:

Posición inicial:

Tumbados boca arriba, sobre la superficie declinada de un estep y con las rodillas flexionadas, pasamos la banda elástica por debajo de los soportes del estep y la atamos por sus extremos en la barra. Con los codos flexionados agarramos la barra con las manos (presa dorsal) y la apoyamos en el pecho.

Movimiento: extender los codos hacia arriba hasta llegar a su máximo recorrido articular (extensión completa del codo).

Aspectos a considerar:

Mantener siempre los pies encima del estep.

El movimiento de flexión y extensión de los codos debe realizarse siempre en sentido perpendicular al eje longitudinal del suelo.

La posición declinada del estep permite una implicación mayor de las fibras musculares de la zona inferior del músculo pectoral mayor.

El agarre debe ser dorsal y las manos deben estar separadas y situadas a ambos lados del tronco.

Musculatura solicitada: pectoral mayor, tríceps braquial.

Descripción del ejercicio:

Posición inicial: tumbados boca arriba, sobre la superficie de un estep y con las rodillas flexionadas, pasamos la goma elástica por debajo de los soportes del estep y por los extremos de la pica. Con los codos flexionados agarramos la pica con las manos (presa dorsal) y la apoyamos en el pecho.

Movimiento: extender los codos hacia arriba hasta llegar a su máximo recorrido articular (extensión completa del codo).

Aspectos a considerar:

Mantener siempre los pies encima del estep.
El movimiento de flexión y extensión de los codos debe realizarse siempre en sentido perpendicular a la superficie de apoyo.
El agarre debe ser dorsal y las manos deben estar separadas y situadas a ambos lados del tronco.

Musculatura solicitada: pectoral mayor, tríceps braquial.

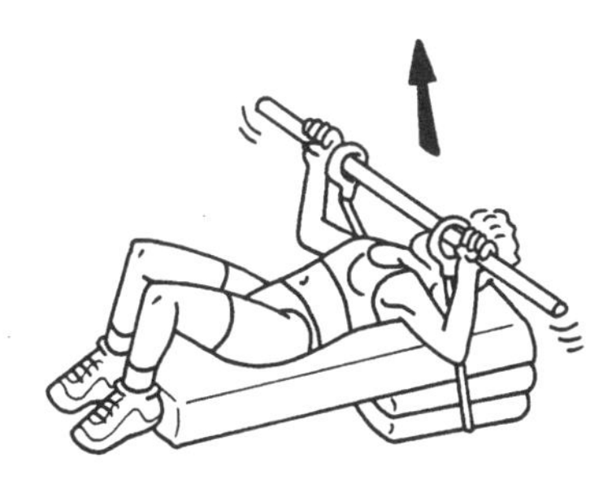

Descripción del ejercicio:

Posición inicial: tumbados boca arriba, sobre la superficie inclinada de un estep y con las rodillas flexionadas, pasamos la goma elástica por debajo de los soportes del estep y por los extremos de la pica. Con los codos flexionados agarramos la pica con las manos (presa dorsal) y la apoyamos en el pecho.

Movimiento: extender los codos hacia arriba hasta llegar a su máximo recorrido articular (extensión completa del codo).

Aspectos a considerar:

El movimiento de flexión y extensión de los codos debe realizarse siempre en sentido perpendicular al del suelo.
La posición inclinada del estep permite una implicación mayor de las fibras musculares de la zona superior del músculo pectoral mayor.
El agarre debe ser dorsal y las manos deben estar separadas y situadas a ambos lados del tronco.

Musculatura solicitada: pectoral mayor, tríceps braquial.

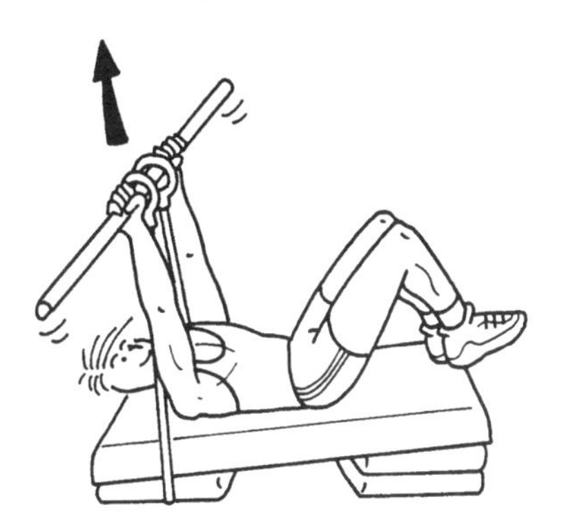

Descripción del ejercicio:

Posición inicial: tumbados boca arriba, sobre la superficie declinada de un estep y con las rodillas flexionadas, pasamos la goma elástica por debajo de los soportes del estep y por los extremos de la pica. Con los codos flexionados agarramos la pica con las manos (presa dorsal) y la apoyamos en el pecho.

Movimiento: extender los codos hacia arriba hasta llegar a su máximo recorrido articular (extensión completa del codo).

Aspectos a considerar:

Mantener siempre los pies encima del estep.
El movimiento de flexión y extensión de los codos debe realizarse siempre en sentido perpendicular al eje longitudinal del suelo.
La posición declinada del estep permite una implicación mayor de las fibras musculares de la zona inferior del músculo pectoral mayor.
El agarre debe ser dorsal y las manos deben estar separadas y situadas a ambos lados del tronco.

Musculatura solicitada: pectoral mayor, tríceps braquial.

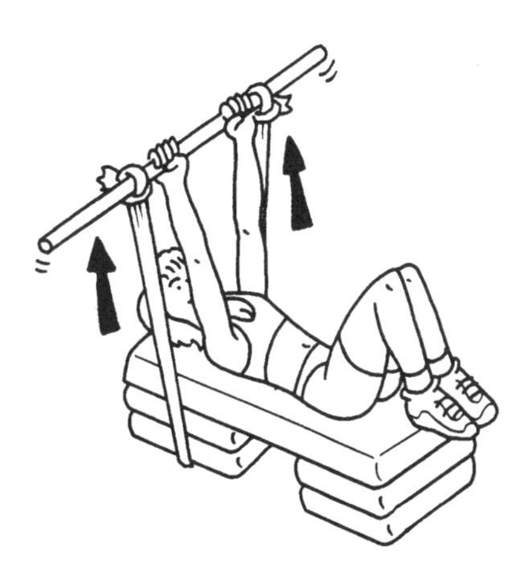

Descripción del ejercicio:

Posición inicial: tumbados boca arriba, sobre la superficie de un estep y con las rodillas flexionadas, pasamos la banda elástica por debajo de los soportes del estep y la atamos por sus extremos en la pica. Con los codos flexionados agarramos la pica con las manos y la apoyamos en el pecho.

Movimiento: extender los codos hacia arriba hasta llegar a su máximo recorrido articular (extensión completa del codo).

Aspectos a considerar:

Mantener siempre los pies encima del estep.
El movimiento de flexión y extensión de los codos debe realizarse siempre en sentido perpendicular a la superficie de apoyo.
El agarre debe ser dorsal y las manos deben estar separadas y situadas a ambos lados del tronco.

Musculatura solicitada: pectoral mayor, tríceps braquial.

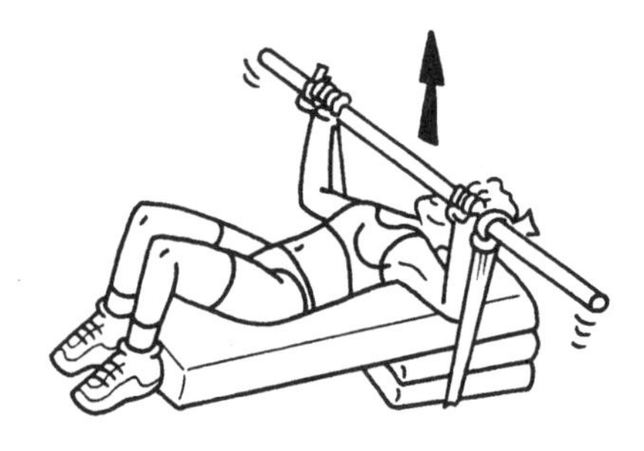

Descripción del ejercicio:

Posición inicial: tumbados boca arriba, sobre la superficie inclinada de un estep y con las rodillas flexionadas, pasamos la banda elástica por debajo de los soportes del estep y la atamos por sus extremos en la pica. Con los codos flexionados agarramos la pica con las manos (presa dorsal) y la apoyamos en el pecho.

Movimiento: extender los codos hacia arriba hasta llegar a su máximo recorrido articular (extensión completa del codo).

Aspectos a considerar:

El movimiento de flexión y extensión de los codos debe realizarse siempre en sentido perpendicular al eje longitudinal del suelo.
La posición inclinada del estep permite una implicación mayor de las fibras musculares de la zona superior del músculo pectoral mayor.
El agarre debe ser dorsal y las manos deben estar separadas y situadas a ambos lados del tronco.

Musculatura solicitada: pectoral mayor, tríceps braquial.

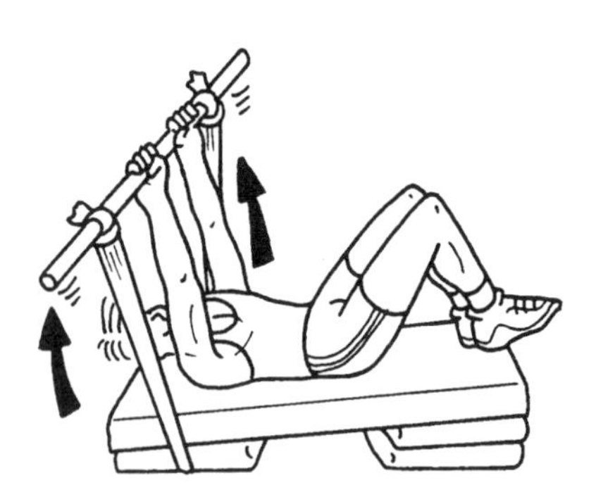

Descripción del ejercicio:

Posición inicial: tumbados boca arriba, sobre la superficie declinada de un estep y con las rodillas flexionadas, pasamos la banda elástica por debajo de los soportes del estep y la atamos por sus extremos en la pica. Con los codos flexionados agarramos la pica con las manos (presa dorsal) y la apoyamos en el pecho.

Movimiento: extender los codos hacia arriba hasta llegar a su máximo recorrido articular (extensión completa del codo).

Aspectos a considerar:

Mantener siempre los pies encima del estep.
El movimiento de flexión y extensión de los codos debe realizarse siempre en sentido perpendicular al del suelo.
La posición declinada del estep permite una implicación mayor de las fibras musculares de la zona inferior del músculo pectoral mayor.
El agarre debe ser dorsal y las manos deben estar separadas y situadas a ambos lados del tronco.

Musculatura solicitada: pectoral mayor, dorsal ancho.

Descripción del ejercicio:

Posición inicial: tumbados boca arriba longitudinalmente sobre el estep, pasamos la goma elástica por detrás de la espaldera y sus asas por los extremos de la barra. Con los codos flexionados y los brazos por detrás de la cabeza agarramos la barra con las manos y mantenemos las rodillas flexionadas y los talones lo más próximos posible a los glúteos.

Movimiento: extender los hombros llevando los codos desde detrás de la cabeza a los lados del tronco.

Aspectos a considerar:

Mantener los codos flexionados a 90° durante todo el movimiento. Mantener la zona lumbar relajada, ayudarse contrayendo la zona abdominal, especialmente cuando los codos se sitúan detrás de la cabeza.

La presa debe ser dorsal y con muy poca separación entre ambas manos.

Las manos agarran a la vez la barra y las asas de la goma elástica.

Siempre que sea posible, mantener los talones lo más cerca posible de los glúteos.

Musculatura solicitada: pectoral mayor, dorsal ancho.

Descripción del ejercicio:

Posición inicial: tumbados boca arriba longitudinalmente sobre el estep, pasamos la banda elástica por detrás de la espaldera y la atamos por sus extremos a la barra. Con los codos flexionados y los brazos por detrás de la cabeza agarramos la barra con las manos y mantenemos las rodillas flexionadas y los talones lo más próximos posible a los glúteos.

Movimiento: extender los hombros llevando los codos desde detrás de la cabeza a los lados del tronco.

Aspectos a considerar:

Mantener los codos flexionados a 90° durante todo el movimiento. Mantener la zona lumbar relajada, ayudarse contrayendo la zona abdominal, especialmente cuando los codos se sitúan detrás de la cabeza.

La presa debe ser dorsal y con muy poca separación entre ambas manos.

Las manos agarran a la vez la barra y la banda elástica.

Siempre que sea posible, mantener los talones lo más cerca posible de los glúteos.

Musculatura solicitada: pectoral mayor, dorsal ancho.

Descripción del ejercicio:

Posición inicial: tumbados boca arriba longitudinalmente sobre el estep, pasamos la goma elástica por detrás de la espaldera y sus asas por los extremos de la pica. Con los codos flexionados y los brazos por detrás de la cabeza agarramos la pica con las manos y mantenemos las rodillas flexionadas y los talones lo más próximos posible a los glúteos.

Movimiento: extender los hombros llevando los codos desde detrás de la cabeza a los lados del tronco.

Aspectos a considerar:

Mantener los codos flexionados a 90° durante todo el movimiento. Mantener la zona lumbar relajada, ayudarse contrayendo la zona abdominal, especialmente cuando los codos se sitúan detrás de la cabeza.

La presa debe ser dorsal y con muy poca separación entre ambas manos.

Las manos sujetan a la vez la pica y las asas de la goma elástica.

Siempre que sea posible, mantener los talones lo más cerca posible de los glúteos.

Musculatura solicitada:

Pectoral mayor, dorsal ancho.

Descripción del ejercicio:
Posición inicial: tumbados boca arriba longitudinalmente sobre el estep, pasamos la banda elástica por detrás de la espaldera y atamos sus extremos a la pica. Con los codos flexionados y los brazos por detrás de la cabeza agarramos la pica con las manos y mantenemos las rodillas flexionadas y los talones lo más próximos posible a los glúteos.
Movimiento: extender los hombros llevando los codos desde detrás de la cabeza a los lados del tronco.
Aspectos a considerar:
Mantener los codos flexionados a 90° durante todo el movimiento. Mantener la zona lumbar relajada, ayudarse contrayendo la zona abdominal, especialmente cuando los codos se sitúan detrás de la cabeza.
La presa debe ser dorsal y con muy poca separación entre ambas manos.
Las manos agarran a la vez la pica y la banda elástica.
Siempre que sea posible, mantener los talones lo más cerca posible de los glúteos.

Musculatura solicitada: pectoral mayor, tríceps braquial.

Descripción del ejercicio:
Posición inicial: en posición básica, pasamos la goma elástica por detrás de la espalda, a la altura de las escápulas y por los extremos de la pica. Con los codos flexionados sujetamos la pica y la goma por sus asas a la altura del pecho.

Movimiento: extender los codos hacia adelante manteniendo los brazos a la altura de los hombros.
Aspectos a considerar:
Mantener la posición básica durante todo el movimiento.
Mantener siempre los brazos paralelos con las manos separadas a una anchura mayor que la de los hombros.

Musculatura solicitada: pectoral mayor, tríceps braquial.

Descripción del ejercicio:
Posición inicial: en posición básica, pasamos la banda elástica por detrás de la espalda, a la altura de las escápulas y atamos sus extremos a la pica. Con los codos flexionados sujetamos la pica y la banda a la altura del pecho.
Movimiento: extender los codos hacia delante manteniendo los brazos a la altura de los hombros.
Aspectos a considerar:
Mantener la posición básica durante todo el movimiento.
Mantener siempre los brazos paralelos con las manos separadas a una anchura mayor que la de los hombros.

Musculatura solicitada: pectoral mayor, tríceps braquial.

Descripción del ejercicio:
Posición inicial: en posición básica, pasamos la goma elástica por detrás de la espalda, a la altura de las escápulas y por los extremos de la barra.
Con los codos flexionados sujetamos la barra y la goma por sus asas a la altura del pecho.
Movimiento: extender los codos hacia delante manteniendo los brazos a la altura de los hombros.

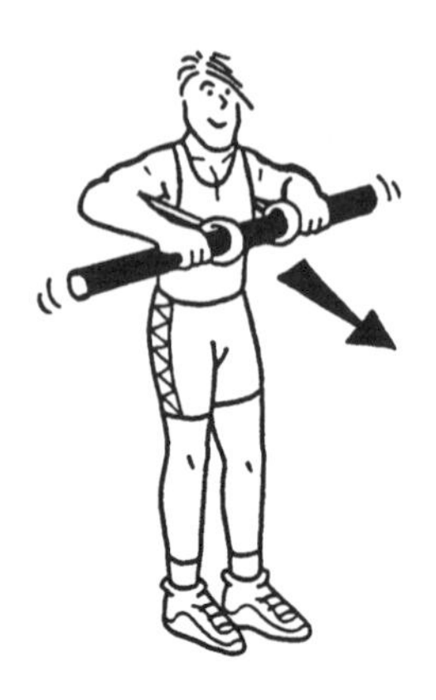

Aspectos a considerar:
Mantener la posición básica durante todo el movimiento.
Mantener siempre los brazos paralelos con las manos separadas a una anchura mayor que la de los hombros.

Musculatura solicitada: pectoral mayor, tríceps braquial.

Descripción del ejercicio:
Posición inicial: en posición básica, pasamos la banda elástica por detrás de la espalda, a la altura de las escápulas y atamos sus extremos a la barra. Con los codos flexionados sujetamos la barra y la banda a la altura del pecho.

Movimiento: extender los codos hacia delante manteniendo los brazos a la altura de los hombros.
Aspectos a considerar:
Mantener la posición básica durante todo el movimiento.
Mantener siempre los brazos paralelos con las manos separadas a una anchura mayor que la de los hombros.

Ejercicios por parejas con diferentes materiales

Musculatura solicitada: pectoral mayor, dorsal ancho.

Descripción del ejercicio:
Posición inicial: tumbados boca arriba longitudinalmente sobre el estep, con los codos flexionados y los brazos por detrás de la cabeza, pasamos la goma elástica por detrás o por debajo de los pies del compañero y con las manos la sujetamos por sus extremos manteniendo las rodillas flexionadas y los talones lo más próximos posible a los glúteos.
Movimiento: extender los hombros llevando los codos desde detrás de la cabeza a los lados del tronco.
Aspectos a considerar:
Mantener los codos flexionados a 90° durante todo el movimiento.
Mantener la zona lumbar relajada, ayudarse contrayendo la zona abdominal especialmente cuando los codos se sitúan detrás de la cabeza.
El compañero debe tener cuidado de no dejar escapar la goma, para evitar que golpee al sujeto que realiza el ejercicio.
Siempre que sea posible, mantener los talones lo más cerca posible de los glúteos.

Musculatura solicitada: pectoral mayor, dorsal ancho.

Descripción del ejercicio:
Posición inicial: tumbados boca arriba longitudinalmente sobre el estep, con los codos flexionados y los brazos por detrás de la cabeza, pasamos la banda elástica por detrás de los pies del compañero y con las manos la sujetamos por sus extremos manteniendo las rodillas flexionadas y los talones lo más próximos posible a los glúteos.
Movimiento: extender los hombros llevando los codos desde detrás de la cabeza a los lados del tronco.
Aspectos a considerar:
Mantener los codos flexionados a 90° durante todo el movimiento.

Mantener la zona lumbar relajada, ayudarse contrayendo la zona abdominal, especialmente cuando los codos se sitúan detrás de la cabeza.
El compañero debe tener cuidado de no dejar escapar la banda para evitar que golpee al sujeto que realiza el ejercicio.
Siempre que sea posible, mantener los talones lo más cerca posible de los glúteos.

Musculatura solicitada: pectoral mayor, tríceps braquial.

Descripción del ejercicio:
Posición inicial: de pie, frente al compañero, y separados a unos 50 o 70 cm, apoyamos las manos en la espalda de éste, a la altura de las escápulas, manteniendo los codos flexionados y una pierna adelantada a la otra con ambas rodillas semiflexionadas.
Movimiento: extender los codos hasta el máximo recorrido articular.

Aspectos a considerar:
No arquear ni flexionar el tronco durante el movimiento.
Las piernas, una adelantada a la otra, aumentan la base de sustentación haciendo que sea más difícil perder el equilibrio.
Cuanto más separado se encuentre el compañero, mayor intensidad tendrá el ejercicio.

Musculatura solicitada: pectoral mayor, tríceps braquial.

Descripción del ejercicio:
Posición inicial: de pie, frente al compañero y separados unos 50 o 70 cm de éste, pasamos la goma elástica por la espalda y pasándola por debajo de los brazos la agarramos por sus asas y apoyamos las manos en la espalda del compañero, a la altura de las escápulas, manteniendo los codos flexionados.

Movimiento: extender los codos hasta su máximo recorrido articular.
Aspectos a considerar:
No arquear ni flexionar el tronco durante el movimiento.
Las piernas, una adelantada a la otra, aumentan la base de sustentación haciendo que sea más difícil perder el equilibrio.
Cuanto más separado se encuentre el compañero, mayor intensidad tendrá el ejercicio.

Musculatura solicitada: pectoral mayor, tríceps braquial.

Descripción del ejercicio:
Posición inicial: de pie, frente al compañero y separados unos 50 o 70 cm de éste, pasamos la banda elástica por la espalda y pasándola por debajo de los brazos la agarramos por sus extremos y apoyamos las manos en la espalda del compañero, a la altura de las escápulas, manteniendo los codos flexionados.

Movimiento: extender los codos hasta su máximo recorrido articular.
Aspectos a considerar:
No arquear ni flexionar el tronco durante el movimiento.
Las piernas, una adelantada a la otra, aumentan la base de sustentación haciendo que sea más difícil perder el equilibrio.
Cuanto más separado se encuentre el compañero, mayor intensidad tendrá el ejercicio.

Musculatura solicitada: pectoral mayor, dorsal ancho.
Descripción del ejercicio:
Posición inicial: de rodillas y de espaldas al compañero, agarramos con las manos las asas de la goma elástica por detrás y por encima de la cabeza. Los codos, separados a la anchura de los hombros se mantienen ligeramente flexionados mientras el compañero sujeta fuertemente el otro extremo de la goma elástica.
Movimiento: extender los hombros (descendiendo los brazos) hasta llevar los codos justo al lado del tronco.

Aspectos a considerar:
Mantener los codos siempre semiflexionados.
No flexionar ni extender el tronco durante el movimiento.

Musculatura solicitada: pectoral mayor, dorsal ancho.
Descripción del ejercicio:
Posición inicial: de rodillas y de espaldas al compañero, sujetamos con las manos los extremos de la banda elástica por detrás y por encima de la cabeza. Los codos, separados a la anchura de los hombros se mantienen ligeramente flexionados mientras el compañero sujeta fuertemente el otro extremo de la banda elástica.

Movimiento: extender los hombros (descendiendo los brazos) hasta llevar los codos justo al lado del tronco.
Aspectos a considerar:
Mantener los codos siempre semiflexionados.
No flexionar ni extender el tronco durante el movimiento.
Contraer el abdomen, durante todo el movimiento.

Músculos de la articulación del codo

Bíceps braquial

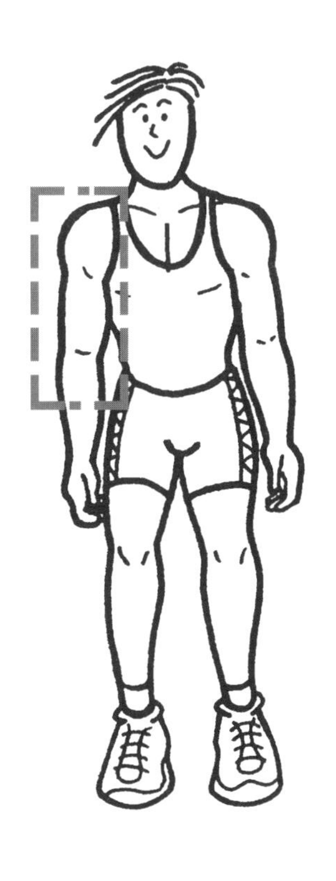

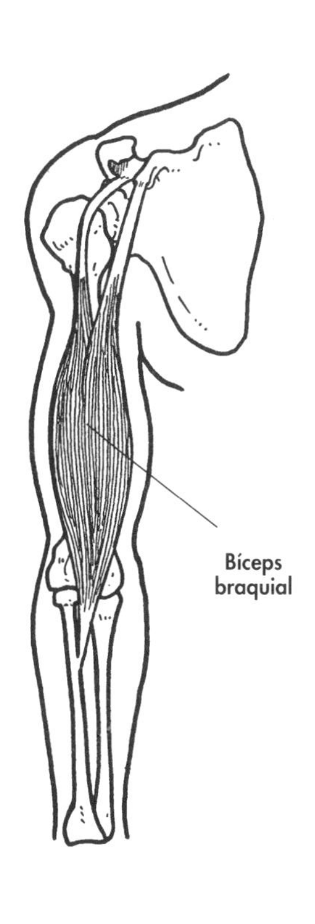

Tríceps braquial

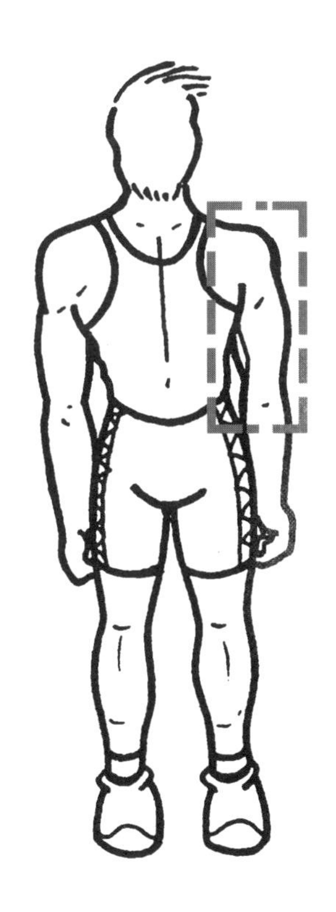

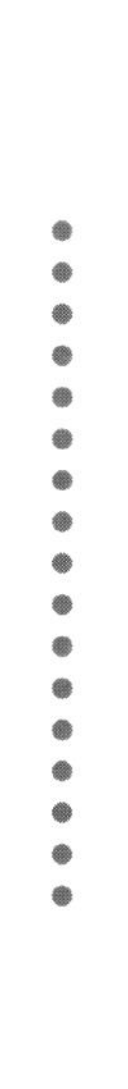

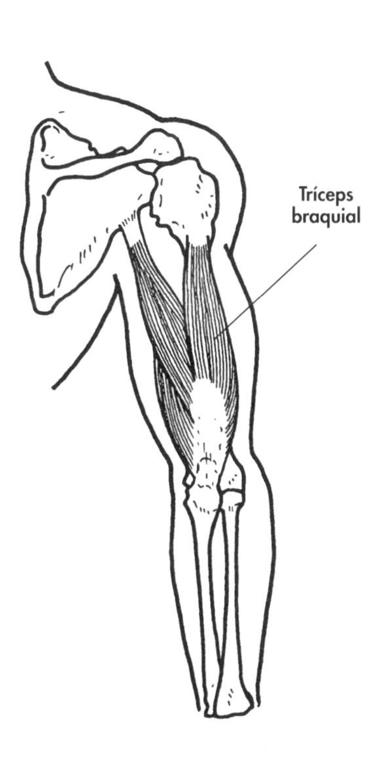

GRUPO MUSCULAR

Músculos de la articulación del codo. Bíceps braquial

Ejercicios con gomas elásticas

Musculatura solicitada: bíceps braquial.

Descripción del ejercicio:

Posición inicial: de pie, en posición básica, pasamos la goma elástica bajo los pies y con los codos totalmente extendidos sujetamos sus asas con las manos.

Movimiento: flexionar los codos hasta el máximo recorrido articular y volver a la posición inicial.

Aspectos a considerar:

Mantener los codos cerca del tronco durante todo el ejercicio.
Frenar y controlar el movimiento de bajada.
No extender totalmente los codos al volver a la posición inicial.
No hiperextender el tronco durante el movimiento.

Musculatura solicitada: bíceps braquial.

Descripción del ejercicio:

Posición inicial: de pie, en posición básica, frente a la espaldera, pasamos la goma elástica por uno de sus barrotes inferiores y con los codos totalmente extendidos sujetamos sus asas con las manos.

Movimiento: flexionar los codos hasta el máximo recorrido articular y volver a la posición inicial.

Aspectos a considerar:

Mantener los codos cerca del tronco durante todo el ejercicio.
Frenar y controlar el movimiento de bajada.
No extender totalmente los codos al volver a la posición inicial.
No hiperextender el tronco durante el movimiento.

Musculatura solicitada: bíceps braquial.

Descripción del ejercicio:

Posición inicial: de pie, en posición básica, pasamos la goma elástica bajo los pies y con los codos totalmente extendidos sujetamos sus asas y una pica con las manos.

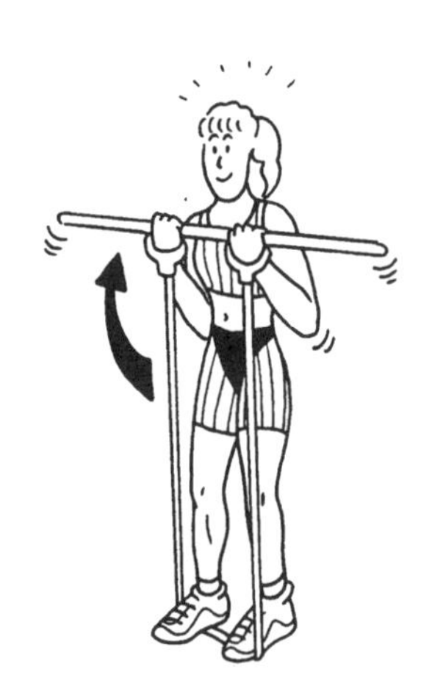

Movimiento: flexionar los codos hasta el máximo recorrido articular y volver a la posición inicial.

Aspectos a considerar:

Mantener los codos cerca del tronco durante todo el ejercicio.
Frenar y controlar el movimiento de bajada.
No extender totalmente los codos al volver a la posición inicial.
No hiperextender el tronco durante el movimiento.

Musculatura solicitada: bíceps braquial.

Descripción del ejercicio:

Posición inicial: de pie, en posición básica, de espaldas a la espaldera, pasamos la goma elástica por uno de sus barrotes inferiores y con los codos totalmente extendidos sujetamos sus asas con las manos.

Movimiento: flexionar los codos hasta el máximo recorrido articular y volver a la posición inicial.

Aspectos a considerar:

Mantener los codos cerca del tronco durante todo el ejercicio.

Frenar y controlar el movimiento de bajada.
No extender totalmente los codos al volver a la posición inicial.
No hiperextender el tronco durante el movimiento.

Musculatura solicitada: bíceps braquial.

Descripción del ejercicio:
Posición inicial: sentados, con las rodillas y los codos ligeramente flexionados, enrollamos la goma elástica en los pies y con las manos, la sujetamos por sus asas.
Movimiento: flexionar los codos hasta el máximo recorrido articular y volver a la posición inicial.

Aspectos a considerar:
Hacer una doble pasada de la goma alrededor de los pies para mayor seguridad en el ejercicio.
No flexionar ni extender los hombros durante el movimiento.

Ejercicios con bandas elásticas

Musculatura solicitada: bíceps braquial.

Descripción del ejercicio:
Posición inicial: de pie, en posición básica, pasamos la banda elástica bajo los pies y con los codos totalmente extendidos sujetamos sus extremos con las manos.

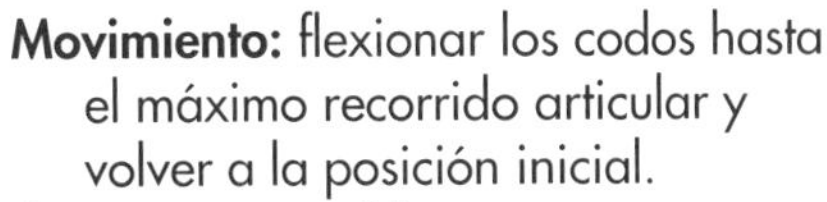

Movimiento: flexionar los codos hasta el máximo recorrido articular y volver a la posición inicial.
Aspectos a considerar:
Mantener los codos cerca del tronco durante todo el ejercicio.
Frenar y controlar el movimiento de bajada.
No extender totalmente los codos al volver a la posición inicial.
No hiperextender el tronco durante el movimiento.

Musculatura solicitada: bíceps braquial.

Descripción del ejercicio:
Posición inicial: de pie, en posición básica, frente a la espaldera, pasamos la banda elástica por uno de sus barrotes inferiores y con los codos totalmente extendidos agarramos sus extremos con las manos.
Movimiento: flexionar los codos hasta el máximo recorrido articular y volver a la posición inicial.
Aspectos a considerar:
Mantener los codos cerca del tronco durante todo el ejercicio.
Frenar y controlar el movimiento de bajada.
No extender totalmente los codos al volver a la posición inicial.
No hiperextender el tronco durante el movimiento.

Musculatura solicitada: bíceps braquial.

Descripción del ejercicio:
Posición inicial: de pie, en posición básica, pasamos la banda elástica bajo los pies y con los codos totalmente

extendidos sujetamos sus extremos y una pica con las manos.
Movimiento: flexionar los codos hasta el máximo recorrido articular y volver a la posición inicial.
Aspectos a considerar:
Mantener los codos cerca del tronco durante todo el ejercicio.
Frenar y controlar el movimiento de bajada.
No extender totalmente los codos al volver a la posición inicial.
No hiperextender el tronco durante el movimiento.

Musculatura solicitada: bíceps braquial.

Descripción del ejercicio:
Posición inicial: de pie, en posición básica, de espaldas a la espaldera, pasamos la banda elástica por uno de sus barrotes inferiores y con los codos totalmente extendidos sujetamos sus extremos con las manos.
Movimiento: flexionar los codos hasta el máximo recorrido articular y volver a la posición inicial.
Aspectos a considerar:
Mantener los codos cerca del tronco durante todo el ejercicio.
Frenar y controlar el movimiento de bajada.
No extender totalmente los codos al volver a la posición inicial.
No hiperextender el tronco durante el movimiento.

Musculatura solicitada: bíceps braquial.

Descripción del ejercicio:
Posición inicial: sentados, con las rodillas y los codos ligeramente flexionados, enrollamos la banda elástica en los pies y con las manos, la agarramos por sus extremos.

Movimiento: flexionar los codos hasta el máximo recorrido articular y volver a la posición inicial.
Aspectos a considerar:
Mantener los codos cerca del tronco durante todo el ejercicio.
No extender totalmente los codos al volver a la posición inicial.
No extender el tronco durante el movimiento.
Hacer una doble pasada de la banda alrededor de los pies para mayor seguridad en el ejercicio.
No flexionar ni extender los hombros durante el movimiento.

Ejercicios con mancuernas

Musculatura solicitada: bíceps braquial.

Descripción del ejercicio:
Posición inicial: de pie, en posición básica y con los codos extendidos, agarramos una mancuerna con cada mano.

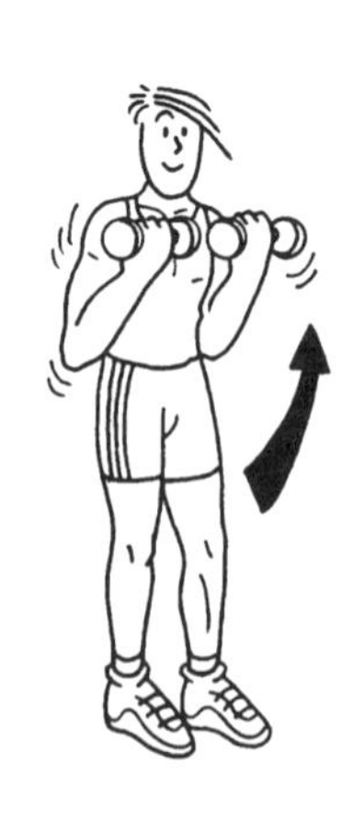

Movimiento: flexionar los codos hasta el máximo recorrido articular y volver a la posición inicial.
Aspectos a considerar:
Mantener los codos cerca del tronco durante todo el ejercicio.
Frenar y controlar el movimiento de bajada.

No extender totalmente los codos al volver a la posición inicial.
No hiperextender el tronco durante el movimiento.

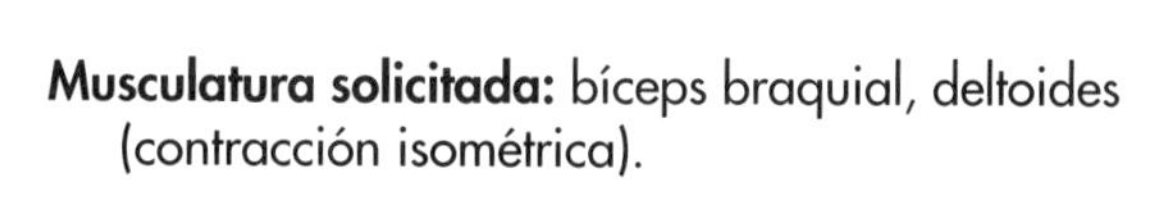

Musculatura solicitada: bíceps braquial, deltoides (contracción isométrica).

Descripción del ejercicio:
Posición inicial: de pie, en posición básica, con los codos extendidos y con los hombros abducidos (brazos en cruz), agarramos una mancuerna con cada mano.
Movimiento: flexionar los codos hasta el máximo recorrido articular y volver a la posición inicial.

Aspectos a considerar:
Mantener los hombros abducidos durante todo el movimiento.
Mantener la zona abdominal contraída.

Musculatura solicitada: bíceps braquial, deltoides (contracción isométrica).

Descripción del ejercicio:
Posición inicial: de pie, en posición básica, con los codos extendidos y con los hombros flexionados (a la altura de la base del cuello), agarramos una mancuerna con cada mano.
Movimiento: flexionar los codos hasta el máximo recorrido articular y volver a la posición inicial.

Aspectos a considerar:
Mantener los hombros flexionados durante todo el movimiento.
Mantener la zona abdominal contraída.

Ejercicios con barra

Musculatura solicitada: bíceps braquial.

Descripción del ejercicio:
Posición inicial: de pie, en posición básica y con los codos extendidos, agarramos una barra con las manos.
Movimiento: flexionar los codos hasta el máximo recorrido articular y volver a la posición inicial.

Aspectos a considerar:
Mantener los codos cerca del tronco durante todo el ejercicio.
Frenar y controlar el movimiento de bajada.
No extender totalmente los codos al volver a la posición inicial.
No hiperextender el tronco durante el movimiento.

Musculatura solicitada: bíceps braquial.

Descripción del ejercicio:
Posición inicial: de pie, en posición básica y con los codos extendidos, agarramos una barra con una mano.
Movimiento: flexionar el codo hasta su máximo recorrido articular y volver a la posición inicial.
Aspectos a considerar:
Mantener el codo cerca del tronco durante todo el ejercicio.
Frenar y controlar el movimiento de bajada.
No extender totalmente el codo al volver a la posición inicial.
No hiperextender el tronco durante el movimiento.
Debido a la longitud de la barra es fácil que surjan dificultades de equilibrio para realizar el ejercicio correctamente.

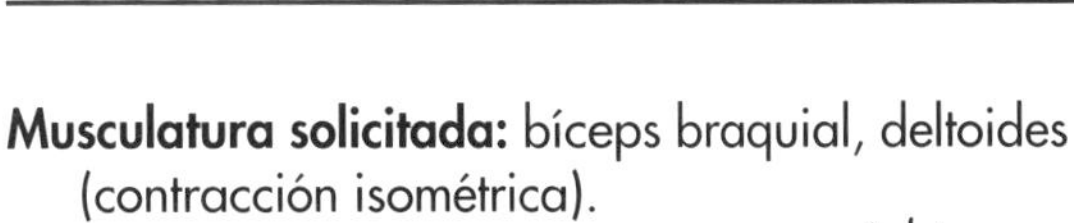

Musculatura solicitada: bíceps braquial, deltoides (contracción isométrica).

Descripción del ejercicio:
Posición inicial: de pie, en posición básica, con los codos extendidos y con los hombros flexionados (a la altura de la base del cuello) agarramos una barra con las manos.

Movimiento: flexionar los codos hasta el máximo recorrido articular y volver a la posición inicial.

Aspectos a considerar:

Mantener los hombros flexionados durante todo el movimiento.

Mantener la zona abdominal contraída.

Ejercicios combinados con diferentes materiales

Musculatura solicitada: bíceps braquial.

Descripción del ejercicio:

Posición inicial: de pie, en posición básica, pasamos la goma elástica bajo los pies y con los codos totalmente extendidos, agarramos sus asas y la barra con las manos.

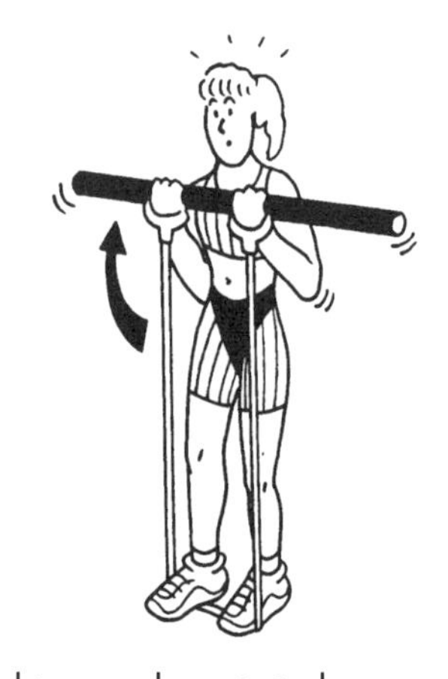

Movimiento: flexionar los codos hasta el máximo recorrido articular y volver a la posición inicial.

Aspectos a considerar:

Mantener los codos cerca del tronco durante todo el ejercicio.

Frenar y controlar el movimiento de bajada.

No extender totalmente los codos al volver a la posición inicial.

No hiperextender el tronco durante el movimiento.

Musculatura solicitada: bíceps braquial.

Descripción del ejercicio:

Posición inicial: sentados, con las rodillas y los codos ligeramente flexionados, enrollamos la goma elástica en los pies y con las manos, agarramos sus asas y una barra.

Movimiento: flexionar los codos hasta el máximo recorrido articular y volver a la posición inicial.

Aspectos a considerar:

Mantener los codos cerca del tronco durante todo el ejercicio.

No extender totalmente los codos al volver a la posición inicial.

No extender el tronco durante el movimiento.

Hacer una doble pasada de la goma alrededor de los pies para mayor seguridad en el ejercicio.

No flexionar ni extender los hombros durante el movimiento.

Musculatura solicitada: bíceps braquial.

Descripción del ejercicio:

Posición inicial: de pie, en posición básica, pasamos la goma elástica por debajo del pie y con los codos totalmente extendidos agarramos sus asas y una barra con las manos.

Movimiento: flexionar los codos hasta el máximo recorrido articular y volver a la posición inicial.

Aspectos a considerar:

Mantener los codos cerca del tronco durante todo el ejercicio.

Frenar y controlar el movimiento de bajada.

No extender totalmente los codos al volver a la posición inicial.

No hiperextender el tronco durante el movimiento.

Musculatura solicitada: bíceps braquial.

Descripción del ejercicio:

Posición inicial: de pie, en posición básica, pasamos la goma elástica bajo los pies y con los codos totalmente extendidos agarramos sus asas y las mancuernas con las manos.

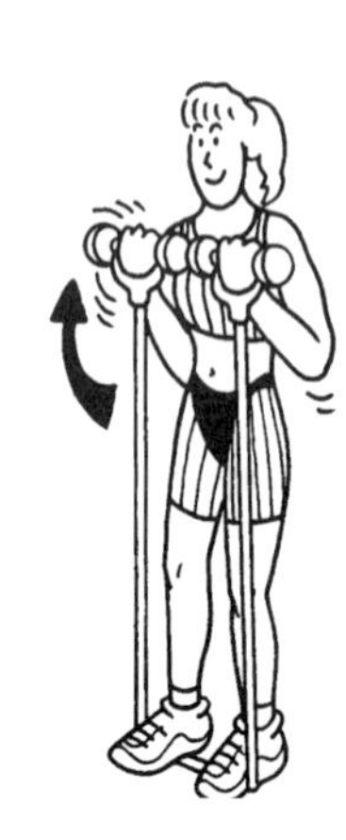

Movimiento: flexionar los codos hasta el

máximo recorrido articular y volver a la posición inicial.

Aspectos a considerar:
Mantener los codos cerca del tronco durante todo el ejercicio.
Frenar y controlar el movimiento de bajada.
No extender totalmente los codos al volver a la posición inicial.
No hiperextender el tronco durante el movimiento.

Musculatura solicitada: bíceps braquial.

Descripción del ejercicio:

Posición inicial: sentados, con las rodillas y los codos ligeramente flexionadas, enrollamos la goma elástica en los pies y con las manos, agarramos sus asas y las mancuernas.

Movimiento: flexionar los codos hasta el máximo recorrido articular y volver a la posición inicial.

Aspectos a considerar:
Mantener los codos cerca del tronco durante todo el ejercicio.
No extender totalmente los codos al volver a la posición inicial.
No extender el tronco durante el movimiento.
Hacer una doble pasada de la goma alrededor de los pies para mayor seguridad en el ejercicio.
No flexionar ni extender los hombros durante el movimiento.

Musculatura solicitada: bíceps braquial.

Descripción del ejercicio:

Posición inicial: de pie, en posición básica, pasamos la goma elástica por debajo del pie y con los codos totalmente extendidos sujetamos sus asas y las mancuernas.

Movimiento: flexionar los codos hasta el máximo recorrido articular y volver a la posición inicial.

Aspectos a considerar:
Mantener los codos cerca del tronco durante todo el ejercicio.
Frenar y controlar el movimiento de bajada.

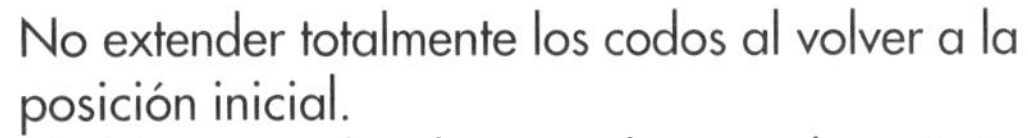

No extender totalmente los codos al volver a la posición inicial.
No hiperextender el tronco durante el movimiento.

Ejercicios por parejas con diferentes materiales

Musculatura solicitada: bíceps braquial.

Descripción del ejercicio:

Posición inicial: de pie, en posición básica y de espaldas al compañero, pasamos la goma elástica bajo sus pies y con los codos totalmente extendidos agarramos sus asas con las manos.

Movimiento: flexionar los codos hasta el máximo recorrido articular y volver a la posición inicial.

Aspectos a considerar:
Mantener los codos cerca del tronco durante todo el ejercicio.
Frenar y controlar el movimiento de bajada.
No extender totalmente los codos al volver a la posición inicial.
No hiperextender el tronco durante el movimiento.

Musculatura solicitada: bíceps braquial.

Descripción del ejercicio:

Posición inicial: de pie, en posición básica y de espaldas al compañero, pasamos la goma elástica bajo sus pies y con los codos totalmente extendidos agarramos sus asas y una barra con las manos.

Movimiento: flexionar los codos hasta el máximo recorrido articular y volver a la posición inicial.

Aspectos a considerar:
Mantener los codos cerca del tronco durante todo el ejercicio.

Frenar y controlar el movimiento de bajada.
No extender totalmente los codos al volver a la posición inicial.
No hiperextender el tronco durante el movimiento.

Musculatura solicitada: bíceps braquial.
Descripción del ejercicio:
Posición inicial: sentados, frente al compañero, con las rodillas y los codos ligeramente flexionados, pasamos

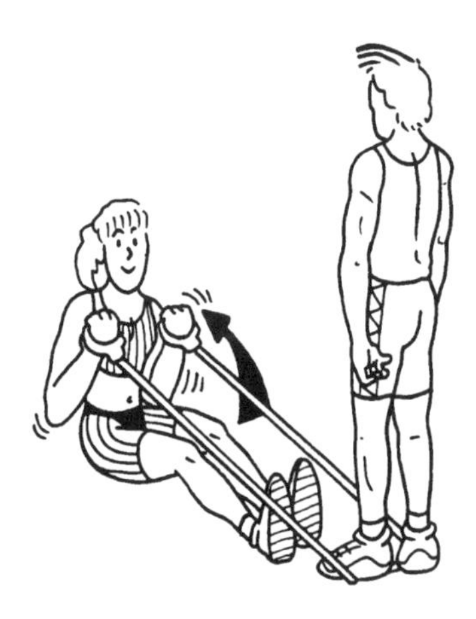

la goma elástica bajo los pies del compañero y con las manos, la agarramos por sus asas.
Movimiento: flexionar los codos hasta el máximo recorrido articular y volver a la posición inicial.
Aspectos a considerar:
Mantener los codos cerca del tronco durante todo el ejercicio.
Frenar y controlar el movimiento de bajada.
No extender totalmente los codos al volver a la posición inicial.

Musculatura solicitada: bíceps braquial.

Descripción del ejercicio:
Posición inicial: de pie, en posición básica y de espaldas al compañero, pasamos la goma elástica bajo sus pies y con los codos totalmente extendidos agarramos sus asas y las mancuernas con las manos.
Movimiento: flexionar los codos hasta el máximo recorrido articular y volver a la posición inicial.
Aspectos a considerar:
Mantener los codos cerca del tronco durante todo el ejercicio.
Frenar y controlar el movimiento de bajada.
No extender totalmente los codos al volver a la posición inicial.
No hiperextender el tronco durante el movimiento.

Musculatura solicitada: bíceps braquial.

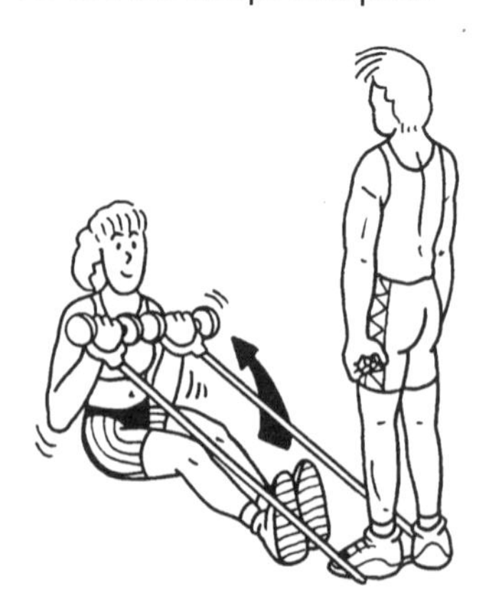

Descripción del ejercicio:
Posición inicial: sentados, frente al compañero, con las rodillas y los codos ligeramente flexionados, pasamos la goma elástica bajo sus pies y con las manos, agarramos sus asas y las mancuernas.
Movimiento: flexionar los codos hasta el máximo recorrido articular y volver a la posición inicial.

Aspectos a considerar:
Mantener los codos cerca del tronco durante todo el ejercicio.
Frenar y controlar el movimiento de bajada.
No extender totalmente los codos al volver a la posición inicial.

GRUPO MUSCULAR

Músculos de la articulación del codo. Tríceps braquial

Ejercicios con gomas elásticas

Musculatura solicitada: tríceps braquial, deltoides (contracción isométrica).

Descripción del ejercicio:
Posición inicial: en posición básica, con los hombros abducidos a la altura de los hombros y los codos totalmente flexionados, enrollamos la goma elástica, debidamente, alrededor de las manos.
Movimiento: extender los codos hasta llegar a su máximo recorrido articular y volver a la posición inicial.
Aspectos a considerar:
Los hombros deben permanecer abducidos y fijos durante todo el movimiento.
Para aprovechar el máximo recorrido articular es muy importante que los brazos estén en línea con los hombros, de modo que las manos queden separadas a unos 20 o 30 cm en la posición inicial.

Musculatura solicitada: Tríceps braquial.
Descripción del ejercicio:
Posición inicial: de pie, en posición básica, frente a la espaldera pasamos la goma elástica por uno de sus

barrotes y con los codos flexionados, agarramos sus asas con las manos.
Movimiento: extender los codos hasta llegar a su máximo recorrido articular y volver a la posición inicial.
Aspectos a considerar:
Las manos deben estar separadas a la altura de los hombros y los codos ligeramente apoyados a ambos lados del tronco como punto de apoyo.
Durante el movimiento, la articulación de los hombros debe permanecer fija, evitando la ayuda que supone flexionar y extender los hombros.

Musculatura solicitada: tríceps braquial.

Descripción del ejercicio:
Posición inicial: en posición básica, de espaldas a la espaldera y con un pie adelantado, pasamos la goma

elástica por detrás de uno de sus barrotes y con los hombros y los codos totalmente flexionados agarramos las asas de la goma por detrás de la cabeza.

Movimiento: extender los codos elevando las manos hacia arriba y volver a la posición inicial.

Aspectos a considerar:

Mantener la zona abdominal contraída durante todo el ejercicio.

Mantener los hombros flexionados durante todo el movimiento.

Musculatura solicitada: tríceps braquial.

Descripción del ejercicio:

Posición inicial: de pie, frente a la espaldera, con un pie adelantado pasamos la goma elástica tras uno de sus barrotes y con el hombro en hiperextensión y el codo totalmente flexionado agarramos sus asas con una mano. La otra mano se apoya en el muslo de la pierna adelantada. El peso del tronco, ligeramente flexionado, recae sobre el muslo en el que apoya la mano.

Movimiento: extender el codo hasta llegar a su máximo recorrido articular y volver a la posición inicial.

Aspectos a considerar:

No flexionar ni extender el hombro, durante el movimiento debe permanecer fijo.

Musculatura solicitada: tríceps braquial.

Descripción del ejercicio:

Posición inicial: de rodillas, con el tronco flexionado apoyamos una mano en el suelo y pasamos la goma elástica por uno de sus barrotes. El otro brazo permanece con el hombro totalmente en extensión y el codo flexionado.

Movimiento: extender el codo hasta llegar a su máximo recorrido articular y volver a la posición inicial.

Aspectos a considerar:

No flexionar ni extender el hombro, durante el movimiento debe permanecer fijo.

Musculatura solicitada: tríceps braquial.

Descripción del ejercicio:

Posición inicial: tumbados, sobre un estep, con las piernas flexionadas, pasamos la goma elástica por debajo de los soportes y con los hombros y los codos totalmente flexionados, agarramos sus asas con las manos a la altura y por detrás de la cabeza.

Movimiento: extender los codos elevando las manos hacia arriba y volver a la posición inicial.

Aspectos a considerar:

No flexionar ni extender el hombro, durante el movimiento debe permanecer fijo.

Musculatura solicitada: tríceps braquial.

Descripción del ejercicio:

Posición inicial: de pie, en posición básica, de espalda a la espaldera, pasamos la goma elástica por uno de sus barrotes y con los codos flexionados, sujetamos sus asas con las manos.

Movimiento: extender los codos hasta llegar a su máximo recorrido articular y volver a la posición inicial.

Aspectos a considerar:
Las manos deben estar separadas a la altura de los hombros y los codos ligeramente apoyados a ambos lados del tronco como punto de apoyo.
Durante el movimiento, la articulación de los hombros debe permanecer fija, evitando la ayuda que supone flexionar y extender los hombros.

Musculatura solicitada: tríceps braquial.

Descripción del ejercicio:
Posición inicial: en posición básica, con un pie adelantado, pasamos la goma elástica bajo el pie más atrasado y con los hombros y los codos totalmente flexionados sujetamos las asas de la goma por detrás de la cabeza.
Movimiento: extender los codos elevando las manos hacia arriba y volver a la posición inicial.
Aspectos a considerar:
Mantener la zona abdominal contraída durante todo el ejercicio.
Mantener los hombros flexionados durante todo el movimiento.

Musculatura solicitada: tríceps braquial.

Descripción del ejercicio:
Posición inicial: en posición básica, con un pie adelantado, pasamos la goma elástica bajo el pie más atrasado y con el hombro y el codo totalmente flexionado, sujetamos las asas de la goma por detrás de la cabeza. El otro brazo ayuda, con la mano, a fijar el brazo que realiza la acción.
Movimiento: extender el codo elevando las manos hacia arriba y volver a la posición inicial.
Aspectos a considerar:
Mantener la zona abdominal contraída durante todo el ejercicio.
Mantener los hombros flexionados durante todo el movimiento.

Musculatura solicitada: tríceps braquial.

Descripción del ejercicio:
Posición inicial: de pie, en posición básica, frente a la espaldera pasamos la goma elástica por uno de sus barrotes y con los codos flexionados, agarramos sus asas y la pica con las manos.
Movimiento: extender los codos hasta llegar a su máximo recorrido articular y volver a la posición inicial.
Aspectos a considerar:
Las manos deben estar separadas a la altura de los hombros y los codos ligeramente apoyados a ambos lados del tronco como punto de apoyo.
Durante el movimiento, la articulación de los hombros debe permanecer fija, evitando la ayuda que supone flexionar y extender los hombros.

Musculatura solicitada: tríceps braquial.
Descripción del ejercicio:
Posición inicial: en posición básica, de espaldas a la espaldera y con un pie adelantado, pasamos la goma

elástica por detrás de uno de sus barrotes y con los hombros y los codos totalmente flexionados agarramos las asas de la goma y la pica por detrás de la cabeza.

Movimiento: extender los codos elevando las manos hacia arriba y volver a la posición inicial.

Aspectos a considerar:

Mantener la zona abdominal contraída durante todo el ejercicio.

Mantener los hombros flexionados durante todo el movimiento.

Musculatura solicitada: tríceps braquial.

Descripción del ejercicio:

Posición inicial: tumbados, sobre un estep, con las piernas flexionadas, pasamos la goma elástica por debajo de los soportes y con los hombros y los codos totalmente flexionados, agarramos sus asas y la pica con las manos a la altura y por detrás de la cabeza.

Movimiento: extender los codos elevando las manos hacia arriba y volver a la posición inicial.

Aspectos a considerar:

No flexionar ni extender el hombro, durante el movimiento debe permanecer fijo.

Musculatura solicitada: tríceps braquial.

Descripción del ejercicio:

Posición inicial: de pie, en posición básica, de espalda a la espaldera, pasamos la goma elástica por uno de

sus barrotes y con los codos flexionados, agarramos sus asas y la pica con las manos.

Movimiento: extender los codos hasta llegar a su máximo recorrido articular y volver a la posición inicial.

Aspectos a considerar:

Las manos deben estar separadas a la altura de los hombros y los codos ligeramente apoyados a ambos lados del tronco como punto de apoyo.

Durante el movimiento, la articulación de los hombros debe permanecer fija, evitando la ayuda que supone flexionar y extender los hombros.

Musculatura solicitada: tríceps braquial.

Descripción del ejercicio:

Posición inicial: en posición básica, con un pie adelantado, pasamos la goma elástica bajo el pie más atrasado y con los hombros y los codos totalmente flexionados, agarramos las asas de la goma y la pica por detrás de la cabeza.

Movimiento: extender los codos elevando las manos hacia arriba y volver a la posición inicial.

Aspectos a considerar:

Mantener la zona abdominal contraída durante todo el ejercicio.

Mantener los hombros flexionados durante todo el movimiento.

Ejercicios con bandas elásticas

Musculatura solicitada: tríceps braquial, deltoides (contracción isométrica).

Descripción del ejercicio:

Posición inicial: en posición básica, con los hombros abducidos a la altura de los hombros y los codos totalmente flexionados, enrollamos la banda elástica, debidamente, alrededor de las manos.

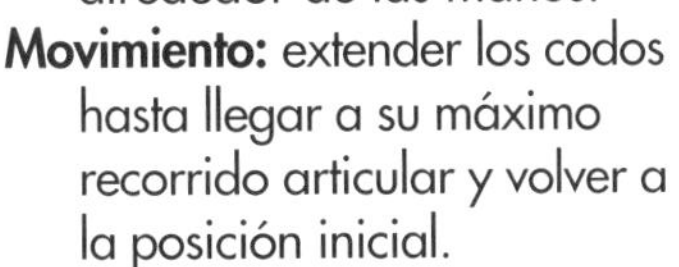

Movimiento: extender los codos hasta llegar a su máximo recorrido articular y volver a la posición inicial.

Aspectos a considerar:

Los hombros deben permanecer abducidos y fijos durante todo el movimiento.

Para aprovechar el máximo recorrido articular es muy importante que los brazos estén en línea con los hombros, de modo que las manos queden separadas a unos 20 o 30 cm en la posición inicial.

Musculatura solicitada: tríceps braquial.

Descripción del ejercicio:

Posición inicial: de pie, en posición básica, frente a la espaldera pasamos la banda elástica por uno de sus barrotes y con los codos flexionados, la agarramos por sus extremos con las manos.

Movimiento: extender los codos hasta llegar a su máximo recorrido articular y volver a la posición inicial.

Aspectos a considerar:

Las manos deben estar separadas a la altura de los hombros y los codos ligeramente apoyados a ambos lados del tronco como punto de apoyo.

Durante el movimiento, la articulación de los hombros debe permanecer fija, evitando la ayuda que supone flexionar y extender los hombros.

Musculatura solicitada: tríceps braquial.

Descripción del ejercicio:

Posición inicial: de pie, en posición básica, frente a la espaldera pasamos la banda elástica por uno de sus barrotes y con los codos flexionados, agarramos sus extremos y la pica con las manos.

Movimiento: extender los codos hasta llegar a su máximo recorrido articular y volver a la posición inicial.

Aspectos a considerar:

Las manos deben estar separadas a la altura de los hombros y los codos ligeramente apoyados a ambos lados del tronco como punto de apoyo.

Durante el movimiento, la articulación de los hombros debe permanecer fija, evitando la ayuda que supone flexionar y extender los hombros.

Musculatura solicitada: tríceps braquial.

Descripción del ejercicio:

Posición inicial: en posición básica, de espaldas a la espaldera y con un pie adelantado, pasamos la banda elástica por detrás de uno de sus barrotes y con los hombros y los codos totalmente flexionados, agarramos los extremos de la banda por detrás de la cabeza.

Movimiento: extender los codos elevando las manos hacia arriba y volver a la posición inicial.

Aspectos a considerar:
Mantener la zona abdominal contraída durante todo el ejercicio.
Mantener los hombros flexionados durante todo el movimiento.

Musculatura solicitada: tríceps braquial.

Descripción del ejercicio:
Posición inicial: en posición básica, de espaldas a la espaldera y con un pie adelantado, pasamos la banda elástica por detrás de uno de sus barrotes y con los hombros y los codos totalmente flexionados agarramos los extremos de la banda y la pica por detrás de la cabeza.
Movimiento: extender los codos elevando las manos hacia arriba y volver a la posición inicial.
Aspectos a considerar:
Mantener la zona abdominal contraída durante todo el ejercicio.
Mantener los hombros flexionados durante todo el movimiento.

Musculatura solicitada: tríceps braquial.
Descripción del ejercicio:
Posición inicial: de pie, frente a la espaldera, con un pie adelantado pasamos la banda elástica tras uno de sus

barrotes y con el hombro en hiperextensión y el codo totalmente flexionado, sujetamos los extremos de la banda con una mano. La otra mano se apoya en el muslo de la pierna adelantada. El peso del tronco, ligeramente flexionado, recae sobre el muslo en el que apoya la mano.
Movimiento: extender el codo hasta llegar a su máximo recorrido articular y volver a la posición inicial.
Aspectos a considerar:
No flexionar ni extender el hombro, durante el movimiento debe permanecer fijo.

Musculatura solicitada: tríceps braquial.

Descripción del ejercicio:
Posición inicial: de rodillas, con el tronco flexionado apoyamos una mano en el suelo y pasamos la banda elástica por uno de sus barrotes. El otro brazo permanece con el hombro extendido y el codo flexionado.
Movimiento: extender el codo hasta llegar a su máximo recorrido articular y volver a la posición inicial.
Aspectos a considerar:
No flexionar ni extender el hombro, durante el movimiento debe permanecer fijo.

Musculatura solicitada: tríceps braquial.

Descripción del ejercicio:
Posición inicial: tumbados, sobre un estep, con las piernas flexionadas, pasamos la banda elástica por debajo de los soportes y con los hombros y los codos totalmente flexionados, sujetamos sus extremos con las manos a la altura y por detrás de la cabeza.

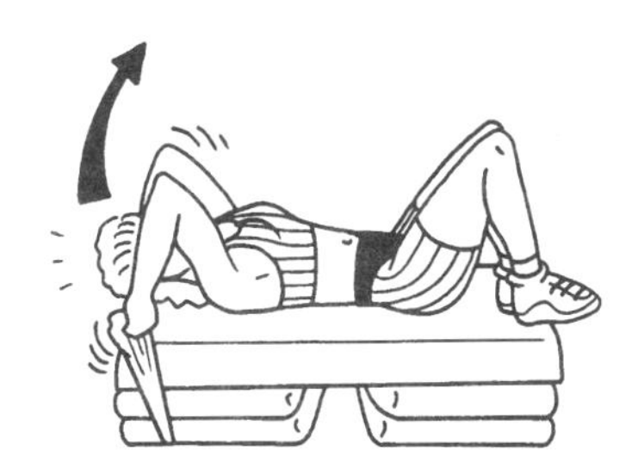

Movimiento: extender los codos elevando las manos hacia arriba y volver a la posición inicial.
Aspectos a considerar:
No flexionar ni extender el hombro, durante el movimiento debe permanecer fijo.

Musculatura solicitada: tríceps braquial.

Descripción del ejercicio:
Posición inicial:
tumbados, sobre un estep, con las piernas flexionadas, pasamos la banda elástica por debajo de los soportes y con los hombros y los codos totalmente flexionados, agarramos sus extremos y la pica con las manos a la altura y por detrás de la cabeza.

Movimiento: extender los codos elevando las manos hacia arriba y volver a la posición inicial.

Aspectos a considerar:
No flexionar ni extender el hombro, durante el movimiento debe permanecer fijo.

Musculatura solicitada: tríceps braquial.

Descripción del ejercicio:
Posición inicial: de pie, en posición básica, de espaldas a la espaldera, pasamos la banda elástica por uno de sus barrotes y con los codos flexionados, sujetamos sus asas con las manos.
Movimiento: extender los codos hasta llegar a su máximo recorrido articular y volver a la posición inicial.
Aspectos a considerar:
Las manos deben estar separadas a la altura de los hombros y los codos ligeramente apoyados a ambos lados del tronco como punto de apoyo.
Durante el movimiento, la articulación de los hombros debe permanecer fija, evitando la ayuda que supone flexionar y extender los hombros.

Musculatura solicitada: tríceps braquial.

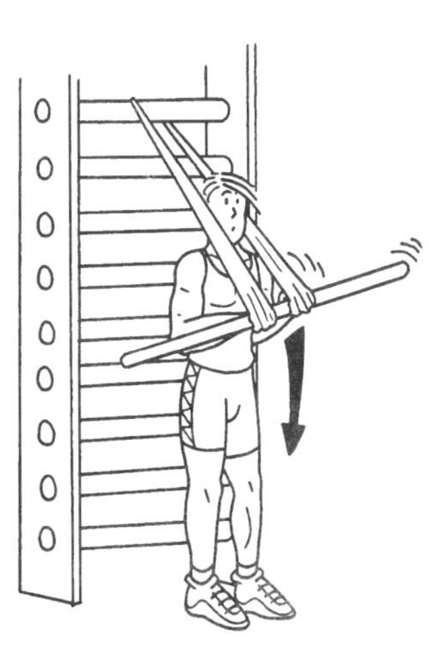

Descripción del ejercicio:
Posición inicial: de pie, en posición básica, de espaldas a la espaldera, pasamos la banda elástica por uno de sus barrotes y con los codos flexionados, agarramos sus asas y la pica con las manos.
Movimiento: extender los codos hasta llegar a su máximo recorrido articular y volver a la posición inicial.
Aspectos a considerar:
Las manos deben estar separadas a la altura de los hombros y los codos ligeramente apoyados a ambos lados del tronco como punto de apoyo.
Durante el movimiento, la articulación de los hombros debe permanecer fija, evitando la ayuda que supone flexionar y extender los hombros.

Ejercicios con mancuernas

Musculatura solicitada: tríceps braquial, deltoides (contracción isométrica).

Descripción del ejercicio:
Posición inicial: en posición básica, con los hombros abducidos a la altura de los hombros y los codos totalmente flexionados, agarramos una mancuerna con cada mano.

Movimiento: extender los codos hasta llegar a su máximo recorrido articular y volver a la posición inicial
Aspectos a considerar:
Los hombros deben permanecer abducidos y fijos durante todo el movimiento.
Para aprovechar el máximo recorrido articular es muy importante que los brazos estén en línea con los hombros, de modo que las manos queden separadas a unos 20 o 30 cm en la posición inicial.

Musculatura solicitada: tríceps braquial.

Descripción del ejercicio:
Posición inicial: de pie, en posición básica, con los hombros y los codos totalmente flexionados, agarramos las mancuernas con las manos a la altura y por detrás de la cabeza.
Movimiento: extender los codos hasta llegar a su máximo recorrido articular y volver a la posición inicial.

Aspectos a considerar:
Las manos deben estar separadas a la altura de los hombros y los codos ligeramente apoyados a ambos lados de la cabeza como punto de apoyo.
Durante el movimiento, la articulación de los hombros debe permanecer fija, evitando la ayuda que supone flexionar y extender los hombros.

Musculatura solicitada: tríceps braquial.

Descripción del ejercicio:
Posición inicial: de pie, con un pie adelantado, el hombro en hiperextensión y el codo totalmente flexionado, agarramos una mancuerna con una mano. La otra mano se apoya en el muslo de la pierna adelantada. El peso del tronco, ligeramente flexionado, recae sobre el muslo en el que apoya la mano.
Movimiento: extender el codo hasta llegar a su máximo recorrido articular y volver a la posición inicial.
Aspectos a considerar:
No flexionar ni extender el hombro, durante el movimiento debe permanecer fijo.

Musculatura solicitada: tríceps braquial.

Descripción del ejercicio:
Posición inicial: de rodillas, con el tronco flexionado apoyamos una mano en el suelo y con la otra agarramos una mancuerna cuyo hombro permanece extendido y con el codo flexionado.

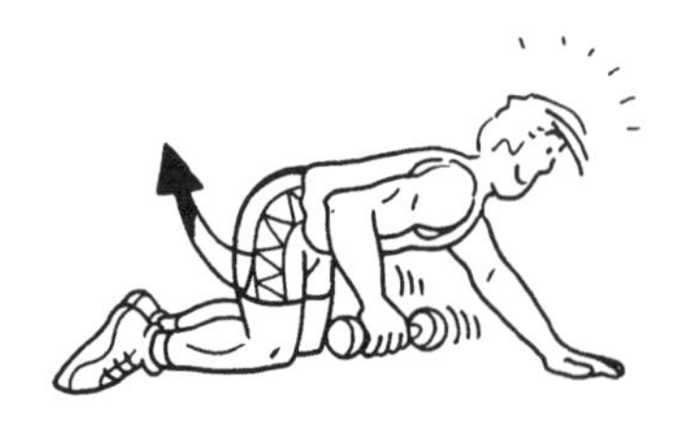

Movimiento: extender el codo hasta llegar a su máximo recorrido articular y volver a la posición inicial.

Aspectos a considerar:

No flexionar ni extender el hombro, durante el movimiento debe permanecer fijo.

Musculatura solicitada: tríceps braquial.

Descripción del ejercicio:

Posición inicial: tumbados, sobre un estep, con las piernas flexionadas y con los hombros y los codos totalmente flexionados, agarramos una mancuerna con cada mano a la altura y por detrás de la cabeza.

Movimiento: extender los codos elevando las manos hacia arriba y volver a la posición inicial.

Aspectos a considerar:

No flexionar ni extender el hombro, durante el movimiento debe permanecer fijo.

Musculatura solicitada: tríceps braquial.

Descripción del ejercicio:

Posición inicial: en posición básica, con un pie adelantado y con el hombro y el codo totalmente flexionado, agarramos una mancuerna por detrás de la cabeza. El otro brazo ayuda, con la mano, a fijar el brazo que realiza la acción.

Movimiento: extender el codo elevando las manos hacia arriba y volver a la posición inicial.

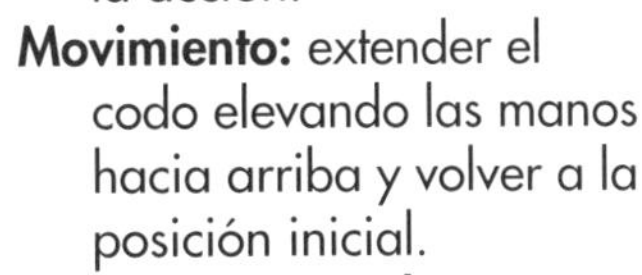

Aspectos a considerar:

Mantener la zona abdominal contraída durante todo el ejercicio.

Mantener los hombros flexionados durante todo el movimiento.

Musculatura solicitada: tríceps braquial.

Descripción del ejercicio:

Posición inicial: tumbados, sobre un estep, con las piernas flexionadas y con el hombro y el codo totalmente flexionado, agarramos una mancuerna por detrás de la cabeza. El otro brazo ayuda, con la mano, a fijar el brazo que realiza la acción.

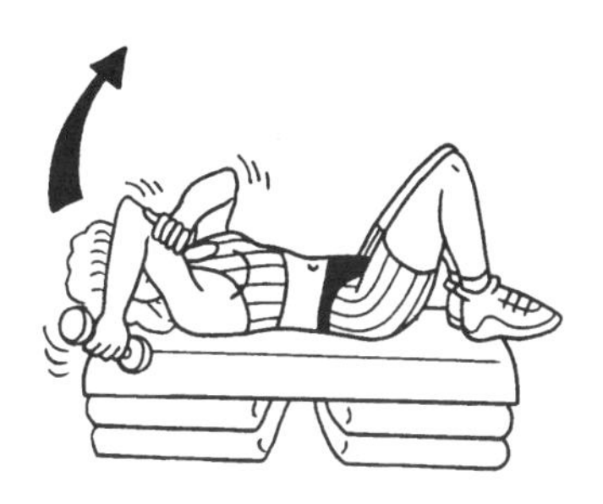

Movimiento: extender el codo elevando las manos hacia arriba y volver a la posición inicial.

Aspectos a considerar:

No flexionar ni extender el hombro, durante el movimiento debe permanecer fijo.

Ejercicios con barra

Musculatura solicitada: tríceps braquial.

Descripción del ejercicio:

Posición inicial: de pie, en posición básica, con los hombros y los codos totalmente flexionados, agarramos la barra a la altura y por detrás de la cabeza.

Movimiento: extender los codos hasta llegar a su máximo recorrido articular y volver a la posición inicial.

Aspectos a considerar:

Las manos deben estar separadas a la altura de los hombros y los codos ligeramente apoyados a ambos lados de la cabeza como punto de apoyo.

Durante el movimiento, la articulación de los hombros debe permanecer fija, evitando la ayuda que supone flexionar y extender los hombros.

Musculatura solicitada: tríceps braquial.

Descripción del ejercicio:
Posición inicial: de rodillas, con el tronco flexionado, apoyamos una mano en el suelo y con la otra agarramos la barra cuyo hombro permanece extendido y con el codo flexionado.

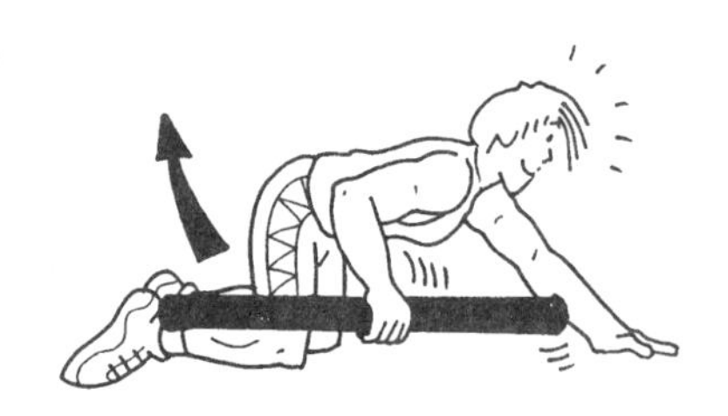

Movimiento: extender el codo hasta llegar a su máximo recorrido articular y volver a la posición inicial.
Aspectos a considerar:
No flexionar ni extender el hombro, durante el movimiento debe permanecer fijo.
La barra debe permanecer paralela al suelo para facilitar el ejercicio.
Debido a la longitud de la barra es fácil que surjan dificultades de equilibrio para realizar el ejercicio correctamente. Para evitarlo sujetar la barra por su punto medio.

Musculatura solicitada: tríceps braquial.

Descripción del ejercicio:
Posición inicial: de pie, con un pie adelantado, el hombro en hiperextensión y el codo totalmente flexionado, agarramos una barra con una mano. La otra mano se apoya en el muslo de la pierna adelantada. El peso del tronco, ligeramente flexionado, recae sobre el muslo en el que apoya la mano.

Movimiento: extender el codo hasta llegar a su máximo recorrido articular y volver a la posición inicial.
Aspectos a considerar:
No flexionar ni extender el hombro, durante el movimiento debe permanecer fijo.

Musculatura solicitada: tríceps braquial.

Descripción del ejercicio:
Posición inicial: tumbados, sobre un estep, con las piernas flexionadas y con los hombros y los codos totalmente flexionados, agarramos una barra con las manos a la altura y por detrás de la cabeza.
Movimiento: extender los codos elevando las manos hacia arriba y volver a la posición inicial.
Aspectos a considerar:
No flexionar ni extender el hombro, durante el movimiento debe permanecer fijo.

Musculatura solicitada: tríceps braquial.

Descripción del ejercicio:
Posición inicial: tumbados, sobre un estep, con las piernas flexionadas y con el hombro y el codo totalmente flexionado, agarramos una barra por detrás de la cabeza. El otro brazo ayuda, con la mano, a fijar el brazo que realiza la acción.
Movimiento: extender el codo elevando las manos hacia arriba y volver a la posición inicial.
Aspectos a considerar:
No flexionar ni extender el hombro. Durante el movimiento debe permanecer fijo.
Debido a la longitud de la barra es fácil que surjan dificultades de equilibrio para realizar el ejercicio correctamente. Para evitarlo sujetar la barra por su punto medio.

Ejercicios combinados con diferentes materiales

Musculatura solicitada: tríceps braquial.

Descripción del ejercicio:

Posición inicial: en posición básica, con un pie adelantado, pasamos la goma elástica bajo el pie más atrasado y con los hombros y los codos totalmente flexionados agarramos las asas de la goma y la barra por detrás de la cabeza.

Movimiento: extender los codos elevando las manos hacia arriba y volver a la posición inicial.

Aspectos a considerar:

Mantener la zona abdominal contraída durante todo el ejercicio.

Mantener los hombros flexionados durante todo el movimiento.

Musculatura solicitada: tríceps braquial.

Descripción del ejercicio:

Posición inicial: en posición básica, de espaldas a la espaldera y con un pie adelantado, pasamos la goma elástica por detrás de uno de sus barrotes y con los hombros y los codos totalmente flexionados, agarramos las asas de la goma y la barra por detrás de la cabeza.

Movimiento: extender los codos elevando las manos hacia arriba y volver a la posición inicial.

Aspectos a considerar:

Mantener la zona abdominal contraída durante todo el ejercicio.

Mantener los hombros flexionados durante todo el movimiento.

Musculatura solicitada: tríceps braquial.

Descripción del ejercicio:

Posición inicial: tumbados, sobre un estep, con las piernas flexionadas, pasamos la goma elástica por debajo de los soportes y con los hombros y los codos totalmente flexionados, agarramos sus asas y la barra con las manos a la altura y por detrás de la cabeza.

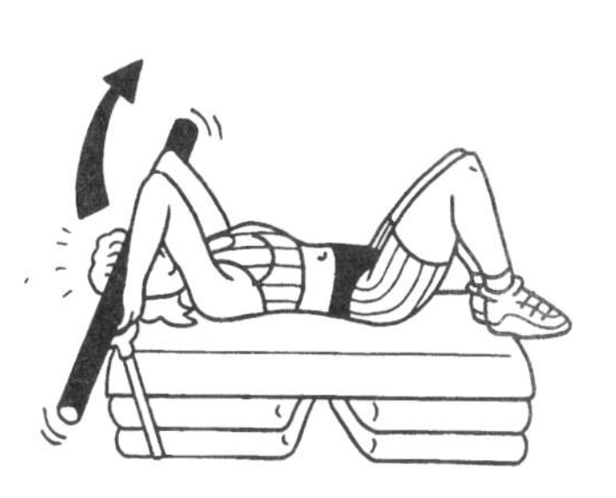

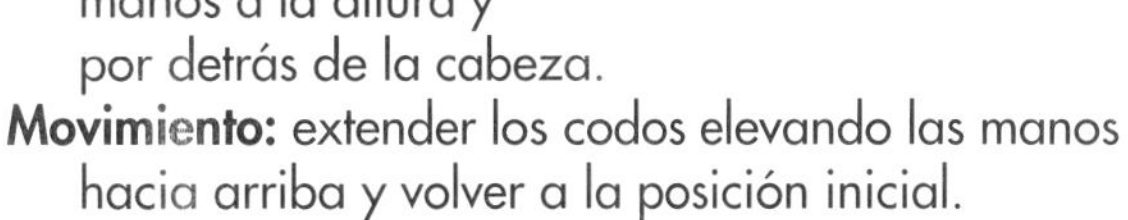

Movimiento: extender los codos elevando las manos hacia arriba y volver a la posición inicial.

Aspectos a considerar:

No flexionar ni extender el hombro, durante el movimiento debe permanecer fijo.

Musculatura solicitada: tríceps braquial.

Descripción del ejercicio:
Posición inicial: de pie, en posición básica, de espaldas a la espaldera, pasamos la goma elástica por uno de sus barrotes y con los codos flexionados, agarramos sus asas y la barra con las manos.
Movimiento: extender los codos hasta llegar a su máximo recorrido articular y volver a la posición inicial.
Aspectos a considerar:
Las manos deben estar separadas a la altura de los hombros y los codos ligeramente apoyados a ambos lados del tronco como punto de apoyo.
Durante el movimiento, la articulación de los hombros debe permanecer fija, evitando la ayuda que supone flexionar y extender los hombros.

Musculatura solicitada: tríceps braquial.

Descripción del ejercicio:
Posición inicial: de pie, en posición básica, frente a la espaldera pasamos la goma elástica por uno de sus barrotes y con los codos flexionados, agarramos sus asas y la barra con las manos.
Movimiento: extender los codos hasta llegar a su máximo recorrido articular y volver a la posición inicial.
Aspectos a considerar:
Las manos deben estar separadas a la altura de los hombros y los codos ligeramente apoyados a ambos lados del tronco como punto de apoyo.
Durante el movimiento, la articulación de los hombros debe permanecer fija, evitando la ayuda que supone flexionar y extender los hombros.

Musculatura solicitada: tríceps braquial, deltoides (contracción isométrica).

Descripción del ejercicio:
Posición inicial: en posición básica, con los hombros abducidos a la altura de los hombros y los codos totalmente flexionados, enrollamos la goma elástica, debidamente, alrededor de las manos a la vez que sujetamos unas mancuernas.

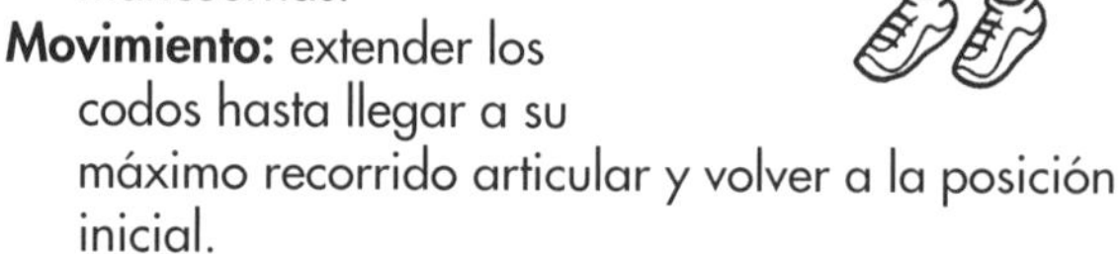

Movimiento: extender los codos hasta llegar a su máximo recorrido articular y volver a la posición inicial.
Aspectos a considerar:
Los hombros deben permanecer abducidos y fijos durante todo el movimiento.
Para aprovechar el máximo recorrido articular es muy importante que los brazos estén en línea con los hombros, de modo que las manos queden separadas a unos 20 o 30 cm en la posición inicial.

Musculatura solicitada: tríceps braquial.

Descripción del ejercicio:
Posición inicial: en posición básica, con un pie adelantado, pasamos la goma elástica bajo el pie más atrasado y con los hombros y los codos totalmente flexionados, agarramos las asas de la goma y las mancuernas por detrás de la cabeza.

Movimiento: extender los codos elevando las manos hacia arriba y volver a la posición inicial.
Aspectos a considerar:
Mantener la zona abdominal contraída durante todo el ejercicio.
Mantener los hombros flexionados durante todo el movimiento.

Musculatura solicitada: tríceps braquial.

Descripción del ejercicio:
Posición inicial: de pie, frente a la espaldera, con un pie adelantado pasamos la goma elástica tras uno de sus

barrotes y con el hombro en hiperextensión y el codo totalmente flexionado agarramos sus asas y una mancuerna con la mano. La otra mano se apoya en el muslo de la pierna adelantada. El peso del tronco, ligeramente flexionado, recae sobre el muslo en el que apoya la mano.

Movimiento: extender el codo hasta llegar a su máximo recorrido articular y volver a la posición inicial.

Aspectos a considerar:
No flexionar ni extender el hombro, durante el movimiento debe permanecer fijo.

Musculatura solicitada: tríceps braquial.

Descripción del ejercicio:
Posición inicial: de rodillas, frente a la espaldera, con el tronco flexionado apoyamos una mano en el suelo y pasamos la goma elástica por uno de sus barrotes. El otro brazo permanece con el hombro extendido y el codo flexionado, agarrando las asas de la goma y una mancuerna con la mano.

Movimiento: extender el codo hasta llegar a su máximo recorrido articular y volver a la posición inicial.

Aspectos a considerar:
No flexionar ni extender el hombro, durante el movimiento debe permanecer fijo.

Musculatura solicitada: tríceps braquial.

Descripción del ejercicio:
Posición inicial: tumbados, sobre un estep, con las piernas flexionadas, pasamos la goma elástica por debajo de los soportes y con los hombros y los codos totalmente flexionados, agarramos sus asas y las mancuernas con las manos a la altura y por detrás de la cabeza.

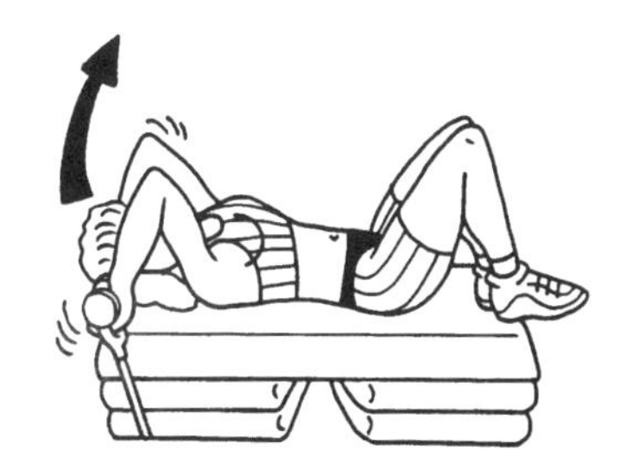

Movimiento: extender los codos elevando las manos hacia arriba y volver a la posición inicial.

Aspectos a considerar:
No flexionar ni extender el hombro, durante el movimiento debe permanecer fijo.

Musculatura solicitada: tríceps braquial.

Descripción del ejercicio:
Posición inicial: en posición básica, con un pie adelantado, pasamos la goma elástica bajo el pie más atrasado y con el hombro y el codo totalmente flexionado, agarramos las asas de la goma y una mancuerna por detrás de la cabeza. El otro brazo ayuda, con la mano, a fijar el brazo que realiza la acción.

Movimiento: extender el codo elevando las manos hacia arriba y volver a la posición inicial.

Aspectos a considerar:
Mantener la zona abdominal contraída durante todo el ejercicio.
Mantener los hombros flexionados durante todo el movimiento.

Musculatura solicitada: tríceps braquial.

Descripción del ejercicio:
Posición inicial:
tumbados, sobre un estep, con las piernas flexionadas pasamos la goma elástica por debajo de los soportes y con el hombro y el codo totalmente flexionado, agarramos una mancuerna por detrás de la cabeza. El otro brazo ayuda, con la mano, a fijar el brazo que realiza la acción.

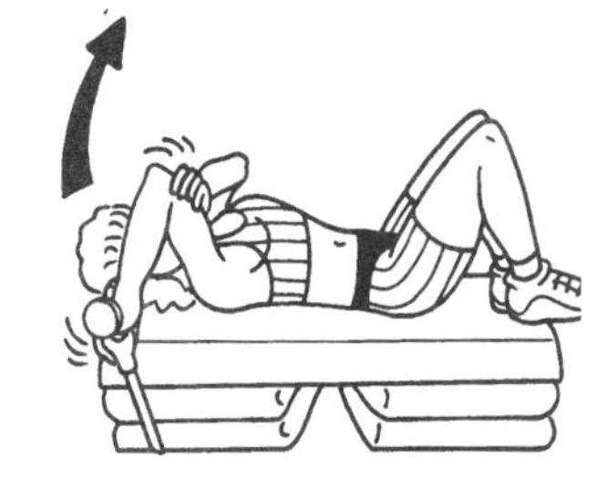

Movimiento: extender el codo elevando las manos hacia arriba y volver a la posición inicial.
Aspectos a considerar:
No flexionar ni extender el hombro, durante el movimiento debe permanecer fijo.

Ejercicios por parejas con diferentes materiales

Musculatura solicitada: tríceps braquial.

Descripción del ejercicio:
Posición inicial: de pie, frente al compañero, con los codos flexionados, agarramos las asas de la goma. El compañero sujeta, a la altura del pecho, una pica en la que se encuentra enrollada la goma.

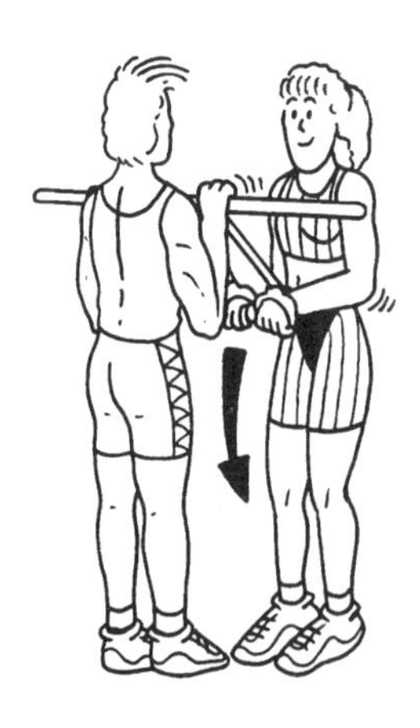

Movimiento: extender los codos hasta llegar a su máximo recorrido articular y volver a la posición inicial.
Aspectos a considerar:
Las manos deben estar separadas a la altura de los hombros y los codos ligeramente apoyados a ambos lados del tronco como punto de apoyo.
Durante el movimiento, la articulación de los hombros debe permanecer fija, evitando la ayuda que supone flexionar y extender los hombros.

Musculatura solicitada: tríceps braquial.

Descripción del ejercicio:
Posición inicial: en posición básica, de espaldas al compañero y con un pie adelantado, pasamos la goma elástica alrededor de la pica que sostiene el compañero y con los hombros y los codos totalmente flexionados sujetamos las asas de la goma por detrás de la cabeza.

Movimiento: extender los codos elevando las manos hacia arriba y volver a la posición inicial.
Aspectos a considerar:
Mantener la zona abdominal contraída durante todo el ejercicio.
Mantener los hombros flexionados durante todo el movimiento.

Musculatura solicitada: tríceps braquial.

Descripción del ejercicio:
Posición inicial: de pie, frente al compañero, con un pie adelantado, pasamos la goma elástica alrededor de la pica que sujeta el compañero, y con el hombro en hiperextensión y el codo totalmente flexionado, agarramos sus asas con una mano. La otra mano se apoya en el muslo de la pierna adelantada. El peso del tronco, ligeramente flexionado, recae sobre el muslo en el que se apoya la mano.

Movimiento: extender el codo hasta llegar a su máximo recorrido articular y volver a la posición inicial.
Aspectos a considerar:
No flexionar ni extender el hombro, durante el movimiento debe permanecer fijo.

Musculatura solicitada: tríceps braquial.

Descripción del ejercicio:
Posición inicial: tumbados, con las piernas flexionadas, pasamos la goma elástica por debajo de los pies del compañero y con los hombros y los codos totalmente flexionados, agarramos sus asas con las manos a la altura y por detrás de la cabeza.
Movimiento: extender los codos elevando las manos hacia arriba y volver a la posición inicial.
Aspectos a considerar:
No flexionar ni extender el hombro, durante el movimiento debe permanecer fijo.
En la posición inicial la goma debe estar bien tensada.

Musculatura solicitada: tríceps braquial.

Descripción del ejercicio:
Posición inicial: de rodillas, delante del compañero y con los codos flexionados, pasamos la goma elástica alrededor de la pica y con las manos agarramos las asas de la goma.
Movimiento: extender los codos hasta su máximo recorrido articular y volver a la posición inicial.
Aspectos a considerar:
Intentar sentarse sobre los talones, si es posible.
Mantener la zona abdominal contraída durante el movimiento.
No flexionar ni extender los hombros.

Musculatura solicitada: tríceps braquial.

Descripción del ejercicio:
Posición inicial: en posición básica, con un pie adelantado, pasamos la goma elástica bajo el pie del compañero y con el hombro y el codo totalmente flexionado, agarramos las asas de la goma por detrás de la cabeza. El otro brazo ayuda, con la mano, a fijar el brazo que realiza la acción.
Movimiento: extender el codo elevando las manos hacia arriba y volver a la posición inicial.
Aspectos a considerar:
Mantener la zona abdominal contraída durante todo el ejercicio.
Mantener los hombros flexionados durante todo el movimiento.

Musculatura solicitada: tríceps braquial.

Descripción del ejercicio:

Posición inicial: de pie, frente al compañero, con los codos flexionados, agarramos las asas de la goma y una mancuerna con cada mano. El compañero sujeta a la altura del pecho una pica en la que se encuentra enrollada la goma.

Movimiento: extender los codos hasta llegar a su máximo recorrido articular y volver a la posición inicial.

Aspectos a considerar:

Las manos deben estar separadas a la altura de los hombros y los codos ligeramente apoyados a ambos lados del tronco como punto de apoyo.

Durante el movimiento, la articulación de los hombros debe permanecer fija, evitando la ayuda que supone flexionar y extender los hombros.

Musculatura solicitada: tríceps braquial.

Descripción del ejercicio:

Posición inicial: en posición básica, de espaldas al compañero y con un pie adelantado, pasamos la goma elástica alrededor de la pica que sostiene el compañero y con los hombros y los codos totalmente flexionados, agarramos las asas de la goma y las mancuernas por detrás de la cabeza.

Movimiento: extender los codos elevando las manos hacia arriba y volver a la posición inicial.

Aspectos a considerar:

Mantener la zona abdominal contraída durante todo el ejercicio.

Mantener los hombros flexionados durante todo el movimiento.

Musculatura solicitada: tríceps braquial.

Descripción del ejercicio:

Posición inicial: de pie, frente al compañero, con un pie adelantado, pasamos la goma elástica alrededor de la pica que sujeta el compañero, y con el hombro en hiperextensión y el codo totalmente flexionado, agarramos sus asas y una mancuerna con la mano. La otra mano se apoya en el muslo de la pierna adelantada. El peso del tronco, ligeramente flexionado, recae sobre el muslo en el que apoya la mano.

Movimiento: extender el codo hasta llegar a su máximo recorrido articular y volver a la posición inicial.

Aspectos a considerar:

No flexionar ni extender el hombro, durante el movimiento debe permanecer fijo.

Musculatura solicitada: tríceps braquial.

Descripción del ejercicio:

Posición inicial: tumbados, con las piernas flexionadas, pasamos la goma elástica por debajo de los pies del compañero y con los hombros y los codos totalmente flexionados, agarramos sus asas y las mancuernas con las manos a la altura y por detrás de la cabeza.

Movimiento: extender los codos elevando las manos hacia arriba y volver a la posición inicial.
Aspectos a considerar:
No flexionar ni extender el hombro, durante el movimiento debe permanecer fijo.
En la posición inicial la goma debe estar bien tensada.

Musculatura solicitada: tríceps braquial.

Descripción del ejercicio:
Posición inicial: de pie, en posición básica, con un pie adelantado, pasamos la goma elástica bajo el pie del compañero y con el hombro y el codo totalmente flexionado, sujetamos las asas de la goma por detrás de la cabeza. El otro brazo ayuda, con la mano, a fijar el brazo que realiza la acción.
Movimiento: extender el codo elevando las manos hacia arriba y volver a la posición inicial.
Aspectos a considerar:
Mantener la zona abdominal contraída durante todo el ejercicio.
Mantener los hombros flexionados durante todo el movimiento.

Musculatura solicitada: tríceps braquial.

Descripción del ejercicio:
Posición inicial: de pie, frente al compañero, con los codos flexionados, agarramos las asas de la goma y una barra con las manos. El compañero sujeta a la altura del pecho una pica en la que se encuentra enrollada la goma.
Movimiento: extender los codos hasta llegar a su máximo recorrido articular y volver a la posición inicial.
Aspectos a considerar:
Las manos deben estar separadas a la altura de los hombros y los codos ligeramente apoyados a ambos lados del tronco como punto de apoyo.
Durante el movimiento, la articulación de los hombros debe permanecer fija, evitando la ayuda que supone flexionar y extender los hombros.

Musculatura solicitada: tríceps braquial.

Descripción del ejercicio:
Posición inicial: en posición básica, de espaldas al compañero y con un pie adelantado, pasamos la goma elástica alrededor de la pica que sostiene el compañero y con los hombros y los codos totalmente flexionados agarramos las asas de la goma y la barra por detrás de la cabeza.
Movimiento: extender los codos elevando las manos hacia arriba y volver a la posición inicial.
Aspectos a considerar:
Mantener la zona abdominal contraída durante todo el ejercicio.
Mantener los hombros flexionados durante todo el movimiento.

Musculatura solicitada: tríceps braquial.

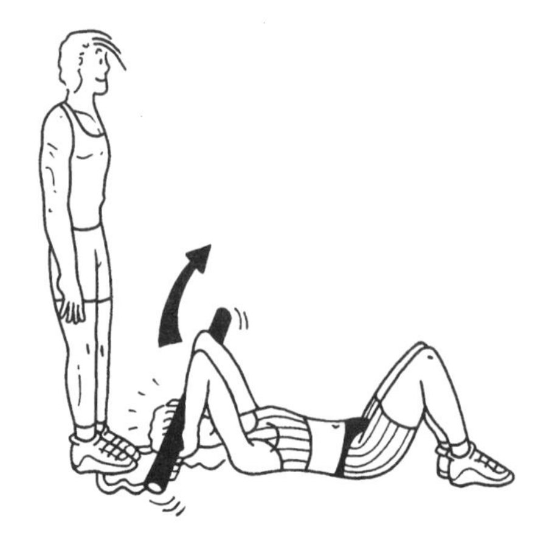

Descripción del ejercicio:

Posición inicial: tumbados, con las piernas flexionadas, pasamos la goma elástica por debajo de los pies del compañero y con los hombros y los codos totalmente flexionados, agarramos sus asas y la barra con las manos a la altura y por detrás de la cabeza.

Movimiento: extender los codos elevando las manos hacia arriba y volver a la posición inicial.

Aspectos a considerar:

No flexionar ni extender el hombro, durante el movimiento debe permanecer fijo.

En la posición inicial la goma debe estar bien tensada.

Músculos de la articulación de la muñeca

Antebrazo: Cubital posterior - radial corto del carpo - radial largo del carpo

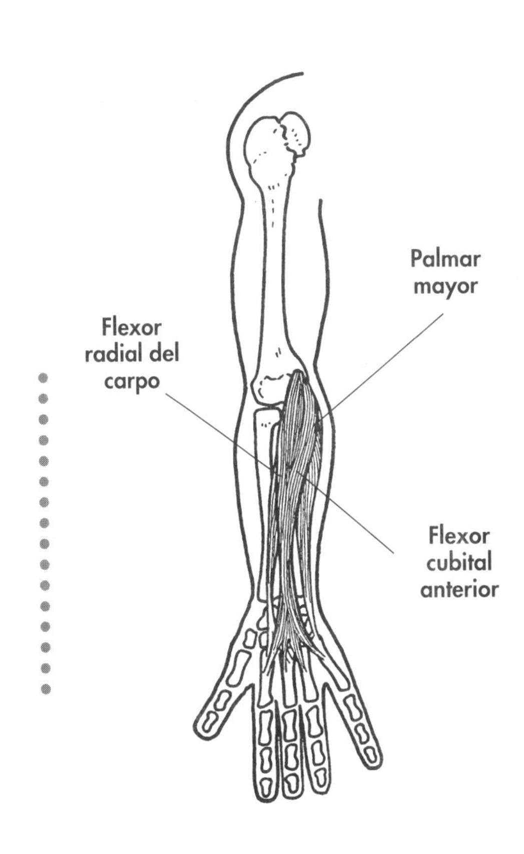

Antebrazo: Flexor radial del carpo - palmar mayor - flexor cubital anterior

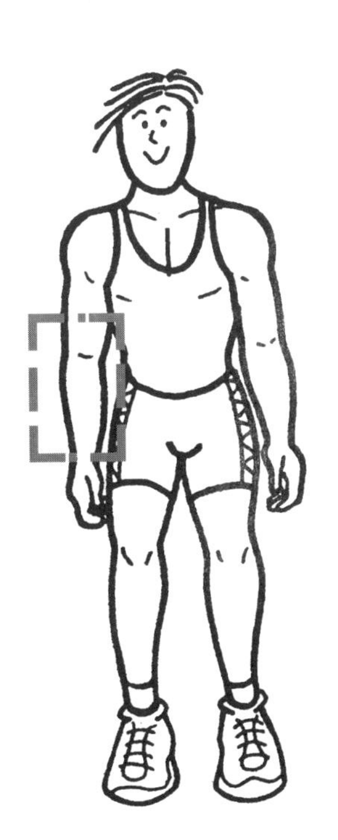

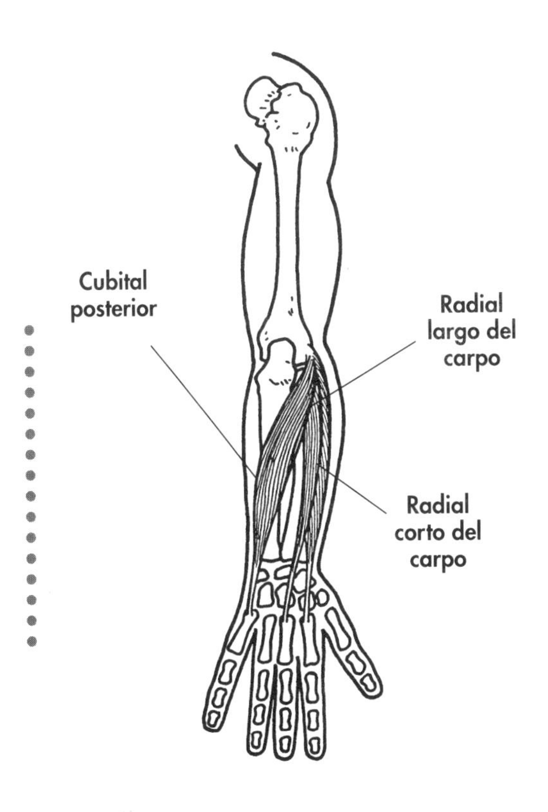

GRUPO MUSCULAR

Músculos de la articulación de la muñeca. Músculos del antebrazo

Ejercicios con gomas elásticas

Musculatura solicitada: flexor radial del carpo, palmar mayor, flexor cubital anterior.

Descripción del ejercicio:
Posición inicial: de pie, en posición básica, con los codos ligeramente flexionados y las muñecas en extensión, pisamos la goma elástica y con las manos en presa palmar (supinadas) la agarramos por sus asas.
Movimiento: flexionar las muñecas hasta su máximo recorrido articular y volver a la posición inicial.
Aspectos a considerar:
Las muñecas deben estar en extensión en el momento de empezar el movimiento para conseguir un recorrido más amplio.
No flexionar ni extender los codos durante el movimiento.

Musculatura solicitada: flexor radial del carpo, palmar mayor, flexor cubital anterior.

Descripción del ejercicio:
Posición inicial: de pie, en posición básica y frente a la espaldera, pasamos la goma elástica por uno de sus barrotes superiores y con las muñecas en extensión y las manos pronadas la agarramos por sus asas (presa dorsal).
Movimiento: flexionar las muñecas hasta su máximo recorrido articular y volver a la posición inicial.
Aspectos a considerar:
Las muñecas deben estar en extensión en el momento de empezar el movimiento para conseguir un recorrido más amplio.
No flexionar ni extender los codos durante el movimiento.

Musculatura solicitada: flexor radial del carpo, palmar mayor, flexor cubital anterior.

Descripción del ejercicio:
Posición inicial: sentados sobre un estep, apoyamos los antebrazos sobre los muslos y con las muñecas en extensión enrollamos en los pies la goma elástica y la agarramos por sus asas (presa palmar).

Movimiento: flexionar las muñecas hasta su máximo recorrido articular y volver a la posición inicial.

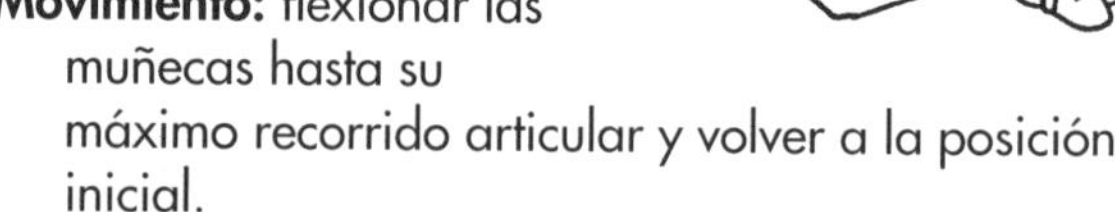

Aspectos a considerar:
Las muñecas deben estar en extensión en el momento de empezar el movimiento para conseguir un recorrido más amplio.
No levantar los antebrazos de los muslos durante el movimiento.
Las muñecas deben colocarse a la altura de la rodilla de forma que puedan extenderse completamente.

Musculatura solicitada: flexor radial del carpo, palmar mayor, flexor cubital anterior.

Descripción del ejercicio:
Posición inicial: de pie, en posición básica, con los codos ligeramente flexionados y las muñecas en extensión, pisamos la goma elástica y agarramos sus asas y una pica con las manos en presa palmar (supinadas).

Movimiento: flexionar las muñecas hasta su máximo recorrido articular y volver a la posición inicial.

Aspectos a considerar:
Las muñecas deben estar en extensión en el momento de empezar el movimiento para conseguir un recorrido más amplio.
No flexionar ni extender los codos durante el movimiento.

Musculatura solicitada: flexor radial del carpo, palmar mayor, flexor cubital anterior.

Descripción del ejercicio:

Posición inicial: de pie, en posición básica y frente a la espaldera, pasamos la goma elástica por uno de sus barrotes inferiores y con las muñecas en extensión y las manos supinadas la agarramos por sus asas (presa palmar).

Movimiento: flexionar las muñecas hasta su máximo recorrido articular y volver a la posición inicial.

Aspectos a considerar:
Las muñecas deben estar en extensión en el momento de empezar el movimiento para conseguir un recorrido más amplio.
No flexionar ni extender los codos durante el movimiento.

Musculatura solicitada: cubital posterior, radial corto del carpo, radial largo del carpo.

Descripción del ejercicio:

Posición inicial: de pie, en posición básica, con los codos ligeramente flexionados y las muñecas en flexión, pisamos la goma elástica y con las manos pronadas (presa dorsal) la agarramos por sus asas.

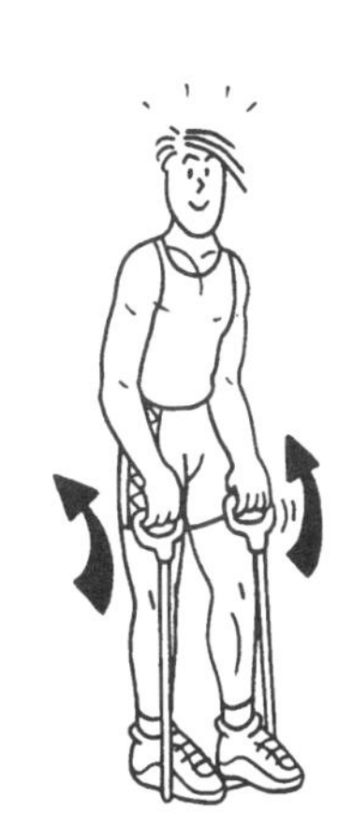

Movimiento: extender las muñecas hasta su máximo recorrido articular y volver a la posición inicial.

Aspectos a considerar:
Las muñecas deben estar en flexión en el momento de empezar el movimiento para conseguir un recorrido más amplio.
No flexionar ni extender los codos durante el movimiento.

Musculatura solicitada: cubital posterior, radial corto del carpo, radial largo del carpo.

Descripción del ejercicio:

Posición inicial: de pie, en posición básica y frente a la espaldera, pasamos la goma elástica por uno de sus barrotes superiores y con las muñecas en flexión y las manos supinadas la agarramos por sus asas (presa palmar).

Movimiento: extender las muñecas hasta su máximo recorrido articular y volver a la posición inicial.

Aspectos a considerar:
Las muñecas deben estar en flexión en el momento de empezar el movimiento para conseguir un recorrido más amplio.
No flexionar ni extender los codos durante el movimiento.

Musculatura solicitada: cubital posterior, radial corto del carpo, radial largo del carpo.

Descripción del ejercicio:
Posición inicial: sentados sobre un estep, apoyamos los antebrazos sobre los muslos y con las muñecas en flexión enrollamos la goma elástica en los pies y la agarramos por sus asas (presa dorsal).

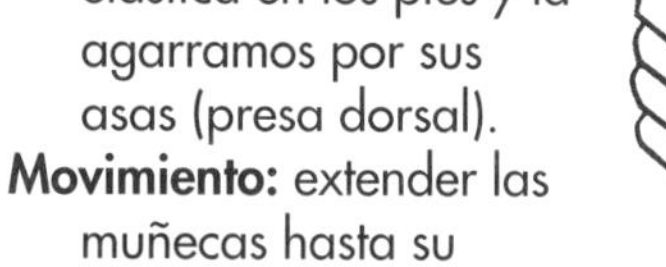

Movimiento: extender las muñecas hasta su máximo recorrido articular y volver a la posición inicial.
Aspectos a considerar:
Las muñecas deben estar en flexión en el momento de empezar el movimiento para conseguir un recorrido más amplio.
No levantar los antebrazos de los muslos durante el movimiento.
Las muñecas deben colocarse a la altura de la rodilla de forma que puedan flexionarse completamente en la posición inicial.

Musculatura solicitada: cubital posterior, radial corto del carpo, radial largo del carpo.

Descripción del ejercicio:
Posición inicial: de pie, en posición básica, con los codos ligeramente flexionados y las muñecas en flexión, pisamos la goma elástica y agarramos sus asas y una pica con las manos en presa dorsal (pronadas).
Movimiento: extender las muñecas hasta su máximo recorrido articular y volver a la posición inicial.
Aspectos a considerar:
Las muñecas deben estar en flexión en el momento de empezar el movimiento para conseguir un recorrido más amplio.
No flexionar ni extender los codos durante el movimiento.

Musculatura solicitada: cubital posterior, radial corto del carpo, radial largo del carpo.

Descripción del ejercicio:
Posición inicial: de pie, en posición básica y frente a la espaldera, pasamos la goma elástica por uno de sus barrotes inferiores y con las muñecas en flexión y las manos pronadas la agarramos por sus asas (presa dorsal).
Movimiento: extender las muñecas hasta su máximo recorrido articular y volver a la posición inicial.
Aspectos a considerar:
Las muñecas deben estar en flexión en el momento de empezar el movimiento para conseguir un recorrido más amplio.
No flexionar ni extender los codos durante el movimiento.

Musculatura solicitada: cubital posterior, radial corto del carpo, radial largo del carpo.

Descripción del ejercicio:
Posición inicial: de pie, en posición básica, con los codos ligeramente flexionados, las manos supinadas y las muñecas en aducción (flexión cubital), enrollamos la goma elástica alrededor de las manos y la agarramos por sus asas.
Movimiento: abducir (flexión radial) las muñecas hasta llegar a su máximo recorrido articular.

Aspectos a considerar:
Mantener los codos flexionados a 90° y los antebrazos paralelos entre sí.

Fijar los codos en los laterales del tronco para ayudar a mantener los antebrazos fijos.

Musculatura solicitada: cubital posterior, radial corto del carpo, radial largo del carpo.

Descripción del ejercicio:
Posición inicial: sentados sobre un estep, apoyamos los antebrazos (semipronados) sobre los muslos y con las muñecas en aducción (flexión cubital) enrollamos en los pies la goma elástica y la agarramos por sus asas.

Movimiento: abducir las muñecas hasta su máximo recorrido articular y volver a la posición inicial.
Aspectos a considerar:
Las muñecas deben estar en aducción en el momento de empezar el movimiento para conseguir un recorrido más amplio.
No levantar los antebrazos de los muslos durante el movimiento.
Las muñecas deben colocarse a la altura de la rodilla de forma que puedan aducirse completamente.

Musculatura solicitada: cubital posterior, radial corto del carpo, radial largo del carpo.

Descripción del ejercicio:
Posición inicial: de pie, en posición básica, con los codos flexionados a 90°, los antebrazos supinados y con las muñecas en aducción (flexión cubital), pisamos la goma elástica y con las manos, la sujetamos por sus asas.
Movimiento: abducir las muñecas hasta su máximo recorrido articular y volver a la posición inicial.
Aspectos a considerar:
Las muñecas deben estar en aducción en el momento de empezar el movimiento para conseguir un recorrido más amplio.
No flexionar ni extender los codos durante el movimiento.
Apoyar los codos en el tronco para ayudar a aislar el movimiento.

Musculatura solicitada: flexor radial del carpo, palmar mayor, flexor cubital anterior.

Descripción del ejercicio:
Posición inicial: de pie, en posición básica, con los codos ligeramente flexionados, las manos pronadas y las muñecas en abducción (flexión radial), enrollamos la goma elástica alrededor de las manos y la agarramos por sus asas.

Movimiento: aducir (flexión cubital) las muñecas hasta llegar a su máximo recorrido articular.
Aspectos a considerar:
Mantener los codos flexionados a 90° y los antebrazos paralelos entre sí.
Fijar los codos en los laterales del tronco para ayudar a mantener los antebrazos fijos.

Musculatura solicitada: flexor radial del carpo, palmar mayor, flexor cubital anterior.

Descripción del ejercicio:
Posición inicial: de pie, en posición básica, pasamos la goma elástica por uno de sus barrotes superiores y con los codos flexionados a 90°, las muñecas semipronadas y las manos abducidas, agarramos las asas de la goma.

Movimiento: aducir (flexión cubital) las muñecas hasta llegar a su máximo recorrido articular)

Aspectos a considerar:

Mantener los codos flexionados a 90° y los antebrazos paralelos entre sí.

Fijar los codos en los laterales del tronco para ayudar a mantener los antebrazos fijos.

Ejercicios con bandas elásticas

Musculatura solicitada: flexor radial del carpo, palmar mayor, flexor cubital anterior.

Descripción del ejercicio:

Posición inicial: de pie, en posición básica, con los codos ligeramente flexionados y las muñecas en extensión, pisamos la banda elástica y con las manos en presa palmar (supinadas) la agarramos por sus extremos.

Movimiento: flexionar las muñecas hasta su máximo recorrido articular y volver a la posición inicial.

Aspectos a considerar:

Las muñecas deben estar en extensión en el momento de empezar el movimiento para conseguir un recorrido más amplio.

No flexionar ni extender los codos durante el movimiento.

Musculatura solicitada: flexor radial del carpo, palmar mayor, flexor cubital anterior.

Descripción del ejercicio:

Posición inicial: de pie, en posición básica y frente a la espaldera, pasamos la banda elástica por uno de sus barrotes superiores y con las muñecas en extensión y las manos pronadas la agarramos por sus extremos (presa dorsal).

Movimiento: flexionar las muñecas hasta su máximo recorrido articular y volver a la posición inicial.

Aspectos a considerar:

Las muñecas deben estar en extensión en el momento de empezar el movimiento para conseguir un recorrido más amplio.

No flexionar ni extender los codos durante el movimiento.

Musculatura solicitada: flexor radial del carpo, palmar mayor, flexor cubital anterior.

Descripción del ejercicio:

Posición inicial: sentados sobre un estep, apoyamos los antebrazos sobre los muslos y con las muñecas en extensión enrollamos en los pies la banda elástica y la agarramos por sus extremos (presa palmar).

Movimiento: flexionar las muñecas hasta su máximo recorrido articular y volver a la posición inicial.

Aspectos a considerar:

Las muñecas deben estar en extensión en el momento de empezar el movimiento para conseguir un recorrido más amplio.

No levantar los antebrazos de los muslos durante el movimiento.

Las muñecas deben colocarse a la altura de la rodilla de forma que puedan extenderse completamente.

Musculatura solicitada: flexor radial del carpo, palmar mayor, flexor cubital anterior.

Descripción del ejercicio:

Posición inicial: de pie, en posición básica, con los codos ligeramente flexionados y las muñecas en extensión, pisamos la banda elástica y agarramos sus extremos y una pica con las manos en presa palmar (supinadas).

Movimiento: flexionar las muñecas hasta su máximo recorrido articular y volver a la posición inicial.

Aspectos a considerar:

Las muñecas deben estar en extensión en el momento de empezar el movimiento para conseguir un recorrido más amplio.

No flexionar ni extender los codos durante el movimiento.

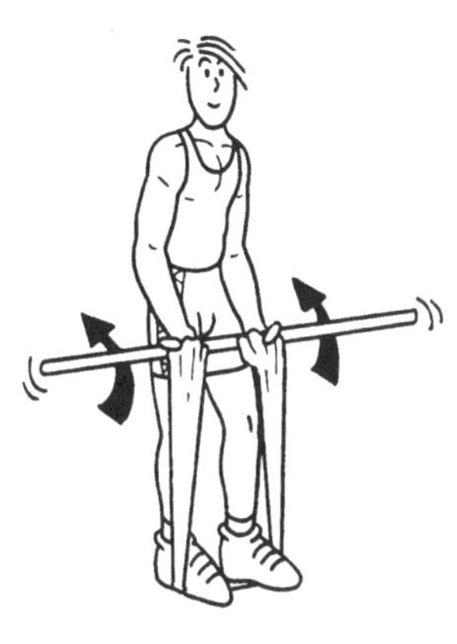

Musculatura solicitada: flexor radial del carpo, palmar mayor, flexor cubital anterior.

Descripción del ejercicio:

Posición inicial: de pie, en posición básica y frente a la espaldera, pasamos la banda elástica por uno de sus barrotes inferiores y con las muñecas en extensión y las manos supinadas la agarramos por sus extremos (presa palmar).

Movimiento: flexionar las muñecas hasta su máximo recorrido articular y volver a la posición inicial.

Aspectos a considerar:

Las muñecas deben estar en extensión en el momento de empezar el movimiento para conseguir un recorrido más amplio.

No flexionar ni extender los codos durante el movimiento.

Musculatura solicitada: cubital posterior, radial corto de carpo, radial largo del carpo.

Descripción del ejercicio:

Posición inicial: de pie, en posición básica, con los codos ligeramente flexionados y las muñecas en flexión, pisamos la banda elástica y con las manos en presa dorsal (pronadas) la agarramos por sus extremos.

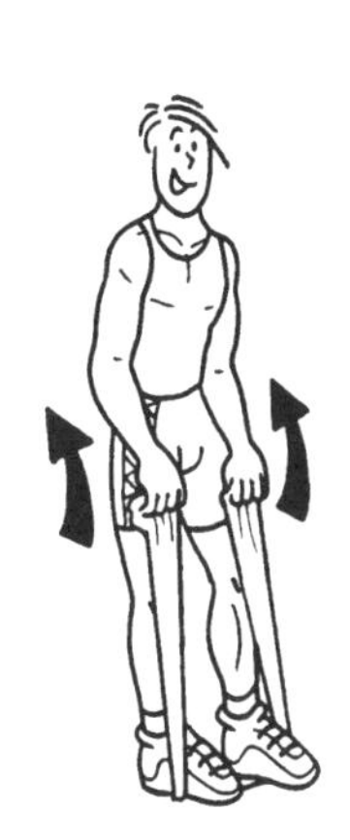

Movimiento: extender las muñecas hasta su máximo recorrido articular y volver a la posición inicial.

Aspectos a considerar:

Las muñecas deben estar en flexión en el momento de empezar el movimiento para conseguir un recorrido más amplio.

No flexionar ni extender los codos durante el movimiento.

Musculatura solicitada: cubital posterior, radial corto del carpo, radial largo del carpo.

Descripción del ejercicio:

Posición inicial: de pie, en posición básica y frente a la espaldera, pasamos la banda elástica por uno de sus barrotes superiores y con las muñecas en flexión y las manos supinadas la agarramos por sus extremos (presa palmar).

Movimiento: extender las muñecas hasta su máximo recorrido articular y volver a la posición inicial.

Aspectos a considerar:

Las muñecas deben estar en flexión en el momento de empezar el movimiento para conseguir un recorrido más amplio.

No flexionar ni extender los codos durante el movimiento.

Musculatura solicitada: cubital posterior, radial corto del carpo, radial largo del carpo.

Descripción del ejercicio:
Posición inicial: sentados sobre un estep, apoyamos los antebrazos sobre los muslos y con las muñecas en flexión enrollamos la banda elástica en los pies y la agarramos por sus extremos (presa dorsal).

Movimiento: extender las muñecas hasta su máximo recorrido articular y volver a la posición inicial.
Aspectos a considerar:
Las muñecas deben estar en flexión en el momento de empezar el movimiento para conseguir un recorrido más amplio.
No levantar los antebrazos de los muslos durante el movimiento.
Las muñecas deben colocarse a la altura de la rodilla de forma que puedan flexionarse completamente en la posición inicial.

Musculatura solicitada: cubital posterior, radial corto del carpo, radial largo del carpo.

Descripción del ejercicio:
Posición inicial: de pie, en posición básica, con los codos ligeramente flexionados y las muñecas en flexión, pisamos la banda elástica y agarramos sus extremos y una pica con las manos en presa dorsal (pronadas).

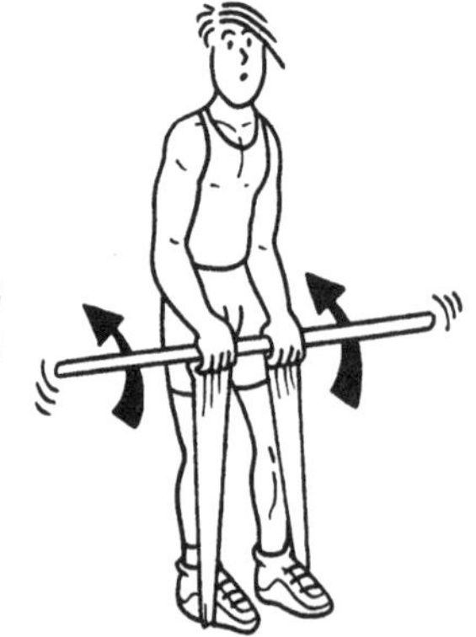

Movimiento: extender las muñecas hasta su máximo recorrido articular y volver a la posición inicial.
Aspectos a considerar:
Las muñecas deben estar en flexión en el momento de empezar el movimiento para conseguir un recorrido más amplio.
No flexionar ni extender los codos durante el movimiento.

Musculatura solicitada: cubital posterior, radial corto del carpo, radial largo del carpo.

Descripción del ejercicio:
Posición inicial: de pie, en posición básica y frente a la espaldera, pasamos la banda elástica por uno de sus barrotes inferiores y con las muñecas en flexión y las manos pronadas la agarramos por sus extremos (presa dorsal).
Movimiento: extender las muñecas hasta su máximo recorrido articular y volver a la posición inicial.
Aspectos a considerar:
Las muñecas deben estar en flexión en el momento de empezar el movimiento para conseguir un recorrido más amplio.
No flexionar ni extender los codos durante el movimiento.

Musculatura solicitada: cubital posterior, radial corto del carpo, radial largo del carpo.

Descripción del ejercicio:
Posición inicial: de pie, en posición básica, con los codos ligeramente flexionados, las manos supinadas y las muñecas en aducción (flexión cubital), enrollamos la banda elástica alrededor de las manos y la sujetamos por sus extremos.

Movimiento: abducir (flexión radial) las muñecas hasta llegar a su máximo recorrido articular.

Aspectos a considerar:
Mantener los codos flexionados a 90° y los antebrazos paralelos entre sí.
Fijar los codos en los laterales del tronco para ayudar a mantener los antebrazos fijos.

Musculatura solicitada: cubital posterior, radial corto del carpo, radial largo del carpo.

Descripción del ejercicio:
Posición inicial: sentados sobre un estep, apoyamos los antebrazos (semipronados) sobre los muslos y con las muñecas en aducción (flexión cubital) enrollamos en los pies la banda elástica y la agarramos por sus extremos.

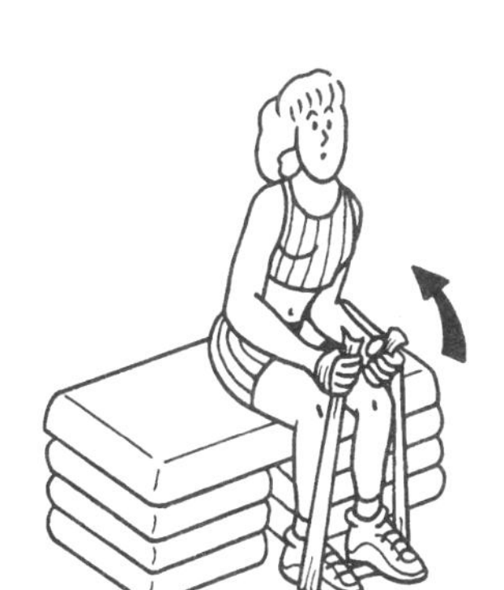

Movimiento: abducir las muñecas hasta su máximo recorrido articular y volver a la posición inicial.

Aspectos a considerar:
Las muñecas deben estar en aducción en el momento de empezar el movimiento para conseguir un recorrido más amplio.
No levantar los antebrazos de los muslos durante el movimiento.
Las muñecas deben colocarse a la altura de la rodilla de forma que puedan aducirse completamente.

Musculatura solicitada: cubital posterior, radial corto del carpo, radial largo del carpo.

Descripción del ejercicio:
Posición inicial: de pie, en posición básica, con los codos flexionados a 90°, los antebrazos semipronados y con las muñecas en aducción (flexión cubital), pisamos la banda elástica y con las manos, la agarramos por sus extremos.

Movimiento: abducir las muñecas hasta su máximo recorrido articular y volver a la posición inicial.

Aspectos a considerar:
Las muñecas deben estar en aducción en el momento de empezar el movimiento para conseguir un recorrido más amplio.
No flexionar ni extender los codos durante el movimiento.
Apoyar los codos en el tronco para ayudar a aislar el movimiento.

Musculatura solicitada: flexor radial del carpo, palmar mayor, flexor cubital anterior.

Descripción del ejercicio:
Posición inicial: de pie, en posición básica, con los codos ligeramente flexionados, las manos pronadas y las muñecas en abducción (flexión radial), enrollamos la banda elástica alrededor de las manos y la agarramos por sus extremos.

Movimiento: aducir (flexión cubital) las muñecas hasta llegar a su máximo recorrido articular.

Aspectos a considerar:
Mantener los codos flexionados a 90° y los antebrazos paralelos entre sí.
Fijar los codos en los laterales del tronco para ayudar a mantener los antebrazos fijos.

Musculatura solicitada: flexor radial del carpo, palmar mayor, flexor cubital anterior.

Descripción del ejercicio:
Posición inicial: de pie, en posición básica, pasamos la banda elástica por uno de sus barrotes superiores y con los codos flexionados a 90°, las muñecas semipronadas y las manos abducidas, agarramos los extremos de la banda.
Movimiento: aducir (flexión cubital) las muñecas hasta llegar a su máximo recorrido articular.
Aspectos a considerar:
Mantener los codos flexionados a 90° y los antebrazos paralelos entre sí.
Fijar los codos en los laterales del tronco para ayudar a mantener los antebrazos fijos.

Ejercicios con mancuernas

Musculatura solicitada: flexor radial del carpo, palmar mayor, flexor cubital anterior.

Descripción del ejercicio:
Posición inicial: de pie, en posición básica, con los codos ligeramente flexionados, las muñecas en extensión y las manos en presa palmar (supinadas), agarramos una mancuerna con cada mano.
Movimiento: flexionar las muñecas hasta su máximo recorrido articular y volver a la posición inicial.
Aspectos a considerar:
Las muñecas deben estar en extensión en el momento de empezar el movimiento para conseguir un recorrido más amplio.
No flexionar ni extender los codos durante el movimiento.

Musculatura solicitada: flexor radial del carpo, palmar mayor, flexor cubital anterior.

Descripción del ejercicio:
Posición inicial: sentados sobre un estep, apoyamos los antebrazos sobre los muslos y con las muñecas en extensión y las manos supinadas agarramos una mancuerna con cada mano.
Movimiento: flexionar las muñecas hasta su máximo recorrido articular y volver a la posición inicial.

Aspectos a considerar:
Las muñecas deben estar en extensión en el momento de empezar el movimiento para conseguir un recorrido más amplio.
No levantar los antebrazos de los muslos durante el movimiento.
Las muñecas deben colocarse a la altura de la rodilla de forma que puedan extenderse completamente.

Musculatura solicitada: cubital posterior, radial corto del carpo, radial largo del carpo.

Descripción del ejercicio:
Posición inicial: de pie, en posición básica, con los codos ligeramente flexionados y las muñecas en flexión, agarramos las mancuernas con las manos en presa dorsal (pronadas).
Movimiento: extender las muñecas hasta su máximo recorrido articular y volver a la posición inicial.

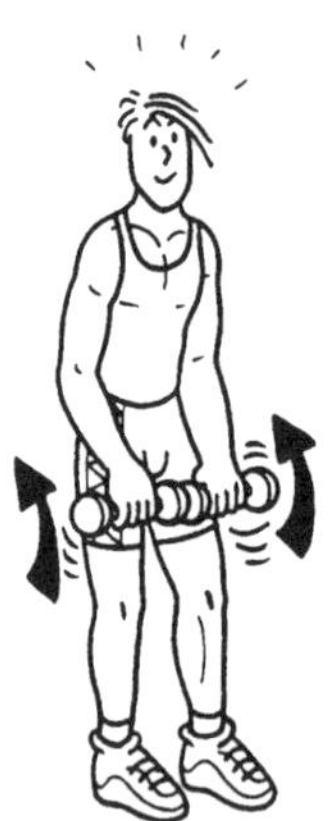

Aspectos a considerar:
Las muñecas deben estar en flexión en el momento de empezar el movimiento para conseguir un recorrido más amplio.
No flexionar ni extender los codos durante el movimiento.

Musculatura solicitada: cubital posterior, radial corto del carpo, radial largo del carpo.

Descripción del ejercicio:
Posición inicial: sentados sobre un estep, apoyamos los antebrazos sobre los muslos y con las muñecas flexionadas y las manos pronadas (presa dorsal) agarramos una mancuerna con cada mano.

Movimiento: extender las muñecas hasta su máximo recorrido articular y volver a la posición inicial.

Aspectos a considerar:

Las muñecas deben estar en flexión en el momento de empezar el movimiento para conseguir un recorrido más amplio.

No levantar los antebrazos de los muslos durante el movimiento.

Las muñecas deben colocarse a la altura de la rodilla de forma que puedan flexionarse completamente en la posición inicial.

Musculatura solicitada: cubital posterior, radial corto del carpo, radial largo del carpo.

Descripción del ejercicio:

Posición inicial: sentados sobre un estep, apoyamos los antebrazos (semipronados) sobre los muslos y con las muñecas en aducción (flexión cubital) agarramos una mancuerna con cada mano.

Movimiento: abducir las muñecas hasta su máximo recorrido articular y volver a la posición inicial.

Aspectos a considerar:

Las muñecas deben estar en aducción en el momento de empezar el movimiento para conseguir un recorrido más amplio.

No levantar los antebrazos de los muslos durante el movimiento.

Las muñecas deben colocarse a la altura de la rodilla de forma que puedan aducirse completamente en la posición inicial.

Musculatura solicitada: cubital posterior, radial corto del carpo, radial largo del carpo.

Descripción del ejercicio:

Posición inicial: de pie, en posición básica, con los codos flexionados a 90°, los antebrazos semipronados y con las muñecas en aducción (flexión cubital), agarramos una mancuerna con cada mano.

Movimiento: abducir las muñecas hasta su máximo recorrido articular y volver a la posición inicial.

Aspectos a considerar:

Las muñecas deben estar en aducción en el momento de empezar el movimiento para conseguir un recorrido más amplio.

No flexionar ni extender los codos durante el movimiento.

Apoyar los codos en el tronco para ayudar a aislar el movimiento.

Musculatura solicitada: flexor radial del carpo, palmar mayor, flexor cubital anterior.

Descripción del ejercicio:

Posición inicial: tumbados boca arriba, con los hombros y los codos flexionados a 90°, los antebrazos semipronados y las muñecas en abducción, agarramos una mancuerna con cada mano.

Movimiento: aducir (flexión cubital) las muñecas hasta llegar a su máximo recorrido articular.

Aspectos a considerar:

Mantener los codos flexionados a 90° y los antebrazos paralelos entre sí.

No extender los codos durante el movimiento.

Ejercicios combinados con diferentes materiales

Musculatura solicitada: flexor radial del carpo, palmar mayor, flexor cubital anterior.

Descripción del ejercicio:

Posición inicial: de pie, en posición básica, con los codos ligeramente flexionados y las muñecas en extensión, pisamos la goma elástica y con las manos en presa palmar (supinadas) agarramos sus asas y una barra.

Movimiento: flexionar las muñecas hasta su máximo recorrido articular y volver a la posición inicial.

Aspectos a considerar:

Las muñecas deben estar en extensión en el momento de empezar el movimiento para conseguir un recorrido más amplio.

No flexionar ni extender los codos durante el movimiento.

Musculatura solicitada: flexor radial del carpo, palmar mayor, flexor cubital anterior.

Descripción del ejercicio:

Posición inicial: de pie, en posición básica y frente a la espaldera, pasamos la goma elástica por uno de sus barrotes superiores y con las muñecas en extensión y las manos pronadas agarramos sus asas y una barra (presa dorsal).

Movimiento: flexionar las muñecas hasta su máximo recorrido articular y volver a la posición inicial.

Aspectos a considerar:

Las muñecas deben estar en extensión en el momento de empezar el movimiento para conseguir un recorrido más amplio.

No flexionar ni extender los codos durante el movimiento.

Musculatura solicitada: flexor radial del carpo, palmar mayor, flexor cubital anterior.

Descripción del ejercicio:

Posición inicial: sentados sobre un estep, apoyamos los antebrazos sobre los muslos y con las muñecas en extensión enrollamos en los pies la goma elástica y agarramos sus asas y una barra (presa palmar).

Movimiento: flexionar las muñecas hasta su máximo recorrido articular y volver a la posición inicial.

Aspectos a considerar:

Las muñecas deben estar en extensión en el momento de empezar el movimiento para conseguir un recorrido más amplio.

No levantar los antebrazos de los muslos durante el movimiento.

Las muñecas deben colocarse a la altura de la rodilla de forma que puedan extenderse completamente en la posición inicial.

Musculatura solicitada: flexor radial del carpo, palmar mayor, flexor cubital anterior.

Descripción del ejercicio:

Posición inicial: de pie, en posición básica y frente a la espaldera, pasamos la goma elástica por uno de sus barrotes inferiores y con las muñecas en extensión y las manos supinadas agarramos sus asas y una barra (presa palmar).

Movimiento: flexionar las muñecas hasta su máximo recorrido articular y volver a la posición inicial.

Aspectos a considerar:

Las muñecas deben estar en extensión en el momento de empezar el movimiento para conseguir un recorrido más amplio.

No flexionar ni extender los codos durante el movimiento.

Musculatura solicitada: cubital posterior, radial corto del carpo, radial largo del carpo.

Descripción del ejercicio:

Posición inicial: de pie, en posición básica, con los codos ligeramente flexionados y las muñecas en flexión, pisamos la goma elástica y con las manos en presa dorsal (pronadas) agarramos sus asas y la barra.

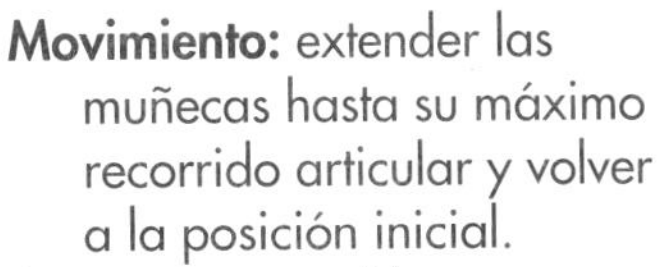

Movimiento: extender las muñecas hasta su máximo recorrido articular y volver a la posición inicial.

Aspectos a considerar:

Las muñecas deben estar en flexión en el momento de empezar el movimiento para conseguir un recorrido más amplio.

No flexionar ni extender los codos durante el movimiento.

Musculatura solicitada: cubital posterior, radial corto del carpo, radial largo del carpo.

Descripción del ejercicio:

Posición inicial: de pie, en posición básica y frente a la espaldera, pasamos la goma elástica por uno de sus barrotes superiores y con las muñecas en flexión y las manos supinadas agarramos sus asas y la barra (presa palmar).

Movimiento: extender las muñecas hasta su máximo recorrido articular y volver a la posición inicial.

Aspectos a considerar:

Las muñecas deben estar en flexión en el momento de empezar el movimiento para conseguir un recorrido más amplio.

No flexionar ni extender los codos durante el movimiento.

La barra en este ejercicio disminuye la intensidad del ejercicio facilitando el movimiento.

Musculatura solicitada: cubital posterior, radial corto del carpo, radial largo del carpo.

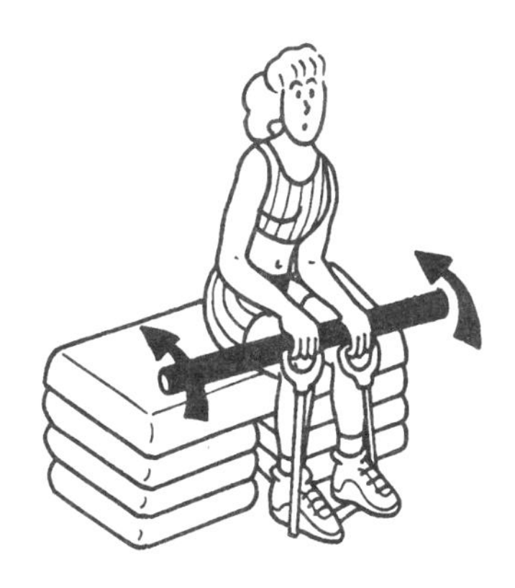

Descripción del ejercicio:

Posición inicial: sentados sobre un estep, apoyamos los antebrazos sobre los muslos y con las muñecas en flexión, enrollamos la goma elástica en los pies y agarramos sus asas y la barra con las manos (presa dorsal).

Movimiento: extender las muñecas hasta su máximo recorrido articular y volver a la posición inicial.

Aspectos a considerar:

Las muñecas deben estar en flexión en el momento de empezar el movimiento para conseguir un recorrido más amplio.

No levantar los antebrazos de los muslos durante el movimiento.

Las muñecas deben colocarse a la altura de la rodilla de forma que puedan flexionarse completamente en la posición inicial.

Musculatura solicitada: cubital posterior, radial corto del carpo, radial largo del carpo.

Descripción del ejercicio:

Posición inicial: de pie, en posición básica y frente a la espaldera, pasamos la goma elástica por uno de sus barrotes inferiores y con las muñecas en flexión y las manos supinales agarramos sus asas y la barra (presa palmar).

Movimiento: extender las muñecas hasta su máximo recorrido articular y volver a la posición inicial.

Aspectos a considerar:

Las muñecas deben estar en flexión en el momento de empezar el movimiento para conseguir un recorrido más amplio.

No flexionar ni extender los codos durante el movimiento.

Musculatura solicitada: flexor radial del carpo, palmar mayor, flexor cubital anterior.

Descripción del ejercicio:

Posición inicial: de pie, en posición básica, con los codos ligeramente flexionados y las muñecas en extensión, pisamos la goma elástica y con las manos en presa palmar (supinadas) agarramos sus asas y una mancuerna con cada mano.

Movimiento: flexionar las muñecas hasta su máximo recorrido articular y volver a la posición inicial.

Aspectos a considerar:

Las muñecas deben estar en extensión en el momento de empezar el movimiento para conseguir un recorrido más amplio.

No flexionar ni extender los codos durante el movimiento.

Musculatura solicitada: flexor radial del carpo, palmar mayor, flexor cubital anterior.

Descripción del ejercicio:

Posición inicial: de pie, en posición básica y frente a la espaldera, pasamos la goma elástica por uno de sus barrotes superiores y con las muñecas en extensión y las manos pronadas agarramos sus asas y una mancuerna con cada mano (presa dorsal).

Movimiento: flexionar las muñecas hasta su máximo recorrido articular y volver a la posición inicial.

Aspectos a considerar:

Las muñecas deben estar en extensión en el momento de empezar el movimiento para conseguir un recorrido más amplio.

No flexionar ni extender los codos durante el movimiento.

Musculatura solicitada: flexor radial del carpo, palmar mayor, flexor cubital anterior.

Descripción del ejercicio:
Posición inicial: sentados sobre un estep, apoyamos los antebrazos sobre los muslos y con las muñecas en extensión enrollamos en los pies la goma elástica y agarramos sus asas y las mancuernas con las manos (presa palmar).
Movimiento: flexionar las muñecas hasta su máximo recorrido articular y volver a la posición inicial.
Aspectos a considerar:
Las muñecas deben estar en extensión en el momento de empezar el movimiento para conseguir un recorrido más amplio.
No levantar los antebrazos de los muslos durante el movimiento.
Las muñecas deben colocarse a la altura de la rodilla de forma que puedan extenderse completamente.

Musculatura solicitada: flexor radial del carpo, palmar mayor, flexor cubital anterior.

Descripción del ejercicio:
Posición inicial: de pie, en posición básica y frente a la espaldera, pasamos la goma elástica por uno de sus barrotes inferiores y con las muñecas en extensión y las manos supinadas agarramos sus asas y las mancuernas (presa palmar).
Movimiento: flexionar las muñecas hasta su máximo recorrido articular y volver a la posición inicial.
Aspectos a considerar:
Las muñecas deben estar en extensión en el momento de empezar el movimiento para conseguir un recorrido más amplio.
No flexionar ni extender los codos durante el movimiento.

Musculatura solicitada: cubital posterior, radial corto del carpo, radial largo del carpo.

Descripción del ejercicio:

Posición inicial: de pie, en posición básica, con los codos ligeramente flexionados y las muñecas en flexión, pisamos la goma elástica y con las manos pronadas (presa dorsal) agarramos sus asas y las mancuernas.
Movimiento: extender las muñecas hasta su máximo recorrido articular y volver a la posición inicial.
Aspectos a considerar:
Las muñecas deben estar en flexión en el momento de empezar el movimiento para conseguir un recorrido más amplio.
No flexionar ni extender los codos durante el movimiento.

Musculatura solicitada: cubital posterior, radial corto del carpo, radial largo del carpo.

Descripción del ejercicio:
Posición inicial: de pie, en posición básica y frente a la espaldera, pasamos la goma elástica por uno de sus barrotes superiores y con las muñecas en flexión y las manos supinadas agarramos sus asas y las mancuernas (presa palmar).
Movimiento: extender las muñecas hasta su máximo recorrido articular y volver a la posición inicial.
Aspectos a considerar:
Las muñecas deben estar en flexión en el momento de empezar el movimiento para conseguir un recorrido más amplio.

No flexionar ni extender los codos durante el movimiento.

Musculatura solicitada: cubital posterior, radial corto del carpo, radial largo del carpo.

Descripción del ejercicio:

Posición inicial: sentados sobre un estep, apoyamos los antebrazos sobre los muslos y con las muñecas en flexión enrollamos la goma elástica en los pies y agarramos sus asas y una mancuerna con cada mano (presa dorsal).

Movimiento: extender las muñecas hasta su máximo recorrido articular y volver a la posición inicial.

Aspectos a considerar:

Las muñecas deben estar en flexión en el momento de empezar el movimiento para conseguir un recorrido más amplio.

No levantar los antebrazos de los muslos durante el movimiento.

Las muñecas deben colocarse a la altura de la rodilla de forma que puedan flexionarse completamente en la posición inicial.

Musculatura solicitada: cubital posterior, radial corto del carpo, radial largo del carpo.

Descripción del ejercicio:

Posición inicial: de pie, en posición básica y frente a la espaldera, pasamos la goma elástica por uno de sus barrotes inferiores y con las muñecas en flexión y las manos pronadas agarramos sus asas y las mancuernas (presa dorsal).

Movimiento: extender las muñecas hasta su máximo recorrido articular y volver a la posición inicial.

Aspectos a considerar:

Las muñecas deben estar en flexión en el momento de empezar el movimiento para conseguir un recorrido más amplio.

No flexionar ni extender los codos durante el movimiento.

Musculatura solicitada: cubital posterior, radial corto del carpo, radial largo del carpo.

Descripción del ejercicio:

Posición inicial: de pie, en posición básica, con los codos ligeramente flexionados, las manos supinadas y las muñecas en aducción (flexión cubital), enrollamos la goma elástica alrededor de las manos y agarramos sus asas y las mancuernas.

Movimiento: abducir (flexión radial) las muñecas hasta llegar a su máximo recorrido articular.

Aspectos a considerar:

Mantener los codos flexionados a 90° y los antebrazos paralelos entre sí.

Fijar los codos en los laterales del tronco para ayudar a mantener los antebrazos fijos.

Musculatura solicitada: cubital posterior, radial corto del carpo, radial largo del carpo.

Descripción del ejercicio:

Posición inicial: sentados sobre un estep, apoyamos los antebrazos (semipronados) sobre los muslos y con las muñecas en aducción (flexión cubital) enrollamos en los pies la goma elástica y agarramos sus asas y las mancuernas con las manos.

Movimiento: abducir las muñecas hasta su máximo recorrido articular y volver a la posición inicial.

Aspectos a considerar:
Las muñecas deben estar en aducción en el momento de empezar el movimiento para conseguir un recorrido más amplio.
No levantar los antebrazos de los muslos durante el movimiento.
Las muñecas deben colocarse a la altura de la rodilla de forma que puedan aducirse completamente.

Musculatura solicitada: flexor radial del carpo, palmar mayor, flexor cubital anterior.

Descripción del ejercicio:
Posición inicial: de pie, en posición básica, con los codos ligeramente flexionados, las manos pronadas y las muñecas en abducción (flexión radial), enrollamos la goma elástica alrededor de las manos y agarramos sus asas y las mancuernas.

Movimiento: aducir (flexión cubital) las muñecas hasta llegar a su máximo recorrido articular.

Aspectos a considerar:
Mantener los codos flexionados a 90° y los antebrazos paralelos entre sí.
Fijar los codos en los laterales del tronco para ayudar a mantener los antebrazos fijos.

Musculatura solicitada: flexor radial del carpo, palmar mayor, flexor cubital anterior.

Descripción del ejercicio:
Posición inicial: tumbados boca arriba, pasamos la goma elástica por uno de sus barrotes inferiores y con los hombros y los codos flexionados a 90°, los antebrazos semipronados y las muñecas en abducción agarramos las asas y una mancuerna con cada mano.
Movimiento: aducir (flexión cubital) las muñecas hasta llegar a su máximo recorrido articular.
Aspectos a considerar:
Mantener los codos flexionados 90° y los antebrazos paralelos entre sí.
No extender los codos durante el movimiento.